MÁS

THIRD EDITION

Ana María Pérez-Gironés
Wesleyan University

Virginia Adán-Lifante
University of California, Merced

Mc
Graw
Hill
Education

MÁS, THIRD EDITION

Published by McGraw-Hill Education, 2 Penn Plaza, New York, NY 10121. Copyright © 2019 by McGraw-Hill Education. All rights reserved. Printed in the United States of America. Previous editions © 2014 and 2010. No part of this publication may be reproduced or distributed in any form or by any means, or stored in a database or retrieval system, without the prior written consent of McGraw-Hill Education, including, but not limited to, in any network or other electronic storage or transmission, or broadcast for distance learning.

Some ancillaries, including electronic and print components, may not be available to customers outside the United States.

This book is printed on acid-free paper.

2 3 4 5 6 7 8 9 LMN 21 20 19 18

ISBN 978-0-07-773645-3 (Student Edition)
MHID 0-07-773645-1 (Student Edition)
ISBN 978-1-260-13651-7 (Instructor's Edition)
MHID 1-260-13651-5 (Instructor's Edition)

Senior Portfolio Manager: *Kim Sallee*
Product Developer: *Shaun Bauer*
Marketing Manager: *Jorge Arbujas*
Content Project Managers: *Erin Melloy DeHeck / Amber Bettcher*
Buyer: *Susan K. Culbertson*
Design: *Matt Backhaus*
Content Licensing Specialist: *Melisa Seegmiller*
Cover Image: ©Jean-Pierre Lescourret/Getty Images
Compositor: *Lumina Datamatics, Inc.*

All credits appearing on page or at the end of the book are considered to be an extension of the copyright page.

Library of Congress Cataloging-in-Publication Data

Names: Pérez-Gironés, Ana María, author. | Adán-Lifante, Virginia, author.
Title: Más / Ana María Pérez-Gironés, Virginia Adán-Lifante.
Description: Third edition. | New York, NY : McGraw-Hill Education, [2018] |
    Includes bibliographical references and index.
Identifiers: LCCN 2017036927| ISBN 9780077736453 (pbk. : Student Edition) |
    ISBN 9781260136494 (Instructor's Edition)
Subjects: LCSH: Spanish language—Textbooks for foreign speakers—English. |
    Spanish language—Readers.
Classification: LCC PC4129.E5 P573 2018 | DDC 468.2/421--dc23 LC record available at
    https://lccn.loc.gov/2017036927

mheducation.com/highered

Preface

Students learn best when they are fully engaged. *MÁS* is built on that core principle.

Each component of the *MÁS* experience is designed to spark students' curiosity, support their language growth, and inspire critical thinking. From its image-rich design to its thought-provoking readings and engaging collection of videos and short films, *MÁS* expands students' language skills while also broadening their perspective of the world around them.

In addition to providing intriguing and timely cultural content and a solid review of structures covered in the first year, *MÁS* places a strong emphasis on carefully scaffolded activities that guide students to create with language, ensuring that students benefit from a wealth of opportunities for communication practice, in class and online, and across multiple discourse types.

Through its inclusive approach to diversity, *MÁS* exposes students to varying perspectives and viewpoints, better preparing them to become global citizens. Providing students the tools needed to bridge cultural and social divides, *MÁS* motivates a new generation of students to communicate in Spanish and to explore the richness and diversity of the Spanish-speaking world.

What are the common challenges addressed by *MÁS*?

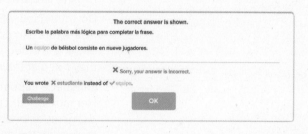

1. Students at the Intermediate level enter with varying degrees of background knowledge. Despite this variation in experience and students' rate of progress, faculty and programs have an expectation that all students achieve communicative benchmarks/goals at the end of the Intermediate course or sequence.
   MÁS, third edition, provides numerous tools to address these concerns, namely:

   - LearnSmart: McGraw-Hill Education's adaptive learning tool has been proven to significantly enhance students' learning and improve course outcomes. LearnSmart provides students with targeted feedback specific to their individual performance, and additional practice in areas where students need help the most, and it supports all of the *MÁS* vocabulary and grammar topics.

   - Well-scaffolded communicative activities: Scaffolding within individual activities and activity sequences throughout the program supports all students in filling in knowledge gaps and making progress from input to output.

   - Clear vocabulary and grammar presentations: With clear presentational content and grammar tutorial videos for additional support, students gain a clear and concise understanding of the concepts they need to complete the tasks that follow.

   - Task-based activities: Faculty and students report that the cultural and contextual-based activities integrated throughout *MÁS* provide students with real-world applicable language skills that engage students and prepare them for Spanish use outside a classroom setting.

■ ACTIVIDAD 3 Gabriel García Márquez, el escritor del amor, la familia y la soledad

Paso 1 A continuación aparecen algunos momentos importantes de la vida del gran escritor colombiano Gabriel García Márquez. Los verbos están en el presente histórico. Cámbialos al pretérito.

1927 **Nace** Gabriel García Márquez ('Gabo' para los amigos) en Aracataca, Colombia. **Es** el primero de once hermanos.

1932 Sus padres se **mudan** a Sucre, donde **nacen** la mayoría de sus hermanos, pero él se **queda** a vivir con sus abuelos maternos. Ese mismo año García Márquez **aprende** a escribir y se **enamora** de su profesora, Rosa Elena Fergusson.

1947 Se **muda** a Bogotá para estudiar derecho. En ese año **publica** su primer cuento. Nunca se **gradúa** de la universidad.

1954 **Empieza** a trabajar en el periódico *El Espectador* y se **convierte** en un crítico de cine.

1958 **Publica** la novela breve *El coronel no tiene quien le escriba* y se **casa** con Mercedes Barcha.

1959 García Márquez y su esposa Mercedes **tienen** al primero de sus dos hijos.

1966 **Comienza** a escribir *Cien años de soledad*, que **aparece** en 1967.

1982 **Gana** el Premio Nobel de Literatura.

2014 **Muere** en la Ciudad de México.

Paso 2 Ahora, en parejas, siguiendo el modelo de la biografía de García Márquez, dile a tu compañero/a cinco fechas importantes en tu vida, explicando su importancia.

Ejemplo: Nací en 1999.

Para el final del capítulo podré

- hablar sobre las diferentes maneras en que nos podemos identificar como personas: religión, política, grupos deportivos, etcétera
- expresar mi experiencia e intereses universitarios
- describir la rutina diaria
- expresar gustos e intereses
- comparar el sistema universitario de algunos países hispanohablantes y el de mi país
- explicar [...] ntender el papel de la religión en la vid[...]

Now I can
- ☐ talk about religions, political tendencies, sport teams, and other activities that may define a person's sense of belonging
- ☐ talk about my studies and academic interests
- ☐ describe the college systems in Spanish-speaking countries and compare them to mine
- ☐ describe my daily routine
- ☐ express my likes and dislikes
- ☐ talk about major religious tendencies in the Spanish-speaking world and see how they are more or less similar to the ones in my country

- Clear learning objectives and self-checks: Each chapter now has clearly stated learning objectives presented within the chapter opener, along with native speakers modeling performances that meet the objectives. At the end of the chapter, students are presented with a new self-check feature to confirm their progress toward mastery.

- Prerequisite Feature in Connect: Within Connect, instructors can organize assignments and set prerequisites to ensure that students complete activities in the desired order, and they can easily make new content available only upon students' demonstration of mastery in the preceding content. With maximum flexibility, the prerequisite assignment functionality allows instructors to set the minimum score required on one (or more) assignments before a subsequent assignment or assessment is made available, thus helping students to stay focused and not rush ahead prematurely.

- Downloadable eBook and mobile eBook experience: Students and instructors can download the *MÁS* eBook and access all the associated audio and video files on the go, ensuring that learners have the materials they need at their fingertips at all times.

- Language support resources: With our English Grammar Support and Heritage Speaker Support modules, available through Connect, you can assign additional support resources to students who need it most, increasing the opportunities for their success.

2. Programs have increasing difficulty recruiting and retaining students at the intermediate level due to an overall decline in college enrollments and in some cases the lowering or elimination of language requirements. These trends result in departments having to market their language courses to entice students and maintain enrollments. *MÁS,* third edition, helps faculty with this issue by providing the following.

- An integrative cultural approach: Faculty and students describe *MÁS* as presenting language through a cultural lens. This integrated approach motivates and appeals to students as they navigate engaging cultural and historical contexts while they strengthen their language skills. Additionally, many faculty report that *MÁS* presents interesting chapter themes that catch students' attention.

- A focus on real-world language: Throughout *MÁS*, language is consistently demonstrated as used by native speakers. The extensive selections of written and aural input include readings, videos, cartoons, graphs, quotes, and popular sayings from the Spanish-speaking world, serving to ground students in the authentic language experience.

«El mundo es un pañuelo».*
- ¿Qué experiencias has tenido en que pensaste que el mundo es muy pequeño?
- ¿Cómo contribuye la tecnología a hacer nuestro mundo más pequeño?

ENTREVISTA

Rosa Martínez Dorfman Valparaíso, Chile

- ¿Cuál es el papel de la tecnología digital en tu vida?
- ¿Crees que tener un teléfono inteligente es algo imprescindible hoy día?
- ¿Son típicos tus hábitos de usuaria con respecto a las redes sociales? ¿Te gustaría cambiar algunos de tus hábitos? Explica por qué.
- ¿Tienes muchas aplicaciones en tu celular? ¿Para qué las usas?
- En tu opinión, ¿cuál es el lado negativo de la tecnología digital? ¿Qué consejos tienes para los jóvenes sobre el uso de redes sociales?

[vertical text] aniel Grill/Blend Images RF

Reportaje: «Sandra Cauffman científica de la NASA visita la UCR»

Costa Rica, 2014

Canal UCR-Universidad de Costa Rica

©UCR

«... uno puede llegar a conseguir los sueños que uno quiere...»

Additionally, the learning activities encourage students to produce real-world language that has applicability far beyond the classroom environment. The result is that students using *MÁS* are well prepared for subsequent language studies if they choose to pursue a minor or major. And even those who choose to end their formal language study at this level have acquired tangible language skills that can serve them throughout life.

- Engaging media: Throughout *MÁS*, students experience the types of video and film content that represent the variety of media they interact with in their free time. Careful attention has been paid to selecting video resources that are engaging to students and that serve as a springboard to additional conversation and writing practice for students.

3. Course setup and administration can be tedious and take time away from personalized interactions with students. *MÁS* eases this burden, freeing up instructors to spend more time on the activities that matter most to them and their students by offering resources such as the following.

- Connect's copy/share functionality makes it simple to set up a course once and deploy it across multiple instructors, TAs, and adjunct faculty.

- Connect's easy course duplication and date-shift functionality make setting up a course from semester to semester a breeze.

- LearnSmart reports available in Connect allow instructors to see at a glance the topics and learning objectives that are most challenging to an individual student or an entire group of students, enabling instructors to adjust lesson plans and assignments quickly according to what a particular student or group of students needs to succeed.

- At-risk reports in Connect identify students who are disengaged or at-risk of underperforming in the course and allow instructors to quickly and easily reach out to those students for additional help.

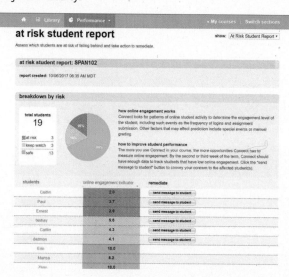

- Connect reports help faculty understand student behavior and trouble spots and facilitate rolling up students' performance against department- or college-level learning objectives.

- Personalized service provided by McGraw-Hill Education's World Languages team and your local sales team ensure that you have the support you need at all times. From world-class training and implementation support, to peer-to-peer support from our trained Digital Faculty Consultants and First-Day-of-Class presentations, we're working alongside you all the way to ensure a successful teaching and learning experience.

- Instructor resources such as:

  - In-text annotations (available via our eBook, too!) that facilitate class preparation and refer instructors to additional practice available elsewhere in the program (in the Workbook/Lab Manual, on Connect, etc.) for an easy-to-use way to know what else to assign and when.

  - A full testing program available for print (in-class) or digital (online) administration.

  - Sample syllabi and lesson plans to assist in your course planning.

About the Authors

ANA M. PÉREZ-GIRONÉS is Adjunct Professor of Spanish at Wesleyan University, where she coordinates and teaches all levels of Spanish language courses. She is co-author of *Puntos de partida* and *¡Apúntate!*, and other publications by McGraw-Hill. Moreover, she has worked extensively in the development and implementation of computer-assisted materials for learning language and culture, such as the series of DVDs *En una palabra* (Georgetown University Press). Professor Pérez-Gironés received her Licenciatura en Filología Anglogermánica from the Universidad de Sevilla and her M.A. in General Linguistics from Cornell University. She lives in Middletown, CT with her family.

VIRGINIA M. ADÁN-LIFANTE is Senior Lecturer at the University of California, Merced, where she coordinates the Foreign Languages Program and is the Undergraduate Program Chair of the Spanish Program. She received her Licenciatura en Filología Hispánica from the Universidad de Sevilla in 1987, and her Ph.D. in Hispanic Languages and Literatures from the University of California, Santa Barbara, in 1997. In addition to Second Language Acquisition, her area of research is Spanish and Latin American literature and culture. She has published numerous articles in professional journals and edited volumes such as *La Torre, The Bilingual Review, Centro, Revista de Estudios Norteamericanos, Explicación de Textos Literarios, Revista InterseXiones, Crossing the Borders of Imagination,* and *Cien años de lealtad en honor a Luís Leal.*

At McGraw-Hill Education, we're proud of the extensive experience and expertise held by our World Languages team. In collaboration with our authors, we build best-in-class content and digital tools to improve outcomes in language courses. At McGraw-Hill Education, our mission is to unlock the potential of every learner, and this group embraces that mission with intense passion.

Jorge Arbujas, Senior Faculty Development Manager: Jorge holds a Ph.D. in Spanish Applied Linguistics and a research background in Teaching Methods and Sociocultural Theory from the University of Pittsburgh, and he spent several years as the language coordinator at Louisiana State University, Baton Rouge. In 2006, he made the leap from academia into publishing where he continues to improve the lives of students and instructors in his role as Senior Faculty Development Manager for World Languages. With 22 years of experience in education and publishing, Jorge feels lucky to be in a position to help customers have the best experience possible and reach their personal goals.

Janet Banhidi, Senior Director of Digital Content: Janet has a Bachelor's degree in Civil Engineering and a Master's in Spanish Literature. She taught Spanish at Marquette University for nine years and English and Math at Sylvan Learning Center for seven. Janet is passionate about education with a special interest in adaptive and interactive content.

Shaun Bauer, Product Developer: As a language educator at heart, Shaun taught higher education Spanish and developed digital learning materials for his students for 10 years before being part of the MHE World Languages team. He has a Ph.D. from Tulane University, and has traveled to many parts of the Spanish-speaking world.

Katie Crouch, Senior Portfolio Manager: Katie Crouch has a B.A. in Comparative Literature, Creative Writing, and French from the University of Michigan. She studied and worked in France for three years before returning stateside to launch her publishing career in San Francisco. With 17 years at MHE across four US cities, Katie is now based in Chicago and has spent over 10 years as an editorial leader on the World Languages team. She enjoys collaborating with educators to create innovative solutions that inspire learners and open doors to new and exciting possibilities.

Sadie Ray, Senior Product Developer: Prior to joining the MHE World Languages team, Sadie taught university-level Spanish for 11 years, most recently at the University of Puget Sound. She holds a Masters from UCLA and a Ph.D. in Spanish and Spanish American Literature from The University of Texas at Austin.

Kim Sallee, Senior Portfolio Manager: Kim calls upon her 14 years of college-level Spanish teaching and coordinating experience at the University of Missouri, Columbia and St. Louis campuses every day in her role at MHE where she collaborates with authors, colleagues, faculty, and students to create and deliver quality solutions that inspire today's students. She holds a Master's degree in Spanish from the University of New Mexico and has traveled, studied, and lived throughout Latin America and Spain.

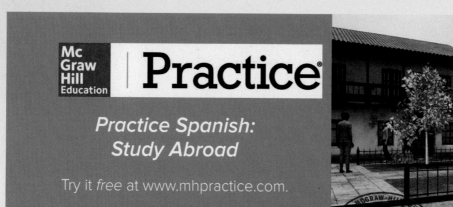

Contenido

UNIDAD 1 La identidad

1 Cuestión de imagen 2

De entrada 4
- Minilectura: «Ella es *Juana Banana*» 4
- En pantalla: «Clara como el agua» 5

Palabras: *Los rasgos físicos; La personalidad; Expresiones para dar cumplidos o insultar* 6

Cultura *Palabras cariñosas basadas en la apariencia física* 10

Estructuras 11
1. El presente de indicativo 11
2. Cómo se expresa *to be* 18
3. Comparaciones 24

Cultura *La población hispana o latina: Multiplicidad étnica y racial* 28

Lectura «Latinos en la pantalla y sus estereotipos» 30

Redacción *Descripción personal* 35

2 «Yo soy yo y mis circunstancias» 38

De entrada 40
- Minilectura: «Ponerse la camiseta de las bibliotecas populares» 40
- En pantalla: «Sandra Cauffman científica de la NASA visita la UCR» 41

Palabras: *Las religiones; La afiliación política; Otras relaciones sociales; La vida universitaria; Las carreras y la especialización universitaria* 42

Cultura *La universidad y los hispanohablantes: Luces y sombras* 48

Estructuras 49
4. Los pronombres de objeto directo e indirecto 49
5. Los verbos y pronombres reflexivos 55
6. Gustar y otros verbos similares 59

Cultura *La identificación religiosa en los países hispanohablantes* 63

Lectura «Cabra sola» 64

Redacción *Ensayo descriptivo* 67

3 Raíces 70

De entrada 72
- Minilectura: «La sobremesa familiar en peligro de extinción» 72
- En pantalla: «Sopa de pescado» 73

Palabras: *Los parientes; Días importantes; Para hablar de la familia; Para expresar alegría y tristeza* 74

Cultura *Los apellidos* 78

Estructuras 79
7. El pretérito de indicativo 79
8. El imperfecto de indicativo 84
9. Cómo se combinan el pretérito y el imperfecto 88

Cultura *Hogares hispanos en los Estados Unidos* 93

Lectura «Cleopatra» 95

Redacción *Narrar una anécdota familiar* 99

UNIDAD 2 Lo cotidiano

4 Con el sudor de tu frente... 102

De entrada 104
- Minilectura: «Ocho derechos laborales...» 104
- En pantalla: «Profesiones del futuro» 105

Palabras: *Oficios y profesiones; El trabajo; La experiencia laboral; Para hablar del día laboral* 106

Cultura *Información laboral diversa del mundo hispanohablante* 112

Estructuras 113
10. El *se* accidental 113
11. El presente perfecto de indicativo 117
12. El pluscuamperfecto de indicativo 121

Cultura *Ocupaciones de los hispanos en los Estados Unidos: Presente y futuro* 125

Lectura «¿Por qué los millennials dicen NO a los empleos convencionales?» 126

Redacción *La carta de interés que acompaña un currículum* 131

5 El mundo al alcance de un clic 134

De entrada 136
- Minilectura: «La brecha digital es la imagen de la brecha social» 136
- En pantalla: «Gobierno de Uruguay inicia entrega de *tablets* a adultos mayores» 137

Palabras: *Las nuevas tecnologías; Los medios de comunicación; No solo tecnología* 138

Cultura *Avances tecnológicos y científicos en las civilizaciones prehispánicas* 142

Estructuras 143
13. El presente de subjuntivo: Introducción y contexto de influencia 143
14. Los mandatos formales e informales 149

Cultura *Un panorama de emprendedores e innovadores hispanohablantes* 153

Lectura «El celular de Hansel y Gretel» 154

Redacción *Análisis de causa y efecto* 159

6 La buena vida 162

De entrada 164
- Minilectura: «Cielito lindo» 164
- En pantalla: «Libre directo» 165

Palabras: *La calidad de vida; Lugares y actividades para el tiempo libre; ¡A la mesa!; Expresiones y deseos para momentos buenos* 166

Cultura *Taki-Kuni: Música popular en Latinoamérica* 170

Estructuras 172
15. El subjuntivo en cláusulas nominales: Expresiones de emoción y duda 172
16. *Se* impersonal 177

Cultura *¡Pura vida!: Vacaciones y festivos en el mundo hispanohablante* 182

Lectura «Mestizaje gastronómico: Cocina mexicana e historia» 183

Redacción *El análisis comparativo* 187

7 Nos-otros 190

De entrada 192
- Minilectura: «Familias bilingües» 192
- En pantalla: «Salomón» 193

Palabras: *La identidad nacional; La experiencia en otro país; Expresiones de ánimo y esperanza* 194

Cultura *La lengua española: El gran vínculo* 198

Estructuras 200
  17. Palabras y expresiones absolutas e indefinidas 200
  18. El indicativo y el subjuntivo en cláusulas adjetivales 205

Cultura *La emigración a países hispanohablantes* 208

Lectura «El año que viene estamos en Cuba» 209

Redacción *Una biografía* 213

8 Nuestro pequeño mundo 216

De entrada 218
- Minilectura: «Los desafíos frente a la escasez de agua...» 218
- En pantalla: «El arca de María: Salvando las tortugas del río» 219

Palabras: *El medioambiente; El impacto medioambiental; El desarrollo y la economía; Para expresar resoluciones de grupo* 220

Cultura *Aire para todos* 225

Estructuras 226
  19. El futuro y el futuro perfecto de indicativo 226
  20. El indicativo y el subjuntivo en cláusulas adverbiales 230

Cultura *La importancia de la economía sustentable* 237

Lectura «Mi tierra» 238

Redacción *Una entrada en un blog* 241

9 En busca de la igualdad 244

De entrada 246
- Minilectura: «Día contra la violencia doméstica» 246
- En pantalla: «El sándwich de Mariana» 247

Palabras: *Para hablar de las personas; Para hablar de temas sociales; Para expresar opiniones* 248

Cultura *El machismo* 252

Estructuras 254
  21. Presente perfecto de subjuntivo 254
  22. Los pronombres relativos 257

Cultura *El movimiento chicano: «Sí se puede»* 264

Lectura «nuyorican» 265

Redacción *Cuatro estrellas: Escribir una reseña cinematográfica* 269

UNIDAD 4 Puntos de encuentro

10 América: pueblos y herencias en contacto 272

De entrada 274
- Minilectura: «El espejo enterrado» 274
- En pantalla: «Vasija de barro: el «himno» de los ecuatorianos» 275

Palabras: *Para hablar de los pueblos; Para hablar de información; Para hablar del paso del tiempo* 276

Cultura *Culturas indígenas de Latinoamérica* 280

Estructuras 282

23. El imperfecto de subjuntivo 282

24. El condicional 288

Cultura *En busca del Nuevo Mundo* 295

Lectura «El eclipse» 298

Redacción *Un ensayo (Paso 1)* 301

11 Las grandes transformaciones urbanas 304

De entrada 306
- Minilectura: «Historia de las misiones coloniales españolas...» 306
- En pantalla: «Medellín, ciudad para invertir y vivir» 307

Palabras: *La vida de la ciudad; Edificios y elementos de arquitectura; Para hablar de desarrollo urbano; Expresiones para articular un texto* 308

Cultura *La vida social en el espacio público* 312

Estructuras 313

25. El pasado perfecto o pluscuamperfecto de subjuntivo 313

26. El condicional perfecto 317

Cultura *La estética de las ciudades latinoamericanas: entre el pasado y el futuro* 320

Lectura *Inés del alma mía* (fragmento) 322

Redacción *Un ensayo (Paso 2)* 327

12 Fronteras y puentes 330

De entrada 332
- Minilectura: «Miles usan el puente...» 332
- En pantalla: «Camión de carga» 333

Palabras: *Para hablar de asuntos internacionales; Organizaciones internacionales; Para hablar del gobieno y de la política; Expresiones útiles para conectar ideas* 334

Cultura *Améxica: la frontera como espacio de separación y encuentro* 338

Estructuras 340

27. La voz pasiva 340

28. El subjuntivo en cláusulas independientes 346

Cultura *Puentes* 349

Lectura «Con qué sueñan hoy los «Dreamers» que Obama salvó de la deportación» 350

Redacción *Un ensayo (Paso 3)* 355

Apéndices

I. Entrevista: Respuestas A-1

II. Stress and Written Accent Marks A-7

III. Verbs A-8

Index I-1

Learning Support: More sequencing and scaffolding of activities to support students' learning and mastery while nudging them toward production.

Resources: More Instructor Edition annotations for conceptualizing activities, elaborating upon the material, and directing students to more practice.

Cultural diversity and inclusivity: More attention to the richness and diversity of the Spanish-speaking world and an emphasis on inclusion of all members of society.

Chapter Opener

- Clearly defined communicative and cultural learning objectives that are visible to both instructors and students
- **Entrevista:** a new chapter opener feature that presents key questions tied to the learning objectives and major themes of the chapter
- A listening activity with native speakers who model sample answers to the key **Entrevista** questions
- Conversation-starting questions on a popular refrain or quote from Hispanic culture linked to each chapter's main theme

Minilecturas

- Ten new **minilecturas** about current topics from a variety of sources, such as informational and news articles, short story excerpts, and song lyrics

Lecturas

- Seven new **Lecturas** with pre- and post-reading activities that encourage students to engage critically and thoughtfully with the texts, and the people, places, and ideas they present

En pantalla (formerly **Cortometraje**)

In the third edition, the types of videos that students experience have been expanded. As before, every chapter contains one authentic video segment, but this edition includes more variety to reflect the types of audiovisual media students interact with every day.

- Six short films (**Cortometrajes**) from the Spanish-speaking world
- Six journalistic style and informational video segments (**Reportajes** y **Segmentos**) produced by native speakers for native speakers

In addition, the **En pantalla** sections are strongly complemented online, providing students practice with vocabulary, comprehension, analysis, and communicative synthesis of the material.

Palabras and Estructuras

Based on reviewer feedback, better scaffolding for the vocabulary and grammar activities to support students' mastery has been added to this edition.

- New input activities introduce vocabulary and grammar concepts while providing model language.
- A greater number of two-part activities give students opportunities to focus first on practicing forms in meaningful context and then encouraging creative production and communication with their peers.

LearnSmart

- The incredibly popular and effective personalized adaptive learning tool that helps each student assess his or her own trouble spots, and then provides practice for strengthening those particular areas has been updated to align with the changes made in this edition.

Producción personal

- **Redacción** Prompts for written communication tasks with scaffolded pre-writing and revision activities. A **¿Cuándo se dice?** (formerly **¡No te equivoques!**) section in every chapter that quickly reviews commonly mistaken words and phrases to build students' confidence in their writing abilities.

- **En la comunidad** (formerly **En tu comunidad**) An updated section that focuses on real, target language-based tasks that students can perform in their community. Interviews and surveys of native speakers in the community, audiovisual projects, and **Tertulias** encourage students to use their language skills to engage with the Spanish-speaking world around them in authentic, practical, and creative ways as they make connections and expand their sense of community.

Para terminar

- An end-of-chapter reference guide for students to check their mastery of learning objectives, review key pages in the chapter on vocabulary and grammar, and ensure that they finish each chapter successfully and are ready to move forward in their learning.

Unidad 4: Puntos de encuentro (formerly Un poco de historia)

Based on instructor feedback, there is an all-new thematic focus to the fourth unit.
- Capítulo 10 - **América: pueblos y herencias en contacto** focuses on the cultures and heritages in **las Américas,** their history and their vitality today, updated with a fresh perspective on **las Américas** as a place of contact among diverse groups of people.
- Capítulo 11 - **Las grandes transformaciones** centers on the cities and urban spaces that have developed and continue to develop in **las Américas.**
- Capítulo 12 - **Puentes y fronteras** explores the social, political, and cultural borders that separate people as well as the real and metaphorical bridges that unite them.

Agradecimientos

A todos los estudiantes que nos inspiran con su ilusión por
    aprender castellano,
    a todos los profesores de español que con su paciencia, entusiasmo
    e imaginación hacen de la enseñanza un arte,
    a todos los colegas y compañeros que con sus comentarios y
    consejos tanto nos han ayudado,
    a nuestros seres queridos que
    en todo momento nos han apoyado para que pudiéramos escribir
    este libro,
    gracias de todo corazón.

We would like to thank our friends and colleagues who served as consultants, completed reviews or surveys, and attended symposia or focus groups. Their feedback was indispensable in creating the *MÁS* program. The appearance of their names in the following list does not necessarily constitute their endorsement of the program or its methodology.

Lilian Baeza-Mendoza, American University

Brandon Baird, Middlebury College

Carolina Barrera Tobon, DePaul University

Wanda Baumgartel, Snead State Community College

María Elena Bermúdez, Georgia State University

Dinora Cardoso, Westmont College

Carole Champagne, University of Maryland
    Eastern Shore

Elise DuBord, University of Northern Iowa

Erin Farb, Community College of Denver

Bridget Fong-Morgan, Indiana University
    South Bend

Gloria Estela González Zenteno, Middlebury College

Milvia Hernández, University of Maryland
    Baltimore County

Caroline Kreide, Merced College

Aura Lawson-Alonso, University of North
    Carolina at Charlotte

Raúl Llorente, Georgia State University

Mark J. Mascia, Sacred Heart University

Shannon Millikin, Northwestern University

Charles Nagle, Iowa State University

Teresa Pérez-Gamboa, University of Georgia

Nicholas Poppe, Middlebury College

Annie Rutter-Wendel, University of Georgia

Tasha Seago-Ramaly, Northwestern University

Rosa Toledo, University of Tennessee

Lidwina M. van den Hout-Huijben, University
    of Chicago

Andrés Villagra, Pace University

Jennifer Whitelaw, DePaul University

Maureen Zamora, Clemson University

Cuestión de imagen

©Kivilcim Pinar/Getty Images RF

Para el final del capítulo podré°

I will be able to

- describir rasgos (*features*) físicos y de la personalidad
- hablar de nuestras actividades
- describir la existencia, las características y los estados no permanentes de personas y cosas
- analizar la diversidad física de los hispanohablantes
- discutir ideas preconcebidas y prejuicios sobre rasgos personales
- comparar el uso de palabras cariñosas que se usan en las culturas hispanas y las de mi cultura

«La cara es el espejo del alma».*

- ¿Estás de acuerdo con esta idea? ¿Por qué?
- En tu opinión, ¿qué parte de la cara de una persona puede ser la más representativa de su alma?

Las respuestas escritas de la **Entrevista** se encuentran en el Apéndice I.

ENTREVISTA

Elena Soto Tapia Ponce, Puerto Rico

- ¿Cuáles son tus rasgos físicos más distintivos?
- ¿Cómo es tu forma de ser?
- ¿Tienes un apodo (*nickname*)? ¿Quién te llama con ese apodo y por qué?
- ¿Quién es tu mejor amigo o amiga? ¿Cómo es? ¿Qué actividades hacen ustedes juntos? ¿Por qué crees que ustedes son tan compatibles?

©mangostock/Shutterstock RF

«En casa me llaman 'la beba', porque soy la menor de mis hermanos».

connect

Escucha las respuestas de Elena Soto Tapia a estas preguntas en **Connect**.

EN PANTALLA

«Clara como el agua»

Fernanda Rossi (Puerto Rico, 2012)

Clara tiene problemas con su apariencia y por eso decide investigar su origen.

Clara como el agua images with permission by Fernanda Rossi

Literally: The face is the mirror of the soul.

3

De entrada

Minilectura Ella es «Juana Banana»

Antes de leer

¿Qué tipo de mujeres aparecen (*appear*) normalmente en los anuncios comerciales (*ads*)? ¿guapas o feas? ¿esbeltas o gruesas (*full-figured*)? ¿blancas o de otras razas? ¿Por qué hay tantos anuncios que presentan la imagen (*image*) de una mujer con ese aspecto? ¿Te parece (*Does it seem to you*) que eso es correcto? ¿Por qué?

Vilma representa el optimismo

Ella es «Juana Banana», Rafael Espinosa

Todo comenzó por una foto. La hermosa sonrisa[a] de Vilma Ríos Mosquera, que resalta[b] su perfecta dentadura[c] blanca, cautivó a la Asociación de Bananeros de Colombia (Augura). Hace dos años, simplemente alzó la mirada[d] ante una cámara, levantó[e] la mano haciendo un símbolo positivo y sonrió.

Augura, que estaba buscando una imagen que la representa,[f] decidió que no tendría un *top model* ni una mujer 90-60-90.* No. Los asociados la querían a ella y por eso la buscaron de finca en finca[g] hasta que la encontraron. Para Augura, Vilma representa el optimismo, la fuerza y la alegría[h] de quienes trabajan en la zona bananera de Urbabá.

Es una campesina[i] que refleja en sus manos callosas[j] los trece años que se ha dedicado[k] a trabajar en las fincas bananeras. Esta orgullosa[l] madre soltera, por primera vez en sus 32 años de vida, visitó Bogotá. No está acostumbrada al frío pero esto no impidió que siempre estuviera sonriente y calurosa[m] con quienes visitaron el *stand* de la Asociación en Agroexpo. Los visitantes se tomaron fotos con ella y durante la feria la identificaron como «Juana Banana», haciendo alusión a Juan Valdez, representante del café colombiano.

[a]*beautiful smile* [b]*highlights* [c]*teeth* [d]*looked up* [e]*raised* [f]*to represent it* [g]*from farm to farm* [h]*happiness* [i]*farm worker* [j]*calloused* [k]*has dedicated* [l]*proud* [m]*didn't stop her from always being smiling and warm*

Espinosa, Rafael, "Ella es 'Juana Banana'" *El Tiempo*, July 23, 2001. Reprinted by permission.

Comprensión y análisis

¿Por qué es «Juana Banana» la imagen de la Asociación de Bananeros de Colombia? Indica si las siguientes razones son ciertas (C) o falsas (F). Si puedes, corrige las oraciones falsas.

1. Es muy guapa. ___
2. Tiene la figura de una modelo. ___
3. Tiene una sonrisa muy bonita. ___
4. La expresión de su cara es alegre y optimista. ___
5. Ella representa a las personas que compran bananas. ___

---

*measurements in centimeters of an "ideal" female body: 90 cm around the chest and hips and 60 cm around the waist

Antes de mirar

- ¿Te pareces físicamente a las personas que te rodean (*who surround you*) (tu familia, tus amigos, tus compañeros de universidad, la gente de tu barrio o tu ciudad, etcétera)?
- ¿Había problemas de intimidación (*bullying*) en tu escuela secundaria?
- ¿Crees que siempre hay que decirles la verdad a los niños? ¿Por qué?

Clara como el agua images with permission by Fernando Rossi

«Ya te dije que fue el agua de la bahía que me hizo así».

Cortometraje: «Clara como el agua»

Puerto Rico, Estados Unidos 2012

Dirección: Fernanda Rossi

Reparto: Kathiria Bonilla León, Sixta Rivera, Rubén Andrés Medina, Alfonso Peña Ossorio

Comprensión y discusión

¿Cierto o falso? Indica si las siguientes ideas son ciertas (C) o falsas (F), según el video. Luego intenta corregir las oraciones falsas.

1. Los niños del barrio insultan a Clara porque ella está muy delgada. ___
2. Clara se lava la boca porque su cara está sucia. ___
3. Clara y su abuela se parecen mucho físicamente. ___
4. A Clara le gusta hablar con Mateo. ___
5. La madre de Clara va a volver a la isla. ___
6. Al final del cortometraje, Clara hace un descubrimiento científico. ___

Interpreta Contesta haciendo inferencias sobre lo que se ve y se oye en el corto.

1. ¿Es fácil para Clara hablar con su madre? ¿Cómo crees que afecta eso a Clara?
2. ¿Cuáles son las diferentes explicaciones que ofrecen los demás sobre el color de la piel de Clara?
3. ¿Por qué para los niños del barrio es un insulto la palabra «gringa»?
4. ¿Qué crees que preocupa más a Clara, tener un padre blanco o no saber cuál es la verdad? ¿Por qué opinas así?
5. ¿Cómo interpretas el final del cortometraje? ¿Y el título?
6. ¿Cómo puedes explicar el nombre de Clara y el título del cortometraje?

Tertulia La identidad

Clara necesita saber su verdadera historia para comprender mejor quién es y por qué es como es. ¿Qué factores, como por ejemplo la raza, contribuyen a formar parte de nuestra identidad? ¿Crees que puede haber discrepancia entre cómo nos vemos nosotros mismos y cómo nos ven los demás (*other people*)?

VOCABULARIO ÚTIL	
la nena	niña
el varón	hombre o niño
brillante	shining, brilliant
maldito/a	damn
preñada	embarazada
trigueño/a	moreno/a, de piel oscura
pelear	to fight

connect

Para ver «Clara como el agua» y realizar más actividades relacionadas con el cortometraje, visita: www.mhhe.com/connect

Los rasgos físicos° *physical features*

©Caiaimage/Sam Edwards/Getty Images

los anteojos	glasses
la apariencia	appearance
la barba	beard
el bigote	mustache
las canas	gray hair
la cicatriz	scar
la imagen	image
el lunar	mole
los ojos (azules, negros, verdes, color miel, color café)	(blue, black, green, honey colored, brown) eyes
las pecas	freckles
el pelo	hair
castaño	light brown, chestnut
gris/blanco	gray/white
lacio/liso	straight
ondulado	wavy
rizado	curly
rubio	blond
el rostro / la cara	face
la sonrisa	smile
llevar brackets	to wear braces
llevar lentes de contacto	to wear contact lenses
ser/estar calvo/a	to be bald
ser pelirrojo/a	to be a redhead

Cognado: **el estereotipo**

De repaso: **ser alto/a, bajo/a, delgado/a, feo/a, grande, moreno/a, obeso/a, pequeño/a, rubio/a**

La personalidad

el carácter / la forma de ser

tener...		to have...
buen/mal carácter		nice/unfriendly personality
complejo (de, por)		a complex
sentido del humor		sense of humor

ser...	to be...		
antipático/a	unfriendly	**insensible**	insensitive
callado/a	quiet	**mentiroso/a**	a liar
cariñoso/a	affectionate	**progresista**	progressive
chistoso/a	funny	**sensato/a**	sensible
conservador/a	conservative	**sensible**	sensitive
egoísta	egotistic	**serio/a**	serious
flexible	flexible	**simpático/a**	friendly
frío/a	cold	**tacaño/a**	stingy
generoso/a	generous	**terco/a**	stubborn
hablador/a	talkative	**tímido**	shy
insensato/a	foolish		

Cognados: **extrovertido/a, honesto/a, introvertido/a, irresponsable, modesto/a, responsable**

¡OJO!

carácter = personalidad
personaje = entidad
        ficticia de
        una
        narrativa

Expresiones para dar cumplidos° o insultar
compliments

¡Qué + adjetivo!   How + adjective!
¡Qué simpática! ¡Qué irresponsables! ...

¡Qué + sustantivo + tan + adjetivo! What + adjective + noun!
¡Qué barba tan larga!
¡Qué ojos tan bonitos!

pesado/a	dull, bothersome, annoying (*literally:* heavy)
tonto/a	dumb, silly

Cognados: **estúpido/a, idiota, imbécil**

¡Qué precioso! ¡Qué bebé tan precioso!

■ ACTIVIDAD 1 Gente famosa

Paso 1 ¿Qué rasgos físicos y/o de personalidad destacan en estas personas y personajes?

Ejemplo: Freddy Krueger tiene los ojos verdes y muchas cicatrices. Es muy feo.

Barack Obama

Michelle Obama

Donald Trump

Melania Trump

Harry Potter

Santa Claus

El capitán Jack Sparrow

Dora la Exploradora

Paso 2 Ahora, en parejas, usen las expresiones con **¡Qué...!** para describir a esas personas o personajes.

Ejemplo: Freddy Krueger: ¡Qué feo! ¡Qué cara tan fea!

■ ACTIVIDAD 2 Rasgos físicos

Paso 1 Dibuja seis rasgos físicos en el rostro de la derecha.

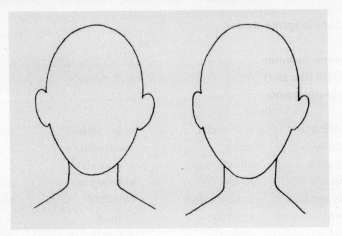

Paso 2 En parejas (*pairs*), túrnense para explicar los rasgos del rostro que dibujaron mientras el compañero / la compañera los dibuja en la cara de la izquierda. ¿Se parece el dibujo de tu compañero/a al que tú hiciste?

■ ACTIVIDAD 3 Asociaciones

Describe todos los rasgos y acciones que asocies con los siguientes tipos de personas:

1. una persona que tiene buen/mal carácter
2. una persona que tiene complejo de inferioridad/superioridad
3. un hombre / una mujer muy guapo/a
4. una persona pesada
5. una persona que sabe deletrear (*to spell*) en inglés todas las palabras del examen SAT

■ ACTIVIDAD 4 Tu personalidad

Paso 1 ¿Cómo eres tú? Haz una lista de seis o siete características de tu personalidad que te describen bien. ¡Sé (*Be*) honesto/a!

Paso 2 Trabajando en parejas, comparen sus personalidades. ¿Qué tienen en común? ¿En qué son muy diferentes?

ACTIVIDAD 5 La persona ideal

Haz una lista de los tres rasgos físicos y las tres características de la personalidad que más te atraen de una persona. ¿Son rasgos que tú también tienes? ¿Tiene características que te complementan? Luego, habla con un compañero / una compañera para comparar las cualidades y los rasgos físicos que les atraen o no les gustan de otras personas.

Ejemplo: Me atraen los hombres morenos, como mi novio. Políticamente, me gustan las personas progresistas, porque yo soy muy liberal y es bueno tener opiniones similares en la política. Me gustan las personas cariñosas. Para que una persona sea mi amigo o amiga, debe ser generosa y sincera.

ACTIVIDAD 6 Expertos en imagen

En grupos pequeños, piensen en la persona ideal, real o ficticia, para representar a su universidad. ¿Qué características físicas tiene? ¿Qué debe pensar el/la estudiante de escuela secundaria que vea esa imagen? ¿Qué nombre publicitario se le puede dar? Si quieren, pueden usar las siguientes imágenes como punto de partida (*point of departure*).

©Stockbyte/SuperStock RF

©Fancy Collection/SuperStock RF

©Sherrie Nickol/agefotostock RF

©Darren Greenwood/Design Pics RF

©Tristan Savatier/Getty Images RF

©Robert Daly/agefotostock RF

Cultura

Palabras cariñosas basadas en la apariencia física

En español hay muchas expresiones de afecto que pueden variar de un país a otro, por ejemplo: **amor, cariño, querido/a, tesoro,**[a] y **mi vida.**[b] Además, en diferentes países de habla española se usan, de manera cariñosa, ciertos adjetivos relacionados con el aspecto físico que, a pesar de[c] ser ofensivos en otras culturas, no lo son en estos países. De hecho, estas palabras se usan aunque no correspondan con la apariencia física de una persona.

gordo/a (España): con esposos, novios, hijos

flaco/a[d] (Argentina, Uruguay): con esposos, novios, hijos, amigos

viejo/a (Argentina, Chile, Uruguay): con padres, esposos

negro/a, negrito/a (Venezuela, Puerto Rico, República Dominicana, Panamá): con esposos, novios, hijos, amigos

¡OJO! Estas palabras pueden ser ofensivas cuando se usan en otros contextos.

Otra forma de expresar afecto es usando los diminutivos añadiendo usualmente el sufijo -**ito/a** a una palabra. Se usa el diminutivo de una manera afectiva con los nombres de las personas, como **Martita** o **Juanito,** especialmente cuando nos dirigimos a un(a) niño/a. También se usa con las palabras de afecto como las mencionadas anteriormente, por ejemplo: **gordito, flaquita.** Usamos el diminutivo también cuando nos referimos al aspecto físico de una persona, pero no queremos sonar ofensivos, por ejemplo: **Virginia es flaquita, pero muy fuerte.**

---

[a]*treasure*   [b]*mi... my life*   [c]*a... even though*   [d]*delgado*

«Te quiero, gorda».

©Photodisc/Getty Images RF

Tertulia* Palabras cariñosas y apodos°

nicknames

- ¿Qué palabras cariñosas se usan en sus familias? ¿Cuáles son sus favoritas? ¿Cuáles detestan más?

- ¿Tienen Uds. apodos basados en su aspecto físico? ¿Les molestan? ¿Por qué?

- En algunos países la tendencia a usar palabras cariñosas es más generalizada que en otros. En países como Puerto Rico o Venezuela, se puede oír la expresión «mi amor» con mucha frecuencia dirigida incluso a personas que se conocen poco (especialmente a mujeres y niños). ¿Se usan mucho las palabras cariñosas en su país/estado? ¿Les gusta esta costumbre? ¿Por qué?

---

*The **Tertulia** activities provide questions for exploring the reading topics and the chapter theme in small groups or as a class.

1 El presente de indicativo

Regular verbs

Spanish verbs that follow a predictable pattern are regular verbs. These are the regular conjugation patterns for present tense verbs.

Existe mucho público que tiene interés en ver caras latinas en las pantallas (*screens*).

Pronombres de sujeto	-ar: cantar (*to sing*)	-er: correr (*to run*)	-ir: decidir (*to decide*)
yo	cant**o**	corr**o**	decid**o**
tú	cant**as**	corr**es**	decid**es**
vos*	cant**ás**	corr**és**	decid**ís**
usted (Ud.), él/ella	cant**a**	corr**e**	decid**e**
nosotros	cant**amos**	corr**emos**	decid**imos**
vosotros*	cant**áis**	corr**éis**	decid**ís**
ustedes (Uds.), ellos/ellas	cant**an**	corr**en**	decid**en**

©Photo 12/Alamy

El actor puertorriqueño Benicio del Toro

NOTA LINGÜÍSTICA LOS PRONOMBRES DE SUJETO

Subject pronouns can be used to indicate who is performing the action. Unlike English, however, the subject or subject pronoun is not necessarily expressed in Spanish. The conjugations usually make the subject clear.

- **Usted** and **ustedes** are often abbreviated in writing as **Ud.** and **Uds.,** respectively. The abbreviated forms will be used in this text.

- **Vosotros** is used primarily in Spain for the informal plural *you* **(tú + otros = vosotros).** Uds. is used in Spain for the formal plural *you* **(Ud. + otros = Uds.).** In Latin America **Uds.** is the only form used to express plural *you*.

- **Vos** is used in several countries of Latin America, mainly in most of Central America, Argentina, and Uruguay. **Vos** is used instead of **tú,** although in some of these countries both forms alternate. **Vos** has its own verbal forms for the present indicative, subjunctive, and commands.

*****Vos** and **vosotros** will appear in all verb charts and will be reviewed in the **Cuaderno de práctica,** but they will not be practiced in activities in the Student Edition.

- Verb conjugations in this section are presented in the order of the **Pronombres de sujeto** chart, omitting explicit presentation of subject pronouns.
- **Vosotros** and **vos** forms are included in verb charts. However, they are never triggered or requested in the **Actividades** of *MÁS*. Pay attention to your instructor's use and expectation of those verb forms.

Pronombres de sujeto	
Singular	**Plural**
yo	nosotros
tú	vosotros
vos	
Ud., él/ella	Uds., ellos/ellas

Stem-changing verbs

In stem-changing verb conjugations, the stressed vowel of the stem becomes a diphthong, for example, **pienso** (stressed). When the stress moves to the ending, the stem does not change: **pensamos** (unstressed). Note the stem-changing pattern in the following verbs.

e → ie					
-ar: pensar (*to think*)		**-er: querer** (*to want; to love*)		**-ir: preferir** (*to prefer*)	
pi**e**nso	p**e**nsamos	qu**i**ero	qu**e**remos	pref**i**ero	pref**e**rimos
pi**e**nsas	p**e**nsáis	qu**i**eres	qu**e**réis	pref**i**eres	pref**e**rís
p**e**nsás		qu**e**rés		pref**e**rís	
pi**e**nsa	pi**e**nsan	qu**i**ere	qu**i**eren	pref**i**ere	pref**i**eren

Otros verbos					
cerrar	*to close*	defender	*to defend*	advertir	*to warn*
comenzar	*to begin*	encender	*to turn on*	divertir(se)	*to have fun*
despertar(se)	*to wake up*	entender	*to understand*	mentir	*to lie*
empezar	*to begin*	perder	*to lose*	sentir(se)	*to feel*

o → ue					
-ar: contar (*to count, tell*)		**-er: poder** (*to be able to*)		**-ir: morir** (*to die*)	
c**u**ento	c**o**ntamos	p**u**edo	p**o**demos	m**u**ero	m**o**rimos
c**u**entas	c**o**ntáis	p**u**edes	p**o**déis	m**u**eres	m**o**rís
c**o**ntás		p**o**dés		m**o**rís	
c**u**enta	c**u**entan	p**u**ede	p**u**eden	m**u**ere	m**u**eren

Otros verbos					
almorzar	*to have lunch*	devolver	*to return (something)*	dormir	*to sleep*
encontrar	*to find*				
jugar (a)*	*to play*	resolver	*to solve*		
mostrar	*to show*	soler	*to tend / be accustomed to*		
probar	*to try; to taste*				
recordar	*to remember*	volver	*to return*		
soñar (con)	*to dream (about)*				

e → i	
-ir: pedir (*to ask for, request*)	
p**i**do	p**e**dimos
p**i**des	p**e**dís
p**e**dís	
p**i**de	p**i**den

Otros verbos -ir			
reír(se)	*to laugh*	seguir	*to follow*
repetir	*to repeat*	sonreír	*to smile*

*Jugar, even though it does not have an **-o** stem, follows the **o → ue** stem-changing pattern. Therefore, it is listed with the **-o** verbs here. **Jugar** is the only **u → ue** stem-changing verb in Spanish.

Irregular verbs

Several common verbs are irregular in the first person singular (**yo**) form.

-oy: estar* *(to be)*		-zco: conocer *(to know/be familiar with)*	
est**oy**	estamos	cono**zco**	conocemos
estás	estáis	conoces	conocéis
estás		conocés	
está	están	conoce	conocen

Otros verbos			
dar (doy)	*to give*	aparecer (aparezco)	*to appear*
		reducir (reduzco)	*to reduce*

-go: hacer *(to do; to make)*		-go + stem change: tener *(to have)*	
ha**go**	hacemos	ten**go**	tenemos
haces	hacéis	**tie**nes	tenéis
hacés		tenés	
hace	hacen	**tie**ne	**tie**nen

Otros verbos			
decir (digo, dices,...) (i)	*to tell; to say*	salir (salgo, sales,...)	*to leave*
oír (oigo, oyes,...) (y)	*to hear*	traer (traigo, traes,...)	*to take*
poner (pongo, pones,...)	*to place, put*	venir (vengo, vienes,...) (ie)	*to come*

¿Conoces a esta mujer? ¡Qué sonrisa tan hermosa!

Other irregular verbs

Some verbs do not fit into a specific category. Note that **ir** and **ser** have the first person -**oy** ending, but then are irregular in all other forms. **Saber** and **ver** are irregular only in the **yo** form.

ir *(to go)*		saber *(to know)*	
voy	vamos	sé	sabemos
vas	vais	sabes	sabéis
vas		sabés	
va	van	sabe	saben

ser *(to be)*		ver *(to see)*	
soy	somos	veo	vemos
eres	sois	ves	veis
sos		ves	
es	son	ve	ven

---

*Note the stressed syllables on some forms of **estar**

RECORDATORIO

Ir a + *infinitive* is also used to express actions that take place in the near future.

Voy a visitar el Perú el proximo verano.   *I'm going to visit Peru next summer.*

Uses of the present tense

The present indicative in Spanish is used in the following contexts.

- An action that takes place at the moment of speaking

  Oigo la música de los vecinos.   *I hear the neighbors' music.*

- Generalizations and habitual actions

  Casi todos los días **estudio** en la   *I study in the library almost every day.*
  biblioteca.

- An action predicted or planned for the near future

  Mañana **trabajo** en la oficina central.   *Tomorrow I'm working at headquarters.*

  ¡OJO! The present progressive is often used in this context in English but hardly ever in Spanish. (See **Nota lingüística** in this section.)

- Historical present: past actions narrated in the present

  Cristóbal Colón **llega** a la isla que   *Christopher Columbus arrives at the*
  él llama Española en 1492.   *island that he calls Hispaniola in 1492.*

- Hypothetical situations that are likely to occur, following **si** (*if*)*

  La fiesta **va a ser** un desastre   *The party is going to be a disaster*
  si **llueve** esta noche.   *if it rains this evening.*

NOTA LINGÜÍSTICA EL PRESENTE PROGRESIVO

The present progressive is formed with the present tense of **estar,** followed by the present participle (**-ndo** ending) of another verb.

-ar → -ando	-er → -iendo	-ir → -iendo
bailar → bail**ando**	comer → com**iendo**	vivir → viv**iendo**

- **-ir** stem-changing verbs (e → i; o → u) change their root vowels.

  sentir → s**i**ntiendo   pedir → p**i**diendo   dormir → d**u**rmiendo

- The present participle ending in **-iendo** becomes **-yendo** in verbs whose stems end with a vowel.

  caer → ca**yendo**   destruir → destru**yendo**   ir → **yendo**

The present progressive is used in Spanish to express an action in progress.

—¿Qué **estás haciendo?**   —*What are you doing* (*right now*)?

—**Estoy estudiando** para   —*I'm studying for tomorrow's exam.*
el examen de mañana.

¡OJO! Unlike English, in Spanish the progressive is not used to express the future. The simple present or **ir a** + *infinitive* is used in Spanish.

—¿Qué **haces / vas a hacer**   —*What are you doing tomorrow*
mañana por la noche?   *evening?*

—**Voy a cenar** con mis   —*I'm having dinner with my*
padres.   *parents.*

Las estudiantes están haciendo la tarea. Una instructora las está ayudando.

©Erik Isakson/Getty Images RF

---

*You will learn more about **si** clauses in **Capítulo 10.**

Romance guajiro, de Pedro Blanco Aroche, Cuba

■ ACTIVIDAD 1 Un mensaje a una amiga

Paso 1 Identifica todas las formas del presente y del presente progresivo en el texto indicando cuál es el sujeto en cada caso.

Hola María:

¿Qué tal? Te escribo porque ahora mismo estoy estudiando español y he encontrado este cuadro en mi libro. Es de un artista que nació en Cuba, como tu padre, y la escena me recuerda a las fiestas de Navidad de tu familia (¡mucho más alegres que las de mi familia!). La escena que describe el cuadro es muy bonita, y muestra que los personajes principales están enamorados, ya que se están besando. El muchacho tiene una flor en la mano para su novia, que lleva un vestido blanco. Quizá se van a casar. También <u>podemos</u> ver casitas en el cuadro y algunas mujeres miran por las ventanas. En la calle, un hombre está vendiendo comida. Y también hay músicos: uno está tocando la flauta, otro la guitarra, otro las maracas. Un muchacho está pintando en la cola de un gallo y varios personajes están volando. Qué cuadro tan bonito y tan extraño, ¿no?

Te mando besos para ti y para tus padres.

Lina

Paso 2 Ahora en parejas, elijan uno de los personajes que se ven en el cuadro, descríbanlo físicamente e inventen todos los detalles posibles sobre él o ella: ¿Cómo se llama? ¿Qué está pensando en este momento? ¿Qué suele hacer todos los días? ¿Cómo es su forma de ser? ¡Sean creativos!

©Image Source/PunchStock RF

■ ACTIVIDAD 2 Hablando de novelas

Paso 1 Para contar una novela o película en español, normalmente se usa el presente, igual que en inglés. Completa el siguiente párrafo con el presente de los verbos entre paréntesis. ¿Conoces la novela? ¡Es una de las novelas más famosas del mundo! OJO con los verbos que tienen un cambio de vocal en la raíz.

Es la historia de un hombre que se _____¹ (volver) loco. La gente _____² (decir) que su problema es que constantemente ____³ (leer) novelas de caballería.ª Un día, el hombre _____⁴ (salir) de su casa para luchar contra los problemas e injusticias del mundo. Lo primero que _____⁵ (hacer) es buscar un ayudante. Su ayudante es un poco más joven y mucho más práctico, pero su trabajo _____⁶ (requerir) que haga las cosas locas que le _____⁷ (pedir) su amo.ᵇ Los dos _____⁸ (sobrevivir) las muchas aventuras que les _____⁹ (ocurrir) en España. Una de las aventuras más famosas es aquella en la que el protagonista _____¹⁰ (pelear) contra unos gigantesᶜ imaginarios, que en realidad son molinos de viento.ᵈ La novela _____¹¹ (terminar) cuando el protagonista _____¹² (morir).

_____
ªchivalry ᵇboss ᶜgiants ᵈmolinos... windmills

Paso 2 Ahora en parejas, elijan una película o novela famosa y preparen una breve sinopsis similar a la del Paso 1. Después preséntenla al resto de la clase para que los compañeros adivinen el título.

■ ACTIVIDAD 3 Una semana normal

Paso 1 ¿Cómo es una semana normal para ti? ¿Qué haces de lunes a viernes y qué haces los fines de semana? ¿Qué haces por la mañana o por la tarde? ¿todos los días o solo una vez a la semana? La siguiente lista contiene actividades muy comunes ¡pero hay muchas más! Trata de integrar el verbo **soler** + infinitivo.

almorzar

asistir a clase

cenar

desayunar

dormir poco / una siesta

enviar correos electrónicos

estudiar y hacer la tarea

ir a la biblioteca / al trabajo

lavar la ropa

salir con...

Paso 2 Ahora, en parejas, túrnense para entrevistarse sobre sus hábitos semanales. Pidan y den detalles. Después de entrevistarse, reporten sobre algunas actividades que hacen los dos / las dos (*both*) y otras que solo hace uno/a de ustedes.

Ejemplo: Los dos solemos levantarnos tarde los fines de semana. Por otro lado, yo asisto a clase muy temprano durante la semana pero Rick asiste a clase por la tarde.

■ ACTIVIDAD 4 Situaciones

Entrevista a dos o tres compañeros sobre lo que hacen en las siguientes situaciones. Inventa tú la última situación antes de hacer la entrevista.
¿Qué haces si...

1. sospechas (*suspect*) que un compañero / una compañera de clase copia (*cheats*) en el examen?

2. conoces a alguien en una fiesta y esa persona te gusta mucho?

3. hay una nueva moda que todo el mundo sigue pero que a ti no te va bien?

4. mañana tienes un examen muy importante pero esta noche hay un concierto fabuloso?

5. crees que la mujer / el hombre que sale con tu mejor amigo/a es muy antipático/a y no hace una buena pareja con tu amigo/a?

6. ¿?

■ ACTIVIDAD 5 ¿Normalmente, ahora mismo o después?

Paso 1 Identifica las siguientes acciones y clasifícalas según sean acciones que ocurren habitualmente, acciones que están ocurriendo en este momento o acciones que van a ocurrir en un futuro próximo.

1. Mario ahora está empezando su clase de taichí.

2. Mario ahora toma taichí los martes.

3. Ahora Mario va a empezar a practicar judo también.

4. ¿Estás estudiando un sábado por la tarde? ¡Qué lástima!

5. ¿Qué haces este sábado?

6. ¿Tienes una clase el sábado por la mañana?

Paso 2 Ahora crea tus propias oraciones en el presente para hablar de acciones habituales para ti, acciones que están ocurriendo en este momento (puede ser ahora mismo o este semestre, por ejemplo) y acciones futuras. Después compártelas con algunos/as compañeros/as y vean si tienen algunas ideas en común.

Están haciendo una tabla de taichí.

■ ACTIVIDAD 6 ¿Se conocen ya?°   *Do you know each other already?*

Seguramente en la clase hay estudiantes que no conoces bien todavía. Inicia una pequeña conversación con alguno de ellos sobre los siguientes temas (*topics*).

¡OJO!   Recuerda usar la forma plural del verbo **gustar** con cosas en plural.

> **Me gusta la música cubana.**
> **Me gustan las películas españolas.**

1. nombre, edad

2. lugar donde vive y razones por las que (*reasons why*) vive allí

3. actividades que suele hacer los fines de semana

4. el tipo de música/películas/libros que le gustan

5. cómo se siente en la universidad; si está contento/a en la universidad y por qué

6. qué clases está tomando este semestre y cuál es su favorita hasta ahora (*so far*)

7. sus actividades extracurriculares de este semestre

To be has more than one equivalent verb in Spanish, depending on the context. **Ser, estar, haber, hacer,** and **tener** are the Spanish verbs that most frequently appear in contexts where *to be* is used in English.

SER

- **Description of physical and personality traits**: These are traits that are considered inherent or typical of someone or something, including size, shape, color, and personality.

¿Cómo es Ana? Es morena y simpática.	*What is Ana like? She is dark-skinned and nice.*
¿Cómo son los anteojos? Son redondos y negros.	*What are the glasses like? They are round and black.*

- **Description of personal identity**: Nationality and origin (**ser + de**), religion, occupation, gender, and so on.

¿De dónde es Ana? Es cubana; es de Santiago.	*Where is Ana from? She is Cuban; she's from Santiago.*
¿Es católica? No, es protestante.	*Is she Catholic? No she's Protestant.*
¿Qué es Ana? (¿Qué hace Ana?) Es diseñadora gráfica.	*What is Ana? (What does Ana do?) She's a graphic designer.*
¿Qué es el bebé, niño o niña? Es niña.	*What is the baby, a boy or a girl? It's a girl.*

- **Identification**: To identify or define what something or someone is.

¿Qué es el imperfecto? Es un tiempo verbal.	*What's the imperfect? It's a verbal tense.*
¿Cuáles son los lentes de Ana? Son aquellos redondos.	*Which ones are Ana's glasses? Those round ones.*
¿Quién es Ana? Es mi hermana.	*Who's Ana? She's my sister.*

- **Material something is made of** (*ser + de*)

¿De qué es la mesa? Es de madera.	*What's the table made of? It's made of wood.*

- **Time, date, and location of events** (*ser + en*)

¿Qué hora es? Son las tres.	*What time is it? It's 3 o'clock.*
¿Cuándo es la fiesta? Es el día 6 de enero.	*When is the party? It's on January 6.*
¿A qué hora es la fiesta? Es a las ocho.	*At what time is the party? It's at 8.*
¿Dónde es la fiesta? Es en casa de Ana.	*Where is the party? It's at Ana's.*
¿Qué día es hoy? Hoy es el 2 de mayo.	*What's today? It's May 2.*

¡OJO! Pay attention to the questions used in all examples—they are there to make contexts clear.

Ana es morena y muy simpática; es de Cuba.

©Stockdisc/PunchStock RF

- **Possession:** *ser + de; ser* + *possessive pronoun*

  ¿De quién son estos libros? Este es mío y ese es de Ana.

  Whose books are these? This is mine and that one is Ana's.

- **Purpose or destination:** *ser + para*

  ¿Para qué son estas actividades? Son para repasar ser/estar.

  What are these activities for? They are to review ser/estar.

  ¿Para quiénes son las actividades? Son para los estudiantes.

  Who are these activities for? They are for the students.

- **Impersonal expressions:** *ser* (third person singular) + *adjective*

  Es fascinante aprender otras lenguas.

  It's fascinating to learn other languages.

- **Passive voice:** *ser* + *past participle**

  El fenómeno fue observado por muchos científicos.

  The phenomenon was observed by many scientists.

ESTAR

- **Description:**
  - People's emotional, mental, and health conditions

  ¿Cómo está Ana? No está muy bien hoy. Está enferma.

  How's Ana? She's not well today. She is ill.

  ¿Cómo están los estudiantes? Están nerviosos por el examen.

  How are the students? They are nervous due to the test.

  - Variation from normal characteristics or traits

  ¿Cómo está Ana? Está muy delgada ahora porque hace mucho ejercicio.

  How's Ana? She's very thin now because she exercises a lot.

  - Conditions of things that are subject to change

  ¿Cómo está el agua? Está muy fría.

  How's the water? It's very cold.

  ¿Cómo está la sopa? Está buenísima.

  How's the soup? It's very good.

  These are some adjectives that only accompany **estar:**

avergonzado/a	*ashamed*	equivocado/a	*wrong*
cansado/a	*tired*	muerto/a	*dead*
confundido/a	*confused*	ocupado/a	*occupied; busy*
embarazada	*pregnant*	satisfecho/a	*satisfied*
enamorado/a	*in love*	vivo/a	*alive*
enojado/a	*angry*	sorprendido/a	*surprised*

---

* The passive voice is presented in **Capítulo 12**.

¡El hombre **está** mojado!

- **Location and position of people and things**

  ¿**Dónde** está Ana? Está en su oficina.   *Where is Ana? She's in her office.*

  ¿**Dónde** está Santiago? En Cuba.   *Where is Santiago? It's in Cuba.*

- **Progressive tenses:** *estar* + *present participle*

  ¿**Qué** está haciendo Ana?
  Está leyendo.   *What's Ana doing? She's reading.*

- **Resulting states:** *estar* + *past participle**

  ¿**Cómo** están las ventanas?
  Están abiertas.   *How are the windows? They are open.*

- **Expressions:** *estar* + *preposition* + *noun* These are some common expressions with **estar:**

estar a dieta	*to be on a diet*
estar a favor / en contra de	*to be in favor of / against*
estar de buen/mal humor	*to be in a good/bad mood*
estar de moda	*to be fashionable*
estar de pie/rodillas	*to be standing up / kneeling down*
estar de viaje/vacaciones	*to be on a trip/vacation*

Están buceando porque **están** de vacaciones.

SER and ESTAR

Some adjectives can accompany **ser** and **estar,** but they have different meanings in English depending on the verb.

¡OJO!   As you learn new adjectives, pay attention to whether they can accompany **ser**, **estar**, or both.

Adjetivos con ser y estar		
	ser	estar
aburrido/a	*to be boring*	*to be bored*
bueno/a	*to be (a) good (person)*	*to be tasty*
malo/a	*to be (a) bad (person)*	*to be bad to the taste (to taste bad)*
cómodo/a	*to be (a) comfortable (object)*	*to feel comfortable*
listo/a	*to be smart*	*to be ready*

---

*The past participle is presented in **Capítulo 4.**

HABER

Haber is used to express the existence and number of something. Only the third person singular is used—the present tense **hay** is equivalent to *there is* and *there are*.

Hay un hombre en la sala.	*There is a man in the room.*
Hay muchas/unas/veinte personas esperando.	*There are many/some/twenty people waiting.*

HACER

Hacer is used to express many weather conditions.

Hace...	*It is...*
buen/mal tiempo	*nice/bad weather*
calor/fresco/frío	*hot/cool/cold*
sol/viento	*sunny/windy*

TENER

Many physical and emotional states that are expressed with *to be* (or *to feel*) in English, are expressed with **tener** in Spanish.

tener...	*to be...*	**tener...**	*to be...*
____ año(s)	*____ year(s) old*	miedo (de)	*afraid*
calor/frío	*hot/cold*	prisa	*in a hurry*
cuidado (con)	*careful*	razón	*right*
ganas (de)	*in the mood (for) / to feel like*	sueño	*sleepy*
hambre/sed	*hungry/thirsty*	vergüenza	*ashamed*

Tiene cincuenta años.

¡OJO! **Mucho/a/os/as** is used before the noun to emphasize these states.

Tengo mucho frío.	*I'm very cold.*
Tenemos mucha prisa.	*We are in a big hurry.*
Tenemos muchas ganas de verte.	*We really feel like seeing you. / We are excited to see you.*

■ ACTIVIDAD 1 ¿Qué tienes?

Paso 1 Usa el verbo **tener** para expresar cómo te sientes en las siguientes situaciones.

Ejemplo: Hace 0° C (cero grados centígrados = 32°F) y no llevo abrigo. → Tengo frío.

1. La clase de español empieza en dos minutos y todavía estoy en la cafetería.

2. Son las 12:00 de la noche y no comí nada en todo el día.

3. Comí muchas papas fritas sin beber nada.

4. Hice algo estúpido delante de unas personas que no conozco.

5. No dormí nada anoche ni la noche anterior.

Tiene mucha sed.

Entonces, estoy embarazado...

Paso 2 Ahora en parejas expliquen situaciones en las que ustedes se sienten así (*like this*). También pueden explicar cómo se sienten ahora mismo.

Ejemplo: tener mucha hambre → Tengo mucha hambre porque no desayuné. O: Siempre tengo hambre después de la práctica de tenis.

1. tener sed
2. tener mucho miedo
3. tener calor
4. tener ganas de _____
5. tener prisa
6. tener cuidado (con algo)

■ ACTIVIDAD 2 ¡Así se dice!

Paso 1 ¿Qué expresiones se usan en circunstancias normales?

1. Para expresar la edad: Soy / Tengo 18 años.
2. Para decir cómo me siento hoy: Estoy bien / bueno.
3. Después de cometer un error: Estoy embarazado. / Tengo vergüenza.
4. Hace una temperatura muy baja: Estoy / Tengo frío.
5. Si no entiendo algo: Estoy confusa / confundida.
6. Para decir el lugar de un evento, como la clase: La clase de español es / está en la biblioteca.

Paso 2 Ahora en parejas, hagan preguntas basada en las ideas del Paso 1. Luego busquen otra pareja para hacerles sus preguntas.

Ejemplo: ¿En qué clase estás confundida/o con frecuencia? O: ¿Estás confundida/o en alguna clase muchas veces?

■ ACTIVIDAD 3 Descripciones

Paso 1 Describe las siguientes personas y cosas con un mínimo de seis ideas usando los verbos **ser, estar, tener, hacer** y **haber.**

yo   mi mejor amigo/a

mi ciudad/estado   mi clase de _____

Paso 2 Ahora en parejas, comparen sus descripciones. ¿Coinciden en algo? Prepárense para reportar al resto de la clase los aspectos comunes de sus descripciones usando las expresiones **las dos / los dos** o **nuestras ciudades, clases.**

■ ACTIVIDAD 4 Las meninas

Paso 1 Completa el párrafo con la forma correcta de **ser, estar, hacer, tener** y **haber** en el presente de indicativo.

Este ___[1] el famoso cuadro[a] *Las meninas* del pintor Diego Velázquez. Velázquez ___[2] de Sevilla, España. *Las meninas,* que data de 1656, ___[3] un cuadro muy complicado: la escena que vemos no ___[4] en realidad la que el pintor ___[5] pintando en el lienzo[b] dentro del cuadro. En la escena ___[6] varias personas: la princesa, sus damas de honor y las enanas[c] que le hacen compañía, dos adultos más y el propio Velázquez. También ___[7] un perro y las niñas no ___[8] miedo de él. Además, los reyes ___[9] reflejados en un espejo al fondo de la sala.

Es imposible saber si ___[10] frío o calor en la sala, pero parece que las personas ___[11] bien; no ___[12] frío ni calor.

¿Dónde ___[13] nosotros, los espectadores, con respecto al pintor? ¿Y los reyes? ¿Por qué ___[14] los reyes allá? Y la princesa, ¿cuánto tiempo hace que posa[d] para el pintor?

¿Crees que la princesa ___[15] ganas de posar? ¿O crees que ___[16] vergüenza de salir en[e] el cuadro? ¿Cómo te imaginas que ___[17] esta niña?

_____

[a]*painting* [b]*canvas* [c]*dwarfs* [d]*hace... has she been posing* [e]*de... of appearing in*

©Imagno/Getty Images

Las meninas (1656), Diego Velázquez

Paso 2 En parejas, contesten las preguntas de los dos últimos párrafos del **Paso 1.**

■ ACTIVIDAD 5 Veinte preguntas

Un compañero / Una compañera piensa en una persona, y el resto del grupo intenta adivinar quién es esa persona, haciéndole preguntas que solo pueden contestarse con **sí** o **no.**

Ejemplo:　—¿Es mujer?

　　　　　—Sí.

　　　　　—¿Es de los Estados Unidos?

　　　　　—No.

　　　　　—¿Está viva?

　　　　　—Sí.

　　　　　—¿Tiene más de 50 años?

There are two types of comparisons: equality (**igualdad**), when two things are the same, and inequality (**desigualdad**), when one thing is more or less than another. Adjectives, nouns, adverbs, and actions can be compared.

Comparisons of equality

- ...**tan** + *adjective* + **como**...

  Note that the adjective agrees with the subject (the first noun).

  Sara es **tan** alta **como** su padre.   *Sara is as tall as her father.*

  Los niños son **tan** altos **como** su madre.   *The boys are as tall as their mother.*

- ...**tan** + *adverb* + **como**...

  Este jefe nos trata **tan** mal **como** el otro.   *This boss treats us as badly as the other one.*

- ...**tanto/a(s)** + *noun* + **como**...

  Note that **tanto** agrees with the noun compared.

  Pedro tiene **tanta** plata **como** Luis.   *Pedro has as much money as Luis.*

  Hay **tantos** exámenes **como** el semestre pasado.   *There are as many exams as last semester.*

- ...*verb* + **tanto como**...

  Coman **tanto como** quieran.   *Eat as much as you want.*

Comparisons of inequality

- ...**más/menos** + *adjective* + **que**...

  Miguel es **más** alto **que** su padre.   *Miguel is taller than his father.*

  Las niñas son **menos** tercas **que** tú.   *The girls are less stubborn than you.*

Some adjectives have special comparative forms.

más grande/viejo (edad) → **mayor**
Mi hermana es dos años **mayor que** tú.   *My sister is two years older than you.*

más pequeño/joven → **menor**
José es cinco años **menor que** yo.   *José is five years younger than I am.*

más bueno → **mejor**
Este programa **es mejor que** el anterior.   *This program is better than the last one.*

más malo → **peor**
Esta novela es **peor que** la anterior.   *This novel is worse than the last one.*

- ...**más/menos** + *adverb* + **que**...

  Llegamos **más** tarde **que** el profesor.   *We arrived later than the teacher.*

  Bien and **mal** also have special comparative forms: **mejor** and **peor.**

  La economía está **mejor** este año **que** el año pasado.   *The economy is better this year than last year.*

- ...**más/menos** + *noun* + **que**...

  Tú tienes **menos** tarea **que** yo.   *You have less homework than I do.*

- ...*verb* + **más/menos que**...

  Hoy tengo que estudiar **más que** ayer.   *Today I have to study more than yesterday.*

Es **tan alto como** su hermano, ¡y juegan tan bien como su padre!

©Comstock Images/SuperStock RF

¡En esta universidad hay más talento **del que** te imaginas!

Los mejores tamales de Los Ángeles

Superlatives

A superlative (**el superlativo**) is an expression that indicates something as the maximum within a category or group.

el/la/los/las + *noun* + **más/menos** + *adjective* (+ **de...**)

Tomás es **el** niño **más** alto **de** su clase.
Tomás is the tallest child in his class.

Las galletas de mi abuela son **las más** ricas **del** mundo.
My grandma's cookies are the best in the world.

The irregular comparative forms are used to express the superlative.

el/la/los/las + **mayor/menor/mejor/peor** (+ **de...**)

Yo soy **la mayor de** mis hermanos.
I am the oldest of my siblings.

Mi abuela hace **los mejores** tamales **de** Los Ángeles.
My grandma makes the best tamales in Los Angeles.

©Ryan McVay/Getty Images RF

Nuestra profesora de español es la más simpática del departamento.

■ ACTIVIDAD 1 ¿Qué sabes de tu profesor(a) de español?

Paso 1 Completa las siguientes oraciones con las palabras correctas para formar comparaciones sobre tu profesor(a) de español.

Ejemplo: Mi profesor(a) de español pasa (más / menos) (de / que) tres horas al día viendo la tele. → Mi profesor(a) de español pasa **menos de** tres horas al día viendo la tele.

Mi profesor(a) de español...

1. gana (más / menos) (de / que) 200.000 dólares al año enseñando español.
2. no gana (tan / tanto) dinero (como / que) un jugador profesional de fútbol.
3. es (tanto / tanta / tan) alto/a (como / que) _____ (*nombre de una persona de la clase*).
4. habla español (mejor / peor / tan bien) (como / que) sus padres.
5. tiene (más / menos / tantos / tan) estudiantes (como / que) mi profesor(a) de _____ (*otra clase*).
6. (no) es la persona (mayor / menor) de su departamento.

Paso 2 Ahora pregúntale a tu profesor(a) si tus respuestas del **Paso 1** son correctas.

Ejemplo: ¿Es verdad que Ud. pasa **menos de** tres horas al día viendo la tele?

■ ACTIVIDAD 2 Frida Kahlo y Diego Rivera

Paso 1 Kahlo y Rivera son una de las parejas artísticas más famosas en el mundo. Pero es obvio que eran muy diferentes. Completa las oraciones con la palabra correcta de la lista:

del más mayor mejor menor que tanta tantas

1. Diego y Frida tienen _____ similitudes como diferencias. Su relación es larga y tumultuosa. Los dos viven un romance más apasionado y difícil ____ que muchos podemos soportar (*bear*).
2. Frida es mucho ____ pequeña que Diego. También es mucho _____ en edad.
3. Diego tiene _____ salud que Frida y muere mucho _____ que ella.
4. Frida pinta cuadros más intimistas ____ Diego. Por el contrario, Diego hace murales, pinturas grandes sobre la historia de México y la desigualdad social.
5. Frida pasa mucho tiempo en cama, pero tiene _____ pasión por la pintura como Diego y pinta hasta el final de sus días.

Paso 2 Ahora, en parejas, imaginen la personalidad de estos famosos pintores. ¿Quién tenía mejor carácter? ¿Quién era más o menos chistoso/terco/apasionado/pesado/sensible/extrovertido/etc.?

©Keystone-France/Gamma-Keystone via Getty Images

■ ACTIVIDAD 3 Mi familia

En parejas, hablen de sus respectivas familias, comparando a sus miembros. Pueden hablar sobre su apariencia física, su personalidad, su trabajo, los deportes que hacen y con qué frecuencia los practican, etcétera.

Ejemplo: —Mi madre es mucho más baja que mi padre. Yo soy tan baja como mi
   madre.
   —¿Quién en tu familia es tan alto como tu padre?
   —Nadie. Mi padre es el más alto de toda la familia.

■ ACTIVIDAD 4 Preferencias

En parejas hagan oraciones usando superlativos para hablar de las cosas y personas que Uds. consideran lo más (*tops*) en sus respectivas categorías explicando por qué.

Ejemplo: una ciudad de los Estados Unidos → Para mí Miami
   es la mejor ciudad de los Estados Unidos porque es
   muy cosmopolita, hace buen tiempo y ofrece
   muchas actividades interesantes.

1. una ciudad de los Estados Unidos
2. una comida típica de los Estados Unidos
3. la estación del año (estación... *season*) para ir de
   vacaciones
4. una película reciente
5. un deporte para mirar/practicar
6. una asignatura (clase) aburrida/interesante este semestre/trimestre

■ ACTIVIDAD 5 Las comparaciones son odiosas, pero...

En parejas o grupos pequeños, comparen su universidad con otras universidades de su estado o ciudad. A continuación les ofrecemos algunos detalles en los que pueden pensar.

Ejemplos: el costo de la matrícula →
   El costo de la matrícula de mi universidad es mayor/superior que el
   del *community college* de mi ciudad.
   La universidad estatal cuesta tanto como _____.

1. el costo de la matrícula
2. el número de estudiantes
3. el tamaño (*size*): más grande/pequeña
4. los equipos (*teams*) deportivos
5. la preparación de los estudiantes y los profesores
6. la simpatía de los estudiantes
7. ¿?

Cultura

La población hispana o latina*: Multiplicidad étnica y racial

©Kim Steele/Blend Images RF

©Image Source/PunchStock RF

©Rubberball/Getty Images RF

Los términos «hispano/a» y «latino/a» no se refieren a una raza, sino a un origen geográfico y cultural: una persona es hispana o latina porque su familia es originaria de[a] un país donde se habla español. En estos países viven personas de todas las razas y sus posibles mezclas[b]: indios o indígenas, blancos (primero los españoles, después personas de toda Europa), negros (que llegaron a través del comercio de esclavos), mestizos (personas de sangre[c] indígena y blanca), mulatos (personas de sangre negra y blanca), judíos, árabes, asiáticos, etcétera. Esto se debe a que Latinoamérica, como los países anglosajones de Norteamérica (los Estados Unidos y el Canadá), ha aceptado y sigue aceptando inmigrantes de todo el mundo. Pero, a diferencia de los Estados Unidos y el Canadá, la población original indígena es mayor: en algunos países, como Guatemala y Bolivia, puede llegar a más del 50 por ciento.

Los términos «hispano» y «latino» se usan mucho menos en Latinoamérica y España que en los Estados Unidos. Por lo general, en Latinoamérica la gente se identifica por su país de origen: colombiano, ecuatoriano, español, etcétera. El término «hispano/a» se reserva para hablar de la comunidad de hispanohablantes en ocasiones especiales. «Latino/a» se refiere no solo a los hispanos, sino también a las personas de Brasil y de los países europeos donde se hablan lenguas que vienen del latín: Francia, Italia y Portugal.

En español, «latinoamericano» e «hispanoamericano» solo se refieren a personas y cosas de la América Latina y de Hispanoamérica, respectivamente, nunca a los hispanos o latinos que viven en los Estados Unidos. «Español(a)» solo se refiere a las personas de España o a las cosas relacionadas con la lengua española. Para referirse a una persona *U.S. Hispanic* o *Latino* se puede decir que es «estadounidense de origen hispano o latino».

---

[a]*es... is originally from*   [b]*mixtures*   [c]*blood*

*En **MÁS** se usan los términos latino/a e hispano/a de manera indistinta e intercambiable para referirse a la población de origen hispanohablante en los Estados Unidos.

Tertulia Nuestros amigos hispanos o latinos

- ¿Conocen Uds. a personas hispanas? ¿a muchas o pocas?
  ¿Cómo explicas esta situación personal?

- ¿De dónde son las personas que conocen? Pueden contestar de dos maneras.
  Mi amigo/a _____ es de España.

  Mi amigo/a _____ es español(a).

- ¿Cuál es el origen étnico de sus amigos hispanos?

Latinos en la pantalla y sus estereotipos

Gina Rodríguez

©Collection Christophel/Alamy

Texto y publicación

Este artículo apareció en una publicación electrónica tipo blog titulada **La vida va.**

Antes de leer

¿Qué actores y actrices latinos conoces? ¿En qué series de televisión o películas han aparecido (*appeared*)? ¿Te gustan esas series o películas? ¿Te parece que los latinos están bien representados en el cine y la televisión de este país? Explica tu respuesta.

■ ACTIVIDAD 1 Gina Rodríguez es la protagonista de *Jane the Virgin.*

Completa el párrafo con la palabra o expresión adecuada del banco.

belleza	papel	pantalla	peinado	sirvienta
interpretar	digno/a	hermoso/a	al parecer	

Gina Rodríguez es una actriz muy conocida por su _____[1] de Jane en la serie *Jane the Virgin.* Gina _____[2] a una trabajadora de un hotel (no trabaja como _____[3], sino como camarera en el restaurante). La _____[4] espectacular no es una característica física de Jane, ni lleva ropa ni _____[5] fabulosos, pero es una joven inteligente que llena la _____[6] con su _____[7] sonrisa. Su personaje es muy _____[8] y muy simpático. Pero, _____[9], Jane no puede tener una vida sin complicaciones amorosas y familiares...

VOCABULARIO ÚTIL

la belleza	beauty
el papel	role
la pantalla	screen
el peinado	hairdo
la sirvienta	maid
interpretar	to play the role
digno/a	dignified
hermoso/a	bello/a
al parecer	seemingly

ESTRATEGIA IDEA PRINCIPAL Y AUDIENCIA

Para entender bien cualquier (*any*) texto es buena idea identificar la idea principal. En un artículo periodístico como el de este capítulo, el título puede y debe ser revelador. En este tipo de artículo, cada párrafo suele contener información que apoya la idea principal. El final del artículo con frecuencia incluye un tema o un punto de vista que presente una alternativa o complemente el mensaje esencial.

Por otro lado, es importante saber a qué tipo de lectores está dirigido el artículo. Como en inglés o cualquier lengua, el tipo de publicación en el que aparece un artículo define normalmente el tono y el tipo de información que el texto transmite. No es igual escribir para una revista académica, que para un periódico como el *The New York Times* o para un blog.

Al leer (*As you read*) este artículo, presta atención a lo siguiente:

- ¿Cuál es la idea central?
- ¿Qué otras ideas apoyan (*support*) la idea principal?
- ¿Cuál es la audiencia de este texto?

LATINOS EN LA PANTALLA Y SUS ESTEREOTIPOS

T. S. BELA

Son cada vez más[a] los latinos que hacen presencia en los Estados Unidos. Se han convertido en la minoría más grande en la nación americana con más de 54 millones, lo que constituye un 17 por ciento de la población. Aún[b] después de unas cuantas[c] décadas y decenas de actores súper talentosos abriéndose paso,[d] más allá de ganadores de premios[e] Óscar de actuación, dirección, etcétera, los personajes latinos de Hollywood no representan la realidad, pues salvo[f] algunas excepciones, siguen interpretando papeles cortados por la misma tijera de siempre.[g] Veamos algunos ejemplos de esto.

Mujeres latinas

Sin importar la nacionalidad, las mujeres son hermosas, pero la industria del cine y de las series de televisión se han empeñado[h] en mostrar a la mujer latina como una belleza exuberante y casi prostituida. Este modelo trillado[i] propone que las latinas son mujeres que van por la vida con poca ropa y llamándole «papi» a todo aquel que se le cruza[j]. En la pantalla, la mujer latina utiliza peinados exóticos, mucho maquillaje, escotes[k] muy pronunciados, pantalones pegados[l] y ¿qué decir de los estampados[m] de *animal print*? Sabemos que en la vida real no solo las latinas, sino muchas mujeres se visten así, pero es mentira que sea una regla general en la mayoría y más cuando se trata de la mujer latinoamericana.

Por otro lado, parece que para Hollywood la mujer latina nació para ser sirvienta. Ya sea[n] en el hogar o en un hotel, las latinas son las preferidas para este tipo de papeles. Cualquier trabajo es digno y necesario, pero esta obsesión por poner a las latinas como servidumbre nos empieza a aburrir; si bien[ñ] la mujer latinoamericana se caracteriza en la vida real por ser servicial[o] y hogareña,[p] cada vez más mujeres en la vida real se niegan[q] a jugar el papel de ama de casa y deciden emprender[r] carreras u oficios que no les permiten estar en el hogar de la manera en la que normalmente se les representa en las pantallas.

Según lo que vemos en películas y series, hay dos tipos de latinas: las sumisas[s] y las libertinas. Normalmente las sumisas son las que llevan a cabo del papel de sirvientas o amas de casa y las libertinas son las mujeres exuberantes, quienes normalmente cortan el cabello o tienen trabajos sin tanta importancia y casi siempre se embarazan a temprana edad.

Las mujeres latinas son muy diferentes entre sí, no solo a nivel cultural sino también en cuanto a[t] físico se refiere; pero en la pantalla todas las latinoamericanas son morenas. Al parecer, los estadounidenses no saben que existen las rubias en América Latina...

©Collection Christophel/Alamy

Actrices latinas haciendo los papeles de sirvientas en el programa estadounidense *Devious Maids*

---

[a]cada... *more and more*   [b]*Even*   [c]unas... *a few*   [d]abriéndose... *getting doors open*   [e]*awards*   [f]*except*
[g]cortados... *cut by the same old scissors*   [h]se... *they have insisted*   [i]Este... *this trite model*   [j]todo...
everyone who crosses their path   [k]*neckline*   [l]*tight*   [m]*print*   [n]ya... *be it*   [ñ]si... *although*   [o]*attentive*
[p]*home-loving*   [q]*refuse*   [r]*start*   [s]*submissive*   [t]en... *regarding*

Hombres latinos

Aunque nos duela admitirlo, el número de latinos condenados por delitos federales supera[u] en términos absolutos al de criminales de otros grupos étnicos en el país. Esto quiere decir que hay más latinos en las cárceles de Estados Unidos que negros, blancos, asiáticos o árabes. Aún así, no todos los latinos son criminales, pero parece que la industria del entretenimiento está empeñada en repetir este estereotipo.

Según las películas y las series de televisión, los latinos son siempre pandilleros[v] que van por la vida estafando,[w] vendiendo drogas o matando. La imagen de «macho men» caracteriza siempre a los hombres latinoamericanos, mostrándolos como mujeriegos,[x] alcohólicos, golpeadores[y] de mujeres y niños, drogadictos y mafiosos.

Y al parecer para la industria hay dos tipos de latinos: los mafiosos o los albañiles.[z] Si el hombre no se dedica a estafar es porque tiene un trabajo como albañil o presta[aa] algún servicio de construcción. Al parecer, los latinos solo sirven para realizar trabajos físicos, por lo que sería muy raro encontrar un hombre como abogado o gerente.[ab]

En cuanto al físico, normalmente son hombres desaliñados[ac] que usan pantalón de mezclilla suelto[ad] y camisetas blancas, llevan perforaciones y bigote o bigote y barba. Por otro lado, en el estereotipo de matón,[ae] el latino lleva el cabello largo, se viste ridículamente y utiliza accesorios de oro.

Los hombres latinos son también muy diferentes entre sí, pero al parecer, para los estadounidenses no se es latino si no se es moreno. Al parecer, no saben que también existen latinos rubios...

No se trata de que los latinos no deban representar estos personajes que son parte de la realidad social. Se trata de lo mal repartido que está el pastel. La cantidad de papeles de este tipo que reciben los latinos es mucho mayor que los que hacen de jueces, médicos, maestros, periodistas, artistas, científicos o héroes salvadores.

A pesar de[af] que la mayoría de nuestros paisanos[ag] no causan una buena imagen de América Latina, los medios como el cine y la televisión tienen gran influencia y poder para construir estereotipos que perduran[ah] en la sociedad, por lo que será nuestro trabajo como latinoamericanos el mejorar[ai] las ideas que el mundo tiene de nosotros a partir de nuestros actos.

©AF archive/Alamy

Gabriel Iglesias, actor y comediante estadounidense de origen mexicano

---

[u]*exceeds* [v]*gang* members [w]*conning* [x]*womanizers* [y]*beaters* [z]*construction workers* [aa]*renders* [ab]*manager* [ac]*scruffy* [ad]mezclilla... *loose denim* [ae]thug [af]A... *In spite of* [ag]*fellow country people* [ah]*endure* [ai]*to improve*

Bela, T.S., "Latinos en la pantalla y sus estereotipos" *La Vida Va,* March 24, 2016 http://lavidavamagazine.com/latinos-la-pantalla-estereotipos. Reprinted by permission.

Comprensión y análisis

■ ACTIVIDAD 2

¿Cierto o falso? Identifica el texto y los párrafos del artículo que confirman tu decisión en cada caso.

1. Los latinos nunca ganan premios por su trabajo en Hollywood.
2. El problema es que en este país hay muy poca población latina.
3. Ahora hay mucha variedad de papeles para las actrices y los actores hispanohablantes.
4. Las mujeres latinas siempre están representadas de una manera seductora.
5. Los hombres latinos con frecuencia no tienen una apariencia elegante.
6. Hay muchos papeles de albañil para los hombres latinos.

■ ACTIVIDAD 3 Estereotipos

En parejas, hagan una lista de los adjetivos o descripciones que aparecen en el texto para representar los papeles típicos para los actores y actrices hispanos en Hollywood. Luego discutan si hay otras representaciones estereotípicas de los hispanos en el cine y la televisión que no comente el artículo.

■ ACTIVIDAD 4 Idea principal y audiencia

Paso 1 Contesta las siguientes preguntas.

1. ¿Cuál es la idea principal del artículo?
2. ¿Qué otras ideas apoyan la idea principal?
3. ¿Cómo concluye el artículo?
4. ¿Cuál es la audiencia de este texto?
5. ¿Cómo te parece el tono (formal, coloquial, etcétera)?

Paso 2 En parejas, inventen un subtítulo para este artículo.

América Ferrera, estadounidense de origen hondureño, fue la protagonista de la serie *Ugly Betty*. Ferrera es mucho más guapa que su personaje, ¿no?

■ ACTIVIDAD 5 En tus propias palabras

Explica a tu manera el significado de las siguientes citas (*quotes*) del artículo.

1. «...cada vez más mujeres en la vida real se niegan a jugar el papel de ama de casa y deciden emprender carreras u oficios que no les permiten estar en el hogar de la manera en la que normalmente se les representa en las pantallas».

2. «No se trata de que los latinos no deban representar estos personajes que son parte de la realidad social. Se trata de lo mal repartido que está el pastel».

3. «Al parecer, los latinos solo sirven para realizar trabajos físicos, por lo que sería muy raro encontrar un hombre como abogado o gerente».

4. «...por lo que será nuestro trabajo como latinoamericanos el mejorar las ideas que el mundo tiene de nosotros a partir de nuestros actos».

Tertulia Latinos en el cine y la televisión

- Como menciona el artículo, el cine y la televisión propagan muchos estereotipos que podemos considerar negativos de los latinos. Sin embargo, hay películas basadas en historias verdaderas de latinos en los Estados Unidos que son inspiradoras. ¿Conoces alguna?

- ¿Hay algún personaje latino en alguna de las películas o series que hayas visto que te guste o con el que te sientas identificado/a? ¿Cuál? ¿Por qué te gusta ese personaje?

- ¿Conocen alguna película extranjera donde aparezca algún personaje estadounidense (no latino)? ¿Qué tipo de papel representa? ¿Cómo se sabe que es estadounidense el personaje? ¿Están de acuerdo con esa imagen?

©Jennifer Lourie/Getty Images

Actores de la película *McFarland, USA* (2015)

Producción personal

Redacción Descripción personal

Escribe un correo electrónico con tu descripción personal para un servicio en línea de búsqueda de pareja.

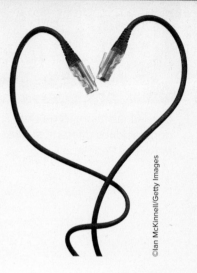

Prepárate

Haz una lista en español con todas las ideas importantes para tu correo electrónico. Piensa en lo que los lectores de un servicio de búsqueda de parejas desean saber antes de pedir una cita con alguien. Y considera con cuidado cómo tú quieres mostrarte, tanto en lo físico como en lo referente a tu personalidad.

¡Escríbelo!

- Ordena las ideas de tu borrador usando un párrafo diferente para cada idea importante. Por ejemplo, para esta composición puedes describirte físicamente en un párrafo y en el siguiente describir tu personalidad.

- Busca en el diccionario y/o en tu libro de texto las palabras y expresiones sobre las que tengas duda.

Repasa

- ☐ el uso de los verbos que expresan *to be*
- ☐ la concordancia entre sujeto y verbo
- ☐ la concordancia de género y número entre sustantivos, adjetivos y pronombres
- ☐ la ortografía (*spelling*) y los acentos
- ☐ el vocabulario: Asegúrate de no repetir ideas o palabras; busca sinónimos cuando sea necesario.
- ☐ el orden y el contenido: Asegúrate de que tu composición esté bien estructurada.

¿Cuándo se dice?: *¿Saber o conocer?*		
conocer	• *to be acquainted/familiar with a person, place, or thing* • *to meet for the first time* (in the preterite)	**¿Conoces** a mi hermana? **Conozco** casi toda Centroamérica. Se **conocieron** en la universidad.
saber	• *to know a fact* • *to know how, to be able* • *to know well* (by heart or from memory) • *to find out* (in the preterite)	**Sé** lo que quieres decir. Manuela **sabe** bailar el tango muy bien. ¿Sabes la letra del himno nacional? Ayer **supe** del accidente de tus padres.

left ©Brian To/FilmMagic/Getty Images; right: ©Theo Wargo/Getty Images for NBC

Dos latinas famosas de dos generaciones diferentes: Rita Moreno y Penélope Cruz

¿Qué piensan los hispanohablantes?

Entrevista a una persona hispana de tu comunidad sobre sus artistas (cantantes, actores o actrices, pintores, etc.) favoritos. Algunas preguntas posibles:

- ¿Quiénes son sus artistas favoritos y qué hacen?
  ¿Cuáles son sus obras más conocidas?
- ¿Cree tu entrevistado/a que estos artistas representan bien a la comunidad latina en los Estados Unidos? ¿Por qué?
- ¿Es fácil para tu entrevistado/a encontrar buenas películas y programas en español? ¿asistir a conciertos de artistas latinos?

Producción audiovisual

Haz una presentación audiovisual con artistas hispanos muy conocidos en tu país, acompañada de tu propio (*own*) texto.

¡Voluntari@s! El censo

En esta sección vas a encontrar algunas ideas para trabajar de voluntario/a al servicio de tu comunidad. Considera trabajar para la Oficina del Censo de tu país. Un censo correcto es una de las fuentes de información más importantes para cualquier (*any*) nación o gobierno. ¡En los Estados Unidos se necesitan trabajadores y voluntarios bilingües!

Porcentaje de distribución de la población latina por origen: 2013

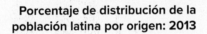

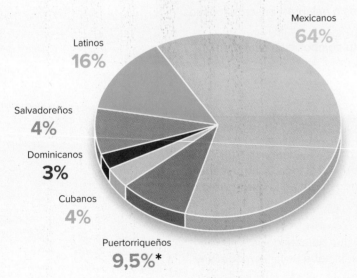

Mexicanos
64%

Latinos
16%

Salvadoreños
4%

Dominicanos
3%

Cubanos
4%

Puertorriqueños
9,5%*

Tertulia final La comunidad latina en los Estados Unidos

Como ya saben, la comunidad latina en los Estados Unidos no es homogénea. Por el contrario, los latinos forman una comunidad variadísima compuesta por grupos de distintos países y, por tanto (*therefore*), rasgos culturales diversos. Considerar que todos los grupos latinos son idénticos es como pensar que todos los hablantes nativos del inglés, como los ingleses, estadounidenses, australianos, jamaicanos, etcétera, son culturalmente iguales.

Comenten las diferencias que conocen entre los grupos que constituyen la comunidad latina en los Estados Unidos.

---

*En español, los decimales aparecen después de una coma y los millares (*thousands*) van separados por un punto, justo al contrario que en inglés.

Para terminar Cuestión de imagen

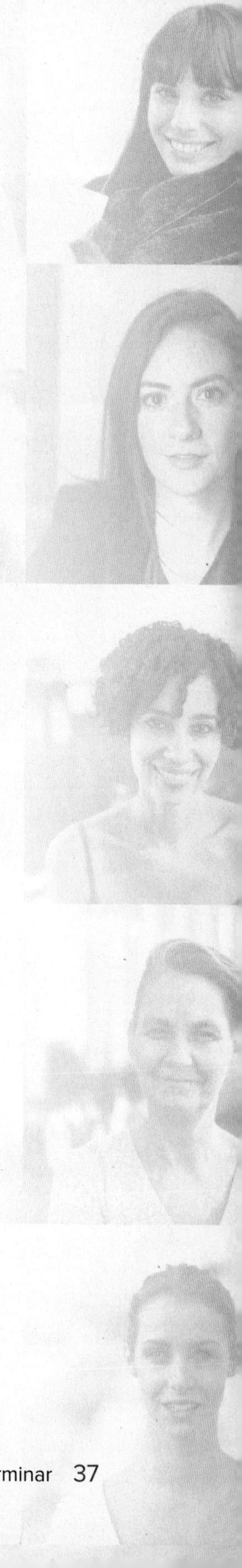

Now I can

- ☐ describe physical and personality traits
- ☐ speak about my activities and the activities of others
- ☐ describe physical states, conditions, and characteristics
- ☐ analyze the diversity of physical features among people from Hispanic cultures
- ☐ evaluate preconceived notions and prejudices regarding physical characteristics and personality traits
- ☐ compare the use of terms of endearment in Hispanic cultures and in one's own (country/region) culture

Vocabulario del capítulo

Asegúrate que sabes:

- ☐ el vocabulario temático (**Palabras**, pp. 6–7)
- ☐ las palabras cariñosas (**Cultura**, p. 10)
- ☐ los verbos (**Estructura 1,** pp. 11–17)
- ☐ los adjetivos que se usan con *ser* y *estar* (**Estructura 2**, pp. 19–20)
- ☐ las expresiones con *hacer* y *tener* (**Estructura 2,** p. 21)
- ☐ los adjetivos derivados de países (**Cultura,** p. 28–29)
- ☐ los usos de **saber** y **conocer (¿Cuándo se dice?,** p. 35)

Otro vocabulario activo

la belleza	beauty
la gente	people
el mensaje	message
el personaje	character (as in a movie or book)

VOCABULARIO PERSONAL

«Yo soy yo y mis circunstancias»*

©Hero Images/Getty Images RF

Para el final del capítulo podré

- hablar sobre las diferentes maneras en que nos podemos identificar como personas: religión, política, grupos deportivos, etcétera
- expresar mi experiencia e intereses universitarios
- describir la rutina diaria
- expresar gustos e intereses
- comparar el sistema universitario de algunos países hispanohablantes y el de mi país
- explicar la diversidad religiosa de los hispanos para entender el papel de la religión en la vida personal y civil

_____

*Esta es una cita del filósofo José Ortega y Gasset (España, 1883–1955).

«Dime con quién andas y te diré quién eres».*

- ¿Con qué personas andas normalmente? ¿A cuáles consideras buenos amigos? ¿Por qué?
- Piensa en tus amigos más cercanos: ¿Se puede decir que ustedes comparten valores religiosos e ideas políticas? ¿Qué más comparten (*share*)?

ENTREVISTA

Gustavo (Gus) Flores García Fresno, California

«Soy miembro de un par de grupos dentro y fuera de la universidad».

- ¿Te identificas con alguna religión? ¿con algún grupo político o de otro tipo?
- ¿Perteneces a algún equipo o asociación?
- ¿Qué intereses compartes con tus amigos de la universidad?
- ¿Cuál es o cuál va a ser tu especialización académica?
- ¿Tienes mucho trabajo esta semana para tus clases? ¿Qué tienes que hacer?

connect

Escucha las respuestas de Gustavo Flores García a estas preguntas en **Connect**.

EN PANTALLA

«Sandra Cauffman científica de la NASA visita la UCR»

Canal UCR-Universidad de Costa Rica (Costa Rica, 2014)

Reportaje sobre una mujer que sueña con las estrellas y quiere animar (*to encourage*) a los jóvenes a seguir sus sueños.

SANDRA ALBA CAUFFMAN
MISIÓN MAVEN A MARTE, NASA

---

*You shall be known by the company you keep.

De entrada

«... los libros y la lectura son de un enorme valor para la sociedad»

Antes de leer

Ponerse la camiseta por algo es una expresión que se usa en varios países del mundo hispanohablante. Quiere decir defender o luchar por algo. Este artículo viene de Argentina y trata de una iniciativa social. Antes de leer, piensa en las siguientes preguntas: ¿Por qué te pones la camiseta tú? ¿Por qué grandes causas deberíamos ponernos la camiseta todos, en tu opinión?

Ponerse la camiseta de las bibliotecas populares

Hay una expresión que proviene del mundo del deporte y que se usa para indicar compromiso[a] y adhesión: «ponerse la camiseta». Las personas, literal y figuradamente, se ponen la camiseta de un club de fútbol, de un partido político, de una banda de rock. Ahora llegó la oportunidad de participar en la promoción de las bibliotecas populares, las instituciones quizá más nobles que existen en el país. La Comisión Nacional de Bibliotecas Populares, creada por Domingo Faustino Sarmiento en 1870, lanza[b] mañana, Día de las Bibliotecas Populares, la convocatoria[c] denominada[d] «Socios[e] de la Lectura». Para ella se convocó[f] a escritores, actores, divulgadores[g] de ciencias y artistas de diferentes disciplinas para que den su testimonio como amantes de la lectura. Entre los que se pusieron la camiseta en defensa de las bibliotecas populares figuran Claudia Piñeiro y Juan Sasturain, Iván de Pineda y Luis Pescetti, Abelardo Castillo y Diego Golombek.

Leandro de Sagastizábal, presidente de la Conabip, cuenta que esta acción puntual persigue[h] dos objetivos: «Acercar[i] más gente a las bibliotecas populares y darles mayor visibilidad. Ésta es una más de las actividades que venimos realizando[j], que incluyen desde jornadas[k] de innovación creativa hasta encuentros con las bibliotecas en todo el país». Ser socio de una biblioteca popular no supera[l] los cincuenta pesos.

«En esta convocatoria participa gente que es reconocida por su amor a los libros. Escritores, actores, figuras públicas vinculadas[m] a la cultura, deportistas, que tienen en común considerar que los libros y la lectura son de un enorme valor para la sociedad», dice De Sagastizábal.

[a]*commitment* [b]*releases* [c]*announcement* [d]*llamada* [e]*members* [f]*se... were called upon* [g]*educators, promoters* [h]*pursuits* [i]*to bring closer* [j]*venimos... we have been doing* [k]*workshops* [l]*costs no more than* [m]*linked*

Comprensión y análisis

Busca en el texto las ideas

1. ¿Qué significa la frase "ponerse la camiseta"?
2. ¿De qué iniciativa habla el artículo?
3. ¿Qué personas están colaborando con esta iniciativa?
4. ¿Qué es el Conabip?
5. ¿Qué se quiere conseguir con esta convocatoria?

Antes de mirar

¿Cuáles son tus sueños educativos y profesionales? ¿Qué impide que algunas personas no logren (*achieve*) sus metas (*goals*) educativas o profesionales? ¿Qué características de la personalidad ayudan a una persona a lograr sus metas?

©UCR

«... uno puede llegar a conseguir los sueños que uno quiere...»

Reportaje: «Sandra Cauffman científica de la NASA visita la UCR»

Costa Rica, 2014
Canal UCR-Universidad de Costa Rica

Comprensión y discusión

Completa estas oraciones con ideas y vocabulario del reportaje.

1. Sandra Cauffman es una _____ de la NASA que investiga el clima en _____.
2. Es de _____, donde vivió _____ años. Es una mujer _____.
3. Sandra Cauffman dice que hizo realidad sus sueños gracias a _____.
4. Al hablar sobre cómo conseguir las metas, Sandra Cauffman dice que la _____ no existe y la _____ no es una excusa para no alcanzar los sueños.

Interpreta

1. ¿Cuál es el mensaje que Sandra Cauffman quiere comunicar a los jóvenes?
2. ¿Quiénes son los dos hombres entrevistados y por qué creen que la visita de Cauffman es muy importante?
3. ¿Cómo se consigue el éxito académico y profesional según Cauffman? ¿Estás de acuerdo con ella?
4. ¿Cuál es el mensaje de Cauffman para los estudiantes? Te parece un buen mensaje?

Tertulia Influencia e inspiración

Muchas veces elegimos estudiar algo o pertenecer a un grupo porque otras personas nos animan (*encourage*) o nos sirven de inspiración. ¿Qué personas te influyeron a la hora de decidir qué estudiar, pertenecer a un grupo o hacer algo importante en tu vida? ¿Has ayudado tú a otras personas a conseguir sus sueños o pertenecer a un grupo?

VOCABULARIO ÚTIL	
la charla	talk
el esfuerzo	effort
la pobreza	poverty
el sueño	dream
la juventud	youth
la suerte	luck
conseguir	to achieve
exitoso/a	successful
sencillo/a	modest
a nivel mundial	worldwide
en cambio	by contrast

connect

Para ver «Sandra Cauffman científica de la NASA visita la UCR» y realizar más actividades relacionadas con el reportaje, visita: www.mhhe.com/connect

Palabras

Las religiones

Trabajando en una alfombra en una calle de Antigua Guatemala, con motivo de la celebración de la Semana Santa

el/la ateo/a	atheist
el bautismo	baptism
las creencias (religiosas)	(religious) beliefs
el dios/la diosa	god/godess
la fe	faith
la iglesia	church
el judaísmo	Judaism
el/la judío/a	Jew
la mezquita	mosque
el musulmán / la musulmana	Muslim
la oración	prayer
el rito	ritual
la sinagoga	synagogue
el/la testigo de Jehová	Jehovah's Witness

Cognados: **el/la agnóstico/a, el/la baptista, el budismo, el/la budista, el/la católico/a, el catolicismo, el/la cristiano/a, el cristianismo, el islam, el/la metodista, el mormón / la mormona, el/la protestante, el servicio (religioso)**

rezar	to pray

La afiliación política

el centro	center
el/la demócrata	democrat
el partido	party

Cognados: **el/la comunista, la democracia, el/la republicano/a, el/la socialista**

apoyar	to support
democrático/a	democratic

De repaso: **derecha, izquierda, conservador/a, progresista, votar**

Otras relaciones sociales

©Xinhua/Alamy

la amistad	friendship
el/la compañero/a de casa/cuarto	house/roommate
de clase/estudios	classmate / study partner
de colegio/universidad	(elementary school, high school / university) classmate
de trabajo	work associate
sentimental	(life) partner
el equipo	team
el/la jugador/a	player
el miembro	member

Cognados: **la asociación (de estudiantes latinos / de mujeres / de negocios)**

formar parte de	to be/form part of
pertenecer (zc) a	to belong to

De repaso: **la generación, el grupo (de teatro/música)**

©McGraw-Hill Education/Andrew Resek

Expresiones útiles en la conversación

¡Viva...!	Hurray (for ...)!
¡Arriba / Abajo + sustantivo/nombre de un grupo...!	Hurray (for ...) /Down with ...!

La vida universitaria

el/la alumno/a	estudiante
los apuntes / las notas	(class) notes
el bachillerato	high school (studies)
la beca	grant, fellowship, scholarship
la calificación / la nota	grade
el curso académico	academic year
la facultad	department encompassing an entire discipline
la fecha límite / el plazo	deadline
el horario	schedule
el informe escrito	paper
la licenciatura	B.A. degree equivalent
la materia	subject matter, class
aprobar (ue)	to pass
faltar a clase	to miss class
suspender / reprobar (ue)	to fail

Las carreras y la especialización universitaria

las ciencias políticas	political science
la contabilidad	accounting
el derecho	law
la enfermería	nursing
la física	physics
la informática	computer science
la ingeniería	engineering
las letras	letters (literature, language studies)
el periodismo	journalism
la química	chemistry

Cognados: **la arquitectura, la biología, las ciencias naturales, las ciencias sociales, las comunicaciones, la geografía, la historia, las humanidades, la literatura, las matemáticas, la medicina, la sicología, la sociología**

■ ACTIVIDAD 1 Asociaciones

Paso 1 ¿Qué palabras del vocabulario asocias con las siguientes imágenes?

1. ©Corbis/agefotostock RF
2. ©agefotostock/SuperStock
3. ©Jessica Byrne
4. ©Ingram Publishing/SuperStock RF
5. ©Reza Estakhrian/Getty Images
6. ©Andersen Ross/Blend Images/Getty Images RF
7. ©Misha Japaridze/AP Photo
8. ©Chris Whitehead/Getty Images RF

Paso 2 Ahora en parejas, túrnense para dar una palabra de la lista de vocabulario relacionada con la política o la religión, mientras el resto del grupo trata de nombrar un símbolo o una persona representativa de esa palabra. ¡Sean creativos!

■ ACTIVIDAD 2 En la universidad

Paso 1 ¿Qué carrera asocias con los siguientes libros o temas?

1. Adobe Acrobat, HTML, JavaScript
2. estructuras de asfalto y cemento
3. clásicos grecolatinos
4. grandes poetas españoles del Barroco
5. elementos orgánicos e inorgánicos
6. libertad y democracia en Latinoamérica
7. Freud y Jung
8. diabetes y obesidad
9. la ley de la gravedad y el Gran Colisionador de Hadrones

Paso 2 ¿Qué palabras de la vida estudiantil asocias con las siguientes ideas?

1. una hoja de papel con la fecha del día y el título de la lección de ese día
2. medicina, matemáticas, ingeniería, derecho, ciencias políticas, literatura inglesa, etcétera
3. A+, B, C–, etcétera
4. 2017–2018
5. Lunes: 9–10 español, 10–11 historia, 2–3 práctica de química
6. *W. Wilson High School*

■ ACTIVIDAD 3 Comparación con la Universidad Nacional de Córdoba

Paso 1 En grupos, hagan una lista de comparaciones entre su universidad y la Universidad Nacional de Córdoba, Argentina, según los datos del recuadro. (**¡OJO!** Hay que saber en qué año se fundó su universidad, cuántos alumnos hay en su recinto, cuáles son las carreras más populares, etcétera. Si no saben, ¡busquen la información en el Internet!)

Ejemplo: En nuestra universidad hay menos/más estudiantes que en la universidad Nacional de Córdoba, pero nosotros somos tan inteligentes como los de la UNC.

®Karol Kozlowski Premium RM Collection/Alamy

Universidad Nacional de Córdoba (UNC)

Fundada en 1613: la universidad más antigua de Argentina

Periódico digital: www.prensa.unc.edu.ar

Número de estudiantes: más de 110.000

Carreras más populares: medicina, derecho, química, sicología, contabilidad, enfermería y arquitectura

Duración de la mayoría de las carreras: cuatro años

Paso 2 Ahora, contesten las siguientes preguntas: ¿Cuáles son las carreras más populares en su universidad? ¿Qué edad tiene la mayoría de los estudiantes? ¿Por qué su universidad atrae a este tipo de estudiantes?

■ ACTIVIDAD 4 La vida universitaria

Entrevista a un compañero / una compañera sobre los siguientes temas relacionados con la universidad. ¿Qué tienen Uds. en común? ¿En qué son muy diferentes?

Ejemplo: ¿Tienes algún tipo de beca?

- materias que están tomando este semestre
- becas
- carrera/concentración
- horario
- asociaciones/equipos a los que pertenece
- actividades extracurriculares

■ ACTIVIDAD 5 Presidenta/e de la asamblea estudiantil

Paso 1 Imagina que vas a presentar tu candidatura para ser presidenta/e de la asamblea de estudiantes. Prepara un pequeño discurso (*speech*) en el que expliques tres temas universitarios que consideras importantes y que van a ser los principales objetivos para ti como líder de la asamblea. Indica qué piensas hacer para conseguir tus objetivos. **¡OJO!** Recuerda usar **ir + a +** *infinitivo* para expresar intención en el futuro.

Paso 2 Presenta tu discurso a la clase.

©Martin Bernetti/AFP/Getty Images

La diputada (*congresswoman*) chilena Camila Vallejo Dowling empezó su carrera política como líder estudiantil.

■ ACTIVIDAD 6 ¿Cómo te defines?

Paso 1 Prepárate para hablar de ti en términos de identidad y pertenencia (*belonging*). ¿Con qué grupos o asociaciones te identificas? ¿Cuál es tu rol en esos grupos o asociaciones? ¿Qué compartes con los otros miembros? ¿Tienes conciencia de pertenecer a una generación específica?

Paso 2 En parejas o grupos, usen las ideas del Paso 1 u otras que les parezcan pertinentes para conocerse mejor. Hagan preguntas a sus compañeros para comprender su sentido de pertenencia a un grupo o generación y/o el nivel (*level*) de participación en sus grupos.

©Peathegee Inc/Blend Images RF

Cultura

La universidad y los hispanohablantes: Luces y sombras

La Universidad Nacional Mayor de San Marcos, Lima, Perú, activa desde su fundación en 1571.

Las universidades más antiguas

En Latinoamérica se fundaron las primeras universidades de las Américas. Antes de 1636, año en el que se fundó la primera universidad de los Estados Unidos (Harvard), ya había universidades en las siguientes ciudades latinoamericanas:

Santo Domingo	1538	Lima	1571
Ciudad de México	1553	Córdoba	1613

Estudios universitarios

El porcentaje de personas que entra en la universidad y termina sus estudios es todavía bastante bajo en muchos países latinoamericanos, en comparación con otros lugares. La siguiente tabla muestra la población de 25–34 años que cuenta con un título universitario en varias naciones, según datos de 2014 de la Organización de Cooperación y Desarrollo Económicos (OCED).

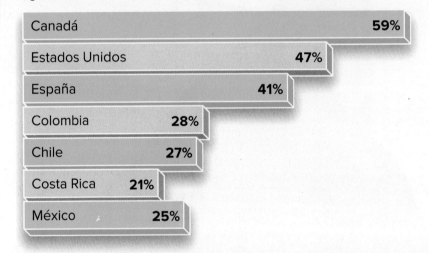

Canadá **59%**
Estados Unidos **47%**
España **41%**
Colombia **28%**
Chile **27%**
Costa Rica **21%**
México **25%**

El sistema universitario de los países hispanohablantes

Por lo general, en los países latinoamericanos y en España, cuando los estudiantes entran en la universidad se matriculan directamente en una disciplina o campo de estudio, que se llama «facultad». Una facultad es como un gran departamento dentro del cual hay otros departamentos académicos más pequeños relacionados entre sí. Hay facultades de medicina, ingeniería, derecho, psicología, filosofía y letras, etcétera.

Tertulia

- ¿Cuáles pueden ser las razones por las que un país tiene un porcentaje bajo de graduados de la universidad?
- ¿Hay programas universitarios en este país que sean más o menos similares a los de los países hispanohablantes, es decir, en que los estudiantes no tengan mucha flexibilidad para elegir las materias que desean estudiar? ¿Qué ventajas y desventajas puede haber en entrar en una facultad directamente?

Estructuras

4 Los pronombres de objeto directo e indirecto

Many verbs require objects to complete their meanings. Objects are nouns (or noun phrases) that add information as to whom or what the action affects.

There are two types of objects:

> **direct object (OD):** it indicates who or what receives the action
> <u>indirect object (OI):</u> it indicates who or what benefits from the action

> <u>Le (OI)</u> presto **los apuntes (OD)** <u>a María (OI)</u> todos los días.
> *I lend <u>María (OI)</u> **my notes (OD)** every day.*

As in English, noun phrases like **los apuntes** or <u>a María</u> are often replaced by pronouns.

¡OJO! A verb that requires an object must always be accompanied by one, which can be a noun, a noun phrase, or an object pronoun.

Los pronombres de objeto directo			
me	me	nos	us
te	you (*fam. sing.,* **tú**)	os	you (*fam. pl.,* **vosotros**)
lo	you (*form. sing. m,* **Ud.**), him, it	los	you (*form. pl. m,* **Uds.**), them
la	you (*form. sing. f,* **Ud.**), her, it	las	you (*form. pl. f,* **Uds.**), them

- In order to avoid repetition, direct object pronouns replace object nouns.

  —Tienes que ver **la última película** de Almodóvar.

  —*You have to see Almodóvar's latest movie.*

  —Ya **la** vi. Es buenísima, ¿verdad?

  —*I already saw it. It's excellent, isn't it?*

- **La/las/lo/los** are used to refer to things and people, including usted(es).

  ¡Sra. Palacio! ¿Cómo está usted? ¡Hace mucho tiempo que no **la** veo!

  Ms Palacio! How are you? I haven't seen you in a long time!

- The direct object typically responds to the question **¿qué?**

  ¿Qué ves?

  What do you see?

  Veo **un libro** / **a Rosa**.

  I see a book/Rosa.

- When the direct object appears before the verb, the OD pronoun must appear too.

  Estas becas **las** da la Fundación Telefónica.

  These scholarships are given by the Telefónica Foundation.

- **Lo** is used to replace a direct object that is an idea or an action.

  —**María se convirtió en testigo de Jehová.**

  —*María became a Jehovah's Witness.*

  —Ya **lo** sé. Me **lo** dijo su hermana.

  —*I already know (it). Her sister told (it) to me.*

©Ingram Publishing/ Alamy RF

Allá está mi perro. ¿**Lo** ves?

RECORDATORIO

a **personal**

The preposition **a** always precedes direct objects that are people or pets.

Quiero mucho **a** mi compañera de cuarto.	*I love my roommate.*
Extraño **a** mi familia.	*I miss my family.*
¿Ves **a** mi perro en el patio?	*Do you see my dog in the patio?*

Los pronombres de objeto indirecto			
me	to/for me	nos	to/for us
te	to/for you (*fam. sing.,* **tú/vos**)	os	to/for you (*fam. pl.,* **vosotros**)
le	to/for you (*form. sing. m/f,* **Ud.**), him/her, it	les	to/for you (*form. pl.m/f,* **Uds.**), them

¡OJO! Direct and indirect object pronouns are only different in the third person forms: **lo/la** and **los/las** vs. le and les.

- Indirect objects are almost always represented by a pronoun. The phrase **a** + *noun* is used whenever it is necessary to specify the person or thing to which the object refers.

  a. El profesor nos dio el nuevo horario.

  The professor gave us the new schedule.

  b. El profesor les dio el nuevo horario.

  The professor gave you/them the new schedule.

  c. El profesor les dio el nuevo horario a Uds.

  The professor gave you the new schedule.

  d. Les dio el nuevo horario a sus asistentes.

  He gave the new schedule to his assistants.

  In example a (above), the only possible meaning of the indirect object pronoun is *us.* In example b, however, les has more than one possible meaning. Unless the meaning was previously established, the **a** + *noun* phrase is needed to clarify (as seen clarified in c and d).

- The indirect object typically responds to the question **¿a quién / a qué?**

  ¿A quiénes les van a dar la beca?

  To whom are they going to give the scholarship?

  Creo que le van a dar la beca a Rosa.

  I think they are going to give the scholarship to Rosa.

- The following verbs normally require indirect objects. Note that many of them are verbs of communication and exchange.

agradecer (zc)	*to thank*	pedir (i, i)	*to ask (for)*
dar (*irreg.*)	*to give*	preguntar	*to ask (a question)*
decir (*irreg.*)	*to say*	prestar	*to lend*
explicar (qu)	*to explain*	prohibir (prohíbo)	*to prohibit*
exigir (j)	*to demand*	recomendar (ie)	*to recommend*
regalar	*to give (a gift)*		

Los estudiantes le dan la tarea al profesor.

Los pronombres de objeto directo e indirecto juntos

Sequence

- When the direct object and indirect object pronouns appear together in a sentence, the indirect object always precedes the direct object.

  ¿Me (OI) compraste **las entradas para el teatro (OD)**? → ¿Me (OI) **las (OD)** compraste?

  Did you buy me the theater tickets? → *Did you buy them for me?*

- When both object pronouns are in the third person, the indirect object pronoun (le/les) becomes se.

  Les (OI) compré **regalos (OD)** a las niñas.　　　　*I bought presents for the girls.*

  Se (OI) **los (OD)** compré.　　　　*I bought them for them.*

La madre le lee **un libro** a la niña. (La madre se lo lee.)

Placement

- **Before the verb: OI + OD + *verbo***

  Conjugated verbs: The pronouns are placed together before conjugated verbs.

  ¿Las llaves? Te **las** doy mañana.　　　*The keys? I'll give them to you tomorrow.*

  Negative commands: The pronouns are placed together before negative commands.

  No se **las** presten otra vez.　　　*Don't lend them to him again.*

- **After and attached to the verb: *Verbo* + OI+ OD**

  Affirmative commands: The pronouns must be placed at the end of and attached to affirmative commands.

  Explícame**lo** en español.　　　*Explain it to me in Spanish.*

- **Before or after the verb**

  If there is a verb group including an infinitive or a present participle (or gerund), the pronouns can precede the conjugated verb OR be attached at the end of the non-conjugated verb.

  Estoy buscándose**lo**. / Se **lo** estoy buscando.　　　*I am looking for it for him.*

  ¿Puedes comprárme**lo**? / ¿Me **lo** puedes comprar?　　　*Can you buy it for me?*

  Vamos a enviártelas. / Te **las** vamos a enviar.　　　*We're going to send them to you.*

| ¡OJO! | Non-conjugated verbs require a stress mark when two object pronouns are attached. |

If the infinitive is not part of a verb phrase, the pronouns must be attached to the end of the infinitive.

Ella no tiene dinero para comprárnos**lo**.　　　*She doesn't have money to buy it for us.*

—¿Me la **compras?**

■ ACTIVIDAD 1 ¿A qué o quiénes se refieren?

Paso 1 Indica si el pronombre puede referirse a **alguien**, o **algo** (una cosa, una idea, una situación), o **los dos**. Si se refiere a una persona, ¿qué persona puede ser (a ti, a Ud., a ellas, etcétera)?

1. ¡Claro que **lo** creo! _____

2. ¿**La** ves ahora? _____

3. ¿Vas a traer**los**? _____

4. Tengo que visitar**las**. _____

5. Se **la** regalo. _____

6. No quieren saber**lo**.

7. Tenemos ganas de conocer**lo**. _____

Paso 2 Ahora en parejas, den ejemplos específicos para las ideas del Paso 1. Después compartan algunas ideas con la clase.

Ejemplo: ¡Claro que **lo** creo! ➜ Claro que creo que la matrícula de la universidad es muy cara.

■ ACTIVIDAD 2 ¡Viva mi compañero de cuarto!

Paso 1 Subraya el objeto directo de las siguientes oraciones. Luego sustitúyelo por un pronombre de objeto directo.

Ejemplo: ¿Conoces a Ethan, mi compañero de cuarto? ➜ ¿**Lo** conoces?

1. Mi compañero de cuarto respeta mis creencias religiosas.

2. Acepta mis ideas políticas diferentes de las suyas.

3. Siempre apoya a mi equipo de futbol.

4. Y va a escuchar mis conciertos este semestre.

5. Siempre compartimos las notas de la clase de arqueología.

6. Por eso aprecio su amistad.

7. Ahora tengo que buscar a mi compañero para llevar a mi compañero a casa de su familia.

Paso 2 Ahora, en parejas hablen de las personas con quienes Uds. viven. ¿Tienen compañeros de cuarto o de casa? ¿Cómo son? ¿Tienen buena amistad con alguno de ellos? ¿Qué hacen juntos para divertirse y apoyarse (*support each other*)?

■ ACTIVIDAD 3 Un mitin político

Paso 1 Fede explica lo que ocurre en algunos momentos de un mitin político que se ve en un video de YouTube. Completa las oraciones con el pronombre de objeto indirecto adecuado.

1. Ahora el candidato _____ explica a nosotros los objetivos de su partido.

2. Yo _____ pregunto algunas cosas, pero él no _____ responde.

3. Algunas personas _____ exigen al candidato más claridad.

4. Él _____ exige al público silencio para poder seguir hablando.

5. Finalmente _____ pide a los asistentes su voto en las próximas elecciones.

6. Muchos asistentes _____ piden al candidato que se vaya y gritan ¡Abajo Pedro Acosta!

Paso 2 Ahora contesta las siguientes preguntas evitando las repeticiones.

¡OJO! Recuerda que en español el orden del sujeto y el objeto no es tan predecible como en inglés.

1. ¿El candidato les explica a Uds. su programa? (Sí...)
2. ¿Le hiciste las preguntas que querías? (Sí,...)
3. ¿En ese momento algunas personas le están exigiendo al candidato claridad? (Sí...)
4. ¿El candidato les pidió silencio a esas personas? (Sí...)
5. ¿Y ahora les va a pedir también su voto? (Sí,...)
6. ¿Y tú vas a darle tu voto? (No, no...)

En parejas, hablen sobre la actividad política en el campus. ¿Hay muchos mítines políticos? ¿Cuáles son los partidos con más presencia? ¿Asisten ustedes a algunos mítines?

■ ACTIVIDAD 4 Una fiesta de graduación

Paso 1 La familia de Marina está organizándole una fiesta por terminar su licenciatura en ingeniería. Completa el diálogo entre los padres y la hermana de Marina, Lydia, incorporando los pronombres de objeto directo e indirecto. (Los objetos están subrayados para que no tengas dificultad en identificarlos.)

☑ mandar las invitaciones

☑ preguntarle a Juan si está disponible su conjunto de marimba

☐ comprar las flores

MAMÁ: Tenemos que mandar las invitaciones inmediatamente.

LYDIA: No te preocupes mamá, yo ya _____ ¹ mandé.

MAMÁ: Hay que preguntarle a Juan si su conjunto de marimba está disponible para ese día.

PAPÁ: No te preocupes: esta mañana _____ ² vi (a Juan) y _____ ³ _____ ⁴ pregunté (a Juan, si su conjunto...).

MAMÁ: ¿Y qué _____ ⁵ (a ti) respondió?

PAPÁ: _____ ⁶ dijo (a mí) que sí.

MAMÁ: ¡Qué bien! Ahora tenemos que comprar las flores.

LYDIA: La madre de Carmen, mi compañera de clase, tiene una floristería. Si quieres, yo _____ ⁷ puedo encargar (*to order*) (las flores / a la madre).

MAMÁ: Estupendo. _____ ⁸ Di (*Tell*) (a la madre de Carmen) que nos gustaría comprar rosas y lilas.

Paso 2 Ahora, en grupos imaginen que van a preparar una fiesta muy especial para alguno de sus amigos o persona de sus familias. Piensen qué tipo de fiesta va a ser (sorpresa, de aniversario, de graduación, de cumpleaños, ...) y todo lo que necesitan. Piensen también dónde van a conseguir estas cosas y quién se va a encargar de conseguir cada una de ellas.

—¿Quién te hizo las empanadas?
—Me las hizo mi abuela.

■ ACTIVIDAD 5 Artículos y empanadas

Paso 1 Reescribe el diálogo entre dos amigas que son compañeras en una clase de historia, evitando las repeticiones. Presta atención

- al género y el número de los pronombres de objeto directo
- a la posición de los pronombres con respecto al verbo
- al orden de los pronombres de objeto directo e indirecto

LUCÍA: ¿Tienes los artículos de la clase de historia?

JANA: Sí, tengo los artículos en el iPad.

LUCÍA: Si no estás usando el iPad ahora, ¿me prestas el iPad? Quiero leer los artículos antes de esta noche.

JANA: OK. Yo no voy a leer los artículos hoy. Si tomas notas, ¿puedo ver las notas después?

LUCÍA: Sí, claro. Entonces, voy a escribir las notas con el lápiz digital para que puedas mirar las notas mientras lees los artículos.

JANA: ¡Gracias! Oye, ¿quieres unas empanadas de pollo para almorzar?

LUCÍA: ¡Empanadas! ¡Claro que quiero las empanadas! ¿Quién te hizo las empanadas?

JANA: Me hizo las empanadas mi abuela, que está de visita en casa de mis padres.

Paso 2 Ahora, en parejas, hablen de quiénes hacen las siguientes acciones por Uds. ¿Y por quiénes hacen ustedes esas cosas? Pueden añadir más ideas a la lista.

Ejemplo: darles dinero: Mi abuela me da dinero cuando la visito. Yo no le doy dinero a nadie. ¡No tengo tanto dinero como para darlo!

- darles dinero
- pagarles la matrícula de la universidad
- hacerles comida / alguna comida en particular
- mandarles mensajes con fotos por Snapchat
- dejarles mensajes en Facebook
- prestarles sus cosas

■ ACTIVIDAD 6 Adivina, adivinanza

Prepara varias oraciones sobre un objeto o concepto sin mencionar su nombre. Tus compañeros tendrán que adivinar lo que es. Debe haber al menos un pronombre en cada oración. La última oración debe ser la más fácil.

Ejemplo: la tarea → Nos **la** dan con demasiada frecuencia.
Casi nunca me gusta hacer**la**.
Si no **la** haces, hay problemas.
Nadie **la** puede hacer por ti.
Tienes que entregár**sela** a los profesores antes de una fecha límite.

Reflexive verbs are those in which the subject is also the recipient of the action it performs. They are always accompanied by reflexive pronouns. Compare the examples below, one reflexive and the other nonreflexive.

Me despierto a las 7.

| (Yo) **Me despierto** a las 7. | *I wake (myself) up at 7. (Reflexive)* |
| ¿Mi hijo? (Yo) **Lo despierto** a las 8 de la mañana. | *My son? I wake him up at 8 A.M. (Not reflexive)* |

The first sentence expresses a reflexive action—subject and object are the same person. In the second sentence, the subject (**yo**) does something for another person, the direct object (**mi hijo / lo**).

Reflexive pronouns

- In Spanish reflexive verbs are marked by the use of reflexive pronouns, which are similar to the pronouns for the direct and indirect objects, except for the third persons, singular and plural.

Los pronombres reflexivos			
me	*myself*	**nos**	*ourselves*
te	*yourself*	**os**	*yourselves*
se	*himself/herself/yourself*	**se**	*themselves/yourselves*

- Reflexive pronouns follow the same rules of placement as object pronouns—they precede a conjugated verb and negative commands, and are attached to the infinitive, present participle, and affirmative command.

| ¿Todavía están vistiéndo**se**?/ ¿Todavía **se** están vistiendo? | *Are you still getting dressed?* |
| ¡Levánta**te**! ¡No **te** duermas! | *Get up! Don't fall asleep!* |

- When a reflexive pronoun and a direct object pronoun appear together, the reflexive pronoun precedes the direct object pronoun.

| ¿Las manos? Ya me las lavé. | *My hands? I already washed them.* |

Reflexive verbs

Many verbs can be used reflexively or nonreflexively. The shift in meaning is simply that the action is being done to *oneself;* the verb does not change meaning.

Daily routine

Many reflexive verbs are related to daily routines and are easily identified in English as reflexive actions.

acostar(se)	to go (*put oneself*) to bed	levantar(se)	to get (*oneself*) up
		maquillar(se)	to put on makeup
afeitar(se)	to shave (*oneself*)	peinar(se)	to comb (*one's hair*)
despertar(se)	to wake up (*oneself*)	vestir(se)	to get (*oneself*) dressed
duchar(se)	to shower (*oneself*)		

RECORDATORIO

Los pronombres recíprocos

Los pronombres **nos, os** y **se** también sirven para referirse a una situación de reciprocidad; es decir, el uno al otro (*to each other*).

Los buenos compañeros **se ayudan.**	*Good friends help each other.*
Mi mejor amiga y yo **nos visitamos** mucho.	*My best friend and I visit each other a lot.*
¿**Os escribís** tus amigos y tú por e-mail?	*Do you and your friends write each other e-mails?*

Estructuras 55

Other verbs

Many verbs that are reflexive in Spanish do not have reflexive meanings in English, because the *self* pronoun is not required in English.

callar(se)	*to be quiet*	morir(se)	*to die*
calmar(se)	*to calm (oneself) down*	preparar(se)	*to prepare (oneself)*
divertir(se)	*to have fun, to enjoy oneself*	reunir(se)	*to get together, meet*
		sentar(se)	*to sit (oneself down)*
enamorar(se) de	*to fall in love with*	sentir(se)	*to feel*

Verbs that change meaning

The following verbs change meanings in their reflexive use. These verbs are not necessarily reflexive in English.

Non reflexive use		Reflexive use	
acordar	*to agree*	acordarse	*to remember*
beber	*to drink*	beberse	*to drink up*
comer	*to eat*	comerse	*to eat up*
dormir	*to sleep*	dormirse	*to fall asleep*
ir (*irreg.*)	*to go*	irse	*to leave*
llamar	*to call*	llamarse	*to be named*
parecer	*to seem*	parecerse	*to look like*

—Hola, **me llamo** Roberto.

—Hola, Roberto. **Te pareces** a mi sobrino.

Verbs of *becoming*

The following reflexive verbs express *to get/become* + *adjective* and have no reflexive meaning in English.

Me enfadé mucho cuando me insultaron.	*I got/became very angry when they insulted me.*

aburrir → aburrirse	*to get/become bored*
alegrar → alegrarse	*to get/become happy*
enfadar → enfadarse	*to get/become angry*
enfermar → enfermarse	*to get/become sick*
enfurecer → enfurecerse	*to get/become furious*
enojar → enojarse	*to get/become angry*
emborrachar → emborracharse	*to get/become drunk*

In Spanish, the following verbs are used with various adjectives and nouns to convey different types of changes. In English, oftentimes these changes are expressed with verbs such as *to become, to turn into, to get, to go,* and so on.

- **convertirse (ie, i) en/al** + *noun* ➔ conversion or metamorphosis

La oruga se convirtió en mariposa.	*The caterpillar became a butterfly.*
Muhammad Ali se convirtió al islam.	*Muhammad Ali converted to Islam.*

- **hacerse** + *adjective/noun* ➔ gradual change, implying conscious effort and/or a goal met

Los Gómez se hicieron ricos en el Perú.	*The Gomezes got rich in Peru.*
Su hija se hizo médica.	*Their daughter became a doctor.*

- **ponerse** + *adjective* ➔ sudden physical or emotional change

Me puse furiosa cuando perdió mi equipo.	*I got mad when my team lost.*
Se pusieron muy contentos con los libros.	*They became very happy with the books.*

- **volverse** + *adjective/noun* ➔ physical or emotional change, often sudden, dramatic, and irreversible

Cuando se murió su hijo se volvió loca.	*When her son died, she went crazy.*
Esto se ha vuelto un problema.	*This has become an issue.*

■ ACTIVIDAD 1 La rutina

Paso 1 Completa el siguiente texto con los pronombres reflexivos adecuados.

Mi equipo de baloncesto viaja a menudo para competir en torneos. Los días de la competición yo ____[1] despierto muy temprano porque ____[2] siento nerviosa, pero mis compañeras ____[3] levantan a las 7 más o menos. Después de desayunar, ____[4] ponemos nuestros uniformes y ____[5] vamos a la cancha.[a] Allí entrenamos un poco y todo el equipo ____[6] prepara para el partido. Si ganamos ____[7] ponemos muy contentas y al final gritamos ¡Viva nuestra entrenadora[b]! Ella también ____[8] alegra mucho. Si perdemos, ____[9] duchamos y ____[10] acostamos temprano para jugar mejor al día siguiente.

[a]*court*   [b]*coach*

Paso 2 Ahora, en parejas, hablen de su rutina diaria. Aquí tienen varias preguntas específicas, y deben crear por lo menos dos más para entrevistarse.

¿Qué haces antes/después de levantarte? Por la mañana, ¿qué haces primero: te lavas los dientes o te vistes? ¿Qué haces justo antes de acostarte? ¿Qué haces después de acostarte?

■ ACTIVIDAD 2 Asociaciones

Paso 1 Indica el verbo reflexivo que corresponde a cada una de las siguientes ideas y luego inventa una oración con ese verbo. No es necesario usar las ideas de la columna de la izquierda en tus oraciones.

Ejemplo: una fiesta ➔ divertirse: Yo siempre me divierto en una fiesta.

1. ___ el silencio	a. llamarse
2. ___ una cita romántica	b. callarse
3. ___ una clase de matemáticas	c. enfermarse
4. ___ alguien usa tu champú sin tu permiso	d. despertarse
5. ___ un resfriado (*cold*)	e. enojarse
6. ___ el nombre y apellido	f. aburrirse
7. ___ el despertador	g. enamorarse

Paso 2 Ahora en parejas, piensen en verbos reflexivos que pueden relacionarse con las siguientes cosas e ideas. Después escriban una oración usando cada uno de los verbos y explicando algo sobre su rutina.

el amor a primera vista   la barba
la cama   la silla
una persona que habla mucho   un plato de la comida que más les gusta

■ ACTIVIDAD 3 ¿Reflexivo o no?

Paso 1 Completa el siguiente párrafo con los verbos entre paréntesis. Usa el presente de indicativo o el infinitivo, según el caso.

¡OJO!   Algunos verbos pueden ser reflexivos y otros no. Incluye los pronombres reflexivos si son necesarios.

Se graduó y se hizo dentista.

Hoy _____[1] (reunir: nosotros) todos los miembros de la Asociación de Estudiantes Latinos. Queremos _____[2] (acordar) la lista de eventos para el próximo semestre. Es seguro que Juan no va a votar porque siempre _____[3] (dormir) en medio de la reunión; por eso _____[4] (sentar) atrás.[a] Yo estoy en el comité de relaciones públicas y después de la reunión tengo que _____[5] (ir) para hablar con la gente del periódico. Como soy tímido, siempre _____[6] (poner) un poco nervioso en estas situaciones. Belén está en el comité de los afiches[b] y los _____[7] (poner) por todo el campus cada vez que hay un evento.

_____

[a]*in the back*   [b]*posters*

Paso 2 Ahora hagan una pregunta relacionada con los hábitos universitarios con cada uno de los verbos de la lista. Después, en parejas, túrnense para hacerse y contestar sus preguntas.

acordarse   dormirse   irse   reunirse   ponerse   sentarse

Ejemplo: acordarse → ¿Te acuerdas siempre de hacer las tareas de español?

■ ACTIVIDAD 4 Antes y después

Paso 1 Mira las siguientes viñetas y haz una oración que exprese lo que sucede al final de cada viñeta usando los verbos **hacerse, volverse, ponerse** y **convertirse.**

A

C

B

Paso 2 Ahora en parejas, intenten usar esos verbos para expresar cambios y reacciones en su vida o en la de otras personas que conocen.

Gustar, *to like,* is the most common of a group of verbs in Spanish that require an indirect object. The literal equivalent in English is *to be pleasing.* The subject in the English sentence is expressed by an indirect object in Spanish, while the person, thing, or action liked is the subject of **gustar.**

(a + OI) OI pronoun	**gustar (subject)**	→	subject to like OD
(A mí) Me	gustan **las artes.**	→	*I like the arts. (Literally: The arts are pleasing to me.)*

¡Me gusto!

- Although mainly seen in the third person singular and plural, **gustar** can be conjugated in all persons and tenses.

  Me **gustas (tú)** mucho.　　　*I like you very much. (You are very pleasing to me.)*

  ¿Crees que le **gusto** a Elena?　*Do you think Elena likes me?*

- In English, there are verbs that function in similar ways to **gustar,** such as *to seem* and *to bother.*

  Their reaction bothers me. **Su reacción** me molesta.

  To them she seems very nice. (Ella) Les parece simpática.

La autoestima es muy importante.

- The subject is often not explicit in this structure, especially if it has been mentioned previously.

  —¿Te gustan **mis botas nuevas?**　—*Do you like my new boots?*

  —¡Me gustan muchísimo!　　　　　—*I love them!*

- To clarify or emphasize the indirect object pronoun, use the prepositional **a** phrase: **a mí, a ti, a Pedro,** and so on.

  A mí me gusta **la música**　　　*I like classical music, but my*
  　clásica, pero a mi compañero　　*roommate doesn't like it*
  　de casa no le gusta nada.　　　*at all.*

- The order of the elements in a sentence is variable, although more often than not the subject appears after the verb. The emphasis in each case is different.

  Me gusta **el chocolate.**　　　⎫
  A mí me gusta **el chocolate.**　⎪
  El chocolate me gusta.　　　⎬　*I like chocolate.*
  El chocolate me gusta a mí.　⎭

To ask *Who likes ...?* use **¿A quién le gusta(n)...?**

  —¿A quién le gusta **el chocolate?**　—*Who likes chocolate?*

  —A mí. / A mí no.　　　　　　　　—*I do. / I don't.*

The answer is an indirect object, never the subject (**yo, él,** and so on).

To ask what someone likes, use **¿Qué** te/le(s) **gusta...?**

  —¿Qué te gusta? —*What do you like?*

  —**El chocolate.** —*Chocolate.*

The answer (the thing liked) is a subject, not an object, in the response.

Other verbs like *gustar*

caer bien/mal   *to like/dislike (someone)*

> Tu compañero de casa **me cae** muy bien.
>
> *I like your housemate. (I think he is nice.)*

convenir   *to be suitable, a good idea*

> Ese plan no **te conviene.**
>
> *That plan is not suitable / a good idea for you.*

doler   *to hurt*

> **Me duele** la cabeza.
>
> *My head hurts. (I have a headache.)*

encantar   *to love (things)*

> **Me encanta** el café colombiano.
>
> *I love Colombian coffee.*

hacer falta   *to need*

> **Les hace falta** *una clase más para graduarse.*
>
> *They need one more class to graduate.*

importar   *to matter*

> Eso no **me importa** nada.
>
> *That doesn't matter to me at all.*

interesar   *to interest*

> **Nos interesa** mucho la historia del Caribe.
>
> *We are very interested in Caribbean history.*

molestar   *to bother*

> **Me molesta** que lleguen tarde.
>
> *It bothers me that they arrive late.*

parecer   *to seem*

> **Me parece** que eso no es verdad.
>
> *It seems to me that that is not true.*

preocupar   *to worry*

> **Nos preocupan** tus notas.
>
> *Your grades worry us.*

quedar   *to have left*

> **Me quedan** solo 5 euros.
>
> *I only have 5 euros left.*

tocar   *to be one's turn*

> ¿A quién **le toca** ahora?
>
> *Whose turn is it now?*

¡OJO! Like **gustar,** all these verbs are fully conjugated—they have forms for all persons.

> Tú me importas mucho.   *You matter to me.*
>
> No les interesamos.   *We are not interesting to them.*

Me encanta el café colombiano. A mí también me encanta.

©Dynamic Graphics/Jupiterimages RF

■ ACTIVIDAD 1 Oraciones incompletas

Paso 1 Completa las siguientes oraciones con las palabras que faltan.

¡OJO! Puede ser una de las siguientes cosas.

- la preposición **a**
- el objeto indirecto
- uno de estos verbos conjugados: **doler, hacer falta, encantar, gustar, parecer**

Ejemplo: __A__ mí no __me__ toca organizar la reunión de nuestra asociación.

1. Me _____ mil dólares para pagar la matrícula.
2. _____ Juan y a Carlos _____ encanta la poesía.
3. Nos _____ mucho _____ nosotros el tema de la política.
4. ¿A ti no _____ _____ los pies cuando bailas mucho? A mí sí.
5. _____ María le _____ mal que no asistas a la reunión.
6. A mi equipo de basquetbol _____ toca jugar mañana.
7. Al representante del partido progresista le _____ hablar con los jóvenes.
8. A los miembros del club de ajedrez no _____ conviene acostarse tarde hoy.
9. Me alegro de que a ti _____ caigan bien mis compañeros musulmanes.
10. _____ mi profesor de informática le _____ el nuevo programa.

Paso 2 Ahora, en parejas, creen una oración propia con cada uno de los verbs del Paso 1.

■ ACTIVIDAD 2 Entre nosotros

Paso 1 A continuación, dos amigos se están haciendo confidencias. Completa su diálogo con los verbos que faltan.

SOFÍA: Tengo que preguntarte algo. ¿Tú crees que a tu compañero de cuarto le _____ (caer: yo) bien?

HÉCTOR: ¿Tú? ¡Le _____ (caer: tú) muy bien! ¿Por qué preguntas?

SOFÍA: Para ser sincera, la verdad es que me _____ (gustar: él) bastante.

HÉCTOR: Pues yo sé que tú le _____ (interesar: tú) a él.

SOFÍA: ¿En serio? ¡Qué bien!

HÉCTOR: Oye, ¿y sale con alguien tu amiga Leticia? Ella me _____ (gustar: ella) mucho.

SOFÍA: ¿Ah sí? No, no sale con nadie hace unas semanas.

HÉCTOR: Pues, ¿por qué no quedamos los cuatro para ir al cine esta semana? Si te _____ (parecer) bien, yo hablo con mi compañero y tú con Leticia.

Paso 2 Ahora, en parejas contesten las siguientes preguntas. ¡No es necesario dar nombres!

1. ¿Te gusta alguien en especial en este momento?
2. ¿Hay alguien que no te cae bien? ¿Por qué?
3. En la situación política actual del país, ¿qué te parece bien y qué te parece mal?

■ ACTIVIDAD 3 Asociaciones

Paso 1 ¿Qué se te ocurre (*What comes to mind*) cuando piensas en los siguientes verbos? Inventa oraciones relacionadas con tus circunstancias.

Ejemplos: hacer falta → Me hacen falta unos zapatos para correr.

caer bien/mal → El novio de mi mejor amiga me cae muy mal.

1. hacer falta
2. caer bien/mal
3. encantar
4. convenir
5. doler
6. importar/interesar
7. molestar/preocupar
8. parecer
9. quedar
10. preocupar

Paso 2 En parejas, comparen sus oraciones. ¿Coincidieron en algo?

■ ACTIVIDAD 4 Minidiálogos

Paso 1 Empareja cada una de las preguntas o declaraciones con la respuesta correspondiente.

1. _____ ¿Te gusta la paella?
2. _____ Marina me cae muy bien. ¿A ti?
3. _____ ¿Quién ganó ayer el partido de fútbol?
4. _____ Oye, ¿te hace falta la computadora esta noche?
5. _____ ¿Por qué no vamos al nuevo restaurante español esta noche?

a. A mí también, pero su hermana no me cae nada bien.
b. Me encantaría ir, pero no puedo porque solo me quedan $20 para todo el fin de semana. ¿Por qué no vamos mejor al cine?
c. ¡Me encanta!
d. Ni lo sé, ni me importa.
e. No, no la necesito hasta mañana por la tarde, así que puedes usarla cuando quieras.

¡Cuánto me duele la muela (*molar*)!

Paso 2 Ahora en parejas, inventen respuestas a las siguientes preguntas.

1. El dentista te pregunta: «¿Por qué necesita verme con urgencia?»
2. Una amiga te pregunta: «¿Por qué no te compraste el vestido azul que te gustaba tanto?»
3. Tu hermano te pregunta: «¿Por qué bebes tantos refrescos? No son buenos para ti, ¿sabes?»
4. Un amigo te pregunta: «¿Por qué no viniste con nosotros a ver la película japonesa doblada (*dubbed*)?»
5. Tu compañero/a sentimental te pregunta: «¿Te gusto?»

■ ACTIVIDAD 5 Reacciones

En parejas, túrnense para dar su reacción a cada uno de los siguientes temas usando uno de los verbos como **gustar.** La otra persona debe añadir si su reacción es similar o no usando frases con **a mí también/tampoco.**

Ejemplo: las ciencias políticas / la sociología
—Me interesan mucho las ciencias políticas.
—A mí también. Pero me interesa más la sociología.

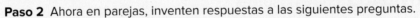

1. las ciencias sociales / las humanidades
2. la religión / la política
3. la música latina / el jazz
4. la situación económica de tu familia / del país
5. los deportes universitarios / los deportes profesionales
6. ahorrar dinero / ir de compras
7. las ideas del partido republicano / las ideas del partido demócrata

RECORDATORIO

odiar = *to hate*

Odio las espinacas.
I hate spinach.

¡OJO! No funciona como **gustar.**

©Stockbyte/PunchStock RF

Cultura

La identificación religiosa en los países hispanohablantes

El mundo hispano es mayoritariamente católico. Es difícil saber exactamente los porcentajes, pero se calcula, por ejemplo, que países como México y Paraguay tienen más del 80% de católicos, y toda América (incluyendo los Estados Unidos) es el continente más católico del mundo. Por esta razón, la religión católica tiene un papel importantísimo en las tradiciones culturales de cada país: muchas fiestas nacionales están relacionadas con la religión.

En gran parte de los países latinoamericanos, el catolicismo, traído al Nuevo Mundo por los españoles, se vio influenciado por las tradiciones de otras religiones locales, como las tradiciones indígenas, o importadas también, como las de los esclavos africanos. Un ejemplo es la santería, una mezcla de catolicismo con ritos de la religión politeísta de los yorubas africanos, que se practica por todo el Caribe. Otro ejemplo es el famoso Día de los Muertos en México, que combina una celebración católica con una festividad de tradición indígena.

En la actualidad, la presencia de otros grupos religiosos se hace cada día más palpable en casi todos los países. Algunas denominaciones protestantes, como los evangelistas, tienen más y más seguidores en, por ejemplo, Guatemala y Panamá. España ya cuenta con[a] más del uno por ciento de musulmanes entre su población, a consecuencia de la emigración de países del norte de África, especialmente Marruecos, mientras que en otros países hay pequeñas pero vibrantes comunidades judías, como es el caso de la Argentina y México. Estas comunidades no católicas, aunque de bajo porcentaje, reflejan una realidad diversa y cambiante en la población hispana.

Finalmente, es importante mencionar otro dato.[b] Muchos países, como el Uruguay, la Argentina y España, tienen un alto porcentaje (que llega a más del treinta por ciento en Uruguay) de personas no religiosas. Estas personas con frecuencia siguen las tradiciones católicas por razones familiares y culturales, pero no se consideran creyentes[c] y no practican ninguna religión.

Finalmente, en casi todos los países la separación de la religión y el estado es un hecho.[d] Puede haber alguna manifestación de las creencias religiosas en la política; por ejemplo, en el debate sobre el aborto. Pero la religión en la vida pública latinoamericana no es necesariamente más fuerte que en los Estados Unidos y en algunos países la separación es incluso más obvia. Por ejemplo, en algunos países no es aceptable que los dirigentes políticos invoquen su fe o que se rece en actos públicos.

©Courtesy of Lisa Sette Gallery

Serpientes y escaleras (1998), por el mexicano/americano Jamex de la Torre. La cruz cristiana con la serpiente evoca a Quetzalcoatl, dios de los antiguos mexicanos, representado por la serpiente emplumada (*with feathers*). ¿Dónde están las plumas en esta escultura?

---

[a]cuenta...*has* [b]*fact* [c]*believers* [d]*fact*

Tertulia Practicar la religión

- ¿Qué religiones predominan en el país de Uds.? ¿Tiene la religión una presencia importante en la vida de su país? ¿Cómo se explica eso?

- Imaginen cómo debe ser (*how it must be*) compartir la religión de la inmensa mayoría de las personas del país. ¿Creen que habría (*there would be*) mucha presión religiosa o poca? ¿En qué aspectos de la vida?

Cabra sola

©EPA Photo/EFE/Paco Torrente/Newscom

Texto y publicación

Gloria Fuertes (1917–1998) es una poeta española de poesía sencilla y coloquial, autora también de libros para niños. Escribe con mucho humor, ternura (*tenderness*) y, a veces, un gran sentimiento de soledad. En «Cabra sola» (*Poeta de guardia*, 1968), la autora se compara a sí misma con una cabra, un animal de asociaciones negativas en el lenguaje coloquial, pero que en este poema, le permite a Fuertes defender su independencia como persona y como artista.

Antes de leer

En todas las lenguas y culturas, existen asociaciones entre animales y características humanas. Por ejemplo, en español se dice que una persona es fuerte «como un toro», está loca «como una cabra». Indica algunas expresiones sobre actitudes o sentimientos humanos que estén identificados con un animal.

Aquí hay algunos animales para ayudarte a pensar:

el búho (*owl*)	el conejo (*rabbit*)	el gusano (*worm*)
el loro (*parrot*)	la mariposa (*butterfly*)	el oso (*bear*)
la oveja (sheep)	la serpiente (*snake*)	la tortuga (*turtle*)

VOCABULARIO ÚTIL

la cabra	female goat
el cuerno	horn
ello	it
el llanto	crying
la medalla	medal
el rebaño	herd
el toreo	bullfighting
peligroso/a	dangerous
estar como una cabra	*estar loco/a*

■ ACTIVIDAD 1 Práctica de vocabulario

Completa las siguientes oraciones incorporando la palabra o expresión correcta del vocabulario.

1. Cometió un crimen serio y fue a la cárcel 20 años por _____.
2. Las _____ son animales que dan leche. Viven en el monte y en _____ que cuida un cabrero.
3. El _____ de ese bebé indica que tiene hambre.
4. Mi hermano ganó una _____ de oro en los Juegos Olímpicos.
5. El toreo es peligroso porque los toros tienen _____ grandes.
6. Creo que mi mejor amiga _____: ha empezado a vivir con su novio que solo conoce desde hace una semana.

Cuando nos comunicamos, no siempre usamos las palabras con su significado literal. Por el contrario, a menudo les damos a las palabras un significado diferente al que nos ofrece el diccionario; es decir, las usamos en un sentido figurado. Esto es especialmente cierto en el lenguaje literario, pero también es un fenómeno común en el lenguaje oral que usamos a diario. Cuando se utiliza un lenguaje figurado, es importante que tanto el emisor del mensaje como el receptor compartan el mismo código para que el receptor pueda interpretar correctamente el doble sentido de las palabras usadas por el emisor. Esta es la razón por la cual a veces no podemos entender bien lo que dicen personas de otras generaciones o escritores de otras épocas cuando utilizan un lenguaje figurado.

Para comprender el poema «Cabra sola», debemos saber que en el español de algunos países, cuando el comportamiento de una persona no nos parece normal, decimos que esa persona está «loca como una cabra» o simplemente «está como una cabra». De esta manera, comparamos la manera de actuar de esa persona con el comportamiento impredecible de una cabra. En «Cabra sola», la autora utiliza esta expresión del lenguaje familiar para compararse a sí misma con una cabra, utilizando palabras que asociamos con este animal; por ejemplo, cuernos, valle, rebaño, cabrito. Sin embargo, estas palabras se usan en el poema con un doble sentido. En realidad, se refieren a la vida y profesión de la escritora. Así, por ejemplo, en el verso «A ningún rebaño pertenezco», la palabra **rebaño** no solo significa un grupo de cabras, sino también un grupo de personas (una generación de autores, una familia o un grupo de personas que piensan de una manera determinada). Por lo tanto, con este verso la autora defiende su independencia como mujer y como escritora.

Al leer el poema «Cabra sola», piensa en los posibles significados dobles de las palabras, teniendo en cuenta que la autora habla de sí misma; es decir, de una persona y no de una cabra.

CABRA SOLA
GLORIA FUERTES

1 Hay quien dice que estoy como una cabra;
 lo dicen, lo repiten, ya lo creo[a].
 pero soy una cabra muy extraña
 que lleva una medalla y siete cuernos.
5 ¡Cabra!
 Me llevo bien con alimañas[b] todas.
 ¡Cabra!
 Por lo más peligroso me paseo[c].
 ¡Cabra!
10 En vez de mala leche[d] yo doy llanto.
 ¡Cabra!
 Y escribo en los tebeos.[e]
 Vivo sola, cabra sola,
 que no quise cabrito[f] en compañía.
15 Cuando subo a lo alto de aquel valle[g]
 siempre encuentro un lirio[h] de alegría.
 Y vivo por mi cuenta,[i] cabra sola;
 Que yo a ningún rebaño pertenezco.
 Si vivir sola es estar como una cabra,

20 entonces sí lo estoy, no dudar de ello.

El lirio

---

[a]*ya... that's for sure (literally: I already know it)*   [b]*wild creatures*   [c]*me... I stroll*   [d]*mala... ill will*   [e]*comics (Spain)*   [f]*male goat*   [g]*valley*   [h]*lily*   [i]*por...on my own*

Cabra Sola: Fuertes, Gloria "Cabra sola". Used by permission of Fundacion Gloria Fuertes.

Comprensión y análisis

■ ACTIVIDAD 2 ¿Entendiste?

Empareja las siguientes ideas con el verso o los versos apropiados.

_____ Mucha gente piensa que estoy loca.

_____ Siempre veo algo bueno en la vida.

_____ Soy una persona buena y sensible.

_____ Nunca me casé con un hombre.

_____ Soy una persona muy independiente.

_____ No me importa correr riesgos (*risks*).

_____ No encajo (*fit in*) bien en un grupo.

_____ No tengo problemas para entenderme con la gente que no es «normal».

_____ Escribo cosas para niños.

_____ La soledad puede hacer que la gente parezca (*seem*) extraña.

_____ No soy una loca típica, más bien soy excéntrica.

■ ACTIVIDAD 3 Interpretación

Paso 1 Vuelve a pensar en las frases que se pueden interpretar con sentido figurado. ¿Cómo interpretas tú los siguientes versos del poema?

- « ...una medalla y siete cuernos».
- «Me llevo bien con alimañas todas».
- «En vez de mala leche yo doy llanto».
- «No quise cabrito en compañía».
- «Cuando subo a lo alto de aquel valle siempre encuentro un lirio de alegría».

Paso 2 ¿Encuentras alguna otra frase o verso que se pueda interpretar de manera figurada?

Tertulia ¿Humor o soledad?

- La imagen de *cabra loca* puede resultar humorística en España. No es extraño que Gloria Fuertes la utilice, ya que el humor es un ingrediente constante en la poesía de esta escritora. Pero, ¿es este un poema cómico? ¿Por qué?

- Es una realidad que ciertas características personales se usan en contra de algunas personas. ¿Puedes dar ejemplos de esto en tu cultura? ¿Conoces alguna campaña que esté intentando concienciar a la gente en contra de este tipo de práctica?

- Una persona puede sentirse sola por muchas razones; por ejemplo, como consecuencia de haberse mudado (*having moved*) a una ciudad nueva. ¿Por qué otras razones puede sentirse sola una persona? ¿Crees que estar solo/a es siempre negativo?

- En la década de los años sesenta se consideraba muy extraño que una mujer decidiera no casarse. ¿Piensas que hoy día es así también? ¿Hay diferencias entre lo que consideramos expectativas "normales" para las mujeres y para los hombres?

©moodboard/Glow Images RF

Producción personal

Redacción Ensayo descriptivo

Escribe un ensayo para una revista o un blog de la universidad en el que describas a tu generación.

Prepárate

Piensa en los diferentes aspectos tratados en este capítulo (la religión, las afiliaciones políticas, otras relaciones sociales y la universidad), así como en otros temas que marquen tu generación: eventos históricos o culturales, la música, la manera de comunicarse o vestirse, etcétera. Para prepararte bien debes pensar en tus lectores, tal vez personas de otras generaciones, y en cómo van a relacionarse ellos con los temas que tú decidas tratar en el ensayo.

©Rawpixel.com/Shutterstock RF

¡Escríbelo!

- No olvides la importancia del orden. Debes incluir:
  - ☐ una introducción que incluya la tesis o idea central de tu ensayo
  - ☐ un cuerpo en el que desarrolles una idea en cada párrafo
  - ☐ una conclusión o resumen de tus ideas más importantes
- Recuerda que estás describiendo; por lo tanto, escoge un vocabulario creativo.
- Busca en el diccionario y en tu libro de español aquellas palabras y expresiones sobre las que tengas duda.

Repasa

- ☐ el uso de **ser** y **estar**
- ☐ la concordancia entre sujeto y verbo
- ☐ la concordancia de género y número entre sustantivos, adjetivos y pronombres
- ☐ la ortografía y los acentos
- ☐ el uso de un vocabulario variado y correcto: evita las repeticiones
- ☐ el orden y el contenido: párrafos claros, principio y final

¿Cuándo se dice? *Maneras de expresar* **but**		
pero	*but (introduces an idea contrary or complementary to the first idea in the sentence)*	**Quiero viajar, pero no puedo este año.** **No estoy ganando mucho dinero con este trabajo, pero estoy aprendiendo mucho.**
sino	*but rather, instead (contrasts nouns, adjectives, or adverbs; used when the first part of the sentence negates something and what follows takes the place of what is negated)*	**No es rojo, sino morado.** **El examen no fue difícil, sino dificilísimo.** **Lo importante no es ganar, sino participar.**
sino que	*but rather, instead (used like* **sino,** *but to contrast conjugated verbs)*	**Lo importante no es que ganaste, sino que disfrutaste.**

¿Qué piensan los hispanohablantes?

Entrevista a una persona hispana de tu comunidad sobre las diferentes asociaciones religiosas, políticas, deportivas, profesionales, etcétera, que reúnan a un buen número de hispanos en su ciudad o estado. Estas son algunas preguntas que puedes hacer:

- ¿Qué asociaciones que reúnan a una gran población hispanohablante conoce? ¿Se dedican a temas relacionados exclusivamente a la comunidad latina o relacionados a toda la comunidad? ¿Dónde se reúnen?
- ¿Participa activamente o con frecuencia en alguna de ellas? ¿Qué hace?
- ¿En qué lengua se comunica principalmente cuando está en ese grupo? ¿Es esa la lengua que más usa todo el grupo?

Producción audiovisual

Haz una presentación audiovisual en español sobre tu universidad que pudiera servir de publicidad para estudiantes de otros países hispanohablantes.

¡Voluntari@s! Ayudar a los más jóvenes

Muchos niños necesitan ayuda con sus tareas escolares y les beneficia trabajar con jóvenes que están en la universidad y pueden relacionarse fácilmente con sus intereses. ¡Y algunos de estos niños son bilingües en español y en inglés!

Tertulia final Mi generación

Con frecuencia se habla de una generación como una época, como un período histórico. Por ejemplo, la generación de los que nacieron después de la Segunda Guerra Mundial se llama los «baby boomers» y tiene características especiales. ¿Qué se dice de la generación de Uds.? ¿Qué piensan Uds. de su generación en contraste con otras generaciones? ¿Qué piensan sus padres/abuelos (o hijos) de la generación de Uds.?

Para terminar «Yo soy yo y mis circunstancias»

Now I can

- ☐ talk about religions, political tendencies, sport teams, and other activities that may define a person's sense of belonging
- ☐ talk about my studies and academic interests
- ☐ describe the college systems in Spanish-speaking countries and compare them to mine
- ☐ describe my daily routine
- ☐ express my likes and dislikes
- ☐ talk about major religious tendencies in the Spanish-speaking world and see how they are more or less similar to the ones in my country

Vocabulario del capítulo

Asegúrate que sabes:

- ☐ el vocabulario temático (**Palabras**, pp. 42–44)
- ☐ los verbos frecuentes que requieren objetos directos y/o indirectos (**Estructura 4,** p. 50)
- ☐ los verbos reflexivos más frecuentes (**Estructura 5,** pp. 55–56)
- ☐ los verbos similares a **gustar** (**Estructura 6**, p. 60)
- ☐ las palabras que pueden expresar *but* (**¿Cuándo se dice?,** p. 67)

Otro vocabulario activo

• **la cita**	date, appointment
• **el nivel**	level
• **el resfriado**	cold (illness)
• **el tema**	topic, issue
• **compartir**	to share
• **universitario/a**	university related

VOCABULARIO PERSONAL

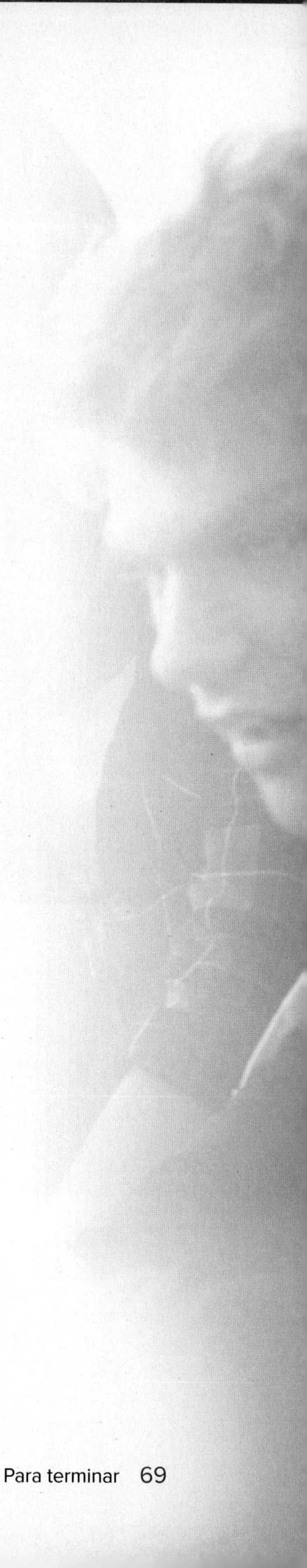

Raíces°

©Ryan McVay/Getty Images

Para el final del capítulo podré

- hablar de los miembros de la familia y las relaciones familiares
- explicar cuáles son los días importantes para mí y mi familia
- describir el sistema de apellidos en los países hispanohablantes y compararlo con el de mi país
- narrar eventos ocurridos en el pasado
- describir algunos aspectos de la situación familiar de la comunidad hispana en los Estados Unidos

«De tal palo tal astilla»*

- En el contexto de la familia, ¿quién crees que es el palo y quién la astilla?
- ¿Compartes alguna afición (*pastime*) o rasgo de tu personalidad con algún miembro de tu familia?

ENTREVISTA

Mayra Ramos Castillo San Pedro Sula, Honduras

- ¿Cómo es su familia? ¿Quiénes son sus parientes (*family members*) más cercanos?
- ¿Cuáles son las fiestas más importantes que celebra su familia?
- ¿Cuál fue la última celebración importante en su familia? ¿Cómo la celebraron?
- Cuando era niña, ¿vivía donde vive ahora o tuvo que mudarse (*to move*) alguna vez?
- ¿Qué importancia tiene para usted la familia?

«¡Pues la familia lo es todo en la vida!»

connect

Escucha las respuestas a estas preguntas de Mayra Ramos Castillo en **Connect**.

©Dave and Les Jacobs/Blend Images RF

EN PANTALLA

«Sopa de pescado»

Nuria Ibáñez (México, 2007)

La entrada inesperada de una gaviota (*seagull*) altera una cena familiar.

Sopa de pescado images with permission by IMCINE

---

*Literally: *From such a stick, such a splinter*

De entrada

Antes de leer

¿Crees que es importante que los miembros de una familia pasen tiempo juntos a diario?

¿Cuáles son los momentos del día que pueden reunir a una familia?

En tu experiencia, ¿qué circunstancias impiden que una familia pase el día sin poder hablar unos con otros?

©monkeybusinessimages/Getty Images RF

La sobremesa familiar en peligro de extinción

La terapista Silvia Chuquimajo, especialista del Centro de Familia del Perú (Centrofam-Perú) reveló hoy que en nuestro país solo dos de cada diez familias practican actualmente la sobremesa familiar, lo que significa que este rito,[a] de fortalecimiento[b] e integración de un hogar, esté al borde de[c] la extinción.

La ausencia de uno de los padres, la activa vida cotidiana,[d] el ingreso[e] de la mujer al mundo laboral, la televisión, entre otros factores, ha transformado la hora de la comida en un momento de estrés para toda la familia.

Chuquimajo reiteró que «desgraciadamente la comida en familia y la sobremesa están en vías de extinción». Dijo que la vida acelerada, el exceso de obligaciones, el trabajo intenso, el cansancio, el estrés derivado de los compromisos[f] laborales y sociales y el escaso[g] tiempo destinado a lo familiar a favor de otras actividades y pasatiempos, atentan[h] contra la vida en familia y en especial contra ese tiempo que antaño[i] existía en torno[j] a la mesa y que llamamos sobremesa.

La sobremesa puede permitir que la familia intercambie vivencias,[k] porque constituye un momento en que los hijos pueden expresar inquietudes,[l] temores[m] o deseos a sus padres.

«Era muy común ver a toda la familia almorzar juntos. Nadie empezaba, incluso,[n] si no lo hacía el padre. El almuerzo, desayuno o lonche familiar, era todo un rito. Padres, hijos, incluso abuelos, tíos o primos, gozaban[ñ] de un sabroso[o] y ameno[p] momento familiar, que en la mayoría de los casos se extendía hasta dos y tres horas después de estas comidas», manifestó.

Chuquimajo también aseguró que cuando los padres sentaron en la cabecera[q] de la mesa al televisor, el diálogo familiar desapareció, y con él la sobremesa. «Lo que era por definición un momento de intercambio, reflexión, diálogo profundo, fue destruido totalmente por la televisión», enfatizó.

[a]*ritual* [b]*strengthening* [c]*al... at the brink of* [d]*daily* [e]*entrance* [f]*commitments* [g]*scarce* [h]*attempt* [i]*yesteryear* [j]*en... around* [k]*life experiences* [l]*troubles* [m]*fears* [n]*even* [ñ]*enjoyed* [o]*tasty* [p]*enjoyable* [q]*head*

Comprensión y análisis

1. ¿Qué es la sobremesa?
2. ¿En qué se basa la experta de Centrofam-Perú para opinar que la sobremesa es un rito en peligro de extinción?
3. ¿Qué circunstancias han provocado el cambio de hábitos familiares?
4. ¿Qué sustituyó el diálogo familiar en la mesa, según la terapista?

Antes de mirar

En tu opinión, ¿son normalmente complicadas las relaciones entre los miembros de una familia? ¿Por qué?

¿Crees que hay muchas familias disfuncionales en nuestras sociedad? ¿Qué hace a una familia disfuncional?

Sopa de pescado images with permission by IMCINE

«Atravesó la pared. Yo lo vi».

Cortometraje: «Sopa de pescado»

México, 2007

Dirección: Nuria Ibáñez

Reparto: Diego Jaúregui, Alexandra Vicencio, Giselle Kuri, Norman Delgadillo

Comprensión y discusión

¿Cierto o falso? Indica si las siguientes ideas son ciertas (C) o falsas (F), según el video. Luego, intenta corregir las oraciones falsas.

1. La hija dice que a la abuela no le gustaban los pájaros. ___
2. El padre pierde su anillo de bodas, pero luego lo encuentra en la sopa. ___
3. La madre quiere dispararle al pájaro con un revólver. ___
4. El hijo dice que el pájaro entró por la ventana. ___
5. La hija dice que la abuela murió en casa. ___
6. La hija dispara porque el pájaro es peligroso (*dangerous*). ___

Interpreta

1. ¿Qué hace el padre cuando encuentra el anillo? ¿Por qué crees que hace eso?
2. ¿Con qué compara la niña el pájaro?
3. ¿Qué miembro de la familia parece (*seems*) sentirse mal por la muerte de la abuela? ¿Por qué te parece eso?
4. ¿Qué puede simbolizar el pájaro? Explica tu opinión.

Tertulia Emociones

Nadie duda que la familia es un ingrediente fundamental en el desarrollo exitoso y feliz de una persona. Sin embargo, puede haber gran desacuerdo en lo que constituye una familia «funcional». En tu opinión, ¿qué se necesita para que se pueda hablar de una familia? ¿Qué se debe dar (*must be met*) en una familia para que formar parte de ella sea una experiencia positiva en la vida?

VOCABULARIO ÚTIL	
el ala	wing
el anillo de bodas	wedding band
el asilo	nursing home
la escopeta	shotgun
el Espíritu Santo	Holy Ghost
la pared	wall
aparecer	to turn up
atravesar	to go through
disparar	to shoot

connect

Para ver «Sopa de pescado» y realizar más actividades relacionadas con el cortometraje, visita: www.mhhe.com/connect

Palabras

Los parientes°

family members

el/la ahijado/a	godson/goddaughter
el/la bisabuelo/a	great grandfather/great grandmother
el/la bisnieto/a	grandson/granddaughter
la familia política	in-laws
el/la cuñado/a	brother-in-law/sister-in-law
la nuera/el yerno	daughter-in-law/son-in-law
el/la suegro/a	father-in-law/mother-in-law
el/la hermanastro/a	stepbrother/stepsister
el/la hijastro/a	stepson/stepdaughter
la madrastra / el padrastro	stepmother/stepfather
la madrina / el padrino	godmother/godfather
el marido / la mujer	husband/wife
el medio hermano / la media hermana	half-brother/half-sister
el/la nieto/a	grandson/granddaughter
el/la sobrino/a	nephew/niece
materno/a	maternal (on the mother's side)
paterno/a	paternal (on the father's side)
el parentesco	kinship

De repaso: **el/la abuelo/a, el/la esposo/a, el/la hermano/a (mayor, menor) el/la hijo/a (único/a), la madre/mamá, el padre/papá, el/la primo/a, el/la tío/a.**

Días importantes

el bautizo	baptism
la boda	wedding
el brindis	toast
el entierro	burial
la fecha	date
la felicitación	congratulations
el nacimiento	birth
la Pascua Florida (de Resurrección)	Easter
el Pésaj	Passover
la quinceañera	girl's 15th birthday party

Cognados: **el aniversario, (hacer) la primera comunión**

bautizar (c)	to baptize
brindar	to toast
enterrar (ie)	to bury
felicitar	to congratulate

morir(se)	to die
nacer (zc)	to be born

De repaso: **la celebración**, **el cumpleaños**, **el Día (de Acción) de Gracias**, **la Navidad**

Para hablar de la familia

©Jose Antonio Garcia Sosa/123RF.com

el abrazo	hug
la anécdota	story
el apodo	nickname
la bendición	blessing
el beso	kiss
el cariño	affection
el hogar	home
la herencia	inheritance; heritage
la memoria	memory (*ability to remember*)
el parecido	resemblance
el recuerdo	memory (*of one item*); recollection

Cognados: **la adopción, la educación, el funeral, la reunión (familiar)**

amar	to love
bendecir (*irreg.*)	to bless, give a blessing
casarse (con)	to get married (to)
crecer (zc)	to grow up
enviar (envío)	to send
estar (*irreg.*) **unidos/distanciados**	to be close (*familiar*)/distant (*occasional contact*)
heredar	to inherit
llevarse bien/mal	to get along well/poorly
llorar	to cry
mandar	to send
mudarse (de/a)	to move (from/to an address)
querer (ie)	to love

Cognados: **adoptar, educar (qu)**

De repaso: **parecerse (zc) a, reír(se) (i, i), reunirse (me reúno)**

Para expresar alegría y tristeza° *joy and sadness*

¡Felicidades! ¡Feliz cumpleaños!	Congratulations! (for birthdays)
¡Felicitaciones!	Congratulations! (for other occasions)
Lo siento (mucho).	I am (very) sorry. (for someone else's problem/loss)
La/lo/te acompaño en la tristeza / en el sentimiento.	My condolences.

■ ACTIVIDAD 1 En familia

En parejas, asocien cada palabra de la columna A con una o más palabras de la columna B, explicando por qué las asocian.

A

esposo _____

tío _____

nuera _____

madrastra _____

nieta_____

padrino _____

B

1. padrastro
2. abuelo
3. sobrina
4. madrina
5. hijastro
6. bautizo
7. suegros
8. mujer
9. yerno
10. ahijado
11. boda
12. prima

■ ACTIVIDAD 2 Tu árbol genealógico

En parejas, túrnense para describir sus respectivas familias (ocho miembros de cada una como mínimo) mientras la otra persona hace un árbol genealógico. Después, muéstrense el árbol que dibujaron para asegurarse de que la información esté correcta.

■ ACTIVIDAD 3 Dos familias

En parejas, observen detenidamente y comparen estos dos cuadros, que son obras de dos pintores de diferentes épocas y países. ¿Cuáles son las semejanzas y diferencias entre estas pinturas? Estos son algunos aspectos que pueden considerar:

- el tema (*subject matter*)
- el estilo y los colores
- las personas del cuadro: su parentesco, su personalidad, su actitud
- las otras cosas representadas en cada cuadro

1.

La familia de Carlos IV, Francisco de Goya (1800)

2.

La familia, Fernando Botero (1989)

■ ACTIVIDAD 4 Definiciones

Paso 1 ¿A qué palabra o expresión se refieren las siguientes definiciones?

1. intercambiar anillos
2. respirar por última vez
3. ver la luz por primera vez
4. recibir dinero de alguien que ha muerto
5. desearle a alguien lo mejor (felicidad/fortuna) de una forma religiosa
6. otra manera de decir **amor**
7. tener buenas relaciones con otras personas, comunicarse con ellos aunque vivan lejos

Paso 2 Ahora en parejas, creen definiciones para otras dos palabras del vocabulario de **Días importantes** y **Para hablar de la familia.** Después léanle las definiciones al resto de la clase para que sus compañeros adivinen la palabra.

■ ACTIVIDAD 5 El día más importante de mi vida

Paso 1 Mira las siguientes fotos e indica qué día importante es y qué acciones asocias con ellas.

1.
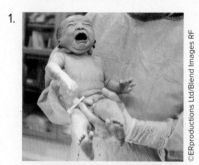

2.

3.

4.

5.

Paso 2 Ahora en parejas, busquen en sus respectivos teléfonos celulares una foto de algún día importante y reciente en su vida y túrnense para describir las razones para tener esa foto. Pídanse y dense detalles para comprender mejor la historia detrás de la imagen.

■ ACTIVIDAD 6 Días de fiesta en familia

Paso 1 En parejas, hablen sobre los días de fiesta en su familia y su actitud hacia esos días. ¿Cuáles son los días de fiesta más importantes en su familia y cómo los celebran? ¿Le gustan o no las reuniones familiares? ¿Por qué? Después comparen sus respuestas y prepárense para contar al resto de la clase algunos detalles interesantes de su conversación.

Paso 2 Ahora, háganse preguntas incluyendo específicamente varias de las siguientes palabras. Luego cuéntale al resto de la clase la cosa más interesante, sorprendente o divertida que oíste de tu compañero/a.

Ejemplo: ¿Te llevas mal con algún miembro de tu familia?

anécdota	**cariño**	**llevarse mal**	**memoria**	**recuerdo**
apodo	**herencia**	**llorar**	**mudarse**	

Cultura

Los apellidos

En la mayoría de los países hispanos el sistema de apellidos es más complejo que el anglosajón, ya que el sistema hispano incluye los apellidos del padre y la madre. De esta manera, como en las fotos de abajo, la costumbre en un país de habla española es tener dos apellidos: en primer lugar el primer apellido del padre y en segundo lugar el primer apellido de la madre.

Los dos apellidos forman parte del nombre oficial de una persona. Es el que aparece en todos los documentos importantes: pasaporte, certificado de nacimiento y otros. No existe el concepto del *middle name,* pero es muy común tener dos nombres (a veces más); por ejemplo, Mayra Sofía Virginia Macarena, José Antonio, María Luisa, etcétera. Con frecuencia solo se usa el primero.

Las mujeres en muchos países hispanos generalmente conservan al menos el primero de sus dos apellidos después de casarse. En algunos países, lo tradicional es que la mujer cambie su segundo apellido por el primero de su esposo, precedido por «de». Por ejemplo, en las fotos de abajo, vemos que la madre de Mayra tomó el primer apellido de su esposo como su segundo: Belén Huerta de Reyes. Sin embargo, muchas mujeres jóvenes, especialmente las profesionales, ya no siguen esta tradición.

En los Estados Unidos muchos de los inmigrantes hispanos optan por escribir un guion entre sus dos apellidos, por ejemplo, Virginia Adán-Lifante. Esto lo hacen para clarificar que los dos son sus apellidos y no un segundo nombre. Otros hispanos simplemente siguen el sistema de apellidos de este país.

Tertulia Los apellidos

- ¿Qué ventajas o desventajas encuentran en el sistema de apellidos hispano comparado con el sistema anglosajón?
- Personalmente, ¿cambiarían su apellido por el de su esposo/a? ¿Por qué?
- ¿Qué apellidos piensan ponerles a sus hijos? ¿Solo el del padre, el del padre y la madre, u otro original elegido por ti y por tu pareja? ¿Por qué?

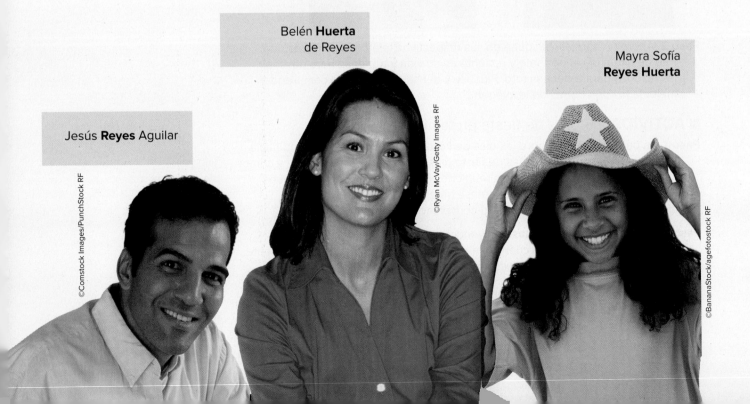

Jesús **Reyes** Aguilar

Belén **Huerta** de Reyes

Mayra Sofía **Reyes Huerta**

©Comstock Images/PunchStock RF

©Ryan McVay/Getty Images RF

©BananaStock/agefotostock RF

7 El pretérito de indicativo

Tabla de tiempos verbales, modo indicativo

Presente perfecto (he hablado/comido/vivido)		
Pluscuamperfecto (había hablado/comido/vivido)	**Pretérito (hablé/comí/viví)** *I spoke/ate/lived* Imperfecto (hablaba/comía/vivía)	Presente

El pasado de indicativo

In Spanish there are four tenses (**tiempos**) in the indicative mood (**modo indicativo**) that deal with the different aspects of the past. They also exist in English.

You will be studying the uses of these four tenses in the next two chapters.

Forms of the preterite

Regular verbs

-ar: cantar		**-er:** correr		**-ir:** decidir	
cant**é**	cant**amos**	corr**í**	corr**imos**	decid**í**	decid**imos**
cant**aste**	cant**asteis**	corr**iste**	corr**isteis**	decid**iste**	decid**isteis**
cant**ó**	cant**aron**	corr**ió**	corr**ieron**	decid**ió**	decid**ieron**

¡OJO! The **nosotros** endings for the regular **-ar** and **-ir** verbs are identical to the endings of the present tense.

- Verbs with infinitives ending in **-car, -gar,** and **-zar** undergo a spelling change in the **yo** forms.

sacar (*to take out*)		**pagar** (*to pay for*)		**empezar** (*to begin*)	
sa**qué**	sacamos	pa**gué**	pagamos	empe**cé**	empezamos
sacaste	sacasteis	pagaste	pagasteis	empezaste	empezasteis
sacó	sacaron	pagó	pagaron	empezó	empezaron

- Verbs like **construir** and **leer** change the **i** to **y** in the third person forms.

leer (*to read*)		**caer** (*to fall*)		**construir** (*to build*)	
le**í**	le**í**mos	ca**í**	ca**í**mos	constru**í**	construimos
le**í**ste	le**í**steis	ca**í**ste	ca**í**steis	construiste	construisteis
le**y**ó	le**y**eron	ca**y**ó	ca**y**eron	constru**y**ó	constru**y**eron

©Robert Daly/Caia Image/Glow Images RF

«Cuando los padres **sentaron** en la cabecera de la mesa al televisor, el diálogo familiar **desapareció».***

---

*«La sobremesa familiar en peligro de extinción», Silvia Chuquimajo

Stem-changing -ir verbs

- Many stem-changing **-ir** verbs in the present tense also have a stem change in the preterite in the third person forms.

e → ie, i		e → i, i		o → ue, u	
preferir		**pedir**		**morir**	
preferí	preferimos	pedí	pedimos	morí	morimos
preferiste	preferisteis	pediste	pedisteis	moriste	moristeis
prefirió	prefirieron	pidió	pidieron	murió	murieron
Otros verbos					
e → ie, i		**e → i, i**		**o → ue, u**	
divertir(se)		reír		dormir	
mentir		repetir			
sentir		seguir			
sugerir		servir			

Los niños **pidieron** pizza.

Irregular verbs

andar		conducir		dar	
anduve	anduvimos	conduje	condujimos	di	dimos
anduviste	anduvisteis	condujiste	condujisteis	diste	disteis
anduvo	anduvieron	condujo	condujeron	dio	dieron
decir		estar		hacer	
dije	dijimos	estuve	estuvimos	hice	hicimos
dijiste	dijisteis	estuviste	estuvisteis	hiciste	hicisteis
dijo	dijeron	estuvo	estuvieron	hizo	hicieron
ir		poder		poner	
fui	fuimos	pude	pudimos	puse	pusimos
fuiste	fuisteis	pudiste	pudisteis	pusiste	pusisteis
fue	fueron	pudo	pudieron	puso	pusieron
querer		saber		ser	
quise	quisimos	supe	supimos	fui	fuimos
quisiste	quisisteis	supiste	supisteis	fuiste	fuisteis
quiso	quisieron	supo	supieron	fue	fueron
tener		traer		venir	
tuve	tuvimos	traje	trajimos	vine	vinimos
tuviste	tuvisteis	trajiste	trajisteis	viniste	vinisteis
tuvo	tuvieron	trajo	trajeron	vino	vinieron

¡OJO! The preterite of **hay** is **hubo.**

¡Le **dieron** una sorpresa!

¡OJO! There is no stress mark in any of the irregular forms of the preterite.

Uses of the preterite

The preterite is often the equivalent of the simple past in English.

<table>
<tr><td>Ayer fue nuestro aniversario de boda.</td><td>Yesterday was our wedding anniversary.</td></tr>
</table>

These are the contexts that require the preterite in Spanish.

- A complete action that took place in the past

<table>
<tr><td>Vivimos ocho años en esa casa.</td><td>We lived in that house for eight years.</td></tr>
<tr><td>Se amaron hasta la muerte.</td><td>They loved each other until they died.</td></tr>
<tr><td>Tuvimos diez horas para descansar.</td><td>We had ten hours to rest.</td></tr>
<tr><td>La ceremonia tuvo lugar a las 7:00.</td><td>The ceremony took place at 7:00.</td></tr>
</table>

- The beginning or end of an action

<table>
<tr><td>Empecé a trabajar a las 6:00 y terminé a las 12:00.</td><td>I started working at 6:00 and finished at 12:00.</td></tr>
<tr><td>El vuelo salió a las 7:40.</td><td>The flight departed at 7:40.</td></tr>
</table>

- A series of actions in the past where a sequential order is implied.

<table>
<tr><td>Subió las escaleras, se arregló la corbata y llamó a la puerta.</td><td>He climbed the stairs, fixed his tie, and knocked on the door.</td></tr>
<tr><td>César vino, vio y venció.</td><td>Caesar came, saw, and conquered.</td></tr>
</table>

©Corbis RF

Se amaron hasta la muerte.

NOTA LINGÜÍSTICA CÓMO SE EXPRESA *AGO*

Hace + tiempo + **que** + verbo en el pretérito

Hace tres años que **murió** mi abuela.   *My grandmother died three years ago.*

■ ACTIVIDAD 1 ¿Qué pasó el domingo?

Paso 1 Completa las acciones de esta familia, según la madre, eligiendo el sujeto de la lista para la primera parte de cada oración y terminándolas lógicamente con una segunda acción de tu invención.

Ejemplo: <u>Mi marido</u> se levantó temprano y después <u>buscó a su madre para llevarla al bautizo.</u>

mi hijo   mi hermana y mi cuñado   yo   todos   el bebé

1. _____ fuimos al bautizo de mi sobrino a las once y luego _____

2. _____ hice una torta para llevar al bautizo y luego _____

3. _____ fue al bautizo por la mañana y por la tarde él y su amigo _____

4. _____ dieron un paseo por el parque con sus hijos por la tarde y luego _____

5. _____ lloró durante todo el bautizo y después _____

Paso 2 Ahora, escríbele un email a tu mejor amigo/a para contarle lo que hiciste el domingo pasado. Luego léeselo a algunos de tus compañero de clase. ¿Quién tuvo el día más ocupado de todo el grupo?

■ **ACTIVIDAD 2** Otra versión de Caperucita Roja°   *Little Red Riding Hood*

Paso 1 Vuelve a contar el siguiente cuento de Caperucita Roja en el pasado usando el pretérito para los verbos que están en negrita (*bold*).

Un día la madre de Caperucita Roja **hace** magdalenas[a] y las **envía** con su hija a casa de la abuelita. Caperucita **sale** de la casa y **empieza** a caminar por el bosque[b] para llegar a la casa de la abuelita. Poco después de salir de la casa **se encuentra** con el Lobo, que **se presenta** y le **dice**: «¿Hacemos una carrera[c]? A ver[d] quién llega antes a la casa de tu abuelita». Caperucita **acepta** la apuesta[e] encantada. **Vuelve** a su casa y **saca** su moto de motocross, **se pone** el casco[f] y **vuela** a través del bosque. Cuando el pobre Lobo **llega** a la casa de la abuelita, diez minutos más tarde que Caperucita, la niña le **da** un gran vaso de agua y un par de magdalenas de su mamá y la abuela le **hace** dos huevos fritos.

_____

[a]*muffins*   [b]*forest*   [c]*race*   [d]A... *Let's see*   [e]*bet*   [f]*helmet*

Paso 2 **Ahora** en parejas, cuenten una versión más tradicional del final.

©moodboard/Corbis RF

Caperucita sonrió y aceptó la apuesta del Lobo.

■ ACTIVIDAD 3 Gabriel García Márquez, el escritor del amor, la familia y la soledad

Paso 1 A continuación aparecen algunos momentos importantes de la vida del gran escritor colombiano Gabriel García Márquez. Los verbos están en el presente histórico. Cámbialos al pretérito.

1927 **Nace** Gabriel García Márquez ('Gabo' para los amigos) en Aracataca, Colombia. **Es** el primero de once hermanos.

1932 Sus padres se **mudan** a Sucre, donde **nacen** la mayoría de sus hermanos, pero él se **queda** a vivir con sus abuelos maternos. Ese mismo año García Márquez **aprende** a escribir y se **enamora** de su profesora, Rosa Elena Fergusson.

1947 Se **muda** a Bogotá para estudiar derecho. En ese año **publica** su primer cuento. Nunca **se gradúa** de la universidad.

1954 **Empieza** a trabajar en el periódico *El Espectador* y se **convierte** en un crítico de cine.

1958 **Publica** la novela breve *El coronel no tiene quien le escriba* y se **casa** con Mercedes Barcha.

1959 García Márquez y su esposa Mercedes **tienen** al primero de sus dos hijos.

1966 **Comienza** a escribir *Cien años de soledad,* que **aparece** en 1967.

1982 **Gana** el Premio Nobel de Literatura.

2014 **Muere** en la Ciudad de México.

Paso 2 Ahora, en parejas, siguiendo el modelo de la biografía de García Márquez, dile a tu compañero/a cinco fechas importantes en tu vida, explicando su importancia.

Ejemplo: Nací en 1999.

■ ACTIVIDAD 4 Anoche°

Last night

En parejas, hagan una pregunta con cada uno de los verbos de la lista para después hacérselas a otros compañeros y aprender sobre lo que hicieron anoche.

Ejemplo: ver → ¿Viste alguna serie o película? ¿Cuál?

| acostarse | cenar | dormirse | hablar | hacer tarea | ver |

■ ACTIVIDAD 5 ¿Quién soy?

Piensa en una persona real o un personaje ficticio. El resto de la clase va a tratar de adivinar a quién representas haciéndote solo preguntas en el pretérito.

Ejemplo: —¿Cuándo naciste?
—Nací en...

■ ACTIVIDAD 6 Entrevista

Usando los verbos de la lista, entrevista a un compañero / una compañera sobre su última reunión familiar.

Ejemplo: ¿Cuánto tiempo hace que se reunió tu familia la última vez? ¿Por qué se reunieron?

asistir	comer	ponerse (ropa)
brindar	conocer(se)	reunirse
celebrar	ir	tener

©Ulf Andersen/Getty Images

Tabla de tiempos verbales modo indicativo

Presente perfecto (he hablado/comido/vivido)		
Pluscuamperfecto **(había hablado/ comido/vivido)**	Pretérito **(hablé/comí/ viví)** *I spoke/ate/lived* Imperfecto **(hablaba/comía/vivía)**	Presente

Antes las familias **comían** juntas casi siempre.

Forms

Verbos regulares					
cantar		correr		decidir	
cant**aba**	cant**ábamos**	corr**ía**	corr**íamos**	decid**ía**	decid**íamos**
cant**abas**	cant**abais**	corr**ías**	corr**íais**	decid**ías**	decid**íais**
cant**aba**	cant**aban**	corr**ía**	corr**ían**	decid**ía**	decid**ían**

Verbos irregulares					
ir		ser		ver	
iba	íbamos	era	éramos	veía	veíamos
ibas	ibais	eras	erais	veías	veíais
iba	iban	era	eran	veía	veían

Uses
The imperfect has several equivalents in English.

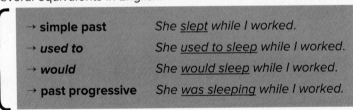

Ella **dormía** mientras yo trabajaba.

→ **simple past**	*She <u>slept</u> while I worked.*
→ ***used to***	*She <u>used to sleep</u> while I worked.*
→ ***would***	*She <u>would sleep</u> while I worked.*
→ **past progressive**	*She <u>was sleeping</u> while I worked.*

¡OJO! There are two meanings for *would* in English, for which two different forms are used in Spanish. When *would* expresses a condition, use the conditional tense.

Yo no **haría** eso si fuera tú.   *I wouldn't do that if I were you.*

For habitual actions in the past, use the imperfect.

Ella **dormía** mientras yo trabajaba.   *She would sleep while I worked.*

These are the contexts that require the imperfect in Spanish.

- **Habitual actions in the past** (in contrast with the present or a specific point in the past)

  En los veranos **íbamos** a Pensilvania a visitar a los abuelos.

  In the summer, we would go / used to go to Pennsylvania to visit my grandparents.

- **Descriptions in the past**

  Yo **era** una niña tímida y me **encantaba** leer.

  I was a shy child and I loved to read.

  Eran las 11:00 de la noche cuando nos llamaron.

  It was 11:00 P.M. when they called us.

  Cuando **tenía** 80 años mi abuela todavía **tocaba** el piano de maravilla, aunque no **podía** oír bien.

  When she was 80 years old my grandmother still played the piano wonderfully, although she couldn't hear well.

- **Description of an action in the past as it was happening,** possibly in contrast with another action that occurs suddenly (in the preterite)

  Hacía mucho frío, así que encendimos la calefacción.

  It was very cold, and that's why we turned on the heat.

The imperfect progressive is used to give a stronger sense of development of the action.

  Cuando llamaste, yo **estaba** escribiendo el informe.

  When you called, I was writing the paper.

Cuando llamaste, yo **estaba** escribiendo el informe.

■ ACTIVIDAD 1 Eran otros tiempos

Paso 1 Completa cada una de las siguientes explicaciones conjugando los verbos en el imperfecto de indicativo.

La gente **se comunicaba** principalmente cara a cara o **escribía** cartas.

1. Los padres no _____ (ser) tan permisivos, pero los jóvenes _____ (hacer) las mismas cosas que hacen hoy.

2. La gente _____ (envejecer) normalmente, y se _____ (considerar) vieja muy pronto.

3. No _____ (ser) extraño confundir el miedo con el respeto.

4. El decoro a veces _____ (venir) acompañado de represión sexual y comportamiento (*behavior*) sexista.

5. El excesivo respeto _____ (poder) causar que los hijos hicieran (*did*) cosas que realmente no _____ (querer) hacer.

6. La sociedad solo _____ (aceptar) a los heterosexuales.

7. En algunos países no _____ (haber) divorcio.

8. Muy pocas mujeres _____ (ir) a la universidad o _____ (tener) una profesión.

9. La gente _____ (comunicarse) principalmente cara a cara o _____ (escribir) cartas.

Paso 2 Con frecuencia pensamos con nostalgia en situaciones del pasado, que en realidad quizá no eran tan agradables (*nice*) cuando ocurrían entonces. En parejas, cuéntense alguna actividad o situación recurrente del pasado que ahora les hace sonreír pero que en aquel tiempo odiaban (*hated*).

■ ACTIVIDAD 2 Ese día

En parejas inventen un contexto para la foto. ¿Quiénes son esas mujeres y qué parentesco las une? ¿Por qué estaban reunidas? ¿Qué día era? ¿Por qué estaban en la cocina y por qué no había hombres? ¿Qué decía una de las mujeres en el momento de la foto? ¿Quién tomó la foto? ¡Sean creativos!

©Hill Street Studios/Blend Images RF

■ ACTIVIDAD 3 Antes y ahora

En parejas, comparen los siguientes momentos del pasado con la actualidad. ¿Que tenían tú y tu compañero/a de común durante su niñez (*childhood*) y adolescencia? ¿Se parece más la vida de Uds. ahora o se parecía más antes?

1. cómo celebrabas tu cumpleaños cuando eras pequeño/a
2. un domingo típico de tus años en la escuela secundaria
3. tu rutina diaria del último año en la secundaria
4. el día de fiesta más importante para tu familia y cómo se celebraba durante tu niñez

■ ACTIVIDAD 4 Había una vez...

Los cuentos en español suelen comenzar con la frase **Había/Érase una vez,** que significa *Once upon a time, there was/were*. La frase sigue con un personaje que se describe usando verbos en el imperfecto, como en el siguiente ejemplo del cuento de la Cenicienta (*Cinderella*). Fíjate que el comienzo de la acción está marcado por la frase **Un día** con un verbo en el pretérito.

> **Había** una vez una muchacha muy buena que **vivía** con su madrastra y sus hermanastras en una casa que **estaba** en un pueblo donde **había** un príncipe muy guapo. A la muchacha la **llamaban** Cenicienta, porque siempre **estaba** manchada de cenizas, ya que (*since*) **tenía** que trabajar constantemente limpiando la casa de su madrastra.
>
> Un día, **llegó** un emisario del joven príncipe...

En parejas, cuenten el principio de un cuento donde se describe al protagonista, hasta el momento en que empieza la acción. Puede ser un cuento tradicional o uno inventado.

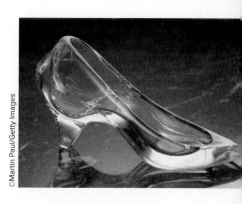

©Martin Paul/Getty Images

Both preterite and imperfect indicative equally represent the past, and can be used to refer to the same time in the past.

En el 2012 murió mi abuelo. Tenía 85 años.	*In 2012 my grandpa died. He was 85.*
Nos casamos en 1995 en una ceremonia civil. Yo llevaba un vestido de mi hermana.	*We got married in 1995 in a civil ceremony. I wore a dress of my sister's.*

But the preterite and the imperfect represent the past actions with a different focus. Notice that in the examples above the preterite focuses on the event itself—something happened—, while the imperfect gives some background or description.

- The **preterite** marks punctual actions or events with a definite beginning or end. This makes the preterite the necessary tense to narrate *the backbone of a story*. Pay attention to the following version of the story of Cenicienta.

El Hada Madrina **se apareció** en la casa de la Cenicienta y con unos golpes de su varita mágica la **vistió** como una princesa. Entonces la Cenicienta **fue** a la fiesta del Príncipe. Allí el Príncipe la **vio** inmediatamente y la **sacó** a bailar. **Estuvieron** juntos hasta la medianoche, pero en el momento en que **empezaron** a sonar las campanadas de las 12:00, la Cenicienta **se fue** sin despedirse.	*The Fairy Godmother appeared in Cinderella's house and with a few strokes of her magic wand dressed her up like a princess. Then Cinderella went to the Prince's party. There the Prince noticed her immediately and took her out to dance. They were together until midnight, but the moment the bells began to toll 12:00, Cinderella left without saying good-bye.*

This version of the story is quite complete, but it offers none of the interesting details that delight children.

- In contrast, the **imperfect** focuses on the development of actions or states, regardless of their onset or conclusion. The point of reference is marked by actions in the preterite tense. Thus, the imperfect offers a **background description** and embellishes the story.

Eran las 7:00 de la noche y las hermanastras de la Cenicienta acababan de salir cuando el Hada Madrina se apareció en la casa. Con unos golpes de su varita mágica el Hada Madrina vistió a la Cenicienta como una princesa: **el vestido era rosa y estaba bordado en oro. También llevaba una tiara de diamantes.** Entonces la Cenicienta fue a la fiesta del Príncipe. **La noche era espléndida, pues había luna llena y no hacía frío.** Cuando llegó a la fiesta, el Príncipe vio inmediatamente a la Cenicienta y la sacó a bailar. **Cenicienta se sentía feliz en sus brazos mientras todas las chicas del baile la miraban con envidia.**	*It was 7:00 P.M. and Cinderella's stepsisters were just leaving when the Fairy Godmother appeared in Cinderella's house. With a few strokes of her magic wand the Fairy Godmother dressed up Cinderella like a princess: the dress was pink and was embroidered in gold. She also wore a diamond tiara. Then Cinderella went to the Prince's party. The night was splendid, since there was a full moon and it was not cold. When she arrived at the party, the Prince noticed Cinderella immediately and danced with her. Cinderella felt happy in his arms while all the girls at the ball looked at her with envy.*

©ScrappinStacy/Getty Images RF

Fue a la fiesta en una carroza **que era una calabaza.**

- The **preterite** and **imperfect** often appear in the same sentence. In this case, the imperfect offers a description to frame the action or state marked by the preterite.

Yo ya estaba durmiendo cuando **sonó** el teléfono.	*I was already asleep when the phone rang.*

- Both the preterite and the imperfect can be used with all verbs. The choice of one or the other is made by the speaker to focus on some aspect of the story, and whether the action was habitual or not.

Después de la boda **hubo** un gran banquete.	*After the wedding there was a big banquet.*
En el club **había** fiesta todos los sábados.	*In the club there was a party every Saturday.*
¿Te **gustó** el concierto de anoche?	*Did you like the concert last night?*
Me **gustaba** mucho ese restaurante que cerró.	*I used to like that restaurant that closed.*

La comida **era** un momento diario de intercambio familiar que la televisión **destruyó**.

Notice that the preterite *creates a sequence of events*: there was a wedding and then a banquet; you went to a concert and had a reaction to it. In contrast, the imperfect *describes* the past: what used to be, habituality, and recurrence.

- Due to the different focus on the aspect of an action or state, some Spanish verbs are translated with different English verbs depending on whether they are in the preterite or the imperfect.

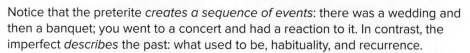

	Imperfecto		Pretérito	
	to know		*to meet*	
conocer	**Conocía** a su familia.	*I knew his family.*	**Conocí** a su familia.	*I met his family.*
	to know		*to find out (to know for the first time)*	
saber	**Sabíamos** la verdad.	*We knew the truth.*	**Supimos** la verdad.	*We found out the truth.*
	to be able / can		*to manage / be able / succeed*	
poder	**Podía** visitarlos.	*I could visit them (but may not have).*	**Pude** visitarlos.	*I was able to visit them.*
	not to be able / cannot		*cannot / to fail*	
no poder	**No podía** visitarlos.	*I couldn't visit them (and may not have tried)*	**No pude** visitarlos.	*I couldn't (failed to) visit them (but tried).*
	to want		*to attempt/try*	
querer	**Quería** verte.	*I wanted to see you (but may not have done so).*	**Quise** verte.	*I attempted/tried to see you.*
	not to want		*to refuse*	
no querer	**No quería** verte.	*I didn't want to see you (but may have done so anyway)*	**No quise** verte.	*I refused to see you.*

■ ACTIVIDAD 1 ¿Acción en progreso o terminada?

Paso 1 Empareja la imagen apropiada con la acción expresada por el verbo.

1. ___ jugaron   ___ jugaban

a.

b.

2. ___ vieron   ___ veían

a.

b.

3. ___ hablaron   ___ hablaban

a.

b.

4. ___ escribió   ___ escribía

a.

b.

TARJETA POSTAL

¡Hola! Aquí estoy en Perú. Llegué hace
cuatro días y ¡lo he pasado genial! Los primeros
dos días, anduve por la ciudad de Cusco. Es un
lugar muy interesante con mucha historia. Hoy,
fui a Machu Picchu, la ciudad perdida de los
incas. Es la segunda vez que visito este lugar
porque me encanta ver su arquitectura antigua.
¡Es maravilloso! Machu Picchu es muy popular
entre los turistas de todo el mundo porque es tan
bello y misterioso.
    Acabo de regresar a mi hotel—un hotel de
lujo en el centro de Cusco. Decidí hospedarme en
este hotel porque tengo un poco de dinero extra.
Me quedo en la ciudad por unos días más, y
salgo el sábado por la mañana. ¡Nos vemos
pronto!
    un abrazo,
        Carlos

Juanita Almendárez
2735 Franklin Street
San Diego, CA 92128
    USA

Paso 2 Ahora en parejas inventen una situación para cada par de imágenes en el que usen el pretérito y el imperfecto de cada verbo.

Ejemplo: Los niños que llevaban la camiseta ganaron la competicieon y estaban muy contentos.

■ ACTIVIDAD 2 Miedo a volar

Paso 1 Empareja cada viñeta con el texto que la describe. Presta atención al uso de pretérito e imperfecto en cada caso.

1. Después de unos minutos, Periquito sintió que sus pies se estaban separando del nido. ¡Estaba volando!___

2. Perico lo quería hacer, pero tenía un poco de miedo de volar porque no sabía cómo hacerlo.___

3. Periquito se puso muy contento y voló todo el día mientras su mamá lo miraba orgullosa.___

4. Por eso, su mamá empezó a mover las alas para enseñarle, mientras que Periquito la observaba y movía sus alas también.___

5. Un día la mamá de Periquito el gorrión, Doña Perica, le dijo que ya tenía cuatro semanas y era mayor. Era hora de abandonar el nido.___

a.

b.

c.

d.

e.

Paso 2 Ahora en parejas, contesten las siguientes preguntas sobre sus miedos de la niñez (*childhood*) y prepárense para presentar un resumen de sus respuestas al resto de la clase.

- ¿Qué cosas te asustaban de niño/a? ¿Cómo explicas ese miedo?
- ¿Cuándo superaste (*overcame*) el miedo?
- ¿De qué tienes miedo ahora?

■ ACTIVIDAD 3 La Llorona

Paso 1 La Llorona es una leyenda de la tradición popular mexicana. Es una historia para asustar (*to scare*) a los niños, porque los adultos les dicen que la Llorona se lleva a los niños que salen solos de noche. A continuación hay una de las muchas versiones de la Llorona. Complétala con la forma correcta del pretérito o imperfecto de cada verbo entre paréntesis.

En un pueblito en México, _____1 (haber) una mujer muy hermosa que _____2 (llamarse) María. Un día _____3 (conocer) a un ranchero muy joven y guapo. Los dos _____4 (casarse) y _____5 (tener) dos hijos. Pero después de un tiempo, el esposo la _____6(abandonar) por otra mujer. El hombre todavía _____7 (querer) a sus hijos, pero no a María. Esta, enfadada y celosa, ____8 (tirar) a sus hijos al río. Inmediatamente _____9 (arrepentirse) y _____10 (querer) salvarlos, pero no _____11 (poder) y _____12 (morir) en el intento. Al día siguiente, los habitantes del pueblo _____13 (saber) de la muerte de María y esa misma noche la _____14 (oír) llorar llamando a sus hijos. Desde ese día la ven por la orilla del río con el vestido que _____15 (llevar) cuando murió, buscando a sus hijos.

Paso 2 Ahora en parejas, piensen en historias de su país o tradición cultural que se usaban para asustar a los niños.

■ ACTIVIDAD 4 En la fiesta de cumpleaños de Luisa

Paso 1 Completa el siguiente párrafo con la forma correcta del pretérito o imperfecto del verbo correcto de la lista.

conocer   poder   querer   saber

Ayer se celebró el primer cumpleaños de mi nieta Luisa. Como es tan pequeña fue una fiesta puramente familiar. Yo _____[1] blen a todas las personas que asistieron. Solo faltaba mi compadre Manuel, que no _____[2] asistir a la fiesta porque está visitando a su hija en Chicago. Bueno, la verdad es que _____[3] a una persona, al nuevo novio de mi hija Dora, y me pareció un muchacho bueno. Me contó que cuando era pequeño _____[4] ser torero, pero ahora es profesor de español. En la fiesta yo _____[5] que mi nuera está embarazada. No saben Uds. qué alegría nos dio, porque ellos _____[6] tener hijos y no _____.[7] Antes de la fiesta el único que _____[8] lo del embarazo era mi hijo José. Todos en la fiesta _____[9] bailar para celebrar con alegría, pero no _____[10] porque se fue la luz.

Paso 2 Ahora en parejas, entrevístense sobre la última vez que asistió a uno de los siguientes eventos. Intenta reunir todos los detalles que puedas sobre cada ocasión.

Ejemplo: ¿Cuándo fue la última vez que hubo un bautizo en tu familia? ¿Quiénes fueron los padrinos? ¿Cuántos años tenías? ¿Lo celebraron? ¿Qué había para comer? ¿Te divertiste?

1. un bautizo o *Bar/Bat Mitzvah*
2. un entierro o funeral
3. un nacimiento
4. un aniversario de algo
5. una fiesta de jubilación (*retirement party*)
6. una boda

■ ACTIVIDAD 5 Versión completa de la Caperucita Roja

En parejas, cuenten otra vez el cuento de Caperucita Roja. Añadan muchos detalles esta vez haciendo todos los cambios que quieran para hacer su cuento muy original.

Ejemplo: Había una vez una niña que tenía una chaqueta roja con caperuza (*hood*), y por eso todo el mundo la llamaba Caperucita Roja. Su papá, que era policía en una gran ciudad, murió en acto de servicio cuando Caperucita tenía tres años, y su mamá decidió mudarse a un pequeño pueblo cerca de la abuelita, que tenía una casa en el bosque...

¡OJO! Los cuentos en español se comienzan con la frase **Había/Érase una vez** + un/una + *sustantivo*... Una manera tradicional de terminarlos es **Y vivieron felices y comieron perdices**.

Hogares hispanos en los Estados Unidos*

Hogares con gente joven[†]

La población hispana de los Estados Unidos es muy joven, gracias a una mayor tasa[a] de nacimientos.

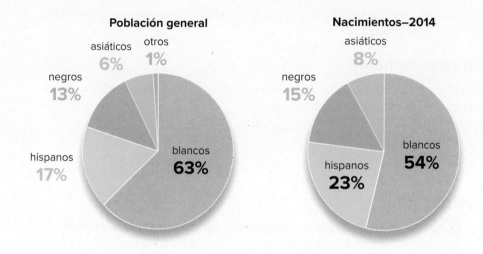

Población general

asiáticos 6%
otros 1%
negros 13%
hispanos 17%
blancos **63%**

Nacimientos—2014

asiáticos 8%
negros 15%
hispanos **23%**
blancos **54%**

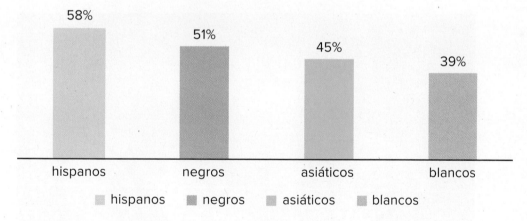

Porcentaje de la población menor de 33 años

58% hispanos
51% negros
45% asiáticos
39% blancos

■ hispanos ■ negros ■ asiáticos ■ blancos

[a]rate

*Datos adaptados de información de la Oficina del Censo de los Estados Unidos y del Pew Research Center.

[†]Información del Pew Research Center Analysis of 2014 American Community Survey (IPUMS)

Familias biparentales

Según datos de 2015, la mayoría de los niños latinos viven en un hogar con padres casados.

hispanos	55%	asiáticos	82%
negros	31%	blancos	72%

Muchas familias mixtas

De acuerdo con datos de 2010, el 26% de los hispanos se casan con personas que no son hispanas.

En casa se habla...

Según datos de 2013, el 73% de los latinos mayores de 5 años hablaba español en casa (en el año 2000 la cifra era del 78%).

El 89% de los hispanos reporta hablar inglés con soltura.[b]

---

[b]fluently

Tertulia ¿Una nueva imagen para los Estados Unidos?

- Según los datos que se presentan en esta sección de **Cultura** y otros que Uds. sepan, ¿cómo imaginan la población de los Estados Unidos para finales del siglo XXI?

- ¿Creen que es importante que las nuevas generaciones mantengan el español además de ser hablantes nativos del inglés? ¿Por qué?

©John Henley/Blend Images/Getty Images RF

Lectura

Cleopatra

Texto y publicación

Cleopatra es un cuento de Mario Benedetti (Uruguay, 1920–2009), un prolífico escritor que trabajó con todos los géneros literarios. Benedetti es uno de los autores latinoamericanos más leídos y queridos del siglo XX. Fue una persona políticamente comprometida que tuvo que exiliarse durante los años de la dictadura uruguaya (1973–1985). *Cleopatra* apareció en el libro *Despistes y franquezas* (1989).

Antes de leer

¿Quién no recuerda su primer amor? ¿Cuánto recuerdas tú?

- ¿Cómo se llamaba?
- ¿Qué te gustaba de esa persona?
- ¿En qué circunstancias la/lo conociste?
- ¿Llegaste a hablar con él/ella o solo fue un amor platónico?
- ¿Cuánto tiempo estuviste enamorada/o de esa persona?
- ¿Crees que te volverías a enamorar de^a esa persona?

_____

^ate… *you would fall in love with again*

■ ACTIVIDAD 1 Pequeñas historias

Completa los parrafos con la palabra apropiada de la lista. Los verbos deben estar en la forma apropiada del pretérito.

1. El sábado de carnaval fuimos a una fiesta de disfraces. Todos _____ y nos cubrimos la cara con una _____. ¡Fue increíble!

2. La mamá tomó a su bebé _____ en sus brazos por primera vez: lo _____ repetidamente, le _____ la carita y le _____ palabras de cariño.

3. Los dos amigos estaban enfadados y se hablaron con _____, pero rápidamente _____ de sus palabras.

VOCABULARIO ÚTIL	
la **careta**	mask
la **cintura**	waist
el **cuello**	neck
el **recién nacido**	newborn (baby)
el **odio**	hate
arrepentirse	to regret
acariciar	to caress
besar	to kiss
disfrazarse	to wear a costume
murmurar	to whisper

©Steve Smith/Getty Images

CLEOPATRA
Mario Benedetti

El hecho de ser la única mujer entre seis hermanos me había mantenido siempre en un casillero[a] especial de la familia. Mis hermanos me tenían (todavía me tienen) afecto, pero se ponían bastante pesados cuando me hacían bromas[b] sobre la insularidad de mi condición femenina. Entre ellos se intercambiaban chistes,[c] de los que por lo común yo era destinataria,[d] pero pronto se arrepentían, especialmente cuando yo me echaba a[e] llorar, impotente, y me acariciaban o me besaban o me decían: Pero, Mercedes, ¿nunca aprenderás a no tomarnos en serio?

Mis hermanos tenían muchos amigos, entre ellos Dionisio y Juanjo, que eran simpáticos y me trataban con cariño, como si yo fuese una hermana menor. Pero también estaba Renato, que me molestaba todo lo que podía, pero sin llegar nunca al arrepentimiento final de mis hermanos. Yo lo odiaba, sin ningún descuento,[f] y tenía conciencia de que mi odio era correspondido.

Cuando me convertí en una muchacha, mis padres me dejaban ir a fiestas y bailes, pero siempre y cuando me acompañaran mis hermanos. Ellos cumplían su misión cancerbera[g] con liberalidad, ya que, una vez introducidos ellos y yo en el jolgorio,[h] cada uno disfrutaba por su cuenta[i] y solo nos volvíamos a ver cuando venían a buscarme para la vuelta a casa.

Sus amigos a veces venían con nosotros, y también las muchachas con las que estaban más o menos enredados.[j] Yo también tenía mis amigos, pero en el fondo[k] habría preferido que Dionisio, y sobre todo Juanjo, que me parecía guapísimo, me sacaran a[l] bailar y hasta me hicieran alguna «proposición deshonesta». Sin embargo, para ellos yo seguía siendo la chiquilina[m] de siempre, y eso a pesar de mis pechitos en alza[n] y de mi cintura,[ñ] que tal vez no era de avispa,[o] pero sí de abeja reina.[p] Renato concurría[q] poco a esas reuniones, y, cuando lo hacía, ni nos mirábamos. La animadversión[r] seguía siendo mutua.

En el carnaval de 1958 nos disfrazamos todos con esmero,[s] gracias a la espontánea colaboración de mamá y sobre todo de la tía Ramona, que era modista.[t] Así mis hermanos fueron, por orden de edades: un mosquetero, un pirata, un cura párroco,[u] un marciano y un esgrimista.[v] Yo era Cleopatra, y por si alguien no se daba cuenta,[w] a primera vista, de a quién representaba, llevaba una serpiente de plástico que me rodeaba el cuello. Ya sé que la historia habla de un áspid,[x] pero a falta de áspid, la serpiente de plástico era un buen sucedáneo.[y] Mamá estaba un poco escandalizada porque se me veía el ombligo,[z] pero uno de mis hermanos la tranquilizó: «No te preocupes, vieja, nadie se va a sentir tentado[aa] por ese ombliguito de recién nacido».

A esa altura[ab] yo ya no lloraba con sus bromas, así que le di al descarado[ac] un puñetazo[ad] en pleno estómago, que le dejó sin habla por un buen rato. Rememorando[ae] viejos diálogos, le dije: «Disculpa,[af] hermanito, pero no es para tanto[ag],» ¿cuándo aprenderás a no tomar en serio mis golpes de kárate?

Nos pusimos caretas o antifaces.[ah] Yo llevaba un antifaz dorado para no desentonar con la pechera áurea[ai] de Cleopatra. Cuando ingresamos en el baile (era un club de Malvín) hubo murmullos[aj] de asombro,[ak] y hasta aplausos.

---

[a]*pidgeonhole* [b]*pranks* [c]*jokes* [d]*recipient* [e]*started to* [f]*holding back* [g]cumplían... *met their watching task* [h]*partying* [i]cada... *we all had fun on our own* [j]*entangled* [k]en... *deep down* [l]*took me out to dance* [m]*little one* [n]*little high breast* [ñ]*waist* [o]*wasp* [p]*queen bee* [q]*attended* [r]*antagonism* [s]*care* [t]*seamstress* [u]*priest* [v]*fencer* [w]por... *in case anyone didn't get it* [x]*asp, snake* [y]*substitute* [z]*bellybutton* [aa]*tempted* [ab]a... *by then* [ac]*sassy* [ad]le... *I punched the shameless (boy)* [ae]*remembering* [af]*Excuse me* [ag]no... *it's not that bad* [ah]*eye masks* [ai]*golden top* [aj]*whispers* [ak]*awe*

Parecíamos un desfile de modelos.[al] Como siempre, nos separamos y yo me divertí de lo lindo.[am] Bailé con un arlequín, un domador,[an] un paje,[ao] un payaso y un marqués. De pronto, cuando estaba en plena rumba con un chimpancé, un cacique piel roja, de buena estampa, me arrancó de los peludos brazos del primate y ya no me dejó en toda la noche. Bailamos tangos, más rumbas, boleros, milongas, y fuimos sacudidos por el recién estrenado seísmo del rock-and-roll. Mi pareja llevaba una careta muy pintarrajeada,[aö] como correspondía a su apelativo[ap] de Cara Rayada.[aq]

Aunque forzaba una voz de máscara que evidentemente no era la suya, desde el primer momento estuve segura de que se trataba de Juanjo (entre otros indicios,[ar] me llamaba por mi nombre) y mi corazón empezó a saltar al compás[as] de ritmos tan variados. En ese club nunca contrataban orquestas,[at] pero tenían un estupendo equipo sonoroas que iba alternando los géneros, a fin de (así lo habían advertido) conformar a todos. Como era de esperar,[au] cada nueva pieza era recibida con aplausos y abucheos,[av] pero en la siguiente era todo lo contrario: abucheos y aplausos. Cuando le llegó el turno al bolero, el cacique me dijo: Esto es muy cursi,[aw] me tomó de la mano y me llevó al jardín, a esa altura ya colmado[ax] de parejas, cada una en su rincón de sombra.

Creo que ya era hora de que nos encontráramos así, Mercedes, la verdad es que te has convertido en una mujercita. Me besó sin pedir permiso y a mí me pareció la gloria. Le devolví el beso con hambre atrasada. Me enlazó[ay] por la cintura y yo rodeé su cuello con mis brazos de Cleopatra. Recuerdo que la serpiente me molestaba, así que la arranqué de un tirón y la dejé en un cantero,[az] con la secreta esperanza de que asustara[aaa] a alguien.

Nos besamos y nos besamos, y él murmuraba cosas lindas en mi oído. También me acariciaba de vez en cuando, y yo diría que con discreción, el ombligo de Cleopatra y tuve la impresión de que no le parecía el de un recién nacido. Ambos estábamos bastante excitados cuando escuché la voz de uno de mis hermanos: había llegado la hora del regreso. Mejor te hubieras disfrazado de Cenicienta, dijo Cara Rayada con un tonito de despecho,[aab] Cleopatra no regresaba a casa tan temprano. Lo dijo recuperando[aac] su verdadera voz y al mismo tiempo se quitó la careta.

Recuerdo ese momento como el más desgraciado[aad] de mi juventud. Tal vez ustedes lo hayan adivinado: no era Juanjo, sino Renato. Renato, que, despojado[aae] ya de su careta de fabuloso cacique, se había puesto la otra máscara, la de su rostro real, esa que yo siempre había odiado y seguí por mucho tiempo odiando. Todavía hoy, a treinta años de aquellos carnavales, siento que sobrevive[aaf] en mí una casi imperceptible hebra[aag] de aquel odio. Todavía hoy, aunque Renato sea mi marido.

[al]*parade* [am]*de...a lot* [an]*tamer* [ao]*pageboy* [aö]*with smeared makeup* [ap]*name* [aq]*scratched* [ar]*clues* [as]*beat* [at]*sound equipment* [au]*Como... As it was to be expected* [av]*boos* [aw]*corny* [ax]*full* [ay]*he tied me* [az]*la... pulled it out with a yank and left it in a flowerbed* [aaa]*scared* [aab]*tonito...tone of spitefulness* [aac]*recovering* [aad]*horrible* [aae]*stripped* [aaf]*survived* [aag]*thread*

Benedetti, Mario, "Cleopatra" from Despistes y franquezas Sudamericana, 1989. Reprinted by permission.

■ ACTIVIDAD 2 ¿Quién es?

Indica qué personajes del cuento corresponden a las siguientes definiciones.

1. Narra la historia.
2. Hacían bromas porque Mercedes era la única niña en la familia.
3. Mercedes pensaba que este joven era muy guapo.
4. Mercedes odiaba a esta persona.
5. Eran cariñosos con Mercedes porque para ellos era como su hermana.
6. Ayudaron a los jóvenes a disfrazarse.
7. Besó a Mercedes y se casó con ella.

■ ACTIVIDAD 3 Exposición, nudo, desenlace

En parejas, discutan qué partes de este cuento son la exposición, el nudo y el desenlace y por qué lo creen.

■ ACTIVIDAD 4 Interpretación

Explica cómo interpretas el significado de las siguientes palabras del texto:

1. «...cuando me hacían bromas sobre la insularidad de mi condición femenina».
2. «...y de mi cintura, que tal vez no era de avispa, pero sí de abeja reina».
3. «Cuando ingresamos en el baile (era un club de Malvín) hubo murmullos de asombro, y hasta aplausos».
4. «Le devolví el beso con hambre atrasada».
5. «Mejor te hubieras disfrazado de Cenicienta, dijo Cara Rayada con un tonito de despecho, Cleopatra no regresaba a casa tan temprano».

Tertulia Cosas que pasan

- Muchas historias de amor tienen comienzos sorprendentes. ***Cleopatra*** presenta como los sentimientos pueden cambiar drásticamente en la vida. ¿Conoces alguna historia de amor con un comienzo conflictivo?
- En español se dice que entre el amor y el odio solo hay un paso. ¿Te parece que es cierto? ¿Por qué?

©danficreativo/123RF.com

Producción personal

Redacción Narrar una anécdota familiar

Escribe una historia familiar sobre tu infancia para contribuir a un libro de recuerdos familiares.

©Vasiliki Varvaki/Getty Images RF

Prepárate

Elige una anécdota familiar y escribe un borrador teniendo en cuenta a tus lectores, los miembros de tu propia familia. Aunque ellos conozcan la historia, querrán (*will want*) saber tu punto de vista.

¡Escríbelo!

- Ordena las ideas de tu borrador e incluye descripciones de las personas, lugares y emociones de tu anécdota.
- Recuerda el esquema de una narración.
  - ☐ **Introducción:** Informa sobre el tiempo, el lugar y la importancia del evento que vas a narrar.
  - ☐ **Nudo:** Cuenta lo que sucedió.
  - ☐ **Desenlace:** Cuenta cómo terminó la historia.
- Busca en el diccionario y en tu libro de español aquellas palabras y expresiones sobre las que tengas duda.

Repasa

- ☐ el uso del pretérito y el imperfecto
- ☐ el uso de **ser** y **estar**
- ☐ la concordancia entre sujeto y verbo
- ☐ la concordancia de género y número
- ☐ la ortografía y el vocabulario (evita las repeticiones)
- ☐ el orden y el contenido: párrafos claros, principio y final

¿Cuándo se dice? *Historia, cuento y cuenta*		
historia	*story (of a book or a movie, or something that happened)*	**El libro se basa en una historia real durante la revolución.**
		Me contó una historia increíble que le ocurrió en Madrid.
	history	**Todos los chicos deben estudiar la historia de su país.**
cuento	*tale*	**De pequeña me encantaban los cuentos.**
	short story	**Borges escribió cuentos maravillosos.**
cuenta	*conjugated form of verb contar*	**El libro cuenta la historia de un artista enfermo.**
	bill (noun)	**Camarero, la cuenta, por favor.**

¿Qué piensan los hispanohablantes?

©Kevork Djansezian/Getty Images

Entrevista a una persona hispana de tu comunidad sobre las celebraciones familiares más importantes para ellos.

Algunas preguntas posibles son:

- ¿Cuáles son los días festivos más importantes y familiares del año? ¿Celebran algo que sea una fiesta específica de su país de origen o de la comunidad latina en este país?
- ¿Qué otras celebraciones son muy celebradas en su familia?
- ¿Cuál fue la última celebración que reunió a gran parte de la familia? ¿Quiénes asistieron? ¿Cómo lo celebraron?
- ¿Cree que los hispanos en los Estados Unidos tienden a celebrar de una manera diferente a los no latinos?

Producción audiovisual

Haz una presentación audiovisual sobre alguna fiesta o celebración que sea importante para las familias hispanas en general.

¡Voluntari@s! Visitar a los ancianos

Pasar tiempo charlando con los ancianos hispanohablantes en asilos o comunidades para jubilados puede ser una experiencia increíblemente enriquecedora (*enriching*). A muchos les encantaría tener compañía y la oportunidad de hablar con jóvenes de sus vivencias. ¡Sería una gran práctica de los tiempos de pasado en español!

Tertulia final Problemas que afectan a las familias de hoy

- ¿Cuáles son los problemas que más afectan a las familias en los Estados Unidos?, ¿divorcios y separaciones?, ¿mudanzas (*moves*)?, ¿falta de tiempo?, ¿demasiadas actividades para los hijos?, ¿trabajo de ambos padres?, ¿otros problemas?
- ¿Te afectaron a ti algunas de estas cosas? ¿Tienen solución? ¿Qué haces o piensas hacer para que tu vida familiar sea diferente a la de tus padres, especialmente si tienes hijos?

Para terminar Raíces

Now I can

- ☐ talk about members of a family and family relationships
- ☐ explain what days are important for me and my family
- ☐ describe the last name system in Spanish-speaking countries and compare it to my country's system
- ☐ narrate past events
- ☐ describe some characteristics of U.S. Hispanic households

Vocabulario del capítulo

Asegúrate que sabes:

- ☐ el vocabulario temático (**Palabras,** pp. 74–75)
- ☐ los significados diferentes de algunos verbos en el pretérito o el imperfecto (**Estructura 9,** p. 89)
- ☐ las diferencias entre **historia, cuento** y **cuenta** (**¿Cuándo se dice?** p. 99)

Otro vocabulario activo

- **el cuadro** painting
- **el tema** subject matter, topic
- **anoche** last night
- **odiar** to hate

VOCABULARIO PERSONAL

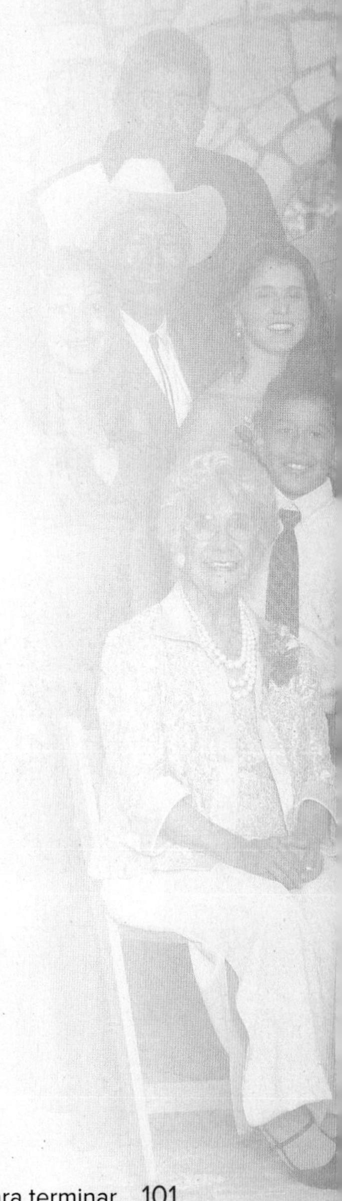

Con el sudor de tu frente...°

By the sweat of thy face...

©Christopher Futcher/Getty Images RF

Para el final del capítulo podré

- hablar sobre mis experiencias y metas profesionales
- describir el proceso para conseguir un trabajo
- expresar acciones accidentales
- comparar los beneficios laborales de mi país con los de algunos países hispanohablantes
- hablar de las ocupaciones y el futuro laboral de los latinos en los Estados Unidos.

«No es más rico el que más tiene, sino el que menos necesita».

- ¿Cuestan mucho dinero las cosas que necesitas tú para vivir o ser feliz?
- ¿Estás de acuerdo con este refrán?

ENTREVISTA

Manuel Durán Del Valle Granada, España

«A mí siempre me ha interesado todo lo relacionado con la educación».

- ¿A qué se dedica? ¿Le gusta lo que hace?
- ¿Qué otras profesiones le interesan para ganarse la vida?
- ¿Qué cosas ha aprendido durante su experiencia laboral que son importantes para su trabajo futuro?
- ¿Hay algunas profesiones u ocupaciones que admira especialmente?
- ¿Qué es lo más importante para usted en un trabajo?, ¿que tenga buenas condiciones y beneficios?, ¿que pague bien?, ¿que le guste?, ¿que tenga un claro impacto positivo en la sociedad?
- En su opinión, ¿cuáles son los beneficios laborales que todos los trabajadores deben tener?

connect

Escucha las respuestas de Manuel Durán Del Valle a estas preguntas en **Connect**.

EN PANTALLA

«Profesiones del futuro»

Fred Lammie (Panamá / España, 2015)

Cuatro profesiones que no existían hace 20 años antes y hoy son el sueño de muchos jóvenes... y sus padres.

De entrada

Unos aprendices y su instructor en un taller (*workshop*).

©goodluz/Shutterstock RF

Antes de leer

¿Hay algún beneficio laboral (en el trabajo) obligatorio en tu país? ¿Crees que debe haber beneficios laborales obligatorios? Si crees que sí, ¿cuáles?

Ocho derechos laborales que todo joven argentino debe conocer

Antes de tomar la decisión de aceptar un trabajo es importante que descubras cuáles son los ocho derechos[a] laborales[b] que todo joven debe conocer.

1. Jornada[c] laboral
La Constitución de Argentina establece una serie de derechos de los trabajadores, entre los cuales detalla el derecho a condiciones dignas y equitativas de trabajo, al descanso y vacaciones pagas[d], a recibir un salario, a la organización sindical[e] libre y democrática, y a cumplir[f] una jornada laboral limitada, entre otras. El horario de trabajo legal es de ocho horas diarias y cuarenta y ocho horas semanales.

2. Sueldo[g] y aguinaldo
Según el *Perfil[h] de Derecho Laboral de Argentina*, elaborado por Naciones Unidas, todo trabajador que tenga más de 18 años tiene derecho a recibir una remuneración que no puede ser inferior al salario mínimo establecido. A su vez, ese salario mínimo puede incrementarse mediante[i] convenios empresariales[j] o mediante el contrato de empleo individual. Además, cada trabajador tiene derecho a recibir una prima[k] equivalente a un mes de remuneración, llamada aguinaldo. El pago se realiza todos los años en dos cuotas[l] que se reciben junto a los sueldos de junio y de diciembre.

3. Cobertura[m] social
Es importante que los jóvenes sepan que en cualquier empleo que acepten trabajar tienen que tener el derecho a una cobertura de salud, que les da la garantía de cubrir cualquier[n] clase de gastos que le suponga[ñ] un accidente laboral, por ejemplo.

4. Aportes jubilatorios[o]

5. Licencia paga[p] (Vacaciones)

6. Licencia[q] por maternidad
Si eres una mujer joven o tienes pareja te interesará saber lo siguiente. Cuando una mujer queda embarazada automáticamente pasa a[r] estar prohibido su trabajo durante los 45 días anteriores al parto[s] y hasta 45 días después del mismo explica la página oficial del gobierno argentino.

7. Educación y capacitación[t]

8. Representación sindical

---

[a]*rights* [b]*labor, work-related* [c]*day* [d]*paid* [e]*union-related* [f]*to meet* [g]*salary* [h]*profile* [i]*through* [j]*convenio…company agreements* [k]*bonus* [l]*installments* [m]*coverage* [n]*any* [ñ]*que… that may be caused by* [o]*aportes… pensions contributions* [p]*licencia… paid vacation* [q]*leave* [r]*pasa…it starts* [s]*delivery* [t]*training*

Meyer, Kimber, "8 derechos laborales que todo joven argentino debe conocer" Universia Argentina, August 19, 2015. Reprinted by permission. http://noticias.universia.com.ar/portada/noticia/2015/08/19/1129656/8-derechos-laborales-joven-argentino-debe-conocer.html

Comprensión y análisis

¿Cierto o falso? Corrige las oraciones incorrectas según la información del texto.

1. El aguinaldo es un incentivo salarial por hacer bien el trabajo.
2. Los argentinos no pueden trabajar legalmente más de 40 horas semanales.
3. La cobertura social está relacionada con la integración social en el trabajo.
4. Organizarse sindicalmente y pertenecer a un sindicato es un derecho.
5. Las mujeres tienen la opción de pedir 90 días de licencia cuando tienen un hijo.

Antes de mirar

En tu opinión, ¿cuáles son las profesiones más admiradas y respetadas hoy día? ¿Y las más lucrativas? ¿Crees que ha habido grandes cambios en la percepción de las profesiones más deseables en los últimos veinte años? ¿Por qué piensas eso?

©Casi Creativo

Corto de animación: «Profesiones del futuro»

Panama / España 2015

Dirección: Fred Lammie, CasiCreativo

Comprensión y discusión

¿Qué profesión? ¿A qué profesión se refiere cada una de las siguientes oraciones del corto?

1. «¿Ya pasaste el nivel ese?»
2. «… casa y gana seis veces mi jubilación.»
3. «El salario son tres millones al año…»
4. «Aquí hay unos buenos miles para ayudarte…»

Interpreta

1. ¿Cómo se llama el hijo estereotípico de los diálogos?
2. ¿Por qué dice que los videojuegos en los años 90 eran «casi un pecado»?
3. ¿Qué tipo de piloto es el mejor y por qué?
4. ¿Con qué palabras se solía describir a los hackers?
5. ¿Cuál es el trabajo que consigue el *hacker* del corto?

Tertulia Más serio de lo que parece

1. ¿Te parece cómico este corto de animación? ¿Por qué?
2. ¿Te preocupa alguna de las situaciones que se ven en el corto? ¿Por qué?
3. ¿Conoces a alguna persona que se dedique a alguna de las actividades presentadas en el corto? Si es así, ¿cuántos años tiene? ¿Qué estudió?
4. ¿Qué papel tienen las mujeres en este video? ¿Cuál crees que es la razón?

VOCABULARIO ÚTIL	
el fracaso	failure
la jubilación	retirement
el nivel	level
el pecado	sin
apagar	to turn off
ponerse las pilas	to smarten up; to get cracking
prestar atención	to pay attention
rezar	to pray
habilidoso/a	skilled

connect

Para ver «Profesiones del futuro» realizar más actividades relacionadas con el corto de animación, visita: www.mhhe.com/connect

Palabras

Oficios y profesiones

©Blend Images/Alamy RF

Los oficios	Trades
el/la **agricultor(a)**	farmer
el/la **albañil**	construction worker
el/la **basurero/a**	garbage collector
el/la **cocinero/a**	cook
el/la **electricista**	electrician
el/la **fontanero/a**	plumber
el/la **jardinero/a**	gardener
el/la **pintor(a)**	painter

Cognado: **el/la mecánico/a**

Las profesiones	Professions
el/la **abogado/a**	lawyer
el/la **asistente de vuelo**	flight attendant
el/la **bibliotecario/a**	librarian
el/la **consultor(a)**	consultant
el/la **enfermero/a**	nurse
el/la **ingeniero/a**	engineer
el/la **maestro/a**	teacher
el/la **trabajador(a) social**	social worker
el/la **vendedor(a)**	salesperson

Cognados: **el/la arquitecto/a, el/la piloto, el/la profesor(a) universitario/a, el/la programador(a) (técnico/a en programación)**

El trabajo

los anuncios/avisos clasificados	classified ads
la carta de interés /	cover letter
de recomendación	letter of recommendation
el currículum (vitae)	résumé, CV
el curso de perfeccionamiento/ capacitación	training course
la formación	education, training
la solicitud	application
formarse	to educate/train

Cognado: **el salario**
De repaso: **la entrevista (entrevistar), las referencias**

La experiencia laboral° de trabajo

el (período de) aprendizaje	learning / training (period)
el ascenso	promotion
el aumento (de sueldo)	(salary) increase; raise
la capacidad de (adaptarse / aprender / trabajar en equipo)	ability / capacity to (adapt / learn / work as a team)
el contrato	contract
el (des)empleo	(un)employment
el despido	lay-off; dismissal (from job)
los días feriados	holidays
el/la empleado/a	employee
el/la empleador(a)	employer
la empresa	corporation
el éxito	success
la firma	signature
el fracaso	failure
el/la gerente	manager, director
la huelga	strike
la guardería infantil	day-care center
los impuestos	taxes
la jubilación	retirement
la licencia (por maternidad / paternidad / matrimonio / enfermedad)	maternity/paternity/ (marital/sick) leave
la manifestación	demonstration
el mercado	market
la meta	goal
la práctica laboral	internship
el puesto	position
la renuncia	resignation
el seguro (de vida / médico / dental)	(life/medical/dental) insurance
el sindicato	labor union
el/la socio/a	partner
el trabajo a tiempo completo/parcial	full-time/part-time job

©ColorBlind Images/Blend Images RF

Cognados: **los beneficios, el objetivo, la responsabilidad (responsable), el salario, el/la supervisor(a), la protesta**

De repaso: **la carrera, la compañía, el estrés, el horario, el jefe/la jefa, las vacaciones**

Para hablar del día laboral

ascender (ie)	to promote
aumentar	to increase
contratar	to hire
despedir (i, i)	to lay off, fire
emplear	to employ
estar (*irreg.*) **desempleado/a**	to be unemployed
estar harto/a (de)	to be fed up
firmar	to sign
ganar	to earn
jubilarse	to retire
renunciar	to resign

Para generalizar: lo + *adjetivo (masc.)*

lo (más) importante / lo interesante / lo esencial / lo ideal... — the (most) important/interesting/ essential (...) thing

■ ACTIVIDAD 1 ¡Busca la intrusa!

Paso 1 Selecciona la palabra que no pertenece al grupo y explica por qué.

1. agricultor   jardinero   basurero
2. electricista   fontanera   asistente de vuelo
3. el ascenso   la solicitud   la entrevista
4. puesto   contrato   despido
5. seguro médico   impuestos   días feriados
6. ascender   firmar   aumentar

Paso 2 Ahora en parejas, escriban la definición de una de las palabras del vocabulario que no esté en el Paso 1. Sus compañeros de clase tendrán que adivinar de qué palabra se trata.

■ ACTIVIDAD 2 Asociaciones

¿Qué asocias con las siguientes descripciones?

1. una compañía internacional famosa en todo el mundo
2. un trabajo con muchas responsabilidades
3. un trabajo de tiempo parcial
4. un empleo que causa poco estrés
5. un tipo de experiencia laboral útil para ser presidente de un país
6. un buen salario para una persona que acaba de terminar sus estudios universitarios
7. un número apropiado de semanas de vacaciones al año

Paso 2 Ahora en parejas, túrnense para seleccionar una palabra del vocabulario. Su compañero debe decir lo que asocia con esa palabra (que puede ser o no otra palabra del vocabulario).

Ejemplos: impuestos → abril; firmar → contrato

■ ACTIVIDAD 3 Tu último trabajo

En parejas, túrnense para describir el último trabajo que tuvieron o todavía tienen. Mencionen el salario (¡aproximado!), los beneficios, el horario, etcétera. Hablen también de lo más interesante y lo más molesto (*bothersome*) del puesto. ¿Quién tuvo el peor/mejor trabajo? ¿Y el más inusual?

■ ACTIVIDAD 4 Reivindicaciones° laborales   *Demands*

Paso 1 Imagínense que los empleados de una empresa están hartos de sus condiciones de trabajo. Por eso, su sindicato ha decidido hacer una manifestación. En grupos pequeños, inventen un contexto para esta situación. ¿Qué tipo de empresa es y cuáles son los problemas laborales de los trabajadores?

Paso 2 Ahora hagan una pancarta (*sign or banner*) para la manifestación que exprese sus reivindicaciones, por ejemplo, sus derechos como trabajadores y/o aspectos que piden que se mejoren en su situación laboral.

Ejemplos: ¡Renuncia, gerente, no te quiere la gente!
               ¡Más salario menos horas!

©Vincent Besnault/Getty Images RF

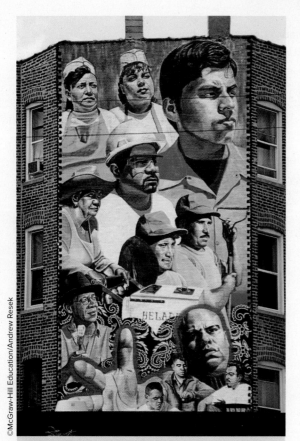

©McGraw-Hill Education/Andrew Resek

Un mural de trabajadores latinoamericanos en Chicago

■ ACTIVIDAD 5 Encuesta: La experiencia laboral de tus compañeros

Hazles preguntas a tres compañeros de clase para averiguar (*find out*) la siguiente información. Después compara los resultados de tu encuesta con los de otros compañeros.

1. los tipos de trabajo que han tenido (*have had*) hasta ahora

2. qué hicieron o aprendieron en esos trabajos que va a ser útil en el futuro

3. lo que hicieron en el pasado para buscar empleo

■ ACTIVIDAD 6 El trabajo ideal

Paso 1   ¿Buscas un trabajo para este verano?, ¿de tiempo parcial o de tiempo completo?, ¿en casa o en una oficina? Haz una lluvia de ideas (*brainstorm*) sobre tu trabajo ideal, apuntando tantos detalles como puedas.

Paso 2   Ahora, busca a un(a) compañero/a con un trabajo ideal parecido al tuyo y discutan algunos detalles importantes del currículum que debería tener una persona que busque este tipo de trabajo. Luego lean esos detalles al resto de la clase.

■ ACTIVIDAD 7 Entrevista de trabajo

En parejas, representa una entrevista de trabajo usando como base los anuncios de la **Actividad 6** (incluyendo tu anuncio ideal). A continuación hay algunas pautas (ideas) para organizar la entrevista.

Entrevistador(a)

- Preguntas sobre la preparación académica y experiencia previa
- Preguntas sobre actitudes y metas

Entrevistado/a

- Respuestas positivas
- Preguntas sobre las condiciones de trabajo y los beneficios

Se buscan educadores

Se necesitan maestros, prof. de educación especial, artes plásticas o similares para hogar con centro de día dedicado a la atención integral de discapacitados mentales, ubicado barrio céntrico y 40 años de existencia.

Empresa: Asociación Civil Nosotros
Localidad: Buenos Aires
Sector: ONGs
Profesiones relacionadas: pro
Tipo de contrato: indefinido, j
Experiencia mínima: 0 años
Salario: No especificado

Enviar currículum para esta of

Coordinador/a de ocio y tiempo libre – nuevo

Tiempo y Acción – Madrid

Buscamos coordinadores de ocio y tiempo libre que además dispongan del título de monitor. Para campamentos urbanos en los alrededores de Madrid. Del 20/6 al 10/9. Fácil acceso por bus/metro/tren cercanías. Salario a negociar.

Contactar con el anunciante

Hoy día la mayoría de las personas consideran normal que la jornada laboral[a] tenga ocho horas. Sin embargo,[b] esto no ha sido siempre así. De hecho, en 1886 varios sindicalistas, los Mártires de Chicago, perdieron la vida por participar en una huelga que se inició el primero de mayo con el fin de que se respetara la ley[c] que regulaba en ocho horas la jornada laboral. En honor de los Mártires de Chicago, en 1889 se fijó[d] el primero de mayo como el Día Internacional de los Trabajadores, que hoy se celebra en todos los países hispanohablantes, así como[e] en muchos otros países de todo el mundo. Con frecuencia, hay manifestaciones y protestas organizadas por los sindicatos y trabajadores. Pero, en general, se considera un día de fiesta y de descanso.

Beneficios

Como es de esperar,[f] hay grandes diferencias en cuanto a legislación laboral entre los países hispanohablantes, lo cual se puede ver al comparar algunos de los beneficios más importantes.

- **Vacaciones:** En España, una persona con contrato permanente que trabaje un año tiene derecho a 30 días naturales[g] de vacaciones pagadas. En otros países, el número de días varía. Por ejemplo, en Argentina los empleados disfrutan de 14 días naturales en los primeros años de empleo, y llegan a disfrutar[h] hasta 35 días cuando han trabajado más de 20 años en una empresa.

- **Licencia por maternidad:** La legislación garantiza[i] 16 semanas pagadas a las mujeres españolas cuando tienen un bebé. Colombia les concede[j] 14 semanas a sus nuevas mamás y Argentina 90 días. También en estos países hay reducción de la jornada laboral para las madres durante la lactancia.[k]

- **Asistencia sanitaria universal:** También aquí hay grandes diferencias, ya que[l] hay países con un sistema médico que prácticamente cubre[m] a todos sus ciudadanos (Argentina, Chile, Costa Rica, Cuba, España y Uruguay), otros que están desarrollando este tipo de sistema (México y Venezla) y algunos donde los ciudadanos dependen de cuidado médico privado.

---

[a]jornada... *working day* [b]Sin... *However* [c]con... *in order to have the law respected* [d]se... *it was decided on* [e]así... *and also* [f]Como... *As is to be expected* [g]días...*calendar days* [h]llegan... *enjoy up to* [i]*guarantees* [j]*grants* [k]*breast feeding time* [l]ya... *since* [m]*covers*

Tertulia Las prestaciones

¿Hay un día especial de los trabajadores en tu país? ¿Cómo se comparan los beneficios descritos (*described*) en el texto con beneficios típicos de tu país? ¿Cuáles son los beneficios más importantes para ti? En tu opinión, ¿cuáles son los beneficios que los gobiernos deben legislar?

©Image Source/Alamy RF

Estructuras

10 El *se* accidental

In Spanish, a sentence with **se** is often used to talk about unexpected and unintended events—that is, accidents that someone may have caused but in an unintentional manner. This construction is often referred to as *accidental* **se.** The desired effect is to show someone (who could be the actual "doer" of the action) as the "victim" of the mishap.

Yo olvidé <u>la cita</u>.	←	**Se** me olvidó <u>la cita</u>.
sujeto	verbo	objeto directo		se	objeto indirecto	verbo	sujeto

Isabel perdió <u>los contratos</u>.	←	**Se** le perdieron <u>los contratos</u>.
sujeto	verbo	objeto directo		se	objeto indirecto	verbo	sujeto

- Frequently used verbs with this construction

acabar/terminar	*to run out (of something)*
borrar	*to erase, to delete*
caer	*to fall*
olvidar	*to forget*
perder	*to lose*
quedar	*to remain / to leave (behind)*
quemar	*to burn*
mojar	*to get wet*
romper	*to break*

¡Otra vez **se me olvidó** terminar el informe!

©M.Sobreira/Alamy

- The accidental **-se** construction is grammatically a <u>reflexive action</u>: it appears as if the object of the action does something to itself. The <u>indirect object</u> shows who "suffers" from the action and, very likely, who actually caused the accident. The indirect object may not always appear; either we do not know who caused the accident or may not want to acknowledge what we did.

Se rompieron las gafas.	*The glasses broke. (unknown cause)*
Se me rompieron las gafas.	*My glasses broke. (I broke them.)*
Se le rompieron las gafas.	*Her glasses broke. (She broke them.)*
—¡Papi, **se cayó** la leche!	*—Daddy, the milk spilled!*
—Ya veo. ¿Cómo **se te cayó**?	*—I see. How did you spill it? (How did it spill on you?)*

- Possession with the accidental **se** can be marked by the indirect object pronoun alone, as in the reflexive constructions that describe daily routine. The use of a possessive adjective typically marks an owner different from the doer.

Se me rompieron **las** gafas.	*My glasses broke. / I broke my glasses.*
Se me rompieron **tus** gafas.	*I broke your glasses.*

¡**Se cayó** el agua!

©PhotoAlto sas/Alamy RF

- To avoid redundancy, the subject is dropped, as is the norm in Spanish.

—¿Dónde está **la leche**?

—*Where's the milk?*

—No hay. **Se nos acabó** esta mañana.

—*There is none. We ran out of it this morning.*

¡OJO!　**La leche** here is not a direct object, but a subject. Therefore, **la** cannot be used instead of **la leche.**

- To emphasize or clarify the indirect object, a prepositional phrase **a** + *pronoun* is added.

—**¿A quién** se le olvidó comprar la leche?

Who forgot to buy the milk?

—**A Pepe.** Y **a mí** se me olvidaron las papas.

Pepe did. And I forgot the potatoes.

- The accidental-**se** construction is very flexible, and the parts of the sentence can appear in different order. But **se** must always appear before the verb and the indirect object pronoun, if there is one.

Se les terminó la paciencia.

They ran out of patience.

La paciencia **se les terminó.**

They ran out of patience.

¿A quién **se le olvidó** comprar comida?

©Steve Cole/Getty Images RF

■ ACTIVIDAD 1 Lo que le pasa a Nuria

Paso 1 Elige la explicación más lógica para estas situaciones en la vida de Nuria.

1. No le gustó nada la primera versión de su composición; por eso...

   a. la borró.　　　　　　　　　b. se le borró.

2. Llovía mucho cuando iba para clase y la tableta...

   a. la mojó.　　　　　　　　　b. se le mojó.

3. Rompió con su exnovio; por eso todas las fotos que tenía de él...

   a. las rompió.　　　　　　　　b. se le rompieron.

4. ¡Qué lástima! Mira lo que le ha pasado con la leche:

   a. la botó (*threw it away*).　　　b. se le cayó.

5. Tiene mala suerte cuando cocina arroz porque siempre...

   a. lo quema.　　　　　　　　b. se le quema.

Paso 2 Ahora en parejas, túrnense para preguntarse y contestar si a ustedes les pasó algo similar recientemente.

Ejemplo:　—¿Se te borró parte de una composición o de un trabajo?

         —Sí, se me borró parte de un trabajo de historia la semana pasada.

■ ACTIVIDAD 2 ¡Qué desastre!

Paso 1 Completa las siguientes oraciones. A todas les falta algo: **se,** el objeto indirecto o uno de los verbos de la lista.

acabar   mojar   olvidar   perder   quedar   quemar   romper

Ejemplo: A mí no <u>se</u> <u>me</u> olvidó mandar la solicitud hoy.

1. A la enfermera _____ le _____ las medicinas de un paciente y si no las encuentra la van a despedir.
2. Todavía no tenemos luz en casa porque a los electricistas se _____ _____ la cita que tenían con nosotros esta mañana.
3. Francisco y Guille no pudieron firmar el contrato porque al abogado _____ le _____ los documentos en casa.
4. El bibliotecario se enojó porque a ti se _____ _____ los libros con la lluvia.
5. ¡Vinieron los bomberos porque _____ nos _____ el pan en la tostadora!
6. No puedo enviar la tarea porque se _____ _____ la computadora, no puedo encenderla.

Paso 2   En parejas, piensen en algún momento en que alguien que tenía que ayudarlos no pudo a causa de un accidente inesperado. Describan lo que pasó. Intenten usar el **se** accidental.

■ ACTIVIDAD 3 Un día accidentado

Paso 1   Elige la idea de la columna B que mejor complete la oración de la columna A.

A	B
1. No puedo usar mi teléfono porque ___	a. se le perdieron unos informes.
2. Hoy llegué tarde al trabajo porque ___	b. se nos quedó en la mesa de la oficina.
3. Casi despiden a Juan porque ___	c. se les rompió la pantalla del celular.
4. Cristina y Eva están preocupadas porque ___	d. se le acabó la batería.
5. No podemos firmar el contrato porque ___	e. se me olvidó poner el despertador.

Paso 2   Ahora en parejas, hagan y contesten las siguientes preguntas sobre cuándo fue la última vez que sufrieron ciertos «accidentes». Hagan oraciones completas usando la forma correcta de los verbos entre paréntesis para practicar el **se** accidental.

¿Cuándo fue la última vez que...

1. (acabarse) la batería a tu _____?
2. (olvidarse) una cita?
3. (quedarse) algo importante en casa?
4. (romperse) la pantalla del celular?
5. (perderse) algo caro o importante?

¡Qué pena! ¡**Se te quemó** el pan tostado!

Paso 1 Mira las fotografías y explica lo que pasa en cada una de ellas usando la construcción con **se** accidental.

1.

2.

3.

4.

Paso 2 Ahora en parejas, cuéntense (*tell each other*) cuáles son los accidentes que les suelen ocurrir más frecuentemente. ¿Quién es más torpe (*clumsy*) de los/las dos?

Ejemplo: A mí se me queda la identificación de la universidad en mi cuarto a menudo y luego no puedo entrar. ¿Y a ti?

■ **ACTIVIDAD 5** ¡Qué vergüenza!° *How embarrassing!*

Cuéntales a los compañeros sobre un momento vergonzoso que te ocurrió en el trabajo o en la escuela secundaria. No olvides usar la construcción con **se** accidental siempre que sea posible.

Ejemplo: El verano pasado, cuando yo trabajaba en una oficina, se me cayó una taza de café sobre unos documentos importantes que había en una mesa.

Tabla de tiempos verbales

Presente perfecto (he hablado/comido/vivido)		
Pluscuamperfecto **(había hablado/ comido/vivido)**	Pretérito **(hablé/comí/viví)** *I spoke/ate/lived* Imperfecto **(hablaba/comía/vivía)**	Presente

The present perfect in Spanish, as in English, expresses actions that were completed or started in the past but still are relevant in the present.

Durante los tres últimos veranos **he trabajado** como consejero en un campamento para niños.

During the last three summers I have worked as a counselor in a children's camp.

Mi amigo Juan **ha viajado** por todo el mundo gracias a su trabajo.

My friend Juan has traveled all over the world thanks to his job.

Forms

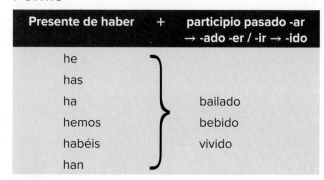

Presente de haber	+	participio pasado -ar → -ado -er / -ir → -ido
he		
has		
ha		bailado
hemos		bebido
habéis		vivido
han		

¡OJO! The past participle is an *invariable* form when it is part of a verb form including **haber**—it always ends in **-o**.

- **Irregular forms of the past participle:** These are some of the most commonly used verbs.

abrir	→	ab**ierto**	hacer	→	h**echo**	romper	→	r**oto**
cubrir	→	cub**ierto**	ir	→	**ido**	ver	→	v**isto**
decir	→	d**icho**	morir	→	m**uerto**	volver	→	v**uelto**
descubrir	→	descub**ierto**	poner	→	p**uesto**			
escribir	→	escr**ito**	resolver	→	res**uelto**			

RECORDATORIO

Non-conjugated forms of the verb:

- *infinitive* (infinitivo): habl**ar**, com**er**, viv**ir**
- *gerund* (gerundio): habl**ando**, comi**endo**, viv**iendo**
- participio pasado: habl**ado**, com**ido**, viv**ido**

NOTA LINGÜÍSTICA CÓMO EXPRESAR *ALREADY*, *STILL* Y *YET*

- **ya**   *yet, already*

  ¿**Ya** empezaste a trabajar en la nueva empresa?

  Did you start working at the new company yet?

  Ya he mandado la carta de interés para ese trabajo.

  I have already sent a letter of interest for that job.

- **ya no**   *not anymore, no longer*

  Raúl **ya no** trabaja allí.

  Raúl doesn't work there anymore (any longer).

- **todavía / aún**   *still*

  —¿**Todavía (Aún)** trabajas en la empresa de tu familia?

  —*Do you still work for your family's company?*

  —Sí, **todavía (aún)** trabajo con mi padre.

  —*Yes, I still work with my father.*

- **todavía no / aún no**   *not yet/still … not*

  —Raúl **todavía (aún) no** ha empezado a trabajar en su nuevo puesto, ¿verdad?

  —*Raúl still has not started working at the new job yet, right?*

  —No, **todavía no.**

  —*No, not yet.*

■ ACTIVIDAD 1 Oraciones incompletas

Paso 1 Completa las siguientes oraciones con los sujetos y el participio pasado del verbo más lógico de la lista.

Sujetos:	yo	tú	Juan Manuel y yo	Luisa y Miguel	José
Verbos:	contratar	tomar	conseguir	trabajar	recibir

1. _____ ha_____ 37 años como cocinero.
2. _____ todavía no he _____ el curso de perfeccionamiento.
3. _____ han_____ un aumento de salario.
4. _____ hemos _____ a un albañil.
5. ¡Felicitaciones! _____ has_____ el puesto.

Paso 2 Ahora en parejas, túrnense para decirse cosas que han hecho recientemente las siguientes personas.

- su hermano/a (o madre/padre)
- el/la presidente/a del país
- tú y tu mejor amigo/a
- el equipo de _____ (deporte) de su universidad

■ ACTIVIDAD 2 Cosas por hacer°

por... *to do*

Paso 1 Completa cada una de las oraciones con la forma correcta del presente perfecto del verbo más apropiado de la lista.

decir	encontrar	hacer	morir	tener
descubrir	estar	llenar	probar	terminar

1. Yo no _____ mi carrera todavía, pero ya _____ la mayoría de los requisitos.

2. La Sra. Grandinetti no _____ trabajo todavía, pero _____ muchas solicitudes.

3. Los científicos _____ un nuevo fármaco contra el cáncer, el cual se _____ en mil ratones (*mice*) diagnosticados con cáncer. Los ratones _____ en tratamiento desde hace un año y ninguno _____ todavía.

4. Estoy muy triste por haber perdido el trabajo. Lo peor es que aún no les ____ _____ nada a mis padres.

5. ¿Tú _____ alguna vez una entrevista por teléfono?

Paso 2 Ahora en parejas, escríbanle un mensaje a un(a) amigo/a que vive en otro estado, contándole algunas de las cosas que ustedes han hecho este semestre/trimestre. Usen el presente perfecto y algunos de los verbos del Paso 1.

Ejemplo: Hemos hecho tarea casi todos los fines de semana.

Ya he terminado mi carrera: ahora soy médica.

■ ACTIVIDAD 3 ¿Una vida convencional?

Paso 1 Haz una lista de las cuatro actividades más interesantes que has hecho en tu vida y de otras cuatro que todavía no has hecho, pero que tienes muchas ganas de hacer.

Ejemplos: He saltado en paracaídas (*parachute*).
Todavía no he viajado fuera de los Estados Unidos.

Paso 2 Ahora busca a otros estudiantes en la clase que no hayan hecho las cosas que te interesan a ti y que también tengan interés en experimentarlas.

Ejemplo: —¿Has viajado fuera de los Estados Unidos?
—No, nunca he viajado fuera de los Estados Unidos.
  (O: Sí, he viajado a México; fui el año pasado.)
—¿Te gustaría (*Would you like*) hacerlo?
—¡Me encantaría! (*I would love to!*) (O: Lo siento, pero no me interesa por ahora.)

■ ACTIVIDAD 4 Entrevista sobre la experiencia laboral

Hazle una entrevista a un compañero / una compañera sobre sus experiencias en el campo laboral y después comparte con la clase lo que averigües. Presta atención al uso del presente perfecto de indicativo y la expresión «alguna vez».

Ejemplo: • tener un jefe / una jefa antipático/a
—¿Has tenido alguna vez un jefe antipático?
—Sí.
—¿Cómo era y qué hacía?

Algunas ideas para la entrevista:

- tener un empleo sin contrato / sin beneficios
- llegar tarde al trabajo varias veces seguidas
- pedir una carta de recomendación
- participar en una huelga/protesta

- trabajar para una empresa de _____
- solicitar un puesto en otra ciudad
- recibir un aumento de sueldo
- trabajar en un puesto odioso (*awful*)
- ser mesero/a
- escribir un currículum

■ ACTIVIDAD 5 ¿Qué has hecho esta semana?

En parejas, cuéntense varias cosas que han hecho esta semana. Una persona debe contar lo que ha hecho y la otra persona debe hacerle preguntas lógicas de seguimiento. Luego cambien de papel (*role*).

Ejemplo: — He tenido un examen de matemáticas.
— ¿Has recibido la nota ya?
— No, todavía no la he recibido.

¡OJO! Si se especifica una acción con un día concreto (**el lunes, el martes,** etcétera), se suele usar el pretérito: «**El lunes tuve un examen de matemáticas**»; «**El martes recibí la nota**».

Nunca **he estado** en las playas de México.

Tabla de tiempos verbales

Presente perfecto (he hablado/comido/vivido)		
Pluscuamperfecto **(había hablado/ comido/vivido)**	Pretérito **(hablé/comí/viví)** *I spoke/ate/lived*	Presente
	Imperfecto **(hablaba/comía/vivía)**	

REPASO

Past participle forms: **Estructuras 11**

Forms

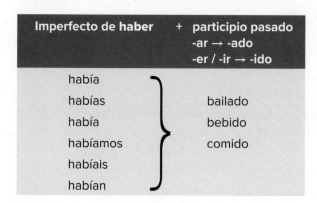

Imperfecto de **haber**	+	participio pasado -ar → -ado -er / -ir → -ido
había		
habías		bailado
había		bebido
habíamos		comido
habíais		
habían		

Uses

- The pluperfect is a tense used to refer to an action that occurred prior to a point of reference in the past.

2ª acción   **1ª acción**

Cuando **me ofrecieron** el trabajo en Telefónica, yo ya **había aceptado** el puesto en AT&T.

In the sequence of events in these examples, the actions in the past perfect occurred before the other actions or time reference.

- The pluperfect is often used in <u>reported speech</u> (**estilo indirecto**), that is, in reporting what someone said that someone (else) had done.

El supervisor le preguntó a Ana si la **habían llamado** para ofrecerle el puesto.

The supervisor asked Ana if they had called her to offer her the job.

Ana contestó que no **había recibido** ninguna oferta de trabajo todavía.

Ana answered that she had not received any job offer yet.

GANANCIAS

Al final de ese año fiscal, la empresa **había perdido** una gran cantidad de dinero.

In Spanish, as in English, the past participle can be used as an adjective. In this case, the past participle must agree in number and gender with the noun it modifies, as would any other Spanish adjective.

la vida complic**ada**	*complicated life*
un estilo de vida más complic**ado**	*a more complicated lifestyle*

The past participle as an adjective is used in two important constructions in Spanish.

- After **ser** in the passive voice (see **Capítulo 12**)

Muchos artículos que se utilizan en los hogares **son fabricados.**	*Many articles that are used in homes are manufactured.*

- After **estar** to describe resulting conditions

Cuando llegamos, la puerta ya **estaba cerrada.**	*When we arrived the door was already closed.*

■ ACTIVIDAD 1 ¿Verbo o adjetivo?

Paso 1 Indica si el participio de pasado funciona como parte del verbo o como adjetivo en las siguientes oraciones.

	Adjetivo	Verbo
1. He **buscado** trabajo toda la mañana.	☐	☐
2. Hay un puesto **abierto** en la biblioteca.	☐	☐
3. Mi solicitud está **terminada.**	☐	☐
4. He **solicitado** el puesto de la biblioteca.	☐	☐
5. Hay muchos contratos **firmados.**	☐	☐
6. Nunca había **visto** este contrato.	☐	☐
7. El contrato **firmado** estaba en la mesa.	☐	☐

Paso 2 Ahora en parejas, inventen cuatro oraciones para describir el estado de cosas o personas de la clase y acciones usando el participio pasado como verbo o como adjetivo.

Ejemplo: La profesora **ha llegado** tarde hoy. / Los estudiantes están **sentados.**

■ ACTIVIDAD 2 Un buen día

Paso 1 Completa las oraciones con la forma correcta del pluscuamperfecto.

1. Para cuando mi jefe llegó a la oficina, yo ya le _____ (dejar) en su escritorio el reportaje sobre la huelga de programadores.

2. Mi jefe estaba contento porque su secretaria _____ (hacer) todas las fotocopias para la reunión y él no _____ (ver) ningún error en los documentos.

3. Después de la reunión, mi jefe me felicitó porque los directores del periódico le _____ (decir) que mi ascenso estaba aprobado.

4. A las tres de la tarde, mi compañero Manuel y yo ya _____ (escribir) las preguntas para la entrevista que le vamos a hacer mañana a Juanes.

5. Cuando llegué a casa, mi hermana me dijo que mi novio ya _____ (volver) de su viaje y que estaba esperándome.

©Silvia Jansen/iStockphoto/Getty Images RF

Antes de empezar la actividad, varios estudiantes ya **habían sacado** sus computadoras.

Paso 2 En parejas, escriban cuatro oraciones similares a las del Paso 1, pero sobre un buen día para su clase de español.

Ejemplo: Cuando la clase empezó, ya habían llegado todos los estudiantes.

■ ACTIVIDAD 3 ¿Quién lo dijo?

Paso 1 Empareja cada una de las oraciones con la persona lógica. Después forma una oración de estilo indirecto. Sigue el ejemplo. Puedes sustituir el verbo **decir** por **informar, explicar, reportar** o **contar.**

Ejemplo: El gerente: «Terminé de entrevistar a los candidatos». →
El gerente dijo que había terminado de entrevistar a los candidatos.

1. _____ La economía del país subió en la última década.

2. _____ Los trabajadores han pasado toda la noche en huelga.

3. _____ Tres estudiantes han recibido una beca de estudios.

4. _____ Despedí a esos empleados porque no podían trabajar en equipo.

5. _____ Hice un curso de capacitación el año pasado.

a. el candidato a un puesto
b. la consejera de estudiantes de escuela secundaria
c. el ministro de economía
d. el periodista
e. la gerente

Paso 2 Ahora en grupos, una persona dice algo que sucedió en el pasado relacionado con su trabajo o la universidad y la persona de al lado debe de repetirlo en estilo indirecto.

Ejemplo: Alberto: Ayer hubo una feria de trabajo en la universidad.
Ana: Alberto dijo que ayer había habido una feria de trabajo en la universidad.

■ ACTIVIDAD 4 La búsqueda de empleo de Emilia

Paso 1 Indica los verbos entre paréntesis correctos para completar los siguientes párrafos. Todos los verbos entre paréntesis están en el pretérito y el pluscuamperfecto.

Antes de mandar las cartas de interés, Emilia ya (leyó / había leído)[1] muchos anuncios de trabajo, y también (consultó / había consultado)[2] la oficina de recursos profesionales en su universidad. En total, Emilia (solicitó / había solicitado)[3] veinte puestos diferentes. Para los puestos que más le interesaban (hizo / había hecho)[4] búsquedas en el Internet para saber todo lo referente sobre[a] las compañías que los ofrecían con el fin de escribir una buena solicitud.

Finalmente le (dieron / habían dado)[5] una entrevista en el periódico *La Jornada,* uno de sus puestos más deseados. Justo antes de que la llamaran[b] para establecer la entrevista, le (dijo / había dicho)[6] a su madre cuánto le gustaría tener ese puesto, pero que no esperaba que la llamaran, porque era un puesto muy competitivo.

Hoy ya lleva un año trabajando en *La Jornada* y está contentísima. (Hablé / Había hablado)[7] con ella ayer y me dijo que este era el trabajo con el que ella (soñó / había soñado)[8] mientras estudiaba en la universidad.

---

[a]todo... *everything about*   [b]Justo... *Just before they called her*

Paso 2 Ahora en parejas, hagan preguntas para entrevistar a otros compañeros de clase sobre sus experiencias laborales. Abajo hay algunas ideas de temas sobre los que pueden preguntar. Piensen bien en los tiempos verbales que van a necesitar.

1. puestos o prácticas laborales antes de este año
2. cartas de recomendación: ¿cuántas?, ¿de quiénes?
3. entrevistas: ¿en persona o por teléfono?
4. preguntas que le hicieron / que hizo

■ ACTIVIDAD 5 Mi vida

En parejas, túrnense para mencionar una cosa que ya había ocurrido en su vida y otra que no había ocurrido todavía antes de las siguientes fechas o eventos. Después compartan con la clase algunas coincidencias. Fíjense (*Notice*) en que hay varias formas de expresar estas ideas.

Ejemplos: 2008 → En 2008, yo no había empezado la escuela secundaria (todavía).
2010 → Antes de 2010, yo (todavía) no había estudiado español.
1999 → Para 1999, mis padres ya se habían divorciado.

1. 1999
2. enero del 2010
3. ir a la escuela
4. llegar a la universidad

5. 2014
6. 2017
7. tomar este curso
8. cumplir ¿? años

En las elecciones de 2016, yo no **había cumplido** los dieciocho años todavía.

Cultura

Ocupaciones de los hispanos en los Estados Unidos: Presente y futuro

En los Estados Unidos, no hay tanta presencia de trabajadores latinos en ocupaciones profesionales como en ocupaciones manuales y de servicios administrativos y ventas, como se puede ver en el gráfico. Algunas de las razones de esta situación son que entre la población hispana hay un alto porcentaje de inmigración reciente. A esto hay que añadir que todavía el número de hispanos con títulos universitarios es inferior a la media nacional.

©Blaj Gabriel/Shutterstock RF

Sin embargo, la situación está cambiando para mejor. No solo cada año aumenta el número de hispanos admitidos en las universidades estadounidenses, sino que además, hoy día existe también una gran demanda de profesionales bilingües para diferentes puestos que están muy bien remunerados.[a] Un área llena[b] de posibilidades para los hispanos que viven en los Estados Unidos es la publicidad y marketing. El deseo de las compañías por atraer a los consumidores latinos requiere de personas que puedan crear anuncios publicitarios dirigidos a ellos en su lengua. Otra área profesional donde la presencia latina es muy necesaria es la de la salud. Hoy día, hay escasez[c] de enfermeras y enfermeros, farmacéuticos y farmacéuticas que puedan comunicarse con los pacientes en español. No cabe duda[d] de que la posibilidad de comunicarse en español y en inglés es una destreza[e] que está siendo cada vez[f] más valorada en el mundo laboral de los Estados Unidos.

[a]pagados   [b]*full*   [c]*shortage*   [d]*No... There is no doubt*   [e]*skill*   [f]cada... *more and more*

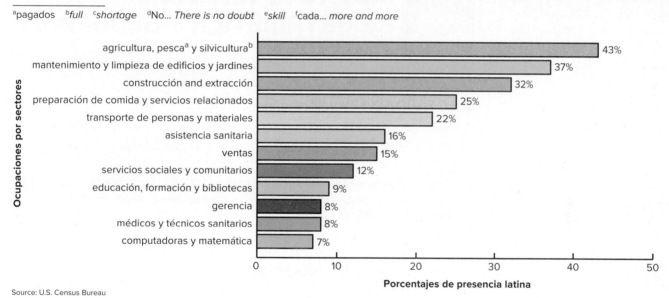

Ocupaciones por sectores / *Porcentajes de presencia latina*

Ocupación	Porcentaje
agricultura, pesca[a] y silvicultura[b]	43%
mantenimiento y limpieza de edificios y jardines	37%
construcción and extracción	32%
preparación de comida y servicios relacionados	25%
transporte de personas y materiales	22%
asistencia sanitaria	16%
ventas	15%
servicios sociales y comunitarios	12%
educación, formación y bibliotecas	9%
gerencia	8%
médicos y técnicos sanitarios	8%
computadoras y matemática	7%

Source: U.S. Census Bureau

[a]*fishing*   [b]*forestery*

Tertulia La importancia del acceso a la educación universitaria y del bilingüismo

Si bien todas las ocupaciones son necesarias para la sociedad, ¿qué beneficios tiene para una comunidad que un número importante de sus miembros posea títulos universitarios? ¿Qué cambios sociales pueden estar contribuyendo a que más latinos sean admitidos en las universidades estadounidenses? ¿En qué otras áreas, además de las mencionadas en el texto, los latinos pueden aportar de manera especial? Además de ser bilingüe, ¿consideras que conocer las costumbres y valores de otras culturas puede enriquecer la experiencia profesional de una persona?

¿Por qué los millennials dicen NO a los empleos convencionales?

Texto y publicación

Este artículo apareció en la revista Forbes México, una publicación dedicada a temas de economía y empresa.

Antes de leer

¿Qué cualidades son importantes para tener éxito en un trabajo? ¿Y para estar contento/a en un trabajo? ¿Qué debe hacer una empresa para que sus empleados estén contentos y así hagan un buen trabajo que impulse la empresa? ¿Hay diferencias en la manera en que los jóvenes trabajan en comparación a generaciones anteriores? Por ejemplo, ¿dónde quieren trabajar, desde la casa o en una oficina? ¿Cuánto quieren usar la tecnología? ¿Cuánto les preocupa que su trabajo sea respetuoso con el medio ambiente?

VOCABULARIO ÚTIL	
el ahorro	savings
la capacitación	training
el dato	fact, piece of information
el desempeño	performance (at work)
la inversión	investment
la jornada laboral	work day
el reto	challenge
el riesgo	risk
desempeñar	to perform (a job)
invertir	to invest

Courtesy of INEGI

INSTITUTO NACIONAL DE ESTADÍSTICA Y GEOGRAFÍA

El **Inegi** es el nombre que recibe el Instituto Nacional de Estadística y Geografía de México.

■ ACTIVIDAD 1 Oraciones incompletas

Completa las siguientes oraciones con la palabra apropiada del vocabulario.

1. Hay muchos _____ que confirman la idea de que los *millennials* prefieren no tener una _____ de horas fijas.

2. También se sabe que a ellos no les preocupa el _____ cuando gastan dinero en tecnología. Prefieren _____ su dinero en los nuevos aparatos tecnológicos del mercado.

3. Esta _____ les permite _____ su trabajo de manera más eficiente y moderna.

4. Ellos no están preocupados por el _____ de gastar tanto dinero en tecnología porque saben que el _____ en su trabajo depende de los aparatos que usen.

5. Los *millennials* son nativos digitales y en muchos casos no necesitan la misma _____ que personas de otra generación en este aspecto.

6. Por eso aceptan _____ de trabajar en áreas en las que es necesario mantenerse al día.

Ya vimos en el Capítulo 1 que para entender bien un ensayo es importante discernir cuál es la tesis o idea central y el tono. Otro aspecto importante a tener en cuenta es cuál es el propósito del ensayo: ¿solo informar?, ¿convencer al lector de un argumento cuando el tema es muy debatible? En un ensayo informativo el análisis de un tema sirve de puente entre la información y los lectores, sin presentar una opinión. En un ensayo argumentativo, por el contrario, la intención es convencer a los lectores de algo: el autor o la autora presenta ideas a favor y en contra de un tema para luego expresar claramente por qué considera que un argumento es más válido que otro.

En cualquier caso, un ensayo es más creíble cuando utiliza fuentes fiables[a] a que apoyen o ejemplifiquen las ideas que expone. A continuación, mientras que lees este artículo, piensa si el autor tiene como propósito analizar un tema para solamente informar o para convencer. Fíjate también en las fuentes que utiliza.

---

[a]*trustworthy*

¿POR QUÉ LOS *MILLENNIALS* DICEN NO A LOS EMPLEOS CONVENCIONALES?

GERARDO VILLAFRANCO

Los *millennials* representan 25% de la población en el país y su capacitación requiere una inversión de 786 mdd.[a] Están íntimamente ligados[b] a la tecnología, el *multitasking* y la innovación, pero contratarlos también implica retos para las organizaciones. ¿Está listo el mercado laboral para ellos o deben salir a crear sus propias empresas?

Los *millennials* son una generación amante de la libertad. Elias Cattan es arquitecto y profesor. Pertenece a los 30 millones de *millennials* que decidieron no formar parte de las estadísticas de desempleo o trabajadores asalariados: es el fundador de Taller 13, un despacho[c] de arquitectura y diseño.

«La necesidad de impulsar[d] productos de regeneración urbana ante el panorama político del país, de todo el sistema corporativo corrupto, me ha orillado[e] a alejarme[f] del trabajo asalariado», comenta.

Como Elias, muchos *millennials* optan por crear su empresa o trabajar como profesionales independientes para establecer sus propias condiciones laborales. En el país hay 11.1 millones de trabajadores que se desempeñan por cuenta propia,[g] según datos del Inegi.

La principal característica y ventaja de los *millennials* es su capacidad de hacer varias cosas a la vez (ser *multitask*). Según un estudio de Accenture, 92% de los trabajadores de la Generación Y pasa más de la mitad de su jornada laboral haciendo varias cosas al mismo tiempo.

---

[a]millones de dólares   [b]conectados   [c]*firm*   [d]*to promote*   [e]*led*   [f]*to get myself away*   [g]por... *self-employed*

Los *millenials* prefieren el uso de la bicicleta o de Uber.

«Un día de trabajo en Taller 13 es altamente dinámico. Cada uno de los empleados pone de su parte en los prototipos, las ideas y el diseño del proyecto».

Así, las multitareas, el apego[h] a la tecnología y las ideas innovadoras los convierten en un sector altamente competitivo y bien preparado, aunque estas características representan riesgos de adaptación a la cultura organizacional, pues esta nueva generación no congenia[i] con los horarios fijos, la convivencia[j] con otras generaciones y el ahorro.

Los *millennials* representan el 25% (30 millones) de la población del país, casi la misma proporción que la población económicamente inactiva (35.4 millones), afirman datos del Inegi. En 10 años se convertirán en 75% de la fuerza laboral, según Universum Global, consultora de posicionamiento[k] de marcas. El panorama para esta generación ofrece solo tres alternativas de inserción al mercado laboral: acoplarse[l] a la cultura organizacional actual, transformar esa cultura o crear su propia empresa.

«Los *millennials* saben escuchar mejor, pero también saben hablar mejor de sus necesidades. Otro factor importante es el acceso a la información, la globalización, ya que son nativos digitales», comenta en entrevista Viridiana Hernández, gerente de Industria de Productos de Accenture México, quien señala que las empresas invierten cerca de 786 millones de dólares al año en capacitación para este sector.

Millennials vs. la tradición

Un día de trabajo en Taller 13 es altamente dinámico. Cada uno de los empleados pone de su parte en los prototipos, las ideas y el diseño del proyecto. «Es un proceso muy interactivo y divertido; es distinto de trabajar en una empresa multinacional, donde la comunicación entre las áreas gerenciales y creativas es limitada», señala Elias, quien llega caminando, en bicicleta o prefiere, sobre el uso del auto, utilizar servicios como el de Uber, otro ejemplo de empresa *millennial*.

En cuanto al panorama de los *millennials* en las corporaciones, seis de cada diez ejecutivos consideran que las nuevas generaciones se sienten frustradas por las actuales técnicas de dirección, así lo arroja[m] el estudio Workforce 2020. Eso podría ser una constante de fricción entre generaciones, pues los *millennials* son considerados celosos[n] de su independencia y forma de pensar.

Pese a los roces,[ñ] del estudio se desprende[o] que en México 53% de los ejecutivos confían[p] en los *millennials* para llenar su plantilla[q] laboral. «La convivencia que tienen actualmente las empresas con estas nuevas generaciones se está alineando[r] cada vez más.[s] Falta estrechar relaciones[t]; sin embargo, con este entorno[u] global los *millennials* están respondiendo en el entorno laboral», afirma Viridiana Hernández, de Accenture.

La investigación Benefits for Tomorrow Study, realizada por The Hartford, explica que nueve de cada diez *millennials* considera que los *baby boomers* son una gran fuente de conocimiento.[v] Asimismo,[w] un 93% de los *baby boomers* concuerda[x] con que los *millennials* suman nuevas aptitudes e ideas frescas.

La falta de apego a la cultura del ahorro es otra desventaja, quizá la más considerable. Según la firma Old Mutual, especialista en inversiones y ahorro, los *millennials* están inmersos en un alto consumismo, sobre todo ante las novedades

---

[h]*adherence*   [i]*gets along*   [j]*coexistence*   [k]*positioning*   [l]*to adjust*   [m]*así... as shown*   [n]*jealous*
[ñ]*friction*   [o]*it's understood*   [p]*trust*   [q]*staff*   [r]*se... is improving*   [s]*cada... more and more*   [t]*falta... It's necessary to strengthen relations*   [u]*environment*   [v]*knowledge*   [w]*Likewise*   [x]*agree*

tecnológicas. Esto podría afectar a las empresas, pues esas compras se centran en tecnología y consumo *online*, lo cual[y] puede restar[z] tiempo dentro de la jornada laboral.

Un estudio del Wall Street Journal señala además que los jóvenes a nivel global tienen una tasa[aa] de ahorro anual de −1.7%, lo que quiere decir que gastan más de lo que ganan, una conducta que a la larga genera estrés entre los empleados.

Tecnología y adaptación

En el caso de Taller 13, el emprendedor[ab] afirma que el desembolso y la inversión de tiempo en tecnología e innovación son fundamentales, pues son parte indispensable en el proceso de diseño. «La arquitectura sin tecnología ya no aplica. Sería lo mismo que realizar un plano bastante complejo solo con lápices y reglas.[ad] Las maquetas[ae] ahora se hacen en cortes con láser o impresión de 3D; no podemos ignorar esos avances o tratar de postergar[af] su adopción», comenta.

Para los empleados de Taller 13, ese mejor desempeño se complementa con los diferentes tipos de *gadgets*, principalmente *smartphones* y *tablets*, que les facilitan trabajar desde casa o prácticamente de cualquier[ag] lugar con el mejor ambiente posible.

Taller 13 se centra actualmente en un proyecto de joyería[ah] inspirada en agua. Para todo el equipo, la salud y los temas relacionados con la ecología, energía o el ahorro del vital líquido son de suma importancia. «A la gran mayoría no le interesa ser saludable, tener un entorno saludable, al igual que una ciudad saludable. Para nosotros esa es la prioridad. Es claro que nos estamos enfocando[ai] en otras líneas de acción. Nuestros objetivos son distintos de los de otras compañías y se puede interpretar que es porque vemos a más largo plazo[aj]».

---

[y]lo... *which*   [z]*to take away*   [aa]*rate*   [ab]*entrepreneur*   [ac]*expenditure*   [ad]*rules*   [ae]*mockups*   [af]*to postpone*   [ag]*any*   [ah]*jewelry*   [ai]*focusing*   [aj]a... *long term*

Villafranco, Gerardo, "¿Por qué los millennials dicen NO a los empleos convencionales?" *Forbes Mexico,* May 5, 2015. Reprinted by permission. http://www.forbes.com.mx/por-que-los-millennials-dicen-no-a-los-empleos-convencionales/#gs.iR=JtUc

Comprensión y análisis
■ ACTIVIDAD 2 Características de los *millennials*

Después de leer el texto, explica las siguientes ideas sobre los *millennials* según las ideas que se presentan en el ensayo.

Los *millennials* ...

1. aman la libertad. Por eso...

2. son capaces de hacer varias cosas a la vez y tienen ideas innovadoras. Por eso...

3. piensan que pueden aprender mucho de los *baby boomers*. Por eso...

4. tienen falta de apego al ahorro. Por eso...

5. tienen muchos aparatos muy modernos como teléfonos inteligentes. Por eso...

6. están preocupados por el medio ambiente y la salud. Por eso...

7. les gusta escuchar y escuchar. Por eso en Taller 13...

■ ACTIVIDAD 3 Las fuentes

En parejas, hagan una lista de las fuentes que se utilizan y de los datos que estas fuentes aportan. ¿Les parece que las fuentes que se han usado son apropiadas? ¿Por qué?

■ ACTIVIDAD 4 La idea principal y el propósito del texto

Paso 1 Después de haber leído y analizado el ensayo, decidan cuál creen ustedes que es la idea principal de este artículo.

Paso 2 Ahora, en parejas, discutan cuál es el propósito de este texto: ¿informar simplemente o convencer? Expliquen por qué piensan así.

Tertulia ¿Eres un(a) *millennial* típico/a?

- ¿Te identificas con las características que definen en este artículo a los *millennials*? Explica.

- ¿Conoces a alguna persona que acabe de entrar al mundo profesional y tenga las características de los *millennials* que describe el artículo? Da detalles.

- Basándote en las personas que entran en el grupo de los *millennials* que conoces y en tus propias experiencias, ¿crees que hay diferencias en los objetivos laborales de los *millennials* y su manera de trabajar según su raza, género o nivel económico, o son los mismos para todos?

©Andor Bujdoso/Alamy RF

Un ambiente de trabajo informal

Producción personal

Redacción La carta de interés que acompaña un currículum

Una carta de interés para un trabajo: puedes usar uno de los puestos que aparecen en los anuncios de la **Actividad 7** en la sección **Palabras** (página 111).

Prepárate

Haz una lista de las razones por las que quieres este puesto y otra de tus cualificaciones, estudios, experiencia, etcétera.

¡Escríbelo!

- Recuerda que tu lector es un empleador, por lo tanto debes usar un lenguaje muy formal.
- Sigue la estructura de una carta de negocios.
  - ☐ el encabezamiento: nombre y dirección de la persona que escribe la carta
  - ☐ fecha: en español se pone primero el día y después el mes.
  - ☐ destinatario: nombre y dirección de la persona a la que va dirigida la carta
  - ☐ saludo, por ejemplo: «Estimado/a Sr./Sra.... »
  - ☐ cuerpo, tres partes: introducción, desarrollo y conclusión
  - ☐ despedida o cierre: «A la espera de sus noticias, le(s) saluda atentamente,»
  - ☐ firma

Repasa

- ☐ el uso de los tiempos verbales
- ☐ la concordancia verbal (sujeto y verbo) y nominal (género y número)
- ☐ la ortografía y los acentos
- ☐ el uso de un vocabulario variado y correcto (evita las repeticiones)
- ☐ el orden y el contenido: párrafos claros, principio y final

¿Cuándo se dice? *Maneras de expresar* because (of)		
porque	*because*	**Hubo muchas protestas y manifestaciones porque los impuestos para los ricos eran muy bajos.**
como	*since, as, because* generally at the beginning of a sentence	**Como los impuestos eran tan bajos para los ricos, hubo muchas protestas y grandes manifestaciones.**
a causa de	*because of* followed by a noun or an inifnitive	**El presidente anterior tuvo que dimitir a causa de la crisis.** **A causa de firmar el acuerdo bilateral, las relaciones han mejorado económicas mucho.**

¿Qué piensan los hispanohablantes?

©Zuma Press/Newscom

Entrevista a una persona hispana que trabaje en tu universidad: un profesor / una profesora (¡pero no del curso que estás tomando!), alguien con un cargo administrativo, una persona que esté encargada de la limpieza o el mantenimiento, etcétera.

Puedes usar las siguientes sugerencias para la entrevista:

* cuánto tiempo hace que tiene su posición actual
* si está satisfecho/a con su trabajo y por qué
* si usa el español en su vida laboral
* sus metas laborales

Producción audiovisual

Prepara una presentación audiovisual sobre las cosas que has hecho hasta ahora que puedan servirte para una carrera que te interese en el futuro. También puedes incluir cosas pertinentes que piensas hacer en el futuro próximo.

¡Voluntari@s! Ayudar a leer y escribir mejor

¿Has pensado alguna vez en ser tutor/a para estudiantes con inglés limitado? Algunos estudiantes internacionales o de familias inmigrantes recientes necesitan ayuda para escribir mejor en inglés sus tareas académicas, o en la preparación de un buen currículum y cartas de interés. Es posible que el departamento de inglés o el centro de carreras ofrezcan oportunidades de voluntariado en este área. También puedes buscar un centro de alfabetización de adultos (*literacy center*) en tu comunidad.

Tertulia final Problemas laborales

* ¿Cuáles son los problemas laborales más graves que afectan a los diferentes grupos étnicos o raciales en este país? En tu opinión, ¿ha habido progreso suficiente en las últimas décadas con relación a los grupos menos privilegiados? ¿Cómo se puede mejorar la situación?

* ¿Cómo se presenta la situación laboral para tu generación? ¿Cómo ha cambiado la situación con respecto a la generación de tus padres?

Para terminar Con el sudor de tu frente...

Now I can

- ☐ talk about professional experiences and goals
- ☐ describe the process to get a job
- ☐ express accidental actions
- ☐ compare my country's work benefits with those of Spanish-speaking countries
- ☐ talk about the Hispanic presence in the workforce of the United States

Vocabulario del capítulo

Asegúrate que sabes:

- ☐ el vocabulario temático (**Palabras**, pp. 106–108)
- ☐ los verbos frecuentes que se usan para expresar acciones accidentales (**Estructura 10,** p. 113)
- ☐ las palabras que pueden expresar *because of* (**¿Cuándo se dice?,** p. 131)

Otro vocabulario activo

- **botar** to throw away

VOCABULARIO PERSONAL

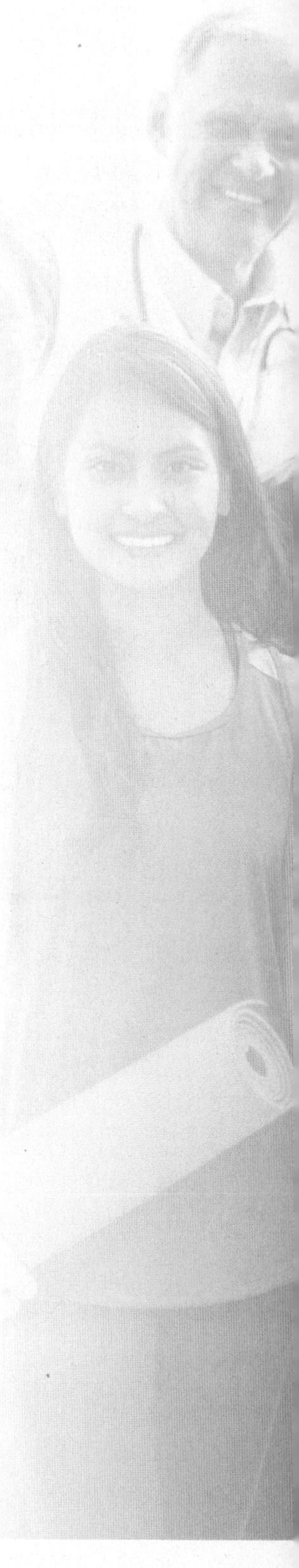

El mundo al alcance de un clic

©chanpipat/Shutterstock RF

Para el final del capítulo podré

- hablar sobre la importancia de los medios de comunicación y las nuevas tecnologías en mi vida y la de otras personas
- discutir algunos problemas relacionados con la tecnología, como la falta de acceso de algunas personas o el uso excesivo de las redes sociales
- describir algunos de los recursos utilizados por civilizaciones precolombinas para comunicarse
- influir en el comportamiento de otras personas con sugerencias y mandatos
- describir cómo algunos países y personas del mundo hispánico están contribuyendo al desarrollo tecnológico y de la comunicación

«El mundo es un pañuelo».*

- ¿Qué experiencias has tenido en que pensaste que el mundo es muy pequeño?
- ¿Cómo contribuye la tecnología a hacer nuestro mundo más pequeño?

ENTREVISTA

Rosa Martínez Dorfman Valparaíso, Chile

©JGI/Daniel Grill/Blend Images RF

«Para mí, el blog es una herramienta de comunicación que en algunos casos es una alternativa a los medios de comunicación».

- ¿Cuál es el papel de la tecnología digital en tu vida?
- ¿Crees que tener un teléfono inteligente es algo imprescindible hoy día?
- ¿Son típicos tus hábitos de usuaria con respecto a las redes sociales? ¿Te gustaría cambiar algunos de tus hábitos? Explica por qué.
- ¿Tienes muchas aplicaciones en tu celular? ¿Para qué las usas?
- En tu opinión, ¿cuál es el lado negativo de la tecnología digital? ¿Qué consejos tienes para los jóvenes sobre el uso de redes sociales?

connect

Escucha las respuestas de Rosa Martínez Dorfman a estas preguntas en **Connect**.

EN PANTALLA

«Gobierno de Uruguay inicia entrega de *tablets* a adultos mayores»

Telesur Noticias (Venezuela, 2015)

Este reportaje de televisión muestra un plan del gobieno uruguayo para conseguir la equidad e inclusión digital de todos los ciudadanos del país.

©Telesur

---

*Literally: *The world is a handkerchief.*

135

Antes de leer

Imagina tu vida sin acceso al Internet y da algunos ejemplos de actividades que haces usando el Internet que serían muy diferentes sin acceso. ¿Qué trabajos conoces en los que las computadoras no sean necesarias? ¿Son trabajos que pagan bien? ¿Conoces a alguien que no tenga acceso al Internet?

La brecha digital es la imagen de la brecha social: el nivel económico de las personas determina el acceso tecnológico de los ciudadanos de Barcelona

Dídac Martínez, Director del Servei de Biblioteques, Publicacions i Arxius SBPA Universitat Politècnica de Catalunya. UPC

©PhotoAlto RF

Os comento brevemente el informe elaborado por el **Mobile World Capital Barcelona** sobre la brecha digital de la ciudad de Barcelona.

Como todos los informes de este tipo está basado en encuestas[a] realizadas a los ciudadanos sobre el comportamiento[b] ante las TIC.[c] ¿Qué hacen los ciudadanos que disponen[d] de ordenadores o teléfonos móviles con acceso a Internet? ¿Cuántas veces se conectan? ¿Qué consultan? ¿Dónde acceden[e]? etc. Si todas las respuestas las organizamos por edades, género, barrios, etc., nos da un mapa de la ciudad de Barcelona en relación a las TIC y en relación, también, a la brecha digital.

Los que, como los bibliotecarios, hace tiempo que estamos trabajando en contra de las nuevas formas de analfabetismo[f] funcional ya sabemos qué significa «brecha digital». Este informe la define de la siguiente manera: *«La brecha digital hace referencia a la desigualdad entre las personas que pueden tener acceso o conocimiento en relación a las nuevas tecnologías y las que no. Este término también hace referencia a las diferencias entre grupos según su capacidad para utilizar las TIC de manera eficaz».*

¿Qué nos dice este informe y qué mapa de Barcelona nos muestra?

Llevándolo al extremo y para simplificarlo: si tienes un nivel económico alto, vives en un barrio «rico» y tienes una educación superior, entonces utilizas habitualmente las TIC para tu desarrollo[g] personal, económico y social. Si, en cambio, vives en un barrio «pobre», no tienes ingresos[h] económicos para sobrevivir y no tienes ni los estudios básicos, no tienes acceso a las TIC ni a sus beneficios, y la brecha digital es más profunda. No obstante,[i] el informe indica que, globalmente, la ciudad de Barcelona está avanzando hacia una sociedad con una integración de las tecnologías y el acceso a la información, sin excesivas diferencias, como puede pasar en otros lugares del planeta.

[a]*polls* [b]*behavior* [c]Tecnologías de la Información y la Comunicación [d]*tienen* [e]*entran* [f]*illiteracy* [g]*development* [h]*income* [i]*No... Nonetheless*

Comprensión y análisis

Contesta las preguntas basándote en la información del texto.

1. ¿Qué profesión tiene la persona que escribe este texto?
2. ¿Qué problema social les preocupa a los bibliotecarios?
3. Un posible sinónimo en español para la palabra **brecha** es _____.
4. ¿Qué tres aspectos influyen en el acceso a las TIC de las personas de Barcelona?
5. Según el informe, ¿cómo es la brecha digital en la ciudad de Barcelona?

Antes de mirar

¿Qué grupos de personas consideras que tienen más problemas para acceder y usar las nuevas tecnologías? ¿Por qué? ¿Qué desventajas puede tener para estas personas el no poder usar las nuevas tecnologías?

Reportaje: «Gobierno de Uruguay inicia entrega de *tablets* a adultos mayores»

Venezuela, 2015

Telesur Noticias

VOCABULARIO ÚTIL	
la brecha	gap
el/la jubilado/a	retiree
la maravilla	wonder
el taller de capacitación	training workshop
de bajos recursos /ingresos	low income
brindar	**ofrecer**
entregar	to hand in
gratuito/a	free

Comprensión y discusión

Oraciones incompletas Completa las siguientes oraciones con información del video.

1. El plan Ibirapitá es una iniciativa que se propone (*intends to*) …
2. El plan Ibirapitá completa el plan Ceibal, una iniciativa del gobierno uruguayo que…
3. Para que los jubilados aprendan a usar las *tablets* el programa también ofrece…
4. Martín Rebour es … y describe los talleres como …
5. Las *tablets* de este plan están… y ofrecen fácil acceso a …

Interpreta Contesta las preguntas según lo que oíste en el video

1. ¿Qué tipo de personas reciben las *tablets*? ¿Te parece este hecho justo?
2. Según se deduce de los objetivos del plan Ibirapitá y del plan Ceibal, ¿qué le preocupa al gobierno uruguayo?
3. ¿Te parece que los talleres de Ibirapitá son adecuados para los beneficiarios? ¿Por qué?
4. ¿Ha sido este programa bien recibido por el grupo de personas al que va dirigido? ¿Cómo lo sabes?

Tertulia Cerrar brechas

El video explica la manera en que el gobierno uruguayo intenta cerrar una de las brechas que provoca la tecnología. ¿Qué otras soluciones conoces o te gustaría que existieran para que todo el mundo tuviera igual acceso a las nuevas tecnologías?

connect

Para ver el reportaje sobre el Gobierno de Uruguay y realizar más actividades relacionadas con el reportaje, visita: www.mhhe.com/connect

Palabras

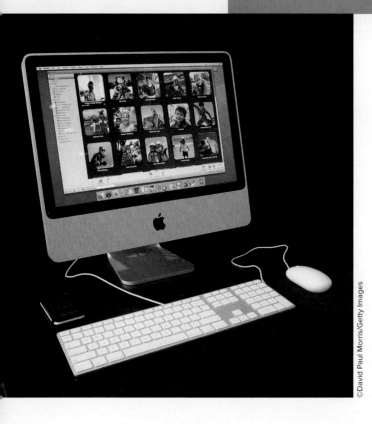

©David Paul Morris/Getty Images

la arroba	@
el botón	button
el buscador	search engine
el cargador	charger
el ciberacoso	cyberbullying
la (computadora) portátil	laptop
la contraseña	password
el correo electrónico / e-mail	e-mail
la dirección de Internet	Internet address
el disco duro	hard drive
el enlace	link
la impresora	printer
el lector electrónico	e-reader
el libro electrónico / ebook	ebook
el mensaje (de texto)	(text) message
la nube	cloud
la página web	web page
la pantalla	screen
el ratón	mouse
la red social	social network/media
el servidor	server
el sitio web	web site
la tecla	key
el teclado	keyboard
el /la usuario/a	user
el videojuego	video game

Cognados: **la aplicación / app, la batería, el documento, el escáner, el icono, el/la Internet, el iPad, el iPhone, la nomofobia, el portal, el programa, punto com, la tableta, el tuit /** *Tweet***, el wifi**

almacenar	to store
bajar (una aplicación / un programa...)	to download
borrar	to erase; to delete
descargar (una aplicación)	to download
enviar (envío) (un mensaje / un tuit)	to send
funcionar	to function; to work
grabar	to record

Los medios de comunicación

guardar	to save
hacer (*irreg.*) **una búsqueda**	to do a search
hacer clic	to click
imprimir	to print
pulsar (una tecla / un botón)	to click
subir (una foto)	to upload
el aparato	appliance; machine
la emisora de radio	radio station
el/la locutor(a)	radio host
la noticia	piece of news
las noticias	news
el noticiero	news(cast); news program
el periódico	newspaper
el/la periodista	journalist
la prensa	press; media
el/la presentador(a)	TV host(ess); anchorperson
el programa informativo / de entretenimiento / deportivo	information/entertainment/ sports program
el reportaje	news report
la revista	magazine
enterarse	to learn, to find out

©Design Pics Inc./Alamy RF

De repaso: **el artículo, el blog, el canal de televisión, la computadora, el fax, la foto (grafía), la radio, el satélite, el (teléfono) celular/móvil, la televisión, hacer/mandar fotos**

No solo tecnología

el aislamiento	isolation
el punto (.)	dot
la soledad	solitude; loneliness
la ventaja	advantage

Cognados: **el avance, la comunicación**

aislar(se)	to isolate (oneself)
cara a cara	face to face

©Ingram Publishing/agefotostock RF

La soledad

■ ACTIVIDAD 1 La pantalla en español

Paso 1 Estudia esta imagen de la pantalla de una computadora en español. ¿Reconoces todos los nombres y funciones?

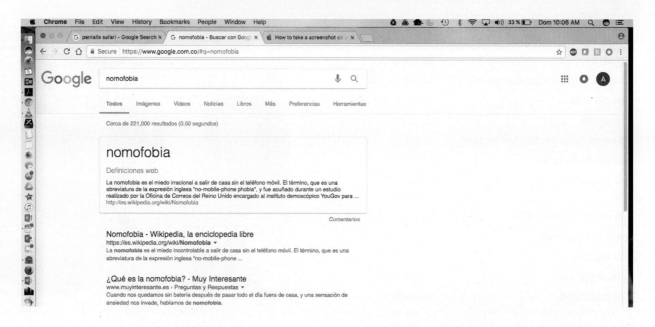

Paso 2 Ahora, en parejas usando los verbos del vocabulario da ejemplos de acciones comunes que haces con documentos o mensajes.

Ejemplo: una lectura de clase ➡ descargar en pdf para leerla en la computadora

1. una lectura de clase
2. un video muy bueno que has visto en YouTube
3. un video tuyo
4. una viñeta cómica muy divertida del periódico de hoy
5. una presentación en *PowerPoint* para la clase
6. un tuit de una manifestación

■ ACTIVIDAD 2 Asociaciones

Paso 1 ¿Con qué palabras del vocabulario asocias los siguientes nombres y títulos?

1. CNN
2. Anderson Cooper y Jorge Ramos Ávalos
3. Apple
4. *People* en español
5. *Bailando con las estrellas* y *La voz*
6. *Resumen informativo*
7. Cristina Saralegui y Oprah Winfrey
8. el *Nuevo Herald* y el *New York Times*
9. todo sobre los buscadores: ¿buscador o portal?

Paso 2 Ahora en parejas, una persona debe mencionar una palabra del vocabulario y la otra decir algo que asocie con esa palabra.

■ ACTIVIDAD 3 Definiciones y descripciones

Paso 1 Da la palabra que corresponde a la definición.

1. Es una máquina que se usa en casa o en una oficina. Puede ser eléctrica.
2. Es el aparato que nos ayuda a poner en una hoja de papel la información almacenada en la computadora.
3. Es una información sobre algo que acaba de ocurrir.
4. Es algo que pulsamos en las computadoras y teléfonos. Lleva una letra, un número o un símbolo.
5. Lo que se hace con un documento cuando no se necesita más en la computadora.
6. Para este trabajo es necesario tener una pronunciación clara, y también una voz bien modulada.
7. Es un tipo de teléfono que no necesita cable.
8. Es un texto en una revista o periódico que se centra en un tema determinado.

Paso 2 Ahora en parejas, tomen turnos para describir con dos o tres oraciones un aparato eléctrico o electrónico que no esté en la lista de vocabulario pero que sea de uso común. Tu compañero/a debe adivinar cuál es.

■ ACTIVIDAD 4 ¿Qué pasa aquí?

Describe con todos los detalles que puedas estas escenas. ¡Sé creativo/a!

■ ACTIVIDAD 5 Encuesta: Hábitos de usuario

Prepara una encuesta con cinco preguntas interesantes que tú consideres relacionadas con los usos tecnológicos de tus compañeros. Después entrevista a varias personas para ver las tendencias generales en la clase. Aquí se ofrecen algunos temas:

- redes sociales
- buscadores y portales
- su celular
- su computadora
- cursos que usan una plataforma tecnológica educativa (como Moodle o Blackboard) o una página web
- lectura de materiales del curso de forma digital o en papel

Ejemplo: ¿Cuántos de tus cursos este semestre tienen una página web o usan _____ (nombre de la plataforma tecnológica educativa de tu universidad)?

¡OJO! Recuerda usar **qué** en vez de **cuál(es)** si la palabra interrogativa va seguida de un sustantivo: *¿**Qué tipo** de celular tienes?*

Cultura

Avances tecnológicos y científicos en las civilizaciones prehispánicas

©Andy Krakovski/Getty Images RF

©Melissa Farlow/National Geographic/Getty Images

Algunas civilizaciones de las culturas prehispánicas fueron muy avanzadas en diversos campos. Por ejemplo, los incas, un pueblo precolombino que dominó gran parte de lo que hoy es el Perú, el Ecuador, Bolivia y Chile, fueron excelentes administradores de su imperio, metódicos y organizados. Para ello contaban con un sistema de contabilidad y almacenamiento de datos,[a] aunque no conocían la escritura. Este sistema estaba basado en el quipu, un artefacto que consistía en una cuerda[b] grande a la que se ataban[c] cuerdas más pequeñas. Cada una de estas pequeñas cuerdas representaba una cosa y tenía un color diferente. Por ejemplo, si lo que se quería era saber la cantidad de ganado[d] que había en un pueblo, se asignaba para las vicuñas el color verde, para las alpacas el color blanco, etcétera. Estas cuerdas tenían nudos[e] de diferentes formas y tamaños para representar la cantidad que había de cada cosa. La interpretación de los quipus requería a alguien especializado, los quipucamayoc.

Otra cultura que merece atención es la de los nazcas, que nos ha dejado las misteriosas líneas de Nazca, que se ven espectaculares desde el aire. Están en una región desértica al sur del actual Perú. Los nazcas existieron entre aproximadamente el siglo I a.C y el siglo VI d.C. Repartidas por más de 500 kilómetros cuadrados, existen cientos de figuras dibujadas en el árido suelo de la región. Estas figuras representan personas, animales, plantas o simples motivos geométricos. Algunas de sus líneas llegan a medir 275 metros, pero ninguna línea tiene más de 30 centímetros de profundidad.

Las líneas se han mantenido hasta la actualidad debido a las peculiares condiciones atmosféricas de la zona. Lo que sigue siendo un misterio es cuál era el propósito de marcar la tierra con estos dibujos.

---

[a]almacenamiento... *data storage*   [b]*rope*   [c]*se... were tied*   [d]*livestock*   [e]*knots*

Tertulia La tecnología ha existido siempre

- Los quipus son un ejemplo de la necesidad del ser humano por almacenar datos. ¿Conoces otras maneras de almacenar datos en otras culturas antes de la existencia de las computadoras? ¿Qué tipo de datos te parece que debemos guardar para las generaciones futuras?

- El arte es una forma de comunicación. Pero, ¿podemos siempre comprender lo que personas de diferentes generaciones o áreas geográficas quieren comunicar con su arte?

Estructuras

LEARNSMART
LearnSmart: Para aprender MÁS
www.mhhe.com/connect

13 El presente de subjuntivo: Introducción y contexto de influencia

Up to now in **MÁS** you have been reviewing and practicing verbs from the *indicative mood* (**modo indicativo**). From this chapter on, you will also be practicing verbs in the *subjunctive mood* (**modo subjuntivo**). The subjunctive and indicative moods are parallel verbal systems, each with their own different tenses and endings. While the indicative presents what the speaker considers "known" or "real," the subjunctive is used when actions are not "real," "known," or are "tainted" with subjective emotion.

Tiempos del modo subjuntivo:	presente	presente perfecto
	imperfect	pluscuamperfecto

The subjunctive is mostly used in complex sentences—sentences that contain more than one clause (**cláusula**). A *clause* is a phrase within the sentence that contains its own verb. Every complex sentence has *one main or independent clause (**cláusula principal**) whose verb is in the indicative*, and one or more subordinate or dependent clauses (**cláusula subordinada**), where the subjunctive may appear.

There are three kinds of subordinate clauses, depending on the kind of information they add to the whole sentence: **Cláusulas subordinadas nominales (Capítulo 5 y Capítulo 6), Cláusulas subordinadas adjetivales (Capítulo 7), Cláusulas subordinadas adverbiales (Capítulo 8).**

Las cámaras *impiden* **que haya** más crímenes en la ciudad.

Cláusula principal	**Cláusula subordinada**	
Quiero	**que Uds. impriman el ensayo.**	*I want you to print the essays.*
Creo	**que ella ya lo imprimió.**	*I think she already printed it.*
Esta es la tarea	**que tuvimos que descargar de Moodle.**	*This is the homework that we had to download from Moodle.*
No hay nada	**que podamos hacer ahora.**	*There's nothing we can do now.*
Escribe claramente	**para que yo lo pueda leer.**	*Write clearly so I can read it.*
Manda un mensaje	**cuando llegues.**	*Send me a message when you arrive.*

As you can see in the examples, some subordinate clauses require the indicative, while others require the subjunctive. In the next few chapters we'll study these different contexts and learn to make the distinction. The important first step is to recognize the dependent clause structure.

CLÁUSULAS SUBORDINADAS

Nominales
Adjetivales
Adverbiales

Forms of the present subjunctive

- **The basic rule for the endings**

-**ar** verbs	→	e
-**er**/-**ir** verbs	→	a

Notice that the present subjunctive vowel is the "opposite" to the vowel endings for the third person of the present indicative:

-ar		**-er/-ir**	
indicative → a	bail**a**	indicative → e	le**e**/viv**e**
subjunctive → e	bail**e**	subjunctive → a	le**a**/viv**a**

- **Regular forms**

-ar: cantar		-er: correr		-ir: decidir	
cante	cantemos	corra	corramos	decida	decidamos
cantes	cantéis	corras	corráis	decidas	decidáis
cantés		corrás		decidás	
cante	canten	corra	corran	decida	decidan

- **Verbs with spelling changes in the present of subjunctive**

Verbs that end in -**gar, -car,** or -**zar** have a spelling change in the subjunctive.

-gar → gu: llegar		-car → qu: sacar		-zar → c: empezar	
llegue	lleguemos	saque	saquemos	empiece	empecemos
llegues	lleguéis	saques	saquéis	empieces	empecéis
llegués		saqués		empecés	
llegue	lleguen	saque	saquen	empiece	empiecen

- **Verbs with irregular yo forms in the present indicative**

The irregular **yo** forms from the present indicative are used in the present subjunctive.

salir → salgo		oír → oigo		conocer → conozco	
salga	salgamos	oiga	oigamos	conozca	conozcamos
salgas	salgáis	oigas	oigáis	conozcas	conozcáis
salgás		oigás		conozcás	
salga	salgan	oiga	oigan	conozca	conozcan

- **Stem-changing**

The stem-changing verbs follow a pattern similar to that of the present indicative: the stressed vowel becomes a diphthong. Notice, however, that the -**ir** stem-changing verbs have the second stem change (from the preterite tense) in the **vos, nosotros,** and **vosotros** forms.

e → ie: pensar		e → ie, i: divertir		e → i, i: pedir		o → ue, u: morir	
piense	pensemos	divierta	divirtamos	pida	pidamos	muera	muramos
pienses	penséis	diviertas	divirtáis	pidas	pidáis	mueras	muráis
pensés		divirtás		pidás		murás	
piense	piensen	divierta	diviertan	pida	pidan	muera	mueran

- **Frequent irregular verbs**

ir		saber		ser	
vaya	vayamos	sepa	sepamos	sea	seamos
vayas	vayáis	sepas	sepáis	seas	seáis
vayás		sepás		seás	
vaya	vayan	sepa	sepan	sea	sean

¡OJO! The subjunctive form of **hay** (from **haber**) is **haya**.

Quiero **que conozcas** a mi familia.

Uses: Expressing influence

A clause is a part of a sentence that contains its own verb. A noun clause (**una cláusula nominal**) is a clause that <u>functions as a noun</u> or a noun phrase. Put in another way: grammatically, a noun could work in place of the clause in this part of the sentence. Compare the first example with numbers 2 and 3:

verbo principal	*frase/cláusula nominal*
1. *Quiero*	una impresora nueva.
2. *Quiero*	imprimir esto.
3. *Quiero*	que impriman esto.

In these complex sentences with noun clauses, the meaning of <u>the main verb triggers</u> the choice of mood in the subordinate clause. If the subjects of the main and the subordinate verbs do not coincide, the subordinate verb must be in the *subjunctive* (because of the influence expressed with "**querer**"), and <u>preceded by **que**</u>:

verbo principal	*frase/cláusula nominal*
Necesito	**que** trabajes esta tarde.
Espero	**que** te compres un celular nuevo pronto.

But if the subjects of both verbs are the same, the subordinate verb appears in the infinitive. You are already well familiar with this type of expression:

verbo principal	*frase/cláusula nominal*
Necesito	trabajar esta tarde.
Espero	comprarme un celular nuevo pronto.

This chapter deals specifically with noun clauses in a context of *influence*—the main verb tries to affect what others do, which can be done in strong or mild terms, from commanding to begging. (You will see the other contexts for noun clauses in **Capítulo 6**.)

¿*Quieres* **que te enseñe** mi nueva aplicación?

Verbos de influencia			
aconsejar	to advise	**prohibir (prohíbo)**	to prohibit
decir	to tell (as a command)	**querer**	to want, to request
esperar	to expect	**recomendar**	to recommend
insistir en	to insist	**requerir (ie, i)**	to request
ordenar	to order	**sugerir (ie, i)**	to suggest
pedir	to ask for	**suplicar**	to beg
permitir	to allow		

Some of these main verbs are often accompanied by an indirect object:

Les aconsejo que cambien de plan de celular.

I advise you to change cell plans.

Te suplico que no textees mientras conduces.

I beg you not to text while you drive.

- **Decir** and **insistir**, as *to say / to tell* and *to insist* in English, can be used to express information or to give a command. Therefore, they can trigger indicative or subjunctive in the subordinate clause: if they express information, the subordinate verb will be in the indicative; if they express command, the subordinate verb will be in the subjunctive. Notice that in English the constructions are different as well.

El manual dice que hay una tecla especial.

The manual says (that) there is a special button.

El manual dice que hagas clic aquí.

The manual says for you / tells you to click here.

¡OJO!
- **Que** is not optional in Spanish, as *that* is in English.
- Notice that there are several constructions in English to translate the Spanish subordinate clauses.

■ ACTIVIDAD 1 El primer día de la clase de español

Paso 1 Completa el siguiente párrafo con el presente de subjuntivo de los verbos entre paréntesis.

Nuestra profesora de español parece muy exigente (*demanding*). Por supuesto, quiere que los estudiantes _____ (llegar)[1] a tiempo todos los días y _____ (venir)[2] preparados a clase. Insiste en que _____ (subir: nosotros)[3] nuestras tareas a la página web de la clase y que _____ (guardar)[4] una copia de todos los documentos. Permite que _____ (usar)[5] la tableta o el portátil en clase, pero prohíbe que les _____ (enviar)[6] mensajes a nuestros amigos o _____ (hacer)[7] tarea para otras clases. Por otro lado, también parece interesada en nosotros y nos sugiere constantemente que _____ (ir)[8] a sus horas de oficina si necesitamos ayuda. ¡Los estudiantes esperamos que la clase no _____ (ser)[9] muy difícil y le suplicamos a la profesora que no _____ (hablar)[10] muy de prisa!

Paso 2 Ahora en parejas hablen sobre sus propios (*own*) profesores y clases. ¿Qué les dicen sus profesores? ¿Qué esperan? ¿Qué les piden/aconsejan/permiten/prohíben? ¿Cuáles son sus profesores más exigentes?

Ejemplo: —Mi profesor de matemáticas nos permite que usemos una calculadora en el examen, pero no podemos usar el móvil. Por eso nos recomienda que traigamos una calculadora a los exámenes.

—¡Qué suerte! Mi profesor no permite que usemos nada durante los exámenes.

Vocabulario activo: exigente, propio/a

■ ACTIVIDAD 2 ¿Infinitivo, subjuntivo o indicativo?

Paso 1 ¿Infinitivo o subjuntivo? Reescribe las siguientes oraciones haciéndoles los cambios necesarios a los verbos entre paréntesis. **¡OJO!** No olvides incluir la conjunción **que** cuando el verbo deba estar conjugado.

Ejemplo: Los expertos aconsejan (nosotros: no pasar) demasiadas horas ininterrumpidas delante de la pantalla.
→ Los expertos aconsejan que no pasemos demasiadas horas delante de la pantalla.

1. Yo quiero (yo: mandar) un correo electrónico a mi hermana.
2. Nosotros deseamos (nosotros: comprar) un teléfono móvil nuevo.
3. Juan insiste en (tú: leer) el artículo entero.
4. Los de la agencia esperan (nosotros: poder) mandar el fax pronto.
5. Mi profesora prohíbe (los estudiantes: enviar) las redacciones por correo electrónico.

Paso 2 En grupos túrnense para crear una oración con uno de los verbos de influencia expresando las maneras en que Uds. intentan influenciar a sus amigos.

Ejemplo: Les prohíbo a mis amigos que suban fotos mías a Facebook.

■ ACTIVIDAD 3 Ideas incompletas

Paso 1 Haz oraciones completas combinando las cláusulas principales de la columna A con las subordinadas de la columna B.

*Te sugiero **que mires** la fórmula otra vez.*

A	B
1. Las estadísticas dicen que...	a. sus amigos les manden mensajes en vez de (*instead of*) que los llamen.
2. Los expertos insisten en que...	b. la inmensa mayoría de la gente tiene un teléfono celular.
3. La mayoría de los jóvenes prefieren que...	c. no miremos una pantalla durante demasiado tiempo sin descanso.
4. Mucha gente espera impacientemente que...	d. salga el último modelo de un teléfono inteligente para comprarlo.
5. Muchos padres prohíben que...	e. sus clientes hagan consultas por teléfono, sino que usen la página web.
6. Muchas empresas no quieren que...	f. los niños se vayan a la cama con el celular.

Paso 2 Ahora en parejas completen algunas oraciones de la columna A con ideas propias.

Ejemplo: Muchos padres prohíben que sus hijos tengan un celular antes de los 10 años.

■ ACTIVIDAD 4 Las fotos de la boda

Paso 1 Completa las oraciones siguientes con la forma apropiada del presente de indicativo, el presente de subjuntivo o el infinitivo de los verbos entre paréntesis.

ISABEL: ¿_____ (querer: tú[1]) que te _____ (enviar[2]) el enlace para ver las fotos de la boda de María?

VIRGINIA: Sí, gracias. Mis padres _____ (decir[3]) que _____ (tener[4]) muchas ganas de verlas también.

ISABEL: Chévere. Pero te _____ (pedir: yo[5]) que no las _____ (poner: tú[6]) en Facebook.

VIRGINIA: No entiendo por qué _____ (insistir[7]) tanto en que no _____ (poner: nosotros[8]) las fotos en Facebook. Todo el mundo lo hace.

ISABEL: Porque quiero _____ (llevar[9]) el mismo vestido a la boda de Lydia y no quiero que toda la gente lo _____ (saber[10]).

VIRGINIA: ¡Y eso qué importa! Yo también voy a usar el mismo vestido que llevé a otra boda. Si tanto te preocupa, te sugiero que _____ (cambiar[11]) el color del vestido con Photoshop.

ISABEL: ¡Qué buena idea! Voy a intentarlo.

Completa las siguientes ideas sobre el diálogo. Puedes completarlas con ideas falsas o verdaderas. Luego en parejas, compártelas. Decide si las oraciones de tu pareja son ciertas o falsas.

1. Virginia quiere...

2. Los padres de Virginia desean...

3. Isabel prefiere que nadie... porque...

4. Virginia le recomienda que...

Paso 2 Ahora en parejas, hablen de la cosa más ridícula o extraña, o la más importante o beneficiosa que otras personas quieren que Uds. hagan o esperan de Uds.

■ ACTIVIDAD 5 ¡Cuidado!

En parejas describan lo que ocurre en estas fotos. Luego inventen la oración de influencia que una de las personas le dice a la otra o a nosotros en cada foto. Piensen bien en si deben usar tú o Ud. o Uds. en las oraciones.

1.

2.

3.

4.

■ ACTIVIDAD 6 Consejos

Paso 1 Fernando es un estudiante internacional de Ecuador que acaba de llegar a tu universidad. Ayúdalo a conocer un poco mejor el campus.

FERNANDO: Necesito estudiar en un lugar tranquilo.
TÚ: Te recomiendo que...

FERNANDO: Necesito ayuda con la tecnología.
TÚ: Te aconsejo que...

FERNANDO: Debo comprar materiales y libros para mis clases.
TÚ: Te sugiero que...

FERNANDO: Me gusta la comida sana.
TÚ: ...

Paso 2 Ahora en parejas, comenten algunas dificultades que estén teniendo este semestre. Tu compañero/a debe darte algunos consejos para solucionar los problemas.

Ejemplo: —Estoy sacando notas muy bajas en mi clase de matemáticas porque no entiendo la materia.

—Te recomiendo que busques un tutor. También te sugiero que asistas a las horas de oficina de tu instructor. Te aconsejo que consultes la página web matematicas.facil.com, porque tiene explicaciones muy claras.

Commands (**Los mandatos**) are also known as the *imperative mood* (**el modo imperativo**), which is the third and last mood you will learn.

MODOS: indicativo   subjuntivo   imperativo

Commands are used with six different verb persons: **nosotros, Ud., Uds., tú, vos,** and **vosotros.**

Both affirmative and negative commands coincide with the present subjunctive forms for **nosotros, Ud.,** and **Uds.** But for **tú** and **vosotros** there are different forms for affirmative versus negative commands.

¡OJO! **Nosotros** commands express *let's* + verb. These forms are highly rhetorical and primarily used in formal speech or writing. In everyday language the phrase **vamos a...** is preferred.

Los mandatos de *nosotros, Ud.* y *Uds.*

	-ar: copiar	-er: leer	-ir: imprimir
Ud.	(no) copie	(no) lea	(no) imprima
Uds.	(no) copien	(no) lean	(no) impriman
nosotros	(no) copiemos	(no) leamos	(no) imprimamos

Los mandatos de *tú*

afirmativos	Similar to third person singular in present indicative borrar → borr**a** leer → le**e** imprimir → imprim**e** **irregulares** decir → **di** ir → **ve** salir → **sal** tener → **ten** hacer → **haz** poner → **pon** ser → **sé** venir → **ven**
negativos	Similar to forms of second person singular in present subjunctive borrar → no borr**es** leer → no le**as** imprimir → no imprim**as**

Los mandatos de *vos*

afirmativos	infinitive without the **r,** stress on last vowel borrar → borr**á** leer → le**é** imprimir → imprim**í**
negativos	Similar to forms of second person singular in present subjunctive borrar → no borr**és** leer → no le**ás** imprimir → no imprim**ás**

No **llegues** tarde al trabajo.

Los mandatos de *vosotros*

afirmativos	infinitive without the **r,** plus a **d,** stress on last vowel borrar → borr**ad** leer → le**ed** imprimir → imprim**id**
negativos	similar to forms of second person singular in present subjunctive borrar → no borr**éis** leer → no le**áis** imprimir → no imprim**áis**

¡OJO! Remember that **vos** is used in parts of Latin America and **vosotros** is only used in Spain.

Spelling changes

Commands go through the usual spelling changes to maintain the sound in the infinitive stem.

-car → **-qu-**	tocar → to**que**	sacar → sa**quen**
-gar → **-gu-**	cargar → no car**gues**	llegar → lle**gue**
-zar → **-ce-**	comenzar → comien**cen**	lanzar → no lan**ces**
-cer/-cir → **-zc-**	conocer → cono**zcas**	conducir → condu**zcan**

¿Hay más papel? Ponlo en la impresora, por favor.

Position of pronouns with commands

The position of the pronouns with respect to the verb changes depending on whether the commands are affirmative or negative. However, in all cases, the indirect object pronoun always precedes the direct object pronoun, when both objects are present.

Affirmative commands

verb + pronouns (OI + OD) (one word)

Mánda**mela.**   *Send it to me.*

verb + reflexive (one word)

Quéden**se.**   *Stay.*

Negative commands

no + **pronouns (OI + OD) + verb (separate words)**

No **me la** mandes.   *Don't send it to me.*

verb + reflexive (one word)

No **se** queden.   *Do not stay.*

¡OJO!   Many affirmative commands followed by pronouns require a stress mark, since the lengthening of the word makes the stress fall on the second-to-last or earlier syllable (**esdrújula** or **sobreesdrújula**).

Cómetelo todo.   *Eat it all up.*

All nosotros affirmative commands lose the final -s before attaching the reflexive pronoun **nos**.

¡Vámonos!	*Let's go!*
¡Lavémonos las manos!	*Let's wash our hands!*

Cálmate, todo está bien.

NOTA LINGÜÍSTICA CORTESÍA EN LAS PETICIONES

Commands are a very strong form of request for many occasions. In fact they tend to be used more frequently to give instructions: recipes, directions, medical advice, and so on. These are other more polite forms of requesting in Spanish. They are preferably accompanied by **por favor.**

Question in present indicative (very familiar)

¿Me prestas la pluma?	*Can/Will you lend me the pen?*
¿Me pasas el libro, por favor?	*Can you pass me the book, please?*

Questions with *poder* in the conditional or imperfect subjunctive

¿**Podría/Pudiera (Ud.)** ayudarme con este fax?	*Could you help me with this fax?*

Suggestions with *deber* in the conditional or imperfect subjunctive

Creo que **deberías/debieras** comprar un escáner nuevo.	*I think you should buy a new scanner.*

■ ACTIVIDAD 1 Hazlo así

Paso 1 Kimberly quiere ayudar a su abuela a usar el nuevo teléfono inteligente. Completa sus instrucciones con el mandato informal de los verbos entre paréntesis.

Primero _____¹ (encender) el teléfono. Ahora _____² (escribir) tu contraseña. Después _____³ (seleccionar) el botón de contactos. Muy bien, ahora _____⁴ (buscar) el nombre de tu hermana Zoyla. Eso es. Ahora_____⁵ (pulsar) ese icono con un teléfono verde. _____⁶ (esperar) que tu hermana conteste. Ya está, _____⁷ (decir) algo!

Paso 2 Ahora en parejas, piensen en una persona que no sabe mucho de tecnología (un abuelo, quizás) y denle instrucciones de cómo mandar un email, abrir una cuenta en Facebook, poner un video en una presentación de PowerPoint, etcétera.

■ ACTIVIDAD 2 Mejor con humor

Paso 1 Las instrucciones de la siguiente lista están en el infinitivo. Cámbialas a mandatos de Ud. y decide si son instrucciones son serias o cómicas.

Ejemplo: Calmarse.   →   Cálmese.

1. No sentirse demasiado frustrado.
2. No sentarse demasiado tiempo enfrente de la pantalla.
3. Levantarse con frecuencia y respirar profundamente diez veces.
4. No poner la computadora cerca de otros aparatos electrónicos.
5. Tener el manual de instrucciones siempre cerca.
6. Encender y apagar el aparato varias veces antes de llamar.
7. Recordar el modelo de la computadora.
8. Decir el número de serie del aparato.
9. No esperar una solución fácil.
10. Salir con los amigos inmediatamente y olvidarse de la computadora.

Paso 2 Ahora en parejas piensen en cuáles son algunos problemas frecuentes de los usuarios que les hace llamar para pedir asistencia técnica. Después elijan un problema e inventen un diálogo para esta situación.

■ ACTIVIDAD 3 ¡Qué dilema!

Paso 1 Lee las siguientes situaciones y usa la forma del mandato de los verbos entre paréntesis para expresar los consejos que darías (*you'd give*). Los mandatos pueden ser afirmativos o negativos.

Ejemplo: Tu tío no sabe dónde comprar una tableta, si en el Compucentro que está muy cerca de casa, o en el Todotecno que está lejos, pero tiene una oferta esta semana. (ir a Compucentro / ir a Todotecno) → **No vayas** a Compucentro; **ve** a Todotecno.

1. Tu hermano/a tiene el control remoto. Están pasando un noticiero en CNN en español y hay una telenovela en Univisión. (poner CNN / poner Univisión)
2. Tu amiga está de visita en tu casa. Tiene que trabajar mañana temprano y quiere volver a casa esta noche, pero hay una tormenta. (salir mañana / volver esta noche)
3. Un compañero de la universidad no sabe si debe ser honesto con su profesor y decirle por qué faltó a clase ayer. (decirle la verdad / decirle una mentira)
4. Una amiga ha bebido mucho en una fiesta y ahora tiene prisa por manejar a otra. (quedarse un rato más / tener prisa)
5. Tu hermanito de diez años no quiere terminar la tarea porque quiere jugar un videojuego. (hacer la tarea / jugar el videojuego)

No **me despiertes**, que estoy cansado.

Paso 2 En parejas, piensen en algún dilema que los estudiantes de su universidad suelan tener y escríbanlo en una hoja de papel. Luego, intercambien su hoja de papel con otra pareja y discutan los consejos que le darán a sus compañeros para resolver su dilema.

■ ACTIVIDAD 4 A ti te toca, ¿no?

Paso 1 Usa los mandatos informales de los verbos entre paréntesis y los pronombres (cuando sean necesarios) para completar la siguiente conversación entre Diego y Alberto, dos compañeros de cuarto. Presta atención al orden de los pronombres con respecto al verbo, y a los acentos cuando sean necesarios. (OI = objeto indirecto, OD = objeto directo)

Ejemplo: ¿Puedo prestarle (prestar + OI) la computadora a Juan?

ALBERTO: Voy a prestarle la portátil a Juan. Dice que la necesita para escribir un artículo sobre el nuevo programa.

DIEGO: No, no _____ [1] (prestar + OI + OD); la última vez que la usó me borró tres documentos. _____ [2] (ir) con él al laboratorio y _____ [3] (enseñar + OI) a usar las que hay allí.

ALBERTO: Bueno, iremos (*we'll go*) luego. ¿Les mandaste a todos un mensaje para que vengan a la fiesta de cumpleaños de José?

DIEGO: No, _____ [4] (mandar + OI + OD) tú; yo no tengo tiempo.

ALBERTO: Bueno, pero antes voy a ver las noticias un rato. ¿Dónde está el control remoto?

DIEGO: No _____ [5] (preguntar + OI + OD) a mí. Tú lo tenías esta mañana para ver el noticiero deportivo ¿no?

ALBERTO: Bueno, pues voy a escuchar la radio un rato.

DIEGO: Está bien, pero no _____ [6] (escuchar + OD) aquí, porque estoy estudiando. Además, Lydia _____ [7] un mensaje para ver si queríamos ir al cine. (mandar + OI).

ALBERTO: Está bien, y ¿qué le digo?

DIEGO: _____ [8] (decir + OI) que sí y que luego podemos ir a cenar. _____ [9] (mirar) en la Red el menú de La Taquería, por si hay algo especial hoy.

Ve a Compucentro. **No vayas** a Todotecno.

ALBERTO: ¡Oye, no _____ [10] (ser) tan fresco! _____ [11] (Hacer) tú algo, que yo también estoy cansado.

Paso 2 Ahora en parejas, escriban el email o mensaje de Facebook de Alberto, anunciando la fiesta del cumpleaños de José. Usen mandatos para decirles a sus amigos lo que deben hacer y cómo contribuir a la fiesta.

■ ACTIVIDAD 5 Un anuncio publicitario

En parejas, inventen un anuncio para uno de sus programas favoritos de radio o televisión. Deben incluir varios mandatos. Antes de empezar, piensen en lo siguiente:

• ¿Qué tipo de programa es?

• ¿Cómo se llama?

• ¿A qué tipo de persona le interesa este programa?

• ¿Qué adjetivos pueden usar para describirlo?

Cultura

Un panorama de emprendedores e innovadores hispanohablantes

Todo el mundo relaciona el Silicon Valley en Estados Unidos con avances tecnológicos, especialmente con respecto a la tecnología digital. Sin embargo, en España y Latinoamérica también se están creando espacios y programas que tienen como objetivo fomentar la creación y la innovación tecnológica. Un ejemplo es el programa chileno *Start-Up Chile,* el cual desde 2010 proporciona a emprendedores de todo el mundo visas de residencia y fondos para desarrollar sus ideas en Chile. De esta manera, Santiago, la capital del país, ha llegado a ser conocida como «Chilecon Valley». Otro ejemplo es el proyecto *22@Barcelona*, que consiste en acondicionar[a] un barrio barcelonés que antiguamente[b] tenía fábricas textiles para que se establezcan allí negocios relacionados con la tecnología.

Beatriz Acevedo

El interés del mundo de habla española por las nuevas tecnologías se manifiesta también en la creatividad de los emprendedores, quienes están utilizando su talento para mejorar significativamente la vida de muchas personas. Estos son algunos ejemplos:

- Beatriz Acevedo: Nacida en Tijuana (México), es la creadora de *MiTú*, que es una cadena digital dirigida a la audiencia latina.
- Mariana Costa: Es la consejera delegada[c] de *Laboratoria*, una compañía peruana que enseña código a mujeres de bajos recursos en Latinoamérica.
- Evelyn Miralles: Ingeniera informática venezolana y la creadora del sistema de realidad virtual que utiliza la NASA para simular misiones espaciales.
- Alicia Asín y David Gascón: Cofundadores de *Libelium*, una empresa española dedicada a crear sensores que nos ayudan a muchas cosas en nuestra vida cotidiana, como saber dónde hay aparcamiento, reducir la contaminación, etcétera.
- Blanca Rodríguez: Cofundadora de la app española *Smile and Learn*, que ayuda a monitorear el progreso de los niños en la lectura y que es utilizada por padres y escuelas de España y Estados Unidos
- Matthew Ramírez: Estadounidense de origen mexicano, estudió en Berkeley donde fue tutor de escritura. Como resultado de esta experiencia, creó *WriteLab*, programa que se utiliza ya en varias escuelas en EEUU.

Mariana Costa

---

[a]*set up* [b]*in the past* [c]*consejera... chief executive officer*

Evelyn Miralles

Tertulia Innovaciones

¿Hay algo similar a Silicon Valley en tu estado o país? ¿Qué beneficios crees que obtiene un país al promover que los innovadores se establezcan allí?

Alicia Asín

Lectura

El celular de Hansel y Gretel

©Hernán Casciari

VOCABULARIO ÚTIL

el desenlace	outcome
el nudo	climax (of a story)
la trama	plot
inalámbrico/a	wireless
al borde de	on the edge of
al dedillo	by heart
como una seda	smoothly, without a glitch
por culpa de	because of (negativo)
sin darse cuenta	without realizing, inadvertently
ya está	that's it

Texto y autor

Este texto es de Hernán Casciari, novelista y columnista argentino, reconocido especialmente por su trabajo como bloguero. Uno de sus blogs dio pie (*inspired*) a una obra de teatro. En este capítulo, se ofrece una versión acortada de *El celular de Hansel y Gretel,* una entrada del blog *Orsai,* en la que Casciari reflexiona sobre el posible impacto del celular en la trama de películas, cuentos y novelas.

Antes de leer

Nombra algunas obras clásicas de la literatura o el cine. ¿Las has leído o visto? ¿Cuáles son tus reacciones hacia algunas de ellas? ¿Qué dificultades que pueden encontrar los lectores o espectadores contemporáneos para entender y apreciar las obras clásicas?

■ ACTIVIDAD 1 Hablando de cine

Completa las oraciones con las palabras o expresiones más adecuadas de la lista en cada caso.

1. Me preparé bien para el examen y por eso sabía todos los títulos de las películas de Alejandro Gómez Iñárritu _____.

2. Las tres partes fundamentales de cualquier buena historia son la introducción, el _____ y el _____, en ese orden.

3. No me gusta esa película porque me parece que la _____ es confusa innecesariamente.

4. Pedro Almodóvar se hizo famoso internacionalmente con su película *Mujeres* _____ *de un ataque de nervios,* una comedia sobre un grupo de mujeres que enfrentan situaciones desesperadas.

5. La película no pudo filmarse a tiempo _____ del actor principal, que tuvo un accidente muy grave.

6. ¡_____! He arreglado el proyector y ahora funciona _____.

7. Perdona, elegí este salón para ver el video _____ de que en este edificio la conexión _____ falla mucho. Mejor nos vamos a otro sitio.

ESTRATEGIA LA INTRODUCCIÓN, LLAMAR LA ATENCIÓN DE LOS LECTORES

Las introducciones de los ensayos con frecuencia comienzan con una idea general seguida de ideas más concretas hasta que se llega a la tesis. Sin embargo, hay autores que para llamar la atención del lector prefieren utilizar otras estrategias en sus introducciones. Por ejemplo, hay ensayos que comienzan con una pregunta, cuentan una anécdota que suele ser personal o empiezan con datos o afirmaciones que los autores saben que van a sorprender a los lectores. Fíjate en la introducción del ensayo **El celular de Hansel y Gretel,** y piensa qué estrategia utiliza el autor para captar rápidamente el interés de los lectores.

EL CELULAR DE HANSEL Y GRETEL

Hernán Casciari

Anoche le contaba a mi hijita Nina un cuento infantil muy famoso, el *Hansel y Gretel* de los hermanos Grimm. En el momento más tenebroso[a] de la aventura, los niños descubren que unos pájaros se han comido las estratégicas bolitas de pan, un sistema muy simple que los hermanitos habían ideado para regresar a casa. Hansel y Gretel se descubren solos en el bosque, perdidos, y comienza a anochecer[b]. Mi hija me dice, justo en ese punto de clímax narrativo: «No importa. Que lo llamen al papá por el celular».

Yo entonces pensé, por primera vez, que mi hija no tiene una noción de la vida ajena a[c] la telefonía inalámbrica. Y al mismo tiempo descubrí qué espantosa[d] resultaría la literatura -toda ella, en general- si el teléfono móvil hubiera existido[e] siempre, como cree mi hija de cuatro años.

Cuántos clásicos habrían perdido su nudo dramático, cuántas tramas hubieran muerto antes de nacer, y sobre todo qué fácil se habrían solucionado los intríngulis[f] más célebres de las grandes historias de ficción.

Piense el lector, ahora mismo, en una historia clásica que conozca al dedillo, con introducción, con nudo y con desenlace.

¿Ya está?

Muy bien. Ahora ponga un celular en el bolsillo[g] del protagonista. No un viejo aparato negro empotrado[h] en una pared, sino un teléfono como los que existen hoy: con cobertura, con conexión a correo electrónico y chat, con saldo[i] para enviar mensajes de texto y con la posibilidad de realizar llamadas internacionales cuatribanda[j].

¿Qué pasa con la historia elegida? ¿Funciona la trama como una seda, ahora que los personajes pueden llamarse desde cualquier sitio, ahora que tienen la opción de chatear, generar videoconferencias y enviarse mensajes de texto? ¿Verdad que no funciona un carajo[k]?

---

[a]*gloomy, sinister* [b]*nightfall* [c]*ajena... sin* (lit. *foreign to*) [d]*horrible* [e]*had existed* [f]*complication*
[g]*pocket* [h]*set in* [i]*credit* [j]*with 4 people* [k]*un... at all* (vulgar)

La Nina, sin darse cuenta, me abrió anoche la puerta a una teoría espeluznante[l]: la telefonía inalámbrica va a hacer añicos[m] las viejas historias que narremos, las convertirá en anécdotas tecnológicas de calidad menor.

Un enorme porcentaje de las historias escritas (o cantadas, o representadas) en los veinte siglos que anteceden al actual, han tenido como principal fuente de conflicto la distancia, el desencuentro[n] y la incomunicación. Han podido existir gracias a la ausencia de telefonía móvil.

Ninguna historia de amor, por ejemplo, habría sido trágica o complicada, si los amantes esquivos[ñ] hubieran tenido un teléfono en el bolsillo de la camisa. La historia romántica por excelencia (Romeo y Julieta, de Shakespeare) basa toda su tensión dramática final en una incomunicación fortuita: la amante finge[o] un suicidio, el enamorado la cree muerta y se mata, y entonces ella, al despertar, se suicida de verdad. (Perdón por el espoiler).

Si Julieta hubiese tenido teléfono móvil, le habría escrito un mensajito de texto a Romeo en el capítulo seis:

M HGO LA MUERTA,
PERO NO TOY MUERTA.
NO T PRCUPES NI
HGAS IDIOTCS. BSO.

En la obra *El jotapegé de Dorian Grey,* Oscar Wilde contaría la historia de un joven que se mantiene siempre lozano[p] y sin arrugas[q], en virtud a un pacto con Adobe Photoshop, mientras que en la carpeta *Images* de su teléfono una foto de su rostro se pixela sin remedio, paulatinamente, hasta perder definición.

Ya no hay ese apuro cursi[r], ese remordimiento[s], aquella explicación que nunca llega; no hay que detener[t] a los aviones ni cruzar los mares. No hay que dejar bolitas de pan en el bosque para recordar el camino de regreso a casa. La telefonía inalámbrica -vino a decirme anoche la Nina, sin querer- nos va a entorpecer[u] las historias que contemos de ahora en adelante. Las hará más tristes, menos sosegadas[v], mucho más predecibles.

Y me pregunto, ¿no estará acaso[w] ocurriendo lo mismo con la vida real, no estaremos privándonos[x] de aventuras novelescas por culpa de la conexión permanente? ¿Alguno de nosotros, alguna vez, correrá desesperado al aeropuerto para decirle a la mujer que ama que no suba a ese avión, que la vida es aquí y ahora?

No. Le enviaremos un mensaje de texto lastimoso[y], un mensaje breve desde el sofá. Cuatro líneas con mayúsculas. Quizá le haremos una llamada perdida, y cruzaremos los dedos para que ella, la mujer amada, no tenga su telefonito en modo vibrador. ¿Para qué hacer el esfuerzo[z] de vivir al borde de la aventura, si algo siempre nos va a interrumpir la incertidumbre[aa]? Una llamada a tiempo, un mensaje binario, una alarma.

Nuestro cielo[ab] ya está infectado de señales y secretos: cuidado que el duque está yendo allí para matarte, ojo que la manzana está envenenada, no vuelvo esta noche a casa porque he bebido, si le das un beso a la muchacha se despierta y te ama. Papá, ven a buscarnos que unos pájaros se han comido las migas de pan.[ac] Nuestras tramas están perdiendo el brillo[ad] -las escritas, las vividas, incluso las imaginadas- porque nos hemos convertido en héroes perezosos.

---

[l]*horrifying* [m]*hacer... shatter to pieces* [n]*disagreement* [ñ]*amantes... secret lovers* [o]*pretends*
[p]*youthful* [q]*wrinkles* [r]*apuro... cheesy embarrassment* [s]*remorse* [t]*to stop* [u]*to hinder* [v]*tranquil*
[w]*perhaps* [x]*depriving us* [y]*pathetic* [z]*effort* [aa]*uncertainty* [ab]*sky* [ac]*migas... breadcrumbs*
[ad]*brightness*

Comprensión

■ ACTIVIDAD 2 ¿Cierto o falso?

Indica si las siguientes oraciones reflejan las ideas del texto. Si no es así, corrígelas.

1. Nina es un personaje de un cuento.
2. Según el autor, el nudo de las obras clásicas siempre está claro.
3. La falta de comunicación es un conflicto clásico de muchas obras literarias.
4. El autor se pregunta si las personas de ahora son peores lectores que las personas de otras épocas.
5. La falta de teléfonos celulares ayuda a hacer las historias de amor más trágicas.
6. Los teléfonos modernos hacen que en nuestras vidas no haya incertidumbre.
7. La facilidad para comunicarse nos ha convertido en héroes muy activos.

■ ACTIVIDAD 3 ¿Qué opinas?

Contesta dando ejemplos específicos del texto para defender tus ideas.

1. ¿Cuál es la idea central del ensayo?
2. ¿Cuál es la actitud del autor sobre el tema?
3. ¿Cuál es el tono del texto?
4. ¿Cómo demuestra el autor conocimiento de las nuevas tecnologías a través del vocabulario que usa en el texto?

■ ACTIVIDAD 4 Clásicos sin celulares

Ahora describe el ejemplo de un clásico (cuento, obra de teatro, novela o película) cuyo *(whose)* nudo y desenlace no tendrían sentido si los personajes tuvieran acceso a telefonía inalámbrica u otros recursos de la tecnología actual.

Abuela cierra la puerta. El lobo va para tu casa. ¡Llama 911!

©hudiemm/Getty Images RF

■ **ACTIVIDAD 5** La introducción

En parejas comenten cuál es la estrategia que ha utilizado Hernán Casciari en la introducción de *El celular de Hansel y Gretel* para llamar la atención de los lectores. ¿Consideran que es una buena estrategia? ¿Por qué? ¿Cómo se relaciona el contenido de la introducción con el resto del ensayo?

Tertulia Clásicos con celulares

Si bien el autor muestra una actitud bastante negativa sobre las nuevas tecnologías en este artículo, la realidad es que los avances tecnológicos no son nuevos para la humanidad. La literatura y el arte los incorpora naturalmente y se crean nuevos clásicos. ¿Cuáles son ejemplos de avances tecnológicos importantes y en qué clásicos podemos encontrarlos? Específicamente sobre la tecnología inalámbrica, ¿qué ejemplos famosos de literatura y cine conocen donde el uso (o falta de uso) de celulares provoca el nudo de la obra? ¿Son situaciones creíbles?

Producción personal

Redacción Análisis de causa y efecto

Escribe un ensayo para el periódico de tu universidad sobre el uso de redes sociales entre los jóvenes universitarios.

Prepárate

Piensa en cuestiones relacionadas con este tema que puedan interesar a tus lectores. Escribe una lista de estas preguntas y házselas a tres o cuatro compañeros de la universidad.

¡Escríbelo!

- Ordena las ideas de tu borrador.
- Recuerda tu propósito. En esta composición no quieres convencer, solo informar.
- Cita lo que dicen algunos de los entrevistados, eso le dará objetividad e interés a tu ensayo.
- Utiliza una estructura de acuerdo con el esquema del ensayo: introducción, cuerpo, conclusión.
- Para evitar la repetición de **decir**, incorpora una variedad de verbos de información para referirte a tus entrevistados: añadir, argumentar, comentar, diferir, estar de acuerdo/en desacuerdo, explicar, opinar, etcétera
- Incluye conectores variados para que la lectura resulte fluida. Algunos que te pueden servir en esta redacción son: por otro lado, por su parte (*in his/her opinion*), en cualquier caso (*in any case*).

Repasa

- ☐ el uso de las formas verbales
- ☐ la concordancia verbal y nominal
- ☐ la ortografía
- ☐ el uso de vocabulario variado y correcto: evita las repeticiones
- ☐ el orden y el contenido: párrafos claros, introducción, cuerpo y conclusión

¿Cuándo se dice? *Cómo se expresa* to think		
creer (que) **pensar (que)**	*to believe/think (that)*	**Creo que todo el mundo hoy tiene un celular.**
pensar en	*to think about someone or something*	**—¿En qué estás pensando?** **—Estoy pensando en mi hija, que ahora mismo está viajando a Chile.**
pensar de/sobre	*to have an opinion (about something/someone), to think something (of something/someone)*	**—¿Qué piensas del uso de la tecnologia entre los niños?** **—Lo que pienso sobre ese tema es que los padres deben limitar el tiempo que los niños pasan usando la computadora, por ejemplo.**

¿Qué piensan los hispanohablantes?

Entrevista a una persona hispana de tu comunidad sobre sus usos tecnológicos y los de su familia. Aquí hay algunas ideas para la entrevista:

- qué aparatos electrónicos usa más
- si tiene un teléfono inteligente y cuáles son sus aplicaciones favoritas
- si tiene familia en otro país o estado y cómo se comunica con ellos
- qué portales y redes sociales prefiere, y si esos son populares entre sus amigos y familiares

Producción audiovisual

Filma una parodia de un programa de telerrealidad basado en la vida de los estudiantes de tu universidad.

¡Voluntari@s! «El mundo es un pañuelo»

¿Has considerado o estás considerando pasar unos meses en otro país? El mundo hispanohablante es inmenso y ofrece una gran variedad de opciones para trabajar como voluntario/a en una comunidad mientras refinas tu español. Y no olvides que algunas oportunidades magníficas de servir a una comunidad y mejorar tu español lucen (*look*) de manera excelente en el currículum vitae. Piensa por ejemplo en Teach for America o Peace Corps.

Tertulia final ¿Es la tecnología siempre un avance y una ventaja?

No hay duda que los avances tecnológicos a lo largo de la historia de la humanidad han contribuido a mejorar la calidad y la duración de la vida. Sin embargo, la tecnología no siempre significa progreso positivo en todos los aspectos. Es posible que un avance técnico sea bueno para una cosa, pero no para otra. ¿Piensan que la tecnología impide la comunicación interpersonal o la facilita? ¿En qué ocasiones se puede evitar el uso de la tecnología para mejorar la comunicación?

Para terminar El mundo al alcance de un clic

Now I can

- ☐ talk about the importance of the media and technology in my life and the lives of other people
- ☐ discuss problems and challenges related to technology
- ☐ describe some of the methods of communication used by pre-Columbian civilizations
- ☐ influence the behavior of other people by using suggestions and commands
- ☐ describe present-day contributions to technology and communication from the Hispanic world

Vocabulario del capítulo

Asegúrate que sabes:

- ☐ el vocabulario temático (**Palabras**, pp. 138–139)
- ☐ verbos de influencia (p. 145)
- ☐ las diferencias entre *creer* (*que*), *pensar* (*que*), *pensar en, pensar de/sobre* (**¿Cuándo se dice?** p. 159)

Otro vocabulario activo

exigente	demanding
propio/a	(one's) own

VOCABULARIO PERSONAL

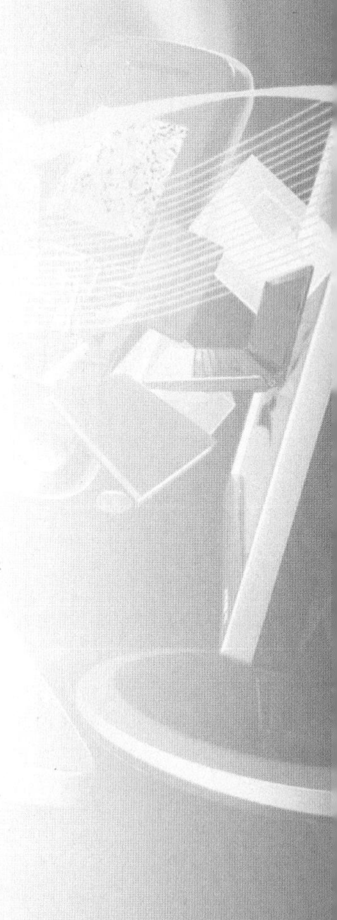

La buena vida

©Juergen Henkelmann Photography/Alamy RF

Para el final del capítulo podré

- definir lo que significa para mí vivir bien
- hablar de las actividades y lugares que asocio con el tiempo libre
- describir las raíces de la variada música latinoamericana
- expresar emoción y duda
- hablar de acciones humanas de manera impersonal
- explicar algunas de las celebraciones más comunes en el mundo hispano

«A vivir, que son dos días».

- ¿Qué momentos te hacen sentir que estás disfrutando de la vida?
- Para ti, ¿los días pasan de manera rápida o lenta? ¿Eso es bueno o malo?

ENTREVISTA

Francisco (Fran) Palacios Rama Trujillo, Perú

«Tienes que tener personas que quieres y te quieren. Y esto es verdad a cualquier edad».

- ¿Qué significa para Ud. «vivir bien»? ¿Tiene una receta?
- ¿Qué se necesita para poder decir que se tiene una buena vida?
- ¿Qué actividades asocia Ud. con pasarlo bien?
- ¿Cree que hay alguna actividad que se hace en su país o su comunidad que sea muy específica o distintiva culturalmente?
- ¿Hay algún tipo de música o baile que se asocie específicamente con su país o tradición cultural?

connect

Escucha las respuestas de Francisco (Fran) Palacios Rama a estas preguntas en **Connect**.

EN PANTALLA

«Libre directo»

Bernabé Rico (España, 2011)

Adela descubre el futbol y cómo controlar su vida al mismo tiempo.

De entrada

«...canta y no llores...»

©Ariel Skelley/Blend Images RF

Antes de leer

Cantar y bailar en lugar de llorar y sufrir es el mensaje de muchas canciones populares en el mundo hispanohablante, que además salen de sus fronteras y son conocidas y cantadas en muchos países. «Cielito lindo» es una de estas canciones. Compuesta por el mexicano Quirino Mendoza y Cortés en 1882, es como un segundo himno nacional en México y, desde luego (*certainly*), sería difícil encontrar a un hispanohablante que no sepa el estribillo, por lo menos. La palabra **Cielito** en el título y la letra de la canción es un nombre de cariño, como en inglés *honey*.

¿Conoces algunas canciones tradicionales de tu cultura? ¿Cuándo se cantan? ¿Cómo se aprenden? ¿Hay algunos temas predominantes en sus letras?

Cielito lindo, Quirino Mendoza y Cortés

De la Sierra Morena, Cielito lindo, vienen bajando,Un par de ojitos negros, Cielito lindo, de contrabando[a].

(Estribillo) Ay, ay, ay, ay, Canta y no llores, porque cantando se alegran, Cielito lindo, los corazones.

Ese lunar que tienes, Cielito lindo, junto a la boca, no se lo des a nadie, Cielito lindo, que a mí me toca[b].

Pájaro que abandona, Cielito lindo, su primer nido,[c] vuelve y lo halla[d] ocupado, Cielito lindo, bien merecido.[e]

Una flecha[f] en el aire, Cielito lindo, lanzó[g] Cupido, y como fue jugando, Cielito lindo, yo fui el herido.[h]

De tu casa a la mía, Cielito lindo, no hay más que un paso,[i] Antes que venga tu madre, Cielito lindo, dame un abrazo.

[a]*smuggled* [b]*it is for me* [c]*nest* [d]*encuentra* [e]*deserves it* [f]*arrow* [g]*threw* [h]*yo... I was the one wounded* [i]*step*

Quirino Mendoza y Cortés, "Cielito Lindo." Copyright © PeerMusic, Inc.

Comprensión y análisis

Explica lo que entiendes de las siguientes referencias en la letra de la canción.

1. ¿Qué partes de la persona amada se destacan en la canción?
2. ¿Por qué crees que dice «de contrabando» como algo positivo?
3. ¿Qué implica la idea del pájaro que abandona su nido y vuelve para encontrarlo ocupado?
4. ¿De qué otras maneras demuestra su amor la voz poética en la canción?
5. ¿En qué parte de la canción se refleja una filosofía de la vida?

Antes de mirar

¿Eres un fanático/a de algún deporte? ¿Te gusta el futbol?
¿Qué actividades o intereses enriquecen tu vida?

©Content Line S.L.

Cortometraje: «Libre directo»

España, 2011

Dirección: Bernabé Rico

Reparto: Petra Martínez, Ramón Barea, José Antonio Izaguirre, Arantxa de Sarabia, José Antonio de la Torre

VOCABULARIO ÚTIL

el empeine	instep
el intermedio	half time
la jornada	(sports/ work) day
el palo (de golf)	(golf) club
el punterazo	shot with the toecap
la tortilla	Spanish omelette
tirar	to shoot
hace años	for ages
ganar las perras	to make money
ingresar	to make a deposit, to enter
meter un gol	to kick in a goal

Comprensión y discusión

Indica si las siguientes ideas son ciertas o falsas. Si son falsas, corrígelas.

1. Adela dice que la tortilla va a estar lista en quince minutos.___
2. Paco no quiere que Adela tarde porque quiere ver un partido con ella.___
3. Adela ingresa en el banco 150 euros. ___
4. «La jornada de su vida» se trata de meter un gol a 50 metros___
5. Adela quiere que otra persona tire el gol por ella. ___

Interpreta

1. ¿Qué va a ganar Adela si mete el gol?
2. ¿Por qué no le cuenta Adela a Paco, su marido, que la han seleccionado para «La jornada de su vida»?
3. ¿Por qué se compra Adela los zapatos rosas a pesar de (*despite the fact*) que son muy caros? ¿Qué simbolizan estos zapatos?
4. ¿De qué manera se complementan Adela y el encargado del campo del futbol?
5. ¿Cómo interpretas la última escena?

Tertulia

Algunas veces nuestra vida necesita un cambio para salir de una situación negativa. ¿Qué tipo de cambios positivos son comunes para mejorar la vida? ¿Crees que el deporte puede cambiarle la vida a alguien? ¿En qué manera?

connect

Para ver «Libre directo» y realizar más actividades relacionadas con el cortometraje, visita: www.mhhe.com/connect

Palabras

©Sollina Images/Blend Images RF

La calidad de vida

el bienestar	well-being
el entretenimiento	entertainment; pastime
el nivel de vida	standard of living
el ocio	leisure
el pasatiempo	pastime
el ritmo de la vida	pace of life
disfrutar/gozar (c)	to enjoy
entretener(se) (*irreg.*)	to entertain (oneself)
pasarlo (o pasarla) bien	to have a good time
relajarse	to relax

Cognado: **estar a dieta**

De repaso: **el parque, el tiempo libre, las vacaciones, la vida, descansar, divertirse**

Lugares y actividades para el tiempo libre

el baile	dance
la calle	street
la feria	fair
el paseo	stroll
la piscina	swimming pool
la playa	beach
la plaza	square

Cognados: **el bar, el carnaval, la discoteca, la hamaca**

bailar	to dance
bañarse / nadar	to swim
charlar / platicar (qu)	to chat, converse
contar (ue) un chiste	to tell a joke
hacer (*irreg.*) **una barbacoa**	to have a barbecue
hacer (*irreg.*) **un crucigrama**	to do a crossword puzzle
ir (*irreg.*) **al cine/al teatro/ a un concierto**	to go to the movies / the theater / a concert
jugar (irreg.) al dominó/al ajedrez /a las cartas	to play dominoes / chess / cards
pasear	to stroll
trasnochar	to stay up all night

©Dennis MacDonald/Alamy RF

De repaso: **dormir (ue, u) la siesta, escuchar música, hacer** (*irreg.*) **camping, irse de vacaciones / estar de vacaciones, viajar**

¡A la mesa!

la botella (de agua, cerveza, vino)	bottle (of water, beer, wine)
el comedor	dining room/hall
la copa	wine glass
la cuchara	spoon
la cucharita	teaspoon
el cuchillo	knife
el cuenco	soup bowl
la pimienta	pepper
el plato	dish
la sal	salt
la servilleta (de papel)	(paper) napkin
la taza	cup
el tenedor	fork
el vaso	glass
la vela (encendida)	(lit) candle

Cognado: **el banquete**

invitar	to invite; to treat (offer to pay)
oler a (huelo)	to smell like
poner/quitar la mesa	to set/to clear the table
probar (ue)	to taste
saber (*irreg.*) a	to taste like

Expresiones y deseos para momentos buenos

¡Buen provecho!	Enjoy your meal!
¡Que lo pase(s/n) bien!	Have a good time!
¡Qué rico/sabroso/malo!	How delicious/tasty/awful!
¡Qué risa/divertido!	How funny!
¡Que te diviertas/se divierta(n)!	Have a good time!

©Hola Images/Getty Images RF

■ ACTIVIDAD 1 Asociaciones

Paso 1 ¿Qué palabras y expresiones del vocabulario asocias con las siguientes ideas? ¡Hay muchas asociaciones posibles!

1. un domingo
2. un sábado por la noche
3. unas vacaciones
4. una reunión familiar
5. tus amigos
6. el verano
7. los disfraces

Paso 2 La lista del vocabulario en cuanto a formas de **divertirse** y **entretenerse** y los lugares para hacerlo no es completa en absoluto. En parejas, piensen en otras palabras que añadir.

■ ACTIVIDAD 2 Lugares para divertirse

En parejas, piensen en lugares de sus ciudades o estados donde los siguientes grupos de personas pueden ir para entretenerse y pasarlo bien, explicando qué pueden hacer en cada uno de esos sitios. ¿Creen que sus ciudades o estados son lugares con suficientes espacios para el ocio?

1. los niños
2. los adolescentes
3. los jóvenes y adultos
4. las familias enteras

■ ACTIVIDAD 3 ¿Con qué se come esto?

Paso 1 ¿Qué utensilios de comer se relacionan con las siguientes comidas y bebidas?

1. el té
2. el vino
3. el cereal con leche
4. el pollo en salsa
5. el helado
6. el agua
7. la pasta con salsa de tomate
8. la ensalada

Paso 2 ¿Saben Uds. poner la mesa? En parejas, discutan dónde deben ir en la mesa cada uno de los utensilios necesarios para una cena formal.

■ ACTIVIDAD 4 Definiciones

Paso 1 ¿A qué se refieren las siguientes definiciones?

1. Es un lugar en el que nos refrescamos cuando hace calor.
2. Es un rompecabezas (*puzzle*) de palabras y definiciones.
3. Quiere decir contar una historia para hacer reír a otras personas.
4. Quiere decir hablar con alguien.
5. Quiere decir cocinar en el jardín o en el parque.
6. Significa comer algo por primera vez.

Paso 2 Ahora en parejas, túrnense para crear definiciones y adivinar la palabra que define la otra persona.

¡Qué rico!

■ ACTIVIDAD 5 ¿Calidad de vida o nivel de vida?

Paso 1 En parejas, decidan cuáles de las siguientes circunstancias son necesidades básicas o son muestras de un alto nivel de vida. Expliquen sus decisiones.

1. poder comer al menos tres veces al día
2. tener más de un vehículo personal
3. tener fácil acceso al transporte público
4. trabajar doce horas al día
5. tener un teléfono móvil y una computadora en casa
6. no tener ninguna deuda ni problemas económicos
7. tener un lugar agradable donde vivir
8. tener un mes de vacaciones pagadas al año
9. ver a los buenos amigos y a los parientes cercanos con frecuencia

Paso 2 Al comienzo de este capítulo empezamos a considerar qué quiere decir «vivir bien». Claro que este concepto varía según quién lo describa. Por eso, piensen Uds. en cómo sus padres, hermanos, abuelos y otros seres queridos explicarían «vivir bien». ¿Son totalmente diferentes las descripciones o hay algún elemento constante?

■ ACTIVIDAD 6 Encuesta: Preferencias para el tiempo de ocio

Paso 1 Prepara cuatro preguntas para encuestar a tus compañeros/as (o amigos/as) sobre sus preferencias a la hora de pasar su tiempo de ocio.

Ejemplos: ¿Cuál es tu entretenimiento favorito? ¿Cuántas horas de ocio sueles pasar el sábado?

Paso 2 Ahora analiza los resultados de tu encuesta para presentarlos a la clase. ¿Son las respuestas que esperabas? ¿Coinciden con tus propias respuestas?

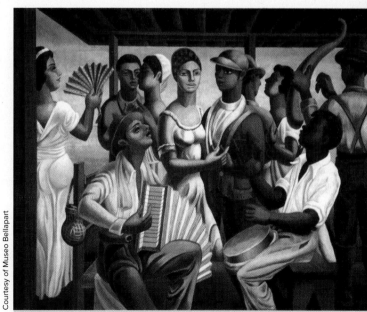

Merengue (1937), del dominicano Jaime Colson

Cultura

Taki-Kuni:* Música popular en Latinoamérica

Como lo expresan las palabras quechuas del título de este apartado,[a] la música y el baile son una parte de mucha importancia en la vida de los países latinoamericanos. Las actividades relacionadas con la música frecuentemente resultan una manera de compartir e identificarse con la comunidad a la que se pertenece. La música sirve para expresar no solo la alegría y la tristeza de la vida cotidiana[b] o los eventos especiales, sino también las preocupaciones políticas y sociales.

Cuando se habla de la música latina, muchas veces se piensa en la salsa, un estilo musical nacido en los barrios hispanos de Nueva York, resultado de la unión de los ritmos cubanos y puertorriqueños con otros como el jazz.

[a]sección [b]daily

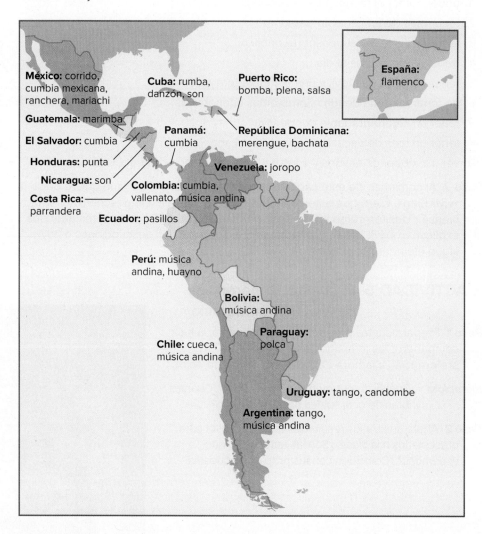

México: corrido, cumbia mexicana, ranchera, mariachi

Guatemala: marimba

El Salvador: cumbia

Honduras: punta

Nicaragua: son

Costa Rica: parrandera

Cuba: rumba, danzón, son

Panamá: cumbia

Colombia: cumbia, vallenato, música andina

Ecuador: pasillos

Puerto Rico: bomba, plena, salsa

República Dominicana: merengue, bachata

Venezuela: joropo

Perú: música andina, huayno

Bolivia: música andina

Paraguay: polca

Chile: cueca, música andina

Uruguay: tango, candombe

Argentina: tango, música andina

España: flamenco

*«Taki-Kuni» es una expresión en quechua. Se traduce como **el cantar me da vida** o **canto porque es un placer cantar.**

la zampoña

el güiro

el tres

Sin embargo, si bien[c] la salsa es muy popular, en el mundo hispano la música es mucho más diversa, ya que cada país cuenta con sus propios estilos.

La herencia de las culturas precolombinas también está presente en la música popular latinoamericana. Así, por ejemplo, la música andina es considerada como la tradición musical más antigua de Sudamérica. Tiene su origen en el imperio inca y gran parte de los instrumentos de viento que la caracterizan, como las antaras o zampoñas[d] y las quenas,[e] son de invención precolombina. Otro ejemplo de la huella[f] dejada por las culturas precolombinas son ciertos instrumentos de percusión creados por los pobladores originales del Caribe, como el güiro o las maracas, que todavía se usan hoy día.

la marimba

La herencia africana es muy importante, sobre todo en la música popular del Caribe (Puerto Rico, Cuba, la República Dominicana, Venezuela y Colombia), donde se ve esta influencia en ritmos e instrumentos musicales de percusión. La herencia africana también se observa en el uso de la marimba en varios países de Centroamérica, como Guatemala.

De la tradición europea viene la incorporación de instrumentos como la guitarra, el acordeón, el violín o el arpa[g] en muchos de los estilos musicales latinoamericanos; por ejemplo, en la variedad de la música mexicana o en el tango argentino. Como en otros aspectos de la cultura, las raíces indígenas, africanas y europeas se entrelazan en la música latinoamericana creando nuevos ritmos y dotándola[h] de la diversidad, belleza y originalidad que la caracteriza.

[c]aunque   [d]antaras... *panpipes*   [e]*flutes*   [f]*mark*   [g]*harp*   [h]dándola

Tertulia La música

- ¿Están familiarizados con algún tipo de música latinoamericana? ¿Y con algunos artistas en particular? ¿Qué les gusta de esta música?

- ¿Son la música y el baile importantes en la tradición cultural de Uds.? ¿y en su familia, en particular?

- En general, ¿piensan que la música es capaz de traspasar (*cross*) fronteras culturales? ¿Por qué? ¿Piensan que en este país la música latinoamericana es más apreciada que la música de otras áreas y culturas del mundo? Justifiquen sus respuestas.

15 El subjuntivo en cláusulas nominales: Expresiones de emoción y duda

©Don Farrall/Getty Images RF

In **Capítulo 5** the subjunctive in nominal clauses for verbs and expressions of influence was introduced. In this grammar point you will study other contexts that require the subjunctive in nominal clauses: when the main clause expresses an emotional reaction or doubt about an occurrence.

CLÁUSULAS SUBORDINADAS
Nominales
Adjetivales
Adverbiales

No creo que esa sopa **esté** tan buena como la de mi mamá.

Verbos y expresiones de emoción	
agradecer (zc)	*to be grateful*
alegrar(se) (de)	*to be happy*
avergonzar(se) (üe) (c) (de)	*to be ashamed*
esperar	*to hope/expect*
estar (*irreg.*) contento/a (de)	*to be happy that*
gustar	*to like*
lamentar	*to lament, to be sorry*
molestar(se) (por)	*to be bothered by*
parecer extraño	*to seem strange*
ser (*irreg.*) lástima	*to be a pity/shame*
ser extraño/raro	*to be unusual*
ser sorprendente	*to be surprising*
ser necesario/urgente/mejor/ peor	*to be necessary/urgent/better/worse*
tener (*irreg.*) ganas (de)	*to feel like; to want*
tener miedo	*to fear*
ojalá (que)	*I hope / I wish*

¡OJO! **Ojalá** comes from the Arabic expression *May Allah want/grant*. In Spanish, **ojalá** itself is not conjugated. It can only be used to express the wishes of the person who speaks, and it is followed by the subjunctive.

Ojalá (que) todo vaya bien esta noche.   *I hope everything goes well tonight.*

Verbos y expresiones de duda	
dudar	*to doubt*
no creer	*to not believe*
no estar claro	*to not be clear*
no estar seguro/a	*to be unsure*
no pensar (ie)	*to not think/believe*
ser dudoso	*to be doubtful*

RECORDATORIO

Pensar and **creer** in an affirmative sentence require the indicative. **No pensar** and **no creer** require the subjunctive, as what they refer to is no longer a certainty for the speaker.

Resumen de los tipos de cláusulas nominales

Cláusula subordinada con **subjuntivo** si el verbo principal expresa:		Cláusula subordinada con **indicativo** si el verbo principal expresa:	
influencia		**opinión y certeza**	
verbs that intend to provoke someone to do something:		verbs and expressions that express what we know or believe as reality:	
aconsejar	*to advise*	**creer**	*to believe*
decir (*irreg.*)	*to tell (as command)*	**estar** (*irreg.*) **claro**	*to be clear*
esperar	*to expect; to hope*	**estar seguro/a**	*to be (feel) sure*
insistir en	*to insist on*	**pensar (ie)**	*to think*
ordenar	*to order; to command*	**ser** (*irreg.*) **obvio**	*to be obvious*
pedir (i, i)	*to ask for*	**ser seguro/a**	*to be sure*
permitir	*to permit*		
prohibir (prohíbo)	*to prohibit*		
querer (*irreg.*)	*to request; to require*		
requerir (ie, i)	*to want; to love*		
sugerir (ie, i)	*to suggest*		
suplicar (qu)	*to beg*		
Emoción		**Percepción**	
verbs or expressions that show someone's emotional reaction toward another action:		verbs and expressions that show how we perceive reality physically:	
alegrarse	*to be glad*	**notar**	*to notice*
desear	*to desire; to want*	**oír** (*irreg.*)	*to hear*
sentir	*to be sorry*	**percibir**	*to perceive*
ser (*irreg.*) **(una) lástima**	*to be a pity*	**ser evidente/obvio**	*to be evident/obvious*
		ver (*irreg.*)	*to see*
Duda y negación		**Información**	
verbs or expressions that reveal doubt about or deny another action:		verbs and expressions that report information:	
dudar	*to doubt*	**decir** (*irreg.*)	*to tell (relay information)*
negar (ie) (gu)	*to deny*	**informar**	*to inform*
no creer	*to not believe*	**repetir (i, i)**	*to repeat*
no estar (*irreg.*) **seguro/a**	*to not be sure*		
no pensar (ie)	*to not think*		

Espero que la **pases** bien en la fiesta. ¡Que te diviertas!

¡OJO! All the verbs in the right column require subjunctive when they are negative, because they reflect a reality that is unknown and/or not proven for the speaker.

■ ACTIVIDAD 1 Emoticonos: ¿Te gusta bailar?

Paso 1 Empareja cada una de las oraciones siguientes con uno de los emoticonos.

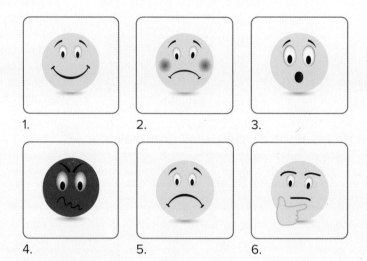

1.   2.   3.

4.   5.   6.

a.   Me alegro de que haya buena música latina en las fiestas de esta universidad

b.   Me molesta que las fiestas terminen tan temprano

c.   Es una lástima que sólo haya fiestas los fines de semana

d.   Me avergüenzo de no saber bailar el merengue y la salsa

e.   Tengo miedo de que nadie quiera bailar conmigo

f.   Me parece extraño que a algunas personas no les guste bailar.

Paso 2 Ahora en parejas, inventen oraciones relacionadas con las fiestas universitarias para cada uno de los emoticones siguiendo el modelo de las oraciones en Paso 1.

■ ACTIVIDAD 2 Cielito lindo

Paso 1 Lee la carta que «Cielito lindo» envió a una columna de consejos y la respuesta que recibió. Completa la respuesta con los verbos y expresiones que le faltan. Puedes usar las que siguen, pero hay más. («Cielito lindo» es el título de la conocidísima canción mexicana).

alegrarse	esperar	(no) pensar
(no) creer	parecer extraño	ser raro
dudar	ojalá	ser urgente

Querida Dolores:

Soy cantante de mariachi, pero tengo un problema como muchos latinos de mi generación: no hablo bien el español. He tratado de estudiarlo, pero no lo retengo. Trato de aprenderlo por mi cuenta, pero no encuentro con quién practicarlo. Necesito hablar español para poder cantar en la televisión hispana; si no, no me van a contratar. ¿Qué puedo hacer?

«Cielito lindo» en Texas

Querida Cielito lindo:

_____ ¹ de que quieras aprender español, pero _____ ² que vivas en Texas y no encuentres con quién practicarlo._____ ³ que no tengas algún familiar o amigo que pueda ayudarte._____ ⁴ que dejes de buscar excusas._____ ⁵ que hay muchas maneras de aprender idiomas, pero _____ ⁶ que tú lo hayas intentado de verdad. _____ ⁷ que encuentres pronto a alguien con quien conversar pues es la mejor manera de aprender. _____ ⁸ que tengas mucho éxito con tus canciones—Dolores.

Paso 2 Ahora, en parejas, escríbanle una carta a Dolores pidiéndole consejos sobre algún problema que tengan o inventen.

■ ACTIVIDAD 3 Un buen fin de semana para mí

Paso 1 Empareja cada frase con una cláusula nominal para formar oraciones que tengan sentido para ti. Cambia el modo del verbo de la cláusula nominal si es necesario.

1. Ojalá (que)...
2. (No) Me gusta (que)...
3. Dudo (que)...
4. Estoy seguro/a de (que)...
5. (No) Creo (que)...
6. Espero (que)...

a. tener que hacer mucha tarea.
b. los profesores me den mucha tarea para el fin de semana.
c. ir a una fiesta el jueves por la noche.
d. trasnochar desde el jueves es bueno para mi salud.
e. relajarme y descansar.
f. pasar toda la tarde del sábado jugando a las cartas.

Paso 2 Ahora en parejas, preséntenle al resto de la clase un plan para el fin de semana intentándolos convencer de que su plan es el mejor. Pueden escribirlo en forma de discurso.

Ejemplo: Este fin de semana debemos ir a la piscina. Creemos que la piscina de Club 40 es la mejor. No dudamos que haya otras buenas en la ciudad, pero pensamos que la de Club 40 tiene todo lo que necesitamos. Es una pena que no haya un autobús para llegar hasta allí, pero es bueno que algunos de nosotros tengamos un carro y podamos ayudar con el transporte.

■ ACTIVIDAD 4 Sobre la comida latina

Paso 1 Expresa tus conocimientos y opiniones sobre la comida de los países hispanohablantes completando las siguientes oraciones con información propia.

1. Sé que...
2. Estoy seguro/a de que...
3. Creo que...
4. No creo que...

5. Es obvio que...
6. Espero que...
7. Es una lástima que...

Paso 2 Ahora, compara tus comentarios con los de algunos compañeros. ¿Quién demuestra más conocimiento?

©Edward McCain

¡Es una lástima que **no sepas** hablar español!

©Ildi.Food/Alamy RF

¡Este ceviche está riquísimo! Te *sugiero* que lo **pruebes**.

■ ACTIVIDAD 5 Reacciones

Paso 1 ¿Cómo reaccionas a las siguientes ideas? Repite cada una de ellas incluyendo una cláusula principal en que expreses tus emociones y digas si lo crees o no, haciendo los cambios que sean necesarios.

1. En otros países se vive mejor que en mi país.
2. La comida mexicana es la más rica del mundo.
3. Trabajar es un castigo (*punishment*).
4. Los hispanos creen que los anglosajones son aburridos.
5. Viajar con toda la familia es muy divertido.
6. Cenar todos los días en un restaurante es mejor que cenar en casa.
7. La mejor manera de relajarse es quedándose en casa.
8. Los anglosajones no saben bailar.

Paso 2 Ahora en parejas, seleccionen una de las afirmaciones y preparen una explicación de por qué están de acuerdo o no con ella.

Ejemplo: No creemos que en otros países se viva mejor que aquí. Es verdad que en algunos países hay otras diversiones, pero también es cierto que en nuestro país podemos tener una buena calidad de vida.

■ ACTIVIDAD 6 Dudas y temores

En parejas, discutan cuáles son sus temores y dudas en la vida. Pueden ser muy específicos o muy generales, como lo prefieran.

Ejemplo: Uno de mis mayores temores es que yo no pueda conseguir un trabajo en el área de _____ que pague muy bien, pues dudo mucho que la economía sea mejor en el futuro.

Tengo miedo de que la economía no **mejore**.

In order to avoid the use of a subject when it is not specific, **se** is used in Spanish preceding the verb in third person, singular or plural.

The order of the verb and subject/object is not important, but **se** must immediately precede the verb.

Solo **se** habla español en clase.

En España **se** vive bien.

En clase **se** habla solo español.

Se vive bien en España.

Uses

This construction is frequently used in the following three contexts:

- When the action is done by people in general. These actions are expressed in English by using *one, they, you,* or *people* as subject of the sentence, or by using a passive construction.

Se aprende mucho en esta clase.   *One learns a lot in this class*

En España **se hablan** cuatro lenguas.   *Four languages are spoken in Spain.*

Se dice que **la presidenta** visitará nuestra ciudad pronto.   *They say that the president will visit our city soon.*

- When an action with a direct object, which is possibly also done by people, can be presented as if it was done by the thing itself.

El centro comercial **se abre** a las 9:00 de la mañana.   *The mall opens at 9:00 A.M.*

La puerta **se cierra** por control remoto.   *The door is closed by remote control.*

Se cortan las cebollas en rodajas.   *The onions are sliced.*

As you can see in the above examples, this construction is often translated as the passive voice in English.

- When the impersonal action is a reflexive verb, the impersonal **se** is substituted by **uno** (or **una** to be gender-specific for women).

Uno se divierte mucho bailando salsa.   *One has fun dancing salsa.*

Una se acuesta tarde los sábados.   *One (female) goes to bed late on Saturdays.*

Se aprende mucho en esta clase.

- The **se** construction varies some when the verb affects a person. In this case, the verb always appears in the singular and the human object is a direct object, which must always be introduced by **a** (or substituted by a direct object pronoun.)

Hubo un incendio y se llamó **a los bomberos.**   ➔ Se **los** llamó.
There was a fire and the firefighters were called.   ➔ *They were called.*

Se despidió **a la empleada.**   ➔ Se **la** despidió.
The employee was laid off.   ➔ *She was laid off.*

©Steve Debenport/Getty Images RF

As in English, the verb in third person plural can be used to express in a general or impersonal sense *they*.

Hacen una salsa riquísima en el Mesón de Pablo. — *They make excellent sauce at Mesón de Pablo.*

Hablan cuatro lenguas en España. — *They speak four languages in Spain.*

Se variable

- **Verbos reflexivos (Capítulo 2)**

  Acciones que afectan al sujeto

  Yo **me acosté** a las 8:00, pero Julio no **se acostó** hasta las 11:00. — *I went to bed at 8:00, but Julio didn't go to bed until 11:00.*

  Verbos que toman un pronombre reflexivo

  Yo **me reí** un poco, pero ellos **se rieron** muchísimo. — *I laughed a little, but they laughed a great deal.*

- **Verbos recíprocos (Capítulo 2)**

  Siempre en forma plural.

  Nosotras **nos dimos** un abrazo, pero ellos ni siquiera **se dieron** la mano. — *We hugged each other, but they didn't even shake hands.*

- **«Falso» *se* (Capítulo 2)**

  Los pronombres de objeto indirecto **le/les** se convierten en **se** delante de **lo(s)/la(s)**.

  —**Le** diste el libro **a Mario**? — *—Did you give Mario the book?*

  —Sí, **se lo** di esta mañana. — *—Yes, I gave it to him this morning.*

Se invariable

- **Impersonal/pasivo (Capítulo 6)**

  Para hacer generalizaciones

  Se habla español. — *Spanish is spoken.*

  Para evitar nombrar a la(s) persona(s) que hace(n) la acción

  Se firmó un nuevo tratado. — *A new contract was signed.*

  Para dar instrucciones, como en recetas

  Se cortan las patatas. — *Cut the potatoes.*

- **Accidental (Capítulo 4)**

  Para expresar acciones accidentales, con frecuencia incluye un objeto indirecto que indica quien realmente hizo la acción o a quien le afecta

  Se me perdió la cartera. — *I lost my wallet.*

  Se nos murió el pez. — *Our goldfish died.*

Se rieron muchísimo.

Se despidió al empleado.

Se despidieron.

■ ACTIVIDAD 1 ¿Qué tipo de *se*?

Paso 1 Indica qué tipo de **se** se usa en cada oración.

a. impersonal

b. con objeto directo de persona

c. accidental

d. recíproco / reflexivo

1. _____ En esta clase no se habla inglés.
2. _____ Uno se acuesta muy tarde en España.
3. _____ El reloj se me mojó en la playa.
4. _____ Eso no se dice.
5. _____ Se invitó a todos los profesores.
6. _____ Las hermanas se llaman con mucha frecuencia.
7. _____ La piscina se abre a las 10:00 de la mañana.
8. _____ No se nos avisó a tiempo.

Paso 2 Ahora en parejas, completen las listas con otras acciones.

1. Actividades que se hacen en esta clase: se habla español, se...
2. Accidentes comunes de los estudiantes: se nos olvidan las tareas, se...
3. Acciones recíprocas entre buenos amigos: se cuentan chistes, se...

La oficina **se** cierra a las 2:00.

■ ACTIVIDAD 2 ¿Qué se hace en estas situaciones?

Paso 1 Completa lógicamente las ideas de la columna A con ideas de la columna B usando el **se** impersonal.

A	B
Si...	
1. hay un incendio (*fire*)	a. ir al médico
2. se está muy enfermo/a	b. esquiar
3. hay un examen difícil	c. estudiar
4. se tiene hambre	d. llamar a los bomberos (*firefighters*)
5. nieva mucho	e. hacer limonada
6. la vida te da limones	f. cocinar

Paso 2 Ahora en parejas, expliquen qué cosas se hacen normalmente en las siguientes circunstancias.

1. un día normal en su universidad
2. un sábado en su universidad
3. un cuatro de julio en su ciudad/pueblo
4. un día festivo de invierno/verano en su estado

En este aeropuerto **se** habla español.

■ ACTIVIDAD 3 Una receta de cocina: Sopa de frijoles negros

Paso 1 Los frijoles o habichuelas son solo dos de los muchos nombres que existen en el mundo hispano para *beans*. La siguiente receta para sopa de frijoles fue sacada de la página web de la famosa marca Goya. Expresa las instrucciones usando **se**.

Ejemplo: En una cacerola se calienta el aceite a fuego moderado.

VOCABULARIO ÚTIL	
el aderezo	dressing, topping
la cacerola	pot, big pan
la crema agria	sour cream
la cucharada	tablespoon
la cucharadita	teaspoon
el sobre	envelope
añadir	to add
hervir (ie)	to boil
picar (qu)	to chop finely
sofreír (sofrío)	to fry/sauté

Sopa de frijoles negros

El clásico: Elegante y delicioso. Disfrútelo como sopa o servido sobre arroz.

2 cucharadas de Aceite de Oliva Goya

3/4 taza de cebolla finamente picada

1/2 taza de pimiento verde finamente picado

2 cucharadas de Ajo Picado Goya o 4 dientes de ajo picados en trocitos

2 latas de 15.5 onzas de Frijoles Negros Goya, sin escurrir

2 cucharaditas de orégano

1-1/2 taza de agua

2 sobres de Sazón Goya sin Achiote

2 cucharadas de Vino Blanco de Cocinar Goya o vinagre de manzana

Aderezos opcionales:

Cebolla picada

Arroz blanco cocido

Crema agria

1. En una cacerola, caliente el aceite a fuego moderado. Añada, a la vez que mezcla, la cebolla, el pimiento y el ajo; sofría hasta que estén cocidos, alrededor de ocho a diez minutos.

2. Añada y mezcle el resto de los ingredientes. Deje hervir. Reduzca la temperatura y cocine a fuego lento por diez minutos. Sirva con los aderezos deseados.

Paso 2 Ahora dale a un/a compañero/a de clase las instrucciones para hacer uno de tus platos favoritos o un plato de tu tradición familiar.

©C Squared Studios/Photodisc/Getty Images RF

En el mundo hispano **se** puede encontrar muchos tipos de frijoles.

■ ACTIVIDAD 4 Una barbacoa

Paso 1 Cambia los verbos en negrita al **se** impersonal.

Ejemplo: En primavera mi club de español **hace** una barbacoa. ➜ Se hace una barbacoa en primavera.

1. **Hacemos la reserva** de un lugar en el parque en la Oficina de Parques y Jardines de la ciudad.
2. **Llamamos** a todos los miembros del club para anunciar el evento.
3. **Compramos** la comida en el supermercado El camarón porque es muy barato.
4. El parque no está cerca, por eso **vamos** al parque en el carro.
5. **Estacionamos** el carro en el aparcamiento cerca de la entrada del parque.
6. **Encendemos** la barbacoa a la 1:00 de la tarde.
7. **Ponemos** la comida en la barbacoa a las 2:00 y **comemos** a las 3:00.
8. Durante el resto de la tarde **jugamos** a la pelota, **contamos** chistes y **disfrutamos** mucho.

Paso 2 Ahora en parejas, túrnense para explicar cómo se hace o qué se hace en una actividad extracurricular de una organización estudiantil de la que Uds. son miembros.

©Mike Kemp/Getty Images RF

Se enciende la barbacoa a la 1:00.

¡Pura vida!: Vacaciones y festivos en el mundo hispanohablante

Unos participantes del carnaval de Ponce, Puerto Rico.

Al hablar de las vacaciones en los países hispanos, lo primero que hay que recordar es que algunos de estos países están en el hemisferio sur y, por lo tanto, allí es verano en los meses opuestos a los de Norteamérica y Europa. Esto implica que las vacaciones escolares[a] y universitarias tienen lugar entre diciembre y marzo.

Algunas fiestas son reconocidas[b] por todo el mundo hispanohablante. Como son países de tradición predominantemente católica, además de la Navidad se celebra la llamada Semana Santa, que va desde el domingo de Ramos al domingo de Resurrección o Pascua Florida, e incluye el Viernes Santo.[c] En esta semana no hay clases y la mayoría de los trabajadores tiene un fin de semana de tres días. Por la manera en que se celebran, son especialmente famosas la Semana Santa de Sevilla (España) y la de Antigua (Guatemala).

También en conexión con los ritos cristianos está la celebración del Carnaval. El Carnaval es un período de diversión de varios días anterior al tiempo de Cuaresma,[d] que empieza con el Miércoles de Ceniza.[e] Si la Cuaresma es un tiempo de reflexión y sacrificio para los creyentes, el Carnaval es una celebración de la vida. Es una manera de entender que hay tiempos buenos y alegres, así como tiempos difíciles y tristes. El Carnaval se celebra en muchas ciudades de los países mediterráneos y de ahí saltó a América. Son famosas las fiestas de carnaval de Barranquilla (Colombia), Oruro (Bolivia), La Habana y Santiago (Cuba), y Las Palmas y Cádiz (España).

Igual que los Estados Unidos, los países latinoamericanos celebran el día de su independencia de España con una fiesta nacional. Además, hay que mencionar que cada ciudad y cada pueblo tiene su propio festival o feria. Algunas veces el motivo del festival o feria se debe a una celebración religiosa (el día del santo patrón o la santa patrona[f]). Otras veces, el origen puede ser algún evento histórico o una tradición antigua. Lo que tienen en común es que la gente local celebra con eventos de música, baile y comida. De esta manera, en los países hispanos se reconoce que hay que saber agradecer lo bueno de la vida. Como dirían los costarricenses, ¡Pura vida!

[a]*school* [b]*renown* [c]Viernes... *Good Friday* [d]*Lent* [e]*Ash* [f]santo... *patron saint*

Tertulia Fiestas de todo tipo

- ¿Conocen Uds. algún carnaval? ¿Qué asocian con ellos? ¿Hay alguna fiesta similar en su ciudad, estado o país?

- ¿Hay alguna fiesta local en su ciudad? ¿Cuál es su origen? ¿Qué se hace? ¿Cuáles son las semejanzas y diferencias entre las fiestas más comunes de los países latinos y las de su país? ¿Hay algo que les llama la atención?

Lectura

Mestizaje gastronómico: Cocina mexicana e historia

Texto y autor

Este texto fue publicado por *SIC México: Sistema de Información cultural*, una página electrónica del gobierno mexicano que tiene como objetivo la difusión de la cultura de México.

Antes de leer

¿Consideras que la historia de un país se refleja en su comida? ¿Qué acontecimientos históricos o sociales han influido en la diversidad de la comida de tu país?

VOCABULARIO ÚTIL	
la cocina	cuisine
el chile (*Méx.*)	hot pepper
el frijol (*Méx.*)	bean
el mestizaje	miscegenation
la oveja	sheep
la res	beef
el trigo	wheat
alimenticio/a	eating, food (*adj.*)
culinario/a	culinary

■ ACTIVIDAD 1 Campos semánticos

Indica cuál de las palabras no pertenece a cada grupo y explica la relación entre las otras.

1. alimenticio	trigo	culinario
2. res	cocina	frijol
3. oveja	res	alimenticio
4. mestizaje	chile	frijol
5. cocina	culinario	trigo

ESTRATEGIA REFERENTES CULTURALES

En el texto *Mestizaje gastronómico: Cocina mexicana e historia* abundan los referentes culturales, es decir, referencias a personas, cosas, lugares y eventos que se asocian específicamente con la cultura, historia o geografía de un país o región. En el caso de este texto, la mayoría de los referentes están relacionados con México, aunque aluden también a otros países.

Reconocer y entender los referentes culturales de un texto nos ayuda a comprender mejor el contenido del mismo y todas sus implicaciones. De hecho, por lo general, los autores tienen en cuenta el conocimiento y la comprensión por parte de sus futuros lectores al incluir esas referencias.

Algunos de los primeros referentes culturales del texto a continuación aparecen subrayados y anotados — asegúrate de que los entiendes. Luego, mientras lees, identifica otras palabras u oraciones que puedan ser consideradas referentes culturales.

MESTIZAJE GASTRONÓMICO: COCINA MEXICANA E HISTORIA

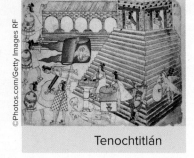

Tenochtitlán

La principal consecuencia de la <u>conquista</u> de México consumada[a] por los españoles en 1521 fue el mestizaje. Esta mezcla[b] se dio[c] en muy diversos aspectos: desde el más evidente del mestizaje racial, hasta muchas variantes del que podríamos llamar mestizaje cultural, de manera particular el que se refiere a las cocinas. En esta materia alimenticia no hubo conquista sino unión, suma[d] y multiplicación.

Para comprender los alcances[e] del mestizaje gastronómico hay que tener presente[f] que cada uno de los dos elementos fundamentales —el indígena y el español— en realidad era un cúmulo[g] de conocimientos más allá[h] de lo azteca y lo ibero.[i]

La cocina española trajo a México buena parte de las tradiciones culinarias europeas, con una importante dosis de hábitos provenientes del norte de África; hay que recordar que apenas[j] 30 años antes de la conquista de México, <u>España a su vez[k] había concluido ocho siglos de permanencia árabe o mora en su ámbito peninsular.</u>[1]

Por su parte, el territorio que hoy conocemos como México cobijaba[l] a muy diversos grupos indígenas perfectamente diferenciados entre sí por sus variados elementos culturales, como es el atuendo[m] tradicional, el arte popular, las costumbres religiosas, el idioma y la cocina, entre otros. Aunque no es posible precisar alguna cifra[n] de manera corroborada, se puede afirmar que en aquellos años de <u>la conquista de Tenochtitlán,</u>[2] de seguro había en México más de 100 grupos étnicos diferenciados; naciones indias, les llamaban entonces. Hoy subsisten[ñ] 62 de ellos. Cada etnia tenía sus propias costumbres gastronómicas, si bien[o] con un tronco[p] común que era —y sigue siendo— el maíz, el frijol y el chile.

De aquel primer mestizaje culinario podemos decir, con las metafóricas palabras de <u>Salvador Novo</u>[3]: *Consumada la Conquista, sobreviene[q] un largo período de ajuste y entrega[r] mutuos: de absorción, intercambio,[s] mestizaje: maíz, chile, tomate, frijol, pavos, cacao, quelites,[t] aguardan,[u] se ofrecen. En la nueva Dualidad creadora —<u>Ometecuhtli, Omecihuatl</u>[4]— representan la aparentemente vencida, pasiva, parte femenina del contacto. Llegan arroz, trigo, reses, ovejas, cerdos, leche, quesos, aceite, ajos, vino y vinagre, azúcar. En la Dualidad representan el elemento masculino. Y el encuentro es feliz, los esponsales venturosos,[v] abundante la prole.[w] Atoles[x] y cacaos se benefician con el piloncillo[y] y la leche (Cocina mexicana).*

A partir de la Conquista, a los ingredientes indígenas se aúnan[z] los españoles; algunos les habían llegado desde el Lejano Oriente, como el arroz, y otros del norte de África, como el ajonjolí.[aa] <u>Durante el virreinato</u>[5] se incorporaron más alimentos de origen asiático, como las especias, mangos, tamarindo y coco.

Se cree que hay más de 60 variedades de chiles en México.

---

[a] *consummated*   [b] *mixture*   [c] *se… took place*   [d] *addition*   [e] *significance*   [f] *consider*   [g] *series*   [h] *beyond*   [i] *Iberian (Spanish)*   [j] *barely*   [k] *a… in turn*   [l] *hosted*   [m] *attire*   [n] *numbers*   [ñ] *survive*   [o] *si… although*   [p] *core*   [q] *comes*   [r] *giving*   [s] *exchange*   [t] *edible leafy plants*   [u] *wait*   [v] *los… the marriage is joyful*   [w] *offspring*   [x] *cornflour drink*   [y] *unrefined brown sugar*   [z] *join*

[1] Este hecho se conoce como el final de la Reconquista, que fue el período de ocho siglos (VIII–XV) de lucha entre los católicos y los musulmanes en la península Ibérica, desde que estos últimos entraron desde el sur en el año 711 y conquistaron casi toda la península hasta llegar a Francia. Termina con la conquista de Granada por los Reyes Católicos en 1492.

[2] Tenochtitlán es el nombre que los aztecas dieron a la ciudad sobre la que se construyó la Ciudad de México.

[3] Salvador Novo es un escritor mexicano (1904–1974). Su asociación de la pasividad como una característica femenina responde a la percepción de la mujer predominante durante la época en que vivió. Esta asociación no responde a la percepción de la mujer de la mayoría de los intelectuales mexicanos hoy día, ni de las autoras de este manual.

[4] Ometecuhtli y Omecihuatl son, respectivamente, el dios y la diosa de la dualidad en la mitología azteca.

El mestizaje gastronómico se inicia con la caída de la ciudad de México a manos de los españoles y va desarrollándose después a lo largo de tres siglos,[ab] a la par [ac] que avanzan las fuerzas militares y religiosas de los conquistadores hacia el sur, el occidente y el norte de esta metrópoli. Hay que recordar que, ya bien entrado el siglo XVIII,[ad] apenas se lograba la conquista, colonización y evangelización del noroeste, allá por los rumbos de Sonora y las Californias.

Cabe precisar[ae]: así como[af] nuestro mestizaje genético significativo no proviene de las familias de Moctezuma y Cortés, sino de anónimas mujeres indígenas y desconocidos[ag] conquistadores y migrantes españoles, de igual manera nuestro mestizaje culinario deriva de la mezcla de culturas de muchos pueblos, no de sus aristocracias.

Incluso debe agregarse[ah] que predominó la comida indígena en la hibridación alimentaria, pues el maíz que es la aportación autóctona principal sigue siendo el alimento básico en la dieta actual de más de cien millones de mexicanos. Comemos el triple de maíz que de trigo, ocho veces más que frijol y doce veces más que arroz.

El maíz es un ingrediante esencial en toda la comida americana.

Con nuestra megadiversidad étnica original tiene correspondencia, a su vez, la gama[ai] poblacional mayoritaria, mexicanos mestizos de la más variada índole[aj] al provenir de[ak] la mezcla de aquellos numerosos pueblos indígenas con los españoles, y alguna dosis fructífera de sangre negra y asiática.

Debe agregarse[al] la diversidad cultural proveniente[am] de importantes inmigraciones originarias de diversos países que vinieron a enriquecer el mosaico humano de la nación y nuestras cocinas, cuando menos[an] desde el siglo XIX; importantes por su cantidad y por sus efectos positivos: vinieron franceses, italianos y estadunidenses en esa centuria, y de muchos otros lugares en especial durante el Porfiriato (solo en el penúltimo año de Díaz hubo 68 mil inmigrantes extranjeros autorizados); durante la Guerra Civil de España tuvimos un valioso y grande flujo[añ] migratorio republicano que dio nuevos bríos[ao] a la cultura nacional, y en la segunda Guerra Mundial recibimos a numerosos europeos que aquí dejaron su simiente.[ap] Judíos de varias nacionalidades optaron por la nuestra. Los difíciles años del Cono Sur beneficiaron a nuestro país con chilenos, argentinos y uruguayos que nos han dado ya una nueva generación de mexicanos. Considerables son las colonias libanesa y alemana, entre otras más. Todos ellos trajeron sus hábitos alimenticios.

[aa]*sesame*   [ab]*va... later develops during three centuries*   [ac]*at the same time*   [ad]*ya... well into the 18th century*   [ae]*Cabe... It should be noted*   [af]*just as*   [ag]*unknown*   [ah]*Incluso... even it must be added*   [ai]*range*   [aj]*kind*   [ak]*al... coming from*   [al]*add*   [am]*coming from*   [an]*at least*   [añ]*flow*   [ao]*energy*   [ap]*seed*

[5]Por el virreinato se entiende el período de la historia de México que va aproximadamente del año 1521 a 1821.

Una cocinera mexicana preparando una salsa de mole.

■ ACTIVIDAD 2 ¿Está claro?

Di si las siguientes oraciones son ciertas o falsas de acuerdo con la lectura. Si son falsas, corrígelas. Si son ciertas, añade todos los datos que sepas sobre esa idea.

1. La cocina mexicana es un ejemplo de mestizaje. _____
2. El mestizaje de la cocina mexicana se basa únicamente en elementos aztecas e iberos. _____
3. El maíz, el frijol y el chile son ingredientes que se encuentran en las costumbres gastronómicas de todos los grupos étnicos de México. _____
4. Salvador Novo considera que mezclar leche con cacao es bueno. _____
5. Los alimentos de origen asiático no forman parte de la cocina mexicana. _____
6. La cocina de México refleja únicamente los gustos de la aristocracia. _____
7. A pesar de la influencia culinarias de otras culturas, el arroz es el alimento más consumido en México._____
8. Porfirio Díaz prohibió la entrada de personas de otros países a México. _____
9. La llegada de inmigrantes a México no fue importante en el siglo XX. _____

■ ACTIVIDAD 3 Referentes culturales

En este texto hay numerosos referentes culturales —en la primera parte se han marcado cinco de ellos, con sus correspondientes notas.

- ¿Qué otros referentes culturales, históricos o geográficos puedes identificar por todo el texto?
- Según los referentes culturales y algunos detalles lingüísticos, ¿en qué tipos de lectores te parece que estaba pensando el autor al escribir este texto?

■ ACTIVIDAD 4 Interpretaciones

¿Cómo interpretas las siguientes afirmaciones del texto?

1. «En esta materia alimenticia no hubo conquista sino unión, suma y multiplicación».
2. *«Y el encuentro es feliz, los esponsales venturosos, abundante la prole».*
3. «Debe agregarse la diversidad cultural proveniente de importantes inmigraciones originarias de diversos países que vinieron a enriquecer el mosaico humano de la nación y nuestras cocinas...»
4. «... y en la segunda Guerra Mundial recibimos numerosos europeos que dejaron aquí su simiente».

Tertulia Tu historia culinaria

- ¿Existe una comida típica de los Estados Unidos o Canadá? Si creen que sí, ¿qué la caracteriza? ¿sus ingredientes, sus métodos de preparación, otros aspectos?
- ¿Piensas que el mestizaje culinario es solo una característica de la cocina mexicana o consideras que ocurre en la cocina de tu país? ¿Crees que los platos que comes son los mismos que los que tus padres comían cuando tenían tu edad? ¿Cuáles son algunos hechos que han influido en cambios alimenticios que hayas hecho en tu vida o en tus gustos culinarios?

Chiles en nogada

Producción personal

Redacción El análisis comparativo

Escribe un ensayo para una revista de viajes sobre un lugar ideal para pasar las vacaciones comparándolo con otro(s) lugar(es).

Prepárate

Haz una lista de todos los lugares buenos que conozcas para pasar las vacaciones y selecciona uno. Luego piensa con qué otro lugar puedes compararlo; por ejemplo, Caracas y Nueva York, o dos lugares de playa.

¡Escríbelo!

- Piensa en tus lectores: personas que quieren hacer un viaje, pero no saben a dónde. Selecciona un tipo determinado de viajeros: jóvenes, familias, personas jubiladas, etcétera y así reduces la cantidad de información que debes presentar.
- Piensa en tu propósito: en esta composición no quieres convencer, solo informar.
- Sigue la estructura de un ensayo: Introducción, cuerpo y conclusión.

Repasa

- el uso de los tiempos verbales
- el uso de **ser** y **estar**
- la concordancia verbal y nominal
- la ortografía
- el uso de un vocabulario variado y correcto (evita las repeticiones)
- el orden y el contenido (párrafos claros; principio y final)

San Antonio, Texas

Los Ángeles, California

¿Cuándo se dice? ¿Por o para?		
para	*for / in order to*	
	• *time (deadline)*	**Es la tarea para el miércoles.**
	• *purpose*	**Estoy a dieta para perder 6 kilos.**
	• *location (destination)*	**Sale para Nueva York en el vuelo 814 de LAN Chile.**
	• *recipient*	**Es un regalo para tu prima.**
	• *comparison*	**Para ser Español 101, la tarea es muy difícil.**
	• *point of view*	**Para mí, esta costumbre es anticuada.**
por	• *for, in exchange of*	**Le di las gracias por su ayuda.**
	• *for (duration of time)*	**Hicieron ejercicio por dos horas.**
	• *during (general part of the day)*	**Era por la mañana.**
	• *because of, due to*	**El avión no salió por la tormenta.**
		Eso te pasa por ser egoísta.
	• *around, about*	**No sé exactamente dónde vive, pero la casa era por aquí.**
	• *through*	**Vamos a Chicago pasando por Nueva York.**
	• *by means of*	**Llamé por teléfono.**
	• *by*	**Esa novela fue escrita por una colombiana.**

Un jugador de polo en Argentina

©Glow Images RF

¿Qué piensan los hispanohablantes?

Pregúntales a dos o tres hispanohablantes de tu comunidad sobre lo que ellos consideran que es vivir bien. Puedes empezar por preguntarles lo que hacen en su tiempo libre y lo que más les gusta hacer. Por ejemplo:

- su tiempo libre: actividades, lugares y personas para compartirlo
- actividades que asocian con su comunidad y su cultura
- si vivieron o conocen su país de origen, comparación entre lo que se hace en el tiempo libre en ese país y en este
- qué aspectos de la vida en general asocia con su identidad cultural

Producción audiovisual

Haz una presentación audiovisual sobre algún tipo de música de tu interés, que incluya información sobre el país o países donde se toca, y algo del baile si es que se baila.

¡Voluntari@s! Comida para los hambrientos

En un capítulo que trata de la comida, es bueno mencionar servicios comunitarios relacionados con sistencia alimentaria. Se puede trabajar en un comedor de la comunidad, en un banco de alimentos (*food bank*) o una organización que reparta canastas (*baskets*) de alimentos. Y si quieres algo internacional, puedes considerar una organización como Oxfam.

Tertulia final ¿Trabajar para vivir o vivir para trabajar?

No hay duda de que mucha gente en los Estados Unidos y el Canadá disfruta de un buen nivel de vida, especialmente si se compara con países más pobres. ¿Pero cómo es la calidad de vida en esos países? Las siguientes preguntas pueden ayudar a articular la tertulia.

- Si han visitado otros países, ¿qué les pareció la vida allá en comparación con la de su país?
- ¿Cómo es posible que incluso inmigrantes que tuvieron que venir a este país por falta de oportunidades añoren la forma de vivir de su propio país?
- ¿Creen que en este país se trabaja para vivir o se vive para trabajar? ¿Cómo se explica eso?
- ¿Qué cambios podrían mejorar la manera de vivir en este país?

Para terminar La buena vida

Now I can

- ☐ define what it means for me to live well
- ☐ talk about activities and places I associate with free time
- ☐ describe the roots of Latin American music
- ☐ express emotion and doubt
- ☐ express impersonal actions
- ☐ talk about important holiday periods and festivities in Spanish-speaking countries

Vocabulario del capítulo

Asegúrate que sabes:

- ☐ el vocabulario temático (**Palabras**, pp. 166–167)
- ☐ verbos y expresiones de emoción y duda (pp. 172–173)
- ☐ los usos de **por** y **para (¿Cuándo se dice?** p. 187)

VOCABULARIO PERSONAL

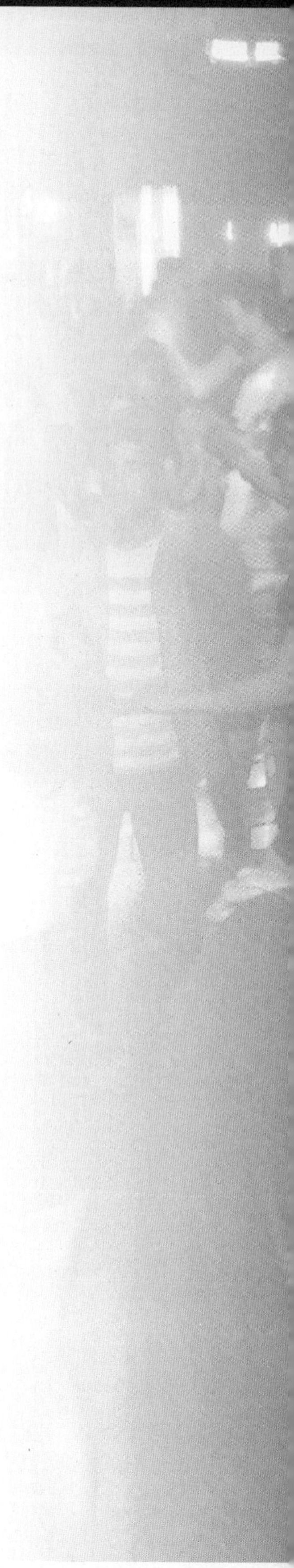

Nos-otros

©John Lund/Blend Images RF

Para el final del capítulo podré

- hablar de la identidad nacional y de las experiencias de las personas que emigran
- explicar la importancia de la lengua española en el mundo y cómo convive con otras lenguas
- expresar cantidades absolutas o no específicas de personas y cosas, así como la frecuencia de las acciones
- explicar lo que es la emigración interregional y hablar de la emigración a países hispanohablantes

> **«Ni son todos los que están, ni están todos los que son».**
>
> - ¿Puedes explicar la comunidad de tu país según el refrán? ¿A qué otras comunidades que tú conoces se puede aplicar este refrán?
> - ¿De dónde son las personas con las que tú te relacionas diariamente? ¿Piensas que la diversidad cultural enriquece la vida? ¿Por qué?

ENTREVISTA

Elsa Arreola Chicago, Estados Unidos (originalmente de Antigua, Guatemala)

- ¿De dónde es? ¿De dónde se siente?
- ¿Cuál es su lengua materna? ¿Qué otras lenguas habla? ¿Le parece importante hablar más de una lengua?
- ¿Ha viajado o vivido en otros países? ¿Cree que es importante viajar y vivir en otros países? ¿Por qué?
- ¿Ha sentido alguna vez rechazo por parte de otras personas?
- ¿Hay algo en su vida que eche de menos en este momento?

«¿Quién no ha sentido rechazo alguna vez? Lamentablemente es parte de la experiencia humana, ¿no?»

connect

Escucha las respuestas de Elsa Arreola a estas preguntas en **Connect**.

EN PANTALLA

«Salomón»

Ignacio Lasierra (España, 2008)

Eusebio y Joaquín necesitan un compañero más para completar su equipo de petanca (*bocce ball*) y así poder participar en la competición anual. Su única opción es Bassir, un trabajador migrante africano.

Antes de leer

En tu opinión, ¿qué ventajas (*advantages*) o desventajas ofrece el hablar dos idiomas? ¿Cuáles pueden ser algunas de las razones por las que algunas veces los hijos de los emigrantes no aprenden a hablar la lengua de sus padres?

Familias bilingües

En muchos países, no es nada inusual que los niños aprendan a hablar dos o más idiomas y que los utilicen a diario[a] para comunicarse y entender a los que están a su alrededor.[b] En muchos países del mundo la gente es bilingüe o plurilingüe[c] sin ser consciente de ello.[d] Y algunos niños crecen en lugares donde habitualmente se hablan cuatro o más idiomas.

En países como los Estados Unidos, puede haber un idioma que sea el dominante, es decir, el utilizado por el gobierno, las escuelas y la sociedad. Teniendo esto presente, los padres que hablan otro idioma por «herencia[e] cultural» podrían enfrentarse[f] a un dilema: ¿Deberíamos enseñar a nuestros hijos solo el idioma dominante o deberíamos intentar que sean bilingües? Aunque es importante aprender el idioma imperante[g] del país donde se vive, para muchas personas también es importante que sus hijos aprendan el idioma de sus padres, abuelos y hermanos mayores.

Educar a un niño para que sea bilingüe: Enseñar un segundo idioma a un niño puede suponer[h] un reto.[i] La realidad es que la mayoría de las familias inmigrantes pierden su idioma nativo en la tercera generación; pero este no tiene por qué ser su caso.

En última instancia,[j] la fluidez que tenga su hijo al hablar otro idioma estará influenciada por muchos factores, incluida la motivación personal y el apoyo por parte de los padres. Decida qué nivel desea que tenga su hijo del idioma de su herencia cultural y luego busque los recursos apropiados, como libros y material multimedia, educación formal o inmersión temporal. Enseñar a los niños a ser bilingües puede ayudarles a reconocer la importancia de su cultura y herencia, así como a desarrollar una fuerte identidad personal e incluso,[k] ¡puede serles de gran utilidad en el trabajo cuando sean mayores!

[a] a... *daily*   [b] los... *those who are around him/her*   [c] *multilingual*   [d] de...*about it*   [e] *heritage*   [f] *to face*   [g] *prevailing*   [h] *to present*   [i] *challenge*   [j] en... *ultimately*   [k] e... *and even*

"Familias bilingües" Kidshealth.org, January 2015. http://kidshealth.org/es/parents/bilingual-families-esp.html. Reprinted by permission.

Comprensión y análisis

Completa las siguientes oraciones con ideas de la lectura.

1. En muchos países del mundo es normal que las personas _____.

2. El idioma dominante en un país es el que _____.

3. Una evidencia de que enseñar un segundo idioma a un niño puede ser un reto es que _____.

4. Ser bilingüe puede ser una ventaja cuando el niño sea adulto porque _____.

Dora la exploradora, un personaje bilingüe muy famoso

Antes de mirar

¿Qué entretenimientos y juegos asocias con las personas mayores?

¿Qué trabajos asocias con los inmigrantes recientes en tu país?

Salomón images with permission by Ignacio Lasierra

«¿Nos has apuntado (*signed up*)?»

«Sí, a los tres. A él le he puesto (*I have named him*) Salomón».

Cortometraje: «Salomón»

España, 2008

Dirección: Ignacio Lasierra

Reparto: Txema Blasco, Juan Manuel Chiapella, Baba Guegue, Emilio Bualé, Mbengue Gaye, Rufino Ródenas

Comprensión y discusión

¿Cierto o falso? Indica si las siguientes ideas son ciertas (C) o falsas (F).

1. Los trabajadores africanos están bien integrados en el pueblo. ___

2. Los compañeros africanos creen que Bassir es demasiado razonable y tranquilo con Eusebio. ___

3. A Bassir le encanta el nombre de Salomón. ___

4. Al final, Bassir no puede jugar en el torneo porque ha vuelto a África. ___

Interpreta Contesta haciendo inferencias sobre lo que se ve y se oye en el corto.

1. ¿Cómo es el pueblo donde transcurre la acción?

2. Al principio del cortometraje hay un entierro. ¿Quién ha muerto y cómo afecta esta muerte la vida de Eusebio, Joaquín y Bassir?

3. ¿Por qué crees que Bassir es tan amable (*friendly*) con Joaquín, después de ser insultado?

4. ¿Por qué da Eusebio un nombre falso para Bassir cuando lo inscribe al torneo?

5. ¿Cómo interpretas el hecho de que al final del cortometraje Eusebio quiera que Bassir se quede con el juego de bolas de petanca de Martín?

Tertulia La integración

Es una realidad que se puede vivir cerca de otras personas sin conocerlas. Esta realidad es mucho más frecuente y cruel en el caso de los emigrantes, que con frecuencia son vistos solo como extraños no bienvenidos. Sin embargo, algunos emigrantes se convierten en personas fundamentales para las personas originarias del lugar. ¿Conoces alguna historia que demuestre esto? Puede ser una historia personal o de alguien que tú conozcas.

VOCABULARIO ÚTIL	
la huerta	orchard, vegetable garden
el mote	nickname
la petanca	game of bocce
el torneo/ campeonato	championship
amargado/a	bitter
dejar a alguien en paz	to leave someone alone
enterarse	to understand
entrenar	to train

connect

Para ver «Salomón» y realizar más actividades relacionadas con el cortometraje, visita: www.mhhe.com/connect

Palabras

©Pingebat/Getty Images RF

la bandera	flag
la ciudadanía	citizenship
el/la ciudadano/a	citizen
el/la compatriota	fellow citizen
la costumbre	habit; tradition
la frontera	border
mi/tu/(...) gente	my/your/(...) people
la lengua materna	mother tongue
el nivel económico	economic status
el orgullo	pride
la patria	homeland
la pobreza	poverty
la raíz (las raíces)	root(s)
la riqueza	richness; wealth
el símbolo	symbol
la sobrepoblación	overpopulation
mi/tu/(...) tierra	my/your/(...) homeland
la zona residencial	residential area
avanzar (c)	to advance; to move up
criar(se) (me crío)	to raise; to be raised
estar (*irreg.*) **acostumbrado/a a**	to be accustomed to
orgulloso/a	proud

De repaso: **el barrio, el idioma / la lengua, el lenguaje, el nivel, el país, la población, crecer (zc), nacer (zc)**

La experiencia en otro país

©ImageZoo/SuperStock RF

el bilingüismo	bilingualism
la desesperanza	hopelessness; despair
la desilusión	disappointment; disillusionment
la esperanza	hope; expectation
la ilusión	hope; wish; delusion
el rechazo	rejection
la residencia	residence
el/la soñador(a)	dreamer
la tarjeta de residente	resident (green) card

Cognado: **la nostalgia**

acostumbrarse a	to get used to
echar de menos	to miss
faltar*	to miss
rechazar (c)	to reject
superar(se)	to advance (in life); to excel
tener (*irreg.*) **papeles**	to have legal papers

Cognados: **adaptarse a, legalizar (c)**

bilingüe	bilingual

Cognados: **la emigración/inmigración, (in)documentado/a, (i)legal**

De repaso: **la discriminación, el/la emigrante / inmigrante, el nivel de vida, la nacionalidad, el origen, el pasaporte**

Expresiones de ánimo y esperanza

¡Ánimo!	Cheer up! / You can do it!
¡Sí se puede!	Yes, we can!
¡Vamos!	Let's go!

***Faltar** es un verbo como **gustar**.

■ ACTIVIDAD 1 Asociaciones

Paso 1 ¿Qué palabras del vocabulario asocias con las siguientes cosas?

1. los colores rojo, blanco y azul
2. el inglés
3. Tijuana y San Diego; Detroit y Windsor
4. el pasaporte
5. una tradición
6. ganar más de 400.000 dólares al año
7. pasar la niñez y la adolescencia y llegar a ser adulto
8. romperse una pierna y dos años después ganar un maratón en los juegos olímpicos
9. tener muchas ganas de volver a casa y estar con la familia
10. esperar y desear una cosa que después no llega

Paso 2 Ahora en parejas, cada persona inventa la definición de dos palabras que su compañero/a debe de adivinar.

■ ACTIVIDAD 2 Palabras con las mismas raíces

En parejas, den todas las palabras y expresiones posibles que tengan la misma raíz de cada una de las palabras de la lista. No se limiten al vocabulario de este capítulo, sino que piensen en todas las palabras que Uds. saben.

Ejemplo: **soñadores:** soñar, sueño, el Sueño Americano, tener sueño

1. el origen
2. discriminatorio
3. la población
4. la lengua
5. la ciudadanía

6. la residencia
7. indocumentado
8. pobre
9. la esperanza
10. la patria

■ ACTIVIDAD 3 Símbolos

Paso 1 Haz dos listas: una con cuatro cosas o ideas que para ti sean símbolos de tu país; y otra con cuatro cosas o conceptos que en tu opinión representen la comunidad latina de tu país.

Paso 2 Compara tus listas con las de dos o tres compañeros/as de la clase. ¿En qué coinciden y en qué son diferentes? ¿Cómo explican sus diferencias?

La balanza de la justicia, un símbolo internacional

■ ACTIVIDAD 4 Un retrato muy personal

Paso 1 Llena este formulario con tu información personal.

Nacionalidad _____

País de residencia _____

País(es) de origen de tu familia _____

Lengua materna _____

Otras lenguas _____

Ciudad(es) donde creciste _____

Algo que hayas tenido que superar en la vida _____

_____

Tu mayor ilusión en la vida _____

_____

Tu mayor desilusión hasta ahora _____

_____

Paso 2 Compara tu información con la de uno/a o dos compañeros/as. ¿Qué tienen en común? ¿En qué aspectos notan grandes diferencias?

■ ACTIVIDAD 5 Nostalgia

Paso 1 Haz una lista de cosas o circunstancias que echas de menos en tu vida en este momento. ¿Son cosas que tuviste antes o que todavía no has tenido?

Paso 2 Ahora en parejas, comparen su lista. ¿Hay similitudes? Después, piensen en inmigrantes recientes al país y decidan qué cosas les pueden faltar en los primeros años en su nuevo país.

■ ACTIVIDAD 6 La patria

En parejas, hablen de lo que caracteriza a su país, así como (*and also*) de sus sentimientos por su país. ¿Se sienten muy orgullosos de su país? ¿Por qué se sienten así? ¿Hay algún aspecto de su país que les haga sentir desilusión?

©Ingram Publishing/SuperStock RF

Cultura

link

«Es el mayor lazo[a] de unión que puede existir entre los países americanos, es nuestro tesoro[b] más grande. El oro[c] que nos dejaron los españoles, como dijo Borges, a cambio del que se llevaron». Carlos Fuentes, escritor mexicano (1928–2012)

«Lenguaje de blancos y de indios, y de negros, y de mestizos, y de mulatos; lenguaje de cristianos católicos y no católicos, y de no cristianos, y de ateos; lenguaje de hombres que viven bajo los más diversos regímenes políticos». Miguel de Unamuno, escritor español (1846–1936)

---

[a]*tie* [b]*treasure* [c]*gold*

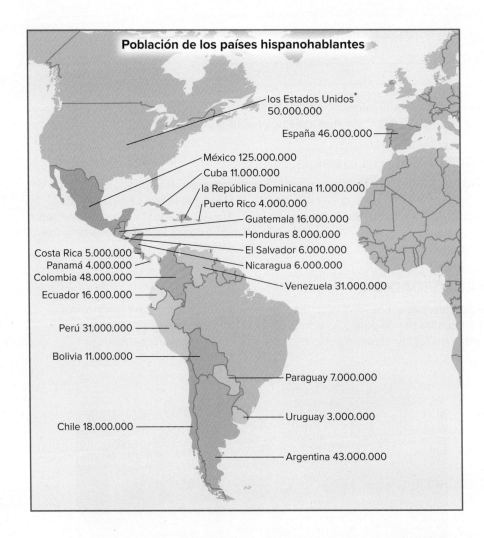

Población de los países hispanohablantes

los Estados Unidos[*] 50.000.000

España 46.000.000

México 125.000.000

Cuba 11.000.000

la República Dominicana 11.000.000

Puerto Rico 4.000.000

Guatemala 16.000.000

Honduras 8.000.000

Costa Rica 5.000.000

El Salvador 6.000.000

Panamá 4.000.000

Nicaragua 6.000.000

Colombia 48.000.000

Venezuela 31.000.000

Ecuador 16.000.000

Perú 31.000.000

Bolivia 11.000.000

Paraguay 7.000.000

Uruguay 3.000.000

Chile 18.000.000

Argentina 43.000.000

---

[*]De acuerdo con las Naciones Unidas, se estima que la población general en el año 2015 era de 321.774.000 millones de personas. En la actualidad se calcula que hay alrededor de 50,7 millones de personas de origen hispano, de los cuales la mayoría habla español como lengua materna o lengua de herencia familiar.

El español es una de las lenguas derivadas del latín, como el italiano, el francés, el portugués, el catalán, el gallego y el rumano. También se le puede llamar castellano, pues su origen es Castilla, uno de los reinos de la península ibérica antes de que España fuera[d] el país unificado que hoy conocemos. Los conquistadores y colonizadores españoles llevaron su lengua a América, donde el español terminó por convertirse en el idioma de todos los países donde hubo dominación española. Hoy día existe una comunidad de entre 470 y 500 millones de personas que hablan español y viven en veintiún países. Los Estados Unidos es uno de estos países, pues aunque el castellano no es lengua oficial, sus más de 50 millones de hispanos lo hacen el cuarto o quinto país en número de hispanohablantes. En los países de Guinea Ecuatorial y las Filipinas el español es una lengua de importancia histórica, aunque ahora esté perdiendo hablantes.

El español coexiste con otras muchas lenguas en los países donde se habla. En España hay otras tres lenguas oficiales (el catalán, el euskera y el gallego). En América, el panorama lingüístico es impresionantemente rico. En Sudamérica, por ejemplo, hay 375 lenguas identificadas en la actualidad, estos son algunos datos.

- Tan solo en Bolivia hay aproximadamente 35 lenguas indígenas.
- En el Perú hay más de 4 millones de hablantes de quechua.
- En Chile hay unas 250.000 personas que hablan mapuche y araucano.
- En el Paraguay, el guaraní es una lengua oficial junto con el castellano, y lo habla más del 90 por ciento de la población.

---

[d]*was*

Tertulia La lengua como vínculo

- La lengua es uno de los rasgos culturales que más identifica a una comunidad. ¿Qué otros elementos o ideas pueden ser la base del concepto de comunidad?

- Piensen en el papel del español en los Estados Unidos. ¿Por qué creen que es importante (o no) que lo estudien y lo hablen personas que no son hispanas?

- Si fueran inmigrantes, ¿sería importante para Uds. que sus hijos aprendieran su lengua? Si algunos de Uds. son hijos de inmigrantes, ¿aprendieron la lengua de sus padres? Hablen un poco sobre su experiencia.

Los idiomas oficiales de España

gallego

vasco

catalán

castellano

17 Palabras y expresiones absolutas e indefinidas

In Spanish, as in English, there are words that express absolute terms, positive or negative, like **todo** or **nada.** There are also words that express an undefined entity or amount, like **algo** or **algunos.** In order to express how often an action happens we use words like **siempre, algunas veces, nunca,** and **jamás.**

Absolutamente positivo		Absolutamente negativo		Indefinido	
todo	*all*	**nada**	*nothing*	**algo**	*something/ anything*
todo el mundo	*everyone*	**nadie**	*no one, nobody*	**alguien**	*someone/ anyone*
un/uno/ una	*one*	**ningún/ninguno ninguna**	*none, (not) any*	**algún/alguno alguna**	*some/any*
siempre	*always*	**nunca; jamás**	*never*	**algunas veces**	*sometimes*

- The indefinite forms can be translated into English using *some* or *any,* depending on whether it is a statement or a question.

    ¿**Algunos** parientes tuyos viven todavía en Honduras?

    Do some of your relatives live in Honduras?

    Sí, **algunos** de mis tíos y primos.

    Yes, some of my uncles and cousins.

- **Alguno** and **ninguno** have two singular masculine forms: **algún/alguno** and **ningún/ninguno.** Like **un/uno,** the short forms **algún/ningún** are used as an adjective before a masculine noun. The longer forms, **alguno** and **ninguno,** are pronouns; that is, there is no noun after.

    —¿Has conocido a **algún** compatriota en la reunión?

    —Have you met any fellow citizen at the meeting?

    —No, no he conocido a **ninguno.**

    —No, I haven't met any.

    ¿Son tus amigos? Preséntame a alguno.

    Are they your friends? Introduce me to one/some.

    No tengo **ningún** amigo bilingüe.

    I don't have any bilingual friend.

- **Ninguno/a** is not used in the plural, except with words that are always plural, such as **tijeras, pantalones,** or **lentes.**

    —Ya no tenemos ningún tío en El Salvador.

    —We no longer have any uncles in El Salvador.

    —Yo tampoco tengo ninguna familia allá.

    —I don't have any family there either.

    No hay **ningunas** tijer**as** en la mesa.

    There are no scissors on the table.

«Y **algunos** niños crecen en lugares donde habitualmente se hablan cuatro o más idiomas».*

©prettyfoto/Alamy RF

---

*de la minilectura *Familias bilingües*

- In a negative sentence, a negative word can precede the verb instead of the word **no**. Or **no** precedes the verb and a negative expression follows it.

  No vino **nadie.** = **Nadie** vino.

  No one came.

  No puede ayudarme **ningún** estudiante. = **Ningún** estudiante puede ayudarme.

  No student can help me.

  Tú **no** quieres bailar **nunca.** = Tú **nunca** quieres bailar.

  You never want to dance.

  No echo de menos **nada.** = **Nada** echo de menos.

  I do not miss anything.

- **Algunos/as** is not the only way to express an indefinite number. As in English, there are other options to express an uncertain number, that range from close to nothing to almost all:

  casi (todo/nada), muchos/as, pocos/as, varios/as

  A la ceremonia...

  no asistió **casi nadie** / **no** asistieron **muchas personas** / asistió **poca gente**

  asistió **mucha gente** / **casi todo el mundo.** = *Almost no one/not many people/ few people/almost everyone attended the ceremony.*

NOTA LINGÜÍSTICA TAMBIÉN/TAMPOCO; O/NI

también: also   **tampoco:** neither; not either

o (...o): or (either... or)   **ni (...ni):** neither (neither... nor)

- A negative sentence cannot include **también.** Likewise, the response to a negative statement or question should include **tampoco** rather than **también.**

  —No tengo hambre.

  —Yo tampoco. / Tampoco yo.

- As with other negative words, when **tampoco** appears after the verb, the verb should be preceded by **no.**

  Mis padres no quieren que olvidemos nuestras raíces. Nosotros **tampoco** queremos olvidarlas / **no** queremos olvidarlas **tampoco.**

  My parents don't want us to forget our roots. Neither do we want to forget them. / We don't want to forget them either.

- As in English with *either/or*, sometimes **o** is used in front of each of the alternatives.

  Todos hemos sentido alguna vez desesperanza **o** desilusión / **o** desesperanza **o** desilusión.

  We all have felt at some time despair or disillusion / either despair or disillusion.

- The negative form of the conjunction **o** is **ni,** which can be used only once or repeatedly in front of each alternative within the sentence.

  Yo no he sentido nunca desesperanza **ni** desilusión / **ni** desesperanza **ni** desilusión.

  I have never felt despair or disillusion / I have felt neither despair nor disillusion.

  Juan todavía **no** es ciudadano **ni** tiene tarjeta de residencia / Juan **ni** es ciudadano **ni** tiene tarjeta de residencia.

  Juan still does not have citizenship or residence / Juan has neither citizenship nor residence.

■ ACTIVIDAD 1 La llegada

Paso 1 Lee este párrafo sobre Fernando, fijándote en las palabras subrayadas. Luego contesta las preguntas en oraciones completas.

La familia de Fernando llegó a los Estados Unidos durante el verano. En el nuevo barrio de Fernando <u>nadie</u> hablaba su idioma <u>ni</u> conocía a su familia. <u>Algunas veces,</u> Fernando se sentía triste porque no tenía <u>ningún</u> amigo con quien jugar o hablar. Sus padres trabajaban mucho, por eso <u>nunca</u> podían pasar tiempo con él y su abuelita. El primer día de escuela fue difícil al principio. Había muchos niños y niñas en su clase, pero él no conocía a <u>ninguno</u>. Tampoco podía decir <u>nada</u> porque todos hablaban una lengua que él no entendía.

1. ¿Quién hablaba el idioma de Fernando en su nuevo barrio?
2. ¿Cuándo se sentía triste Fernando?
3. ¿Por qué se sentía triste?
4. ¿Cuándo pasaban tiempo los padres de Fernando con él?
5. ¿A qué compañeros de clase conocía Fernando al principio?
6. ¿Qué podía decir Fernando en la clase?

Paso 2 Ahora en parejas, escriban un final feliz para el primer día de colegio de Fernando. Traten de usar adjetivos y pronombres indefinidos.

■ ACTIVIDAD 2 Para celebrar la nueva ciudadanía

Paso 1 José y Carmen acaban de hacerse ciudadanos de su nuevo país, pero cada uno lo celebró de manera muy diferente. Completa las siguientes oraciones con las palabras de la lista.

nada   nadie   ninguna   ningún   nunca   siempre   todo

1. José: El día de la fiesta puse algunas banderas para decorar mi casa.

   Carmen: Yo no puse _____ bandera para decorar mi casa.

2. José: Vino mucha gente a casa.

   Carmen: A mi casa no vino _____.

3. José: Algunos amigos me dieron tarjetas de felicitación.

   Carmen: _____ amigo me dio una tarjeta de felicitación.

4. José: Mis amigos y yo comimos comida típica de nuestros países de origen y otras cosas.

   Carmen: Yo no comí _____ de mi país natal. _____ era de mi nuevo país.

5. José: Yo estoy feliz de ser un nuevo ciudadano de este país, pero _____ echo de menos mi patria.

6. Carmen: Yo no echo de menos mi patria _____.

Paso 2 Ahora con un compañero creen algunas preguntas relacionadas con el diálogo del **Paso 1** y luego contéstenlas.

Ejemplo: ¿Qué puso Juan para decorar su casa? Puso algunas banderas.

■ ACTIVIDAD 3 Nuestra comunidad universitaria

En parejas, corrijan las siguientes oraciones para que muestren la realidad de su universidad.

1. Hay un programa de aviación.
2. Siempre hay fiestas los miércoles por la noche.
3. Ninguna persona habla más de dos lenguas.
4. No hay ningún profesor aburrido.
5. Todos los servicios para los estudiantes son totalmente gratuitos.
6. Muchos profesores tienen 18 años.
7. Todos los estudiantes son irresponsables y perezosos.
8. Los deportes y los equipos deportivos nunca son importantes aquí.

©Marcos del Mazo/Getty Images

Ningún ser humano es ilegal.

■ ACTIVIDAD 4 Collage

Paso 1 ¿Qué se ve en este collage? Corrige las siguientes oraciones para que sean ciertas.

1. Se ve a una persona jugando al baloncesto.
2. No hay ningún animal.
3. Todas las palabras e imágenes son muy negativas.
4. Se ven muchas banderas.
5. Hay muchas fotos de zonas residenciales.
6. No hay nadie con barba y bigote.
7. No hay nada escrito en inglés.
8. Todo el mundo en estas fotos lleva algo en la cabeza.

Paso 2 En parejas discutan qué pondrían en un collage para representar su identidad nacional, momentos importantes de sus vidas o las cosas y personas que son importantes para Uds.

(cartwheel) ©Purestock/SuperStock RF; (windsurfing) ©Brand X Pictures/
Jupiterimages RF; (graduates) ©Purestock/SuperStock RF; (holding up medal) ©Chris
Ryan/agefotostock RF; (rabbit) ©Fancy Collection/SuperStock RF; (senior man)
©Fuse/Getty Images RF; (runner's feet) ©Digital Vision/Getty Images RF; (couple)
©SW Productions/Getty Images RF; (sombrero) ©DreamPictures/Blend Images RF;
(dog) ©Jarvell Jardey/Alamy RF; (lake) ©Don Hammond/Design Pics RF; (man with
guitar) ©Hill Street Studios/Blend Images RF; (high heels) ©Brand X Pictures RF; (car)
©Glow Images RF; (welcome) ©Glow Images/SuperStock RF; (OK hand sign)
©Ingram Publishing/Fotosearch RF;(three girls) ©PunchStock/Brand X Pictures RF

■ ACTIVIDAD 5 En el control de inmigración y aduanas° del aeropuerto

customs

Paso 1 Completa las siguientes oraciones con las palabras indefinidas y negativas que faltan.

1. —¿Tiene _____ que declarar?

   —No, no tengo _____ que declarar.

2. —¿Viaja con _____ más?

   —No, señor. Viajo sola.

3. —En su visado faltan _____ datos. ¿No tiene _____ otro documento?

   —Creo que no. _____ me dio nada más en el consulado.

4. —Lo siento, pero no se puede pasar _____ producto agrícola. _____ puede pasar carne.

5. —¿_____ hay que esperar tanto tiempo en la cola de inmigración?

   —Yo _____ he tenido que esperar tanto _____ he visto tanta gente.

Paso 2 Ahora en parejas, inventen un diálogo entre una persona que quiere ingresar al país y el oficial de inmigración. Inventen una situación problemática.

Ejemplo: El oficial de inmigración confunde al viajero / a la viajera con un criminal muy buscado que tiene el mismo nombre.

■ ACTIVIDAD 6 ¿Somos como ellos?

Paso 1 Inventa varias preguntas sobre las personas de las fotos: su aspecto, su talento, su personalidad. **¡OJO!** Las preguntas deben generar respuestas que requieran una de las palabras o expresiones absolutas e indefinidas.

Ejemplos: Santana → ¿Hay alguien en tu familia / entre tus amigos que lleve un gorro como Santana? ¿Siempre llevas un gorro como Santana?

Isabel Allende → ¿Has leído todas las novelas de Isabel Allende? ¿Tienes parientes en Chile como ella?

Jennifer López → ¿Te interesa algo de Jennifer López (su música, su actuación, su persona)? ¿Alguien en esta clase canta tan bien como Jennifer López?

Bruno Mars → ¿Has oído alguna canción en español de Bruno Mars?

Paso 2 Ahora hazle esas preguntas a algunos compañeros de clase.

Carlos Santana

©Frank Micelotta/Getty Images

Isabel Allende

©Victor Rojas/Getty Images

Bruno Mars

©Ilya S. Savenok/Getty Images

Jennifer López

©Thos Robbins/Getty Images

18 El indicativo y el subjuntivo en cláusulas adjetivales

Capítulo 5 and Capítulo 6 presented noun clauses (cláusulas nominales). This section deals with adjective or relative clauses.

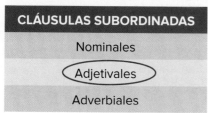

CLÁUSULAS SUBORDINADAS
Nominales
Adjetivales
Adverbiales

Adjective clauses (cláusulas adjetivales o relativas) function like adjectives. They add information about a noun that appears in the main clause. This noun is called the antecedent (el antecedente). Look at the examples.

©PhotoAlto/PictureQuest RF

En el mundo hay veintiún países hispanohablantes.

In the world there are twenty-one Spanish-speaking countries.

Hay veintiún países que tienen el español como lengua oficial.

There are twenty-one countries that have Spanish as the official language.

Es una mamá **que le enseña español a su niño.**

The adjective clause **que tienen el español como lengua oficial** is comparable in function to the adjective **hispanohablantes.**

- A *relative pronoun* (**pronombre relativo**) is a word or group of words that connect the main and adjective clauses (adjective clauses are also known as *relative* clauses). There are several relative pronouns in Spanish, but the most common is **que.** You will learn more about the relative pronouns in Capítulo 9.

- Sometimes the antecedent is not a noun, but a word like **nada, alguien, nadie,** etcétera.

No hay **nadie** que hable mi idioma aquí.

There is no one who speaks my language here.

The indicative is used when the adjective clause refers to something or someone that is known to exist. The subjunctive is used when the adjective clause refers to something or someone that is unknown or nonexistent. Compare the following examples.

Indicativo	Subjuntivo
Aquí hay alguien que **sabe** cocinar muy bien. (The speaker knows this for a fact.)	¿Aquí hay alguien que **sepa** cocinar bien (The speaker does not know—it's a question.) Aquí no hay nadie que **sepa** cocinar bien. (There is no one who cooks well—nonexistent.)
Buscan a un médico que **vive** aquí. (They know there's a doctor here.)	Buscan un médico que **viva** aquí. (They don't know if there's a doctor here.)
Hay una casa que **tiene** dos pisos. (I have identified the house.)	Quiero una casa que **tenga** dos pisos. (The house may exist, but I have not identified it yet.)
Han invitado a alguien que **conozco.**	¿Han invitado a alguien que yo **conozca**?
Voy a darles las gracias a todos los que me **ayudaron.** (I know who helped me.)	Voy a darles las gracias a todos los que me **ayuden.** (They haven't helped me yet, and I am not sure who will.)
Hay algo que **puedo/necesito** hacer. (I know this for a fact.)	No sé si hay algo que **pueda/necesite** hacer. (I am not sure.)

¡OJO! The personal a is used with the indicative because the existence of a person is known, but not with the subjunctive because the existence is unknown and therefore only a concept.

©Don Despain/Alamy RF

■ ACTIVIDAD 1 El antecedente

Paso 1 Subraya la cláusula adjetival en las siguientes oraciones. Luego, indica cuál es el antecedente.

1. César Chávez fue una persona que luchó por la justicia social.
2. El presidente que usó esta expresión en inglés fue Barak Obama.
3. Posiblemente, en la foto hay ciudadanos americanos que nacieron en otros países.
4. Posiblemente, no hay nadie en la foto que no viva en Texas.
5. ¿Hay algún estudiante en esta clase que sea de Texas?
6. Mi amigo Joe, que no toma español, es de San Antonio.

Paso 2 Ahora en parejas, completen estas oraciones con lo que Uds. saben del origen de sus compañeros.

1. Creo que en esta clase hay muchas personas que son de _____ (estado/país).
2. Estamos seguros de que no hay nadie que sea de _____ (estado/país).
3. No sabemos si hay alguien que sea de _____ (estado/país).

■ ACTIVIDAD 2 El desfile° del Día de la Raza

parade

Paso 1 El 12 de octubre, *Columbus Day* en los Estados Unidos, se celebra en los países hispanos el encuentro (*meeting*) de las culturas europeas con las civilizaciones americanas y el nacimiento de una nueva raza, la mestiza. Para los hispanos que viven en los Estados Unidos, el Día de la Raza es una oportunidad para celebrar la existencia de la pluralidad cultural, étnica y racial. Mira la escena y di si las siguientes oraciones son ciertas. Corrige las falsas.

1. Hay alguien que lleva una bandera de los Estados Unidos.
2. No hay nadie que lleve una bandera de México.
3. Hay varias personas que visten trajes típicos.
4. No hay ninguna persona que esté mirando el desfile.
5. Hay un hombre que está saludando (*greeting*) a la gente.

©Eduardo Verdugo/AP Photo

Paso 2 Ahora en parejas, usen las oraciones del **Paso 1** como modelo para describir otras cosas que se ven (o no se ven).

■ ACTIVIDAD 3 En la clase

¿Qué tipo de personas hay en la clase? Entérate (*Find out*) si hay personas en la clase que tengan una de las siguientes características.

Ejemplo: tener una moto (*motorcycle/moped*) →
—¿Hay alguien que tenga una moto?
— En la clase hay una persona que tiene una moto. / En la clase no hay ninguna persona que tenga una moto.

1. tener una moto
2. ser hispano/a
3. estar enamorado/a
4. hablar más de dos lenguas
5. ser ciudadano de otro país
6. echar de menos a su familia
7. sentirse orgulloso/a de su país
8. sentir nostalgia de la escuela secundaria
9. deber dinero a alguien

■ ACTIVIDAD 4 Temas de inmigración

Paso 1 Completa las oraciones con las palabras indefinidas, o absolutamente negativas o positivas apropiadas (en la sección anterior, **Estructuras 17**) y conjuga los verbos entre paréntesis en el presente de indicativo o de subjuntivo.

1. Todo el mundo conoce bien el problema: no hay _____ que _____ (negar) que tenemos un alto nivel de pobreza en nuestro país.

2. Muchos de los inmigrantes que _____ (estar) en peligro con las nuevas leyes de inmigración no tienen visa _____ permiso de manejar.

3. No conozco a _____ emigrante que no _____ (echar) de menos su país de origen. Tampoco conozco a _____ que no _____ (sentir) ilusión por adaptarse bien al nuevo país.

4. Siempre se debe tener cuidado con el pasaporte, porque para entrar en otro país no se acepta _____ otro documento que _____ (permitir) su identificación.

5. —¿Me puedes dar el nombre de _____ abogado que se _____ (especializar) en temas de inmigración?

   —Sí, tengo _____ compañeras que _____ (trabajar) en esa área.

Paso 2 En parejas, hablen de algún amigo o conocido (*acquaintance*) que nació en otro país y vino a este después de la niñez. ¿Qué saben de esa persona? ¿Cuál es su país natal y su lengua materna? ¿Saben si se siente bien adaptado a su nuevo país? ¿Qué le falta de su país natal? ¿Creen que siente orgullo de sus raíces? ¿Mantiene algunas de sus costumbres del país original?

■ ACTIVIDAD 5 Unas vacaciones especiales

Paso 1 En parejas, completen las oraciones después de analizar el anuncio (*ad*).

1. Este anuncio está dirigido a las personas que _____.

2. Seguro que este tipo de viaje les interesa a los hijos de emigrantes que _____.

3. No creo que este anuncio esté dirigido a personas que _____.

4. Creo que este anuncio se puede encontrar en publicaciones o páginas web que _____.

Paso 2 Fíjense que el anuncio no está completo. Ahora, piensen como personas de negocios y márketing y pónganle más texto al anuncio: denle un nombre a la compañía y decidan cómo las personas interesadas van a recibir información sobre sus viajes.

Cultura

La emigración a países hispanohablantes

Monumento a los emigrantes, Palmeira, España

No cabe duda[a] que los Estados Unidos es uno de los países del mundo que más atrae a aquellos que buscan una vida mejor. Sin embargo, los fenómenos migratorios se dan[b] en todas las partes del mundo y hay otros países con una larga tradición de abrir sus puertas a personas de diferentes lugares. Varios de estos países son hispanohablantes.

En España, por ejemplo, debido al boom económico de los 90, hay hoy día un gran número de emigrantes tanto de Latinoamérica como de África y los países europeos del este que contribuyen a la multiculturalidad del país.

También Latinoamérica ha sido tradicionalmente el lugar elegido por muchos emigrantes de todo el mundo que buscan una vida mejor o más segura. Por ejemplo, a finales del siglo XIX y principios del siglo XX, millones de europeos, entre ellos muchos españoles, eligieron países como Argentina, Brasil, Chile, Perú o Cuba para comenzar una nueva vida. Esto sucedió a causa de conflictos políticos y sobrepoblación en sus países de origen.

Sin embargo, en las últimas décadas, lo que se observa en Latinoamérica es una mayor emigración interregional, es decir, dentro de la misma área continental: ciudadanos de un país latinoamericano que emigran a otro país latinoamericano. Entre los países que más emigrantes interregionales reciben se encuentran Argentina, Costa Rica, Ecuador y la República Dominicana. Desde 2003, el gobierno argentino ha promovido[c] una emigración inclusiva, por lo que entre los años 2004 y 2009 concedió 500.000 permisos de residencia definitivas. También, países como Ecuador o la República Dominicana han servido de refugio a ciudadanos de países vecinos que debieron salir de su país por razones políticas, como el caso de la violencia en Colombia, o desastres naturales, como el terremoto[d] de Haití en 2010. Costa Rica es un caso excepcional, ya que además de recibir a emigrantes latinoamericanos, también es lugar de residencia de muchos estadounidenses que eligen vivir en ese país por su riqueza ecológica y su estabilidad política y económica.

---

[a]No... *There is no doubt*   [b]*se... ocurren*   [c]*promoted*   [d]*earthquake*

Tertulia

¿Conocen a alguna persona de los Estados Unidos que haya decidido emigrar a otro país o haya vivido en otro país por un período de tiempo largo? ¿Por qué emigró o vivió en ese país? ¿Cuáles pueden ser las razones para emigrar dentro de Latinoamérica y no a los Estados Unidos o Europa? ¿Hay algunos estados de los Estados Unidos que atraigan especialmente a los residentes de otros estados del país? ¿Por qué son atractivos estos estados?

Lectura

El año que viene estamos en Cuba

Texto y autor

Gustavo Pérez-Firmat nació en Cuba (1949) y se crió en Miami. Es profesor de Literatura en Columbia University, además de escritor y ensayista. La lectura de este capítulo es parte del prólogo de su obra autobiográfica *El año que viene estamos en Cuba* (Arte Público, 1997).

Antes de leer

¿Es lo mismo ser bilingüe que ser bicultural? ¿Cuáles son las ventajas de ser estas cosas? ¿Puede que haya alguna desventaja? Explícalo con algunos ejemplos, a ser posible.

Courtesy of Mary Anne Pérez Firmat

■ ACTIVIDAD 1 Asociaciones

Completa esta anécdota familiar con las palabras apropiadas del **vocabulario útil**.

Mi familia es cubana y vivimos en Nueva Jersey. El año pasado fuimos de vacaciones a los cayos de Florida, y por supuesto, tuvimos que hacernos una foto enfrente del monumento que dice que es el punto más cercano a Cuba, que está en _____. Mi abuelo sacó un _____ y se lo fumó mirando al mar. Dijo que no estaba tan bueno como un _____, pero era mejor que nada. Ese día mi abuela no se quejó por el _____, como hace siempre. Pero sí se puso a hablar de la deliciosa comida _____ que ella comía en La Habana cuando era niña.

Para mí, ese momento mirando al mar y hablando y pensando en Cuba con mis abuelos fue una _____ que nunca voy a olvidar. Me produjo una extraña _____ de nostalgia y felicidad. Nostalgia por un país que no conozco y felicidad por el _____ que me une a mis abuelos.

No me queda _____ que ir a Cuba tan pronto como pueda. Ojalá que sea pronto.

VOCABULARIO ÚTIL	
Cayo Hueso	Key West
el humo	smoke
la mezcla	mixing
el vínculo	link
el tabaco	cigar
la vivencia	**experiencia en la vida**
criollo/a	**original y típico del país**
disminuir	decrease
no quedar	not to
más	have any
remedio	other
(que)	choice but
Pártagas	**Una famosa marca de tabacos cubanos**

ESTRATEGIA EL JUEGO DE PALABRAS

En este texto el autor representa la contradicción en la que llega a vivir la generación de emigrantes que culturalmente se identifican tanto con el país que dejaron como con el país donde viven. Para comunicar esta realidad, Pérez-Firmat juega con las palabras, es decir, explota la relación léxica de diversas palabras, uniendo antónimos dentro de la misma oración, o recombinando términos de expresiones diferentes. Esto puede dificultar la comprensión, pero hace la lectura más entretenida y refuerza la sensación de tensión. Fíjate en estos ejemplos:

«El biculturalismo no es ni una bendición, como dicen algunos, ni una maldición, como dicen otros: es una contradicción».

«Los singulariza al hacerlos plural».

Mientras lees el texto de Pérez-Firmat, busca otros ejemplos en los que el autor juega con las palabras para expresar sus ideas.

EL AÑO QUE VIENE ESTAMOS EN CUBA
Gustavo Pérez-Firmat

El biculturalismo no es ni una bendición, como dicen algunos, ni una maldición[a], como dicen otros: es una contradicción. Biculturalistas de naturaleza, los miembros de la generación «uno y medio»[b] ocupan una posición intermedia que los singulariza. Pero los singulariza al hacerlos plural, al convertirlos en hombres híbridos y mujeres múltiples. A mi padre, por ejemplo, no le queda más remedio (y más consuelo[c]) que ser cubano. Sus treinta y tantos años de residencia en este país casi no han hecho mella[d] en sus costumbres criollas. Domina el inglés algo mejor que cuando llegó, pero todavía siente hacia los americanos esa mezcla de incomprensión, admiración y desdén[e] que siempre lo caracterizó. El hecho de que mi madre y todos sus hijos y nietos son ciudadanos americanos no parece haber disminuido su despego de la cultura de este país. Mi padre nunca será americano, y no le hablen de solicitar la ciudadanía, porque se enfada. A pesar de que dentro de unos años va a haber vivido más tiempo en Miami que en Marianao, sigue tan poco asimilado ahora como ese día de octubre en 1960 cuando se bajó del *ferry* en Cayo Hueso. Puede ser «residente permanente» de Estados Unidos, pero seguirá siendo ciudadano eterno de Cuba. Mis hijos, que nacieron en este país de padres cubanos, y a quienes he sometido[f] a fuertes dosis de cubanía, son americanos por los cuatro costados[g]. Igual que mi padre no puede ser «rescatado»[h] de su cubanía, ellos no pueden ser «rescatados» de su americanidad. Aunque pertenecen a la denominada «Generación ABC» (*American-Born-Cubans*), son cubanos solo en nombre, o mejor dicho, en apellido. Un mote[i] más justo sería «Generación CBA» (*Cuban-Bred-Americans*), ya que ellos mantienen vínculos con Cuba, pero son vínculos forjados[j] por las vivencias de sus padres y sus abuelos, y no por experiencia propia. Para David y Miriam, que actualmente tienen diez y trece años, la tierra donde yo nací es como el humo de los tabacos de su abuelo —ubicua pero impalpable.

[a]*curse*   [b]*half*   [c]*consolation*   [d]han... *have not left a mark*   [e]*disdain*   [f]he... *I have forced to*
[g]por... *through and through*   [h]*rescued*   [i]*nickname*   [j]*forged*

Como mi padre, yo también fumo tabacos, pero en vez de comprarlos por caja en una tabaquería de Miami, los compro uno a uno en la tienda de un melenudo[k] «tabaquista» de Chapel Hill. Si fumar tabacos es un índice de cubanía, soy cubano a medias[l], puesto que solo fumo dos o tres veces a la semana después de la comida. Mientras mis hijos ven sus programas favoritos de televisión —*Step by Step* o *Seinfeld*— yo prendo[m] mi Partagás y contemplo cómo mis raíces se desvanecen[n] en el aire. Fumando espero[o] —mas[p] no sé bien qué. Si para mi padre Cuba es un peso pesado[q], y si para mis hijos es una ficción feliz, para mí Cuba es una posibilidad. Al estar arraigado[r] tanto en Cuba como en Estados Unidos, pertenezco a un grupo de exiliados que podría genuinamente escoger si regresar o no. Mi padre no tiene esa opción porque, de cierta manera, nunca abandonó la isla. Él sueña con un regreso irrealizable, porque más que regreso es retroceso. Mis hijos tampoco pueden volver, porque no es posible regresar a un lugar donde nunca han vivido. A mi hijo le agrada decirles a sus amigos que él es cubano, pero David solo puede afirmar su cubanía en inglés. Acunados entre la primera y la segunda generación, aquellos que pertenecen a la generacion intermedia comparten la nostalgia de sus padres y el olvido de sus hijos. Para nosotros, volver es también irnos. Se nos ha llamado una generación puente[s]; yo añadiría que con igual justeza se nos podría llamar una generación abismo.

_____

[k]*long-haired* [l]*half* [m]*light* [n]*disappear* [o]Hace referencia a un famoso tango con el mismo nombre [p]pero [q]*heavy weight* [r]*rooted* [s]*bridge*

Comprensión y análisis

■ ACTIVIDAD 2 Correspondencias

Di a qué generación se refiere cada una de las siguientes ideas, al autor, al padre del autor o al hijo del autor.

1. Ocupa una posición intermedia: _____
2. Solo se siente cubano: _____
3. Es completamente estadounidense: _____
4. Sueña con regresar: _____
5. Para él, regresar es irse: _____
6. Para él, Cuba es como el humo de los tabacos: _____
7. Siente su biculturalidad como una contradicción: _____
8. Para él, Cuba no es una vivencia: _____

■ ACTIVIDAD 3 Generaciones

Describe las tres generaciones representadas en la lectura con toda la información del texto que puedas dar.

Ejemplo: El padre del autor representa la primera generación. Habla español mejor que inglés. Es un hombre que...

©Blend Images/JGI/Jamie Grill/Getty Images RF

■ ACTIVIDAD 4 Contradicciones

Paso 1 En este texto hay varias expresiones y términos contradictorios que el autor usa para expresar los diferentes grados de ser bicultural. En parejas, expliquen las siguientes citas (*quotes*) del texto en sus propias palabras, indicando a qué miembro de la familia se refiere cada una.

1. «...no le queda más remedio (y más consuelo) que ser cubano».
2. «Igual que mi padre no puede ser "rescatado" de su cubanía ellos no pueden ser "rescatados" de su americanidad».
3. «...pero son vínculos forjados por las vivencias de sus padres y sus abuelos y no por experiencia propia».
4. «...como el humo de los tabacos de su abuelo —ubicua pero impalpable».
5. «Para nosotros volver también es irnos».

Paso 2 Ahora identifiquen en el texto dos o tres contradicciones más.

■ ACTIVIDAD 5 Con tus propias palabras

Explica lo que quiere decir el autor con estas palabras y expresiones:

cubanía/americanidad	**hombres híbridos y mujeres múltiples**
Generación «uno y medio»	**Generación CBA**
Generación Puente	**Generación abismo**

Tertulia Raíces

¿Qué asocian Uds. con la idea de «ser un país»? ¿Por qué creen ustedes que se usa el término raíces para hablar de la familia? ¿Puede una persona tener sus raíces en un país y sentirse de otro? ¿Es posible "volver" a un país de donde se salió hace mucho tiempo?

©IStockphoto/Getty Images RF

El Malecón, La Habana, Cuba

Producción personal

Redacción Una biografía

Entrevista a un(a) inmigrante. Antes de la entrevista, prepara diez preguntas para obtener información sobre su vida y su experiencia como inmigrante. Con esta información escribe una biografía de esa persona para compartirla con tu clase de español.

Prepárate

Antes de la entrevista, prepara diez preguntas con cuidado. Piensa en el enfoque de tu entrevista y en lo que les puede interesar a tus lectores.

¡Escríbelo!

- Introducción y tesis: A pesar de que escribes una biografía, todavía necesitas una presentación y una explicación que reflejen la importancia de la persona de quien escribes.
- Párrafos: Asegúrate de que usas párrafos bien organizados y que cada uno trata de los aspectos que quieres destacar de la vida de tu entrevistado/a.
- Citas: Como tu ensayo se basa en una entrevista, es pertinente citar algunas de las palabras de tu entrevistado/a. Para ello recuerda usar las comillas (« / »). Pero no abuses de las citas. Cita solo cuando sea una expresión muy relevante en tu opinión. Y en este caso, asegúrate de escribir entre comillas lo que dijo tu entrevistado/a palabra por palabra correctamente. Si no puedes citar verbatim es mejor que uses el estilo indirecto para encapsular lo que la persona dijo.

¿Y ahora?

Repasa los siguientes puntos.

- ☐ el uso de los tiempos verbales
- ☐ la concordancia verbal y nominal
- ☐ la ortografía y los acentos
- ☐ el uso de un vocabulario variado
- ☐ el orden y el contenido: párrafos claros, principio y final

¿Cuándo se dice?: *Actual y real*		
actual	*current*	La situación **actual** económica es más inestable que hace 50 años.
en la actualidad	*now, nowadays*	**En la actualidad,** se sabe que ser bilingüe reporta beneficios personales de muchos tipos.
real	*real*	El problema **real** está en el proceso de legalización largo y burocrático.
	royal	El mensajero **real** buscaba a la señorita que había bailado con el príncipe.
en realidad	*actually, in fact, in actuality*	**En realidad,** la mayoría de los emigrantes son gente muy trabajadora con mucha ilusión por avanzar en la vida.

¿Qué piensan los hispanohablantes?

Entrevista a alguna persona hispana de tu ciudad sobre lo que él/ella considera su comunidad. Estas son algunas de las preguntas que se pueden hacer: ¿Quiénes forman su comunidad? ¿Hay una comunidad de personas de su lugar de origen? ¿Es esa comunidad importante en su vida? ¿Por qué? Podrías preguntarle también sobre si desea volver a su país de origen en el futuro y sobre lo que le gusta y no le gusta de la vida en este país.

Producción audiovisual

Prepara un collage audiovisual sobre una o varias de las asociaciones y comunidades de las que tú te sientes parte.

¡Voluntari@s! Comunidades locales, comunidades globales

Cualquier trabajo de voluntario implica, sin duda, querer ser parte de la comunidad, una comunidad que puede ser muy local o completamente global. ¿Has trabajado alguna vez enseñando inglés a niños o adultos que acaban de llegar al país? Puede ser una tarea muy enriquecedora. Y si prefieres un voluntariado más «físico», ¿qué tal Hábitat para la humanidad? Con esta organización podrías trabajar en un país hispanohablante y así aprender español mientras colaboras con una buena causa.

Tertulia final Nuestras comunidades

¿Qué entienden Uds. por comunidad? ¿Puede uno/a pertenecer a más de una comunidad al mismo tiempo? ¿Cómo puede variar el concepto de comunidad de una persona a otra o de unas circunstancias a otras? ¿De qué comunidades se sienten parte? Entre las diferentes razones por las cuales se identifican con ciertas comunidades, ¿cuáles les molestan más? ¿Cuáles merecen su respeto? Expliquen por qué.

©Ingram Publishing RF

Para terminar Nos-otros

Now I can

- ☐ talk about national identity
- ☐ discuss the experience of those who come from another country
- ☐ explain the importance of the Spanish language in the world
- ☐ express non-specific amounts of people and things as well as the frequency of actions
- ☐ explain what is interregional migration and why it is important in the context of the Americas

Vocabulario del capítulo

Asegúrate que sabes:

- ☐ el vocabulario temático (**Palabras**, pp. 194–195)
- ☐ palabras y expresiones absolutas e indefinidas (p. 200)
- ☐ los usos de **actual, en la actualidad, real, en realidad** (**¿Cuándo se dice?** p. 213)

Otro vocabulario activo

el castellano	**el español**
la cola	line
hacer cola	to stand in line

VOCABULARIO PERSONAL

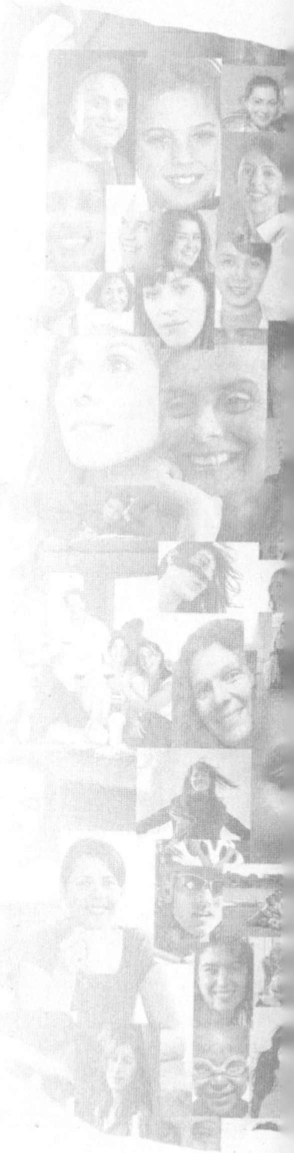

Nuestro pequeño mundo

©CHOATphotographer/Shutterstock RF

Para el final del capítulo podré

- hablar sobre el medioambiente y cómo protegerlo
- explicar cómo la masificación de algunas ciudades latinoamericanas conlleva problemas medioambientales
- hablar sobre mi futuro y el futuro de nuestro planeta
- comunicar ideas complejas que expresan, por ejemplo, tiempo o contingencia
- explicar la importancia de la economía sustentable para los países latinoamericanos

> **«Para recoger (*collect*) hay que sembrar (*sow*)».**
>
> - ¿Cómo se puede aplicar el significado de este refrán a nuestra relación con el medioambiente?
> - ¿Qué otras cosas no relacionadas con la naturaleza podemos sembrar en un sentido metafórico? ¿Qué hay en tu vida que es producto de tu esfuerzo?

ENTREVISTA

Luis Zambrano Vera Cuenca, Ecuador

©Purestock/Getty Images RF

«En mi opinión, todos somos responsables de nuestro entorno[a] en mayor o menor medida».[b]

- ¿Qué espacios naturales, plantas y animales cree que representan mejor su país?
- ¿Cuál es su opinión sobre la cuestión del calentamiento global?
- ¿Qué le parece una preocupación mayor, el desarrollo económico de un país o la protección de su medioambiente y sus recursos naturales?
- ¿Qué cree que podemos o debemos hacer los ciudadanos para proteger nuestro medioambiente?
- ¿Cómo ve el futuro de nuestro planeta en los próximos cien o doscientos años?

connect

Escucha las respuestas de Luis Zambrano Vera a estas preguntas en **Connect**.

EN PANTALLA

«El arca de María: Salvando las tortugas del río»

(Colombia, 2012)

Una bióloga colombiana se dedica a salvar las tortugas de río.

©Héroes al rescate animal

---

[a]*surroundings, environment*   [b]*measure*

217

De entrada

Antes de leer

¿Qué problemas medioambientales te preocupan más? ¿Cuáles son los problemas más graves que enfrenta la región donde vives con respecto al cambio climático?

Los desafíos[a] de América Latina frente a la escasez[b] de agua en las zonas rurales

Baldes[c] y botellas que sirven para racionar el uso del agua, pobladores[d] que restringen gota a gota[e] el consumo de este recurso[f] para evitar su agotamiento[g] y localidades azotadas por la sequía[h] son algunos de los escenarios que se repiten continuamente en las zonas vulnerables de Latinoamérica y que, además, son las más golpeadas[i] por el cambio climático.

Es una realidad: según un estudio del Banco Interamericano de Desarrollo (BID) en América, alrededor del 17% de la población rural en la región (sin contar Venezuela y Las Bahamas) no cuenta con acceso a agua potable y el 33% de la población rural no presenta servicios básicos de saneamiento[j], situaciones que imposibilitan el desarrollo[k] de sus actividades básicas y repercuten en sectores claves[l] como la agricultura.

A pocos días de[m] que se conmemore el Día Mundial del Agua (22 de marzo) cabe[n] preguntarse: ¿Cuál es el nexo entre el cambio climático, las zonas rurales y la escasez de agua?

Yerko Castillo Ávalos, magíster[ñ] en recursos hídricos e investigador del Centro de Estudios Ambientales de la Universidad Austral de Chile, sostiene que las zonas rurales dependen de la agricultura, una actividad que depende del agua (subterránea o superficial). Las lluvias y la recarga[o] de los acuíferos tienen ciclos estacionales, los cuales también dependen de ciclos planetarios, como por ejemplo, el fenómeno de El Niño.

"El cambio climático tiene como una de sus consecuencias la alteración de los ciclos estacionales y planetarios, lo que genera, por ejemplo, que el fenómeno de El Niño se haya acortado[p] hacia fines del siglo pasado, y actualmente está en una etapa[q] mucho más ambigua, dado que[r] en los última década no se ha sentido con la intensidad ni periodicidad acostumbrada", explica el experto a **ConexiónCOP**.

Otra consecuencia del cambio climático, explica, es la alteración de las frecuencias e intensidades de los eventos climáticos extremos como las lluvias, sequías o tormentas. Ello[s] genera que dichos eventos sean mucho más severos en algunas regiones.

[a]*challenges* [b]*shortage* [c]*Buckets* [d]*citizens* [e]*restringen... restrict drop by drop* [f]*resource* [g]*depletion* [h]*poblaciones... towns castigated by the drought* [i]*hit* [j]*sanitation* [k]*development* [l]*key* [m]*A... A few days before of* [n]*it befits* [ñ]*education title like master* [o]*recharge* [p]*reduced* [q]*stage* [r]*dado... given that* [s]*this*

Source: ConexiónCOP

Comprensión y análisis

Contesta las siguientes preguntas.

1. ¿Cuál es la pregunta principal que presenta el texto?
2. Explica brevemente la realidad latinoamericana con respecto al acceso al agua, según el BID.
3. ¿Cómo ha cambiado El Niño desde finales del siglo XX?
4. Explica otra consecuencia del cambio climático.
5. ¿Qué problemas prevé (*foresees*) el 5° Informe del IPCC?

Antes de mirar

¿Te gustan o te interesan los animales y la protección de la fauna? ¿Te preocupa la situación de algunas especies de animales en particular? ¿Cuáles y por qué?

©Héroes al rescate animal

Reportaje: «El arca de María: Salvando las tortugas del río»

Natibo: Héroes al rescate animal
Colombia, 2017

VOCABULARIO ÚTIL	
la amenaza	threat
el cauce	flow
el consumo	use
el depredador	predator
la hembra	female
la mascota	pet
el nido	nest
el peligro	danger
alimentar(se)	to feed
custodiar	to guard

Comprensión y discusión

Oraciones incompletas Corrige las siguientes ideas según la información del video.

1. Las tortugas charapelas taracay son muy apreciadas para ...
2. El proyecto para el que trabaja María tiene lugar en ...
3. Las tortugas chaparapelas son importantes para el ecosistema porque ....
4. La tarea de María es ...
5. Se va a saber si el proyecto tuvo éxito cuando...

Interpreta

1. El título de la serie a la que pertenece este programa es *Héroes al rescate*. ¿Crees que María es una heroína? ¿Por qué?
2. ¿Por qué dice María que no puede conseguir sus objetivos sin la colaboración de la comunidad? Explica.
3. María Torres dice que el problema de las tortugas charapas es un problema social. ¿Estás de acuerdo con su valoración?

Tertulia Un problema de la comunidad

1. En el video se comenta la importancia ecológica que tienen las tortugas. ¿Qué otros animales conoces que tengan una especial importancia ecológica? ¿En qué consiste su contribución al medioambiente?
2. María considera que la protección de las tortugas es su misión en la vida. ¿Conoces alguna organización o individuo cuya misión sea la protección de animales? ¿Qué animales protege? ¿Qué hace para protegerlos?

connect
Para ver «El arca de María» y realizar más actividades relacionadas con el reportaje, visita: www.mhhe.com/connect

Palabras

El medioambiente° — *environment*

el ahorro	savings
el bosque	forest
la capa de ozono	ozone layer
el cielo	sky; heaven
la cosecha	harvest; crop
el desperdicio	waste
la especie	species
la inundación	flood
la madera	wood
el piso	ground
el recurso	resource
el río	river
la selva	jungle; tropical rain forest
la sequía	drought
la tierra	soil; land
la Tierra	Earth (**el planeta**)

Cognados: **la agricultura, el desierto, la ecología, la erosión, la extinción**

De repaso: **el agua, el aire, el árbol, la atmósfera, el mar, la naturaleza, el océano, el planeta, el valle**

ahorrar	to save
crear	to create
cultivar	to cultivate
explotar	to exploit
desperdiciar	to waste
proteger (j)	to protect
recoger (j)	to collect/pick up
sembrar	to sow

Cognados: **conservar, cultivar, extinguir (extingo), preservar, reducir (zc)**

agrícola	agricultural
medioambiental	environmental

Una vista de la selva amazónica ecuatoriana

©Elena Kalistratova/Getty Images RF

El impacto medioambiental

el agujero	hole
el ahorro	saving
la amenaza	threat
la basura	trash
el combustible	fuel
el consumo	consumption
el contenedor (de basura, de reciclados)	(garbage, reycling) bin
el efecto invernadero	greenhouse effect
la energía (renovable)	(renewable) energy
el envase	container (bottle, can, etc.)
la fuente (de energía)	(energy) source
la gasolina	gas (for cars)
el humo	smoke
el mantenimiento	maintenance
el pesticida	pesticide
el petróleo	oil
desechable	disposable

Cognados: **el cartón, el gas, reciclar, reciclable**

De repaso: **la ciudad, la contaminación, el papel, botar**

Juega bien tu papel: Ayúdanos a reciclar

Solo envases de cartón, papel, periódicos y revistas

El desarrollo y la economía

el acuerdo / el tratado	agreement/treaty
la bolsa	stock exchange
la deuda (externa)	(foreign) debt
el Fondo Monetario Internacional (FMI)	International Monetary Fund (IMF)
la inversión	investment
los inversionistas	investors
los países desarrollados / en vías de desarrollo	developed countries / developing countries
el PIB (Producto Interno Bruto)	GDP (Gross Domestic Product)
la sostenibilidad	sustainability

Cognados: **la globalización, la nacionalización, la privatización**

invertir (ie, i)	to invest
sostener (*irreg.*)	to sustain
sostenible/sustentable	sustainable

Para expresar resoluciones de grupo

¡Vamos a + *infinitivo*	Let's + *infinitive*!
¡Vamos a proteger el planeta!	Let's protect the planet!
¡A + *infinitivo*	(Let's) get + *gerund*!
¡A ahorrar energía!	(Let's) Get saving energy!

ACTIVIDAD 1 Asociaciones

Paso 1 ¿Qué asocias con las siguientes palabras?

1. el agua
2. la economía
3. las empresas
4. los países
5. el campo
6. la botella
7. la ciudad
8. verde

Paso 2 Ahora en parejas, túrnense seleccionando una palabra del vocabulario que no se encuentre en el Paso 1 para que su compañero/a diga otra palabra asociada.

¡OJO! **El agua** es una palabra femenina; se usa el artículo masculino porque empieza por *a* tónica: el agua limpia.

ACTIVIDAD 2 ¡Busca al intruso!

Paso 1 Indica la palabra que no pertenece al grupo y explica por qué es distinta a las demás.

1. la agricultura — el desierto — la cosecha
2. el cielo — el bosque — la madera
3. consumir — explotar — proteger
4. sembrar — reciclar — cultivar
5. reducir — cortar — crear
6. la deuda — la inversión — el acuerdo
7. la madera — el petróleo — la bolsa

Paso 2 Ahora en parejas, inventen dos grupos de palabras, como en el Paso 1, en la que una de las palabras no pertenezca al grupo.

ACTIVIDAD 3 Palabras relacionadas

Relaciona las siguientes palabras con otras de la lista de vocabulario. ¿Qué significan? Da un sinónimo o un antónimo, o explica su significado con otras palabras.

Ejemplo: basurero → basura. Es el hombre que trabaja recogiendo la basura.

1. el desperdicio
2. la creación
3. la inversión
4. seca
5. deber
6. celestial
7. el consumo
8. pisar
9. el cultivo

■ ACTIVIDAD 4 Problemas medioambientales

Paso 1 Nombra los problemas medioambientales que presentan estas imágenes.

Paso 2 Ahora, haz una lista de tres o cuatro problemas medioambientales que te preocupan a ti más, tanto a nivel local como a nivel global. Luego, compara tu lista con las de dos o tres compañeros/as. ¿Están de acuerdo en general? ¿En qué difieren? Digan por qué escogieron esos problemas.

■ ACTIVIDAD 5 Vivir en la basura

Lamentablemente, muchos niños se crían en las zonas más pobres de las grandes ciudades, rodeados de basura. En parejas, comenten lo que se ve en la foto y lo que esta representa, en su opinión. No olviden usar el subjuntivo para expresar juicios de valor (*value judgment*).

Ejemplo: Creo que el fotógrafo quiere expresar que **es horrible** que muchos niños **vivan** en estas condiciones.

Basurero de una ciudad

■ ACTIVIDAD 6 Todo puede ser motivo para una sonrisa

Paso 1 En parejas, expliquen por qué es graciosa (*funny*) la viñeta cómica y qué mensaje quiere promover.

Sí, sube la temperatura para que ya se den cuenta de una vez de la realidad del cambio climático...

¡Por Dios! ¡Nos vamos a morir de calor!

Paso 2 Ahora creen su propia viñeta sobre un tema relacionado con el medioambiente. Puede ser cómica o puede ser seria.

Cultura

Aire para todos

Uno de los problemas que el deterioro de la vida en el campo causa en algunos países latinoamericanos es la emigración en masa de los campesinos[a] hacia las ciudades. Muchas personas de origen rural se marchan[b] a la ciudad en busca de mejor trabajo y condiciones sociales, que no siempre encuentran. Esto ha provocado una gran masificación en las ciudades. Según datos de la ONU más del 75 por ciento de la población de los países latinoamericanos vive en las ciudades y este porcentaje seguirá creciendo.

En el área de la Ciudad de México, por ejemplo, viven más de 21 millones de habitantes, por lo que es la mayor área metropolitana del Hemisferio Occidental, y una de las más grandes del mundo. Otras ciudades masificadas de Latinoamérica son Buenos Aires (12 millones), Lima (7,5 millones) y Santiago de Chile (5 millones), sin contar con las megalópolis del Brasil: San Pablo y Río de Janeiro.

El crecimiento rápido de las ciudades impide que se lleve a cabo[c] una adecuada planificación urbanística, por lo que algunos barrios no reciben un suministro apropiado de luz y agua. Esto tiene como consecuencia el que millones de personas vivan en condiciones terribles. Además, ciudades como la Ciudad de México están muy contaminadas, por lo que algunos de sus habitantes sufren de enfermedades respiratorias, especialmente los niños. Afortunadamente, las autoridades mexicanas no son ajenas[d] al problema de la mala calidad del aire y buscan medios de aminorarlo. Por ejemplo, se han establecido turnos para usar los coches y así, dependiendo de la matrícula del auto, este no puede circular un determinado día de la semana.

[a]farmers   [b]se... van   [c]se... they carry out   [d]unfamiliar

La Ciudad de México tiene una inmensa área metropolitana.

Tertulia Nuestro aire

- Este estudio cultural trata de la masificación urbana y los efectos que esta tiene en la calidad del aire que respiramos. ¿Existen problemas similares en el país de Uds.? ¿En qué lugares?

- ¿Qué cosas se pueden hacer, que no se están haciendo ahora, para solucionar estos problemas?

19 El futuro y el futuro perfecto de indicativo

Iremos a diferentes universidades, pero nunca perderemos el contacto.

©kali9/Getty Images RF

INDICATIVO

Presente
Presente perfecto

Pretérito
Imperfecto
Pluscuamperfecto

Futuro
Futuro perfecto

El futuro

Forms

The base form for regular verbs is the infinitive form plus the following endings for all three types of infinitives: **-é, -ás, -á, -emos, -éis, -án.** The future and future perfect are tenses of the indicative.

Verbos regulares					
-ar: crear		-er: proteger (j)		-ir: invertir (ie, i)	
crear**é**	crear**emos**	proteger**é**	proteger**emos**	invertir**é**	invertir**emos**
crear**ás**	crear**éis**	proteger**ás**	proteger**éis**	invertir**ás**	invertir**éis**
crear**á**	crear**án**	proteger**á**	proteger**án**	invertir**á**	invertir**án**

The irregular verbs use the same endings, but have irregular stems.

Verbos irregulares					
decir	diré, dirás...	**poder**	podré, podrás...	**salir**	saldré, saldrás...
haber	habré, habrás...	**poner**	pondré, pondrás...	**tener**	tendré, tendrás...
hacer	haré, harás...	**saber**	sabré, sabrás...	**venir**	vendré, vendrás...

Uses

- **A prediction or an action that is expected to happen.** The use of the future instead of the present tense or the expression **ir a** + *verb* usually implies a more formal style.

  Habrá escasez de agua.   *There will be a water shortage.*

- **A future action that includes an act of will or power,** such as a personal resolution or telling someone what he or she will do. This is the equivalent to *will / will not* and the old-fashioned and formulaic *shall / shall not.*

  No **matarás.** No **robarás.**   *Thou shalt not kill. Thou shalt not steal.*

  Este año **reciclaré** todos mis envases.   *This year I will recycle all my containers.*

- **Probability about an action occurring in the present** (*I wonder..., Probably...*). This use of the future tense is probably the most frequent one when speaking. (The counterpart for the past is the conditional, which you will see in **Capítulo 10.**)

  —Son ya las 9:00. ¿Dónde **estará** David?   —*It's already 9:00. I wonder where David is.*

  —**Estará** a punto de llegar.   —*He must be almost here.*

  This use also occurs in the present progressive form.

  —¿Qué **estarán haciendo** los niños?   *I wonder what the kids are doing.*

  —**Estarán jugando** con la Wii.   *They are probably playing with the Wii.*

El futuro perfecto

Forms

The future perfect is formed with the future of **haber** followed by a past participle.

futuro de haber + participio pasado	
habré desarroll**ado**	**habremos** desarroll**ado**
habrás desarroll**ado**	**habréis** desarroll**ado**
habrá desarroll**ado**	**habrán** desarroll**ado**

Uses

As in English, the future perfect is used to refer to a future action that will be completed by a certain time.

Para el año 2040 se **habrá desarrollado** una red de trenes de alta velocidad.

By 2040, a network of high-speed trains will have been developed.

REPASO

past participle forms:
Capítulo 4

©luoman/Getty Images RF

Si no hacemos nada para protegerla, **habremos destruido** la Amazonia antes de que termine este siglo.

NOTA LINGÜÍSTICA EL PRESENTE CON SIGNIFICADO DE FUTURO

Future actions are expressed by the present tense, both indicative and subjunctive, more often than with the future tense.

Present Indicative

Like in English, the present tense—including the present of **ir a** + infinitive—can be used to express future. (The future tense could also be used, although this is uncommon.)

Vamos a salir a las 8:00.

We are going to leave (We are leaving) at 8:00.

Mi hermana **llega** mañana.

My sister arrives (is arriving) tomorrow.

El lunes te **traigo** el libro.

I'll bring you the book on Monday.

¡OJO! The present progressive (**estar** + **-ndo**) is not frequently used to express the future in Spanish.

Mañana **salgo** de viaje.

Tomorrow I'm leaving on a trip.

Present Subjunctive

The present subjunctive often refers to actions that have not occurred yet. (It cannot be substituted by the future tense.)

Quiero que **vengas** a verme.

I want you to come to see me.

(The action of coming will happen later.)

No olvides llamarme cuando **llegues.**

Don't forget to call me when you arrive.

(The action of arriving will happen later.)

■ ACTIVIDAD 1 ¡A trabajar por un campus verde!

Paso 1 Completa las siguientes oraciones con la forma correcta del futuro de indicativo de los verbos en la lista.

ahorrar	apagar	botar	desperdiciar	haber
hacer	invertir	plantar	proteger	ser

Según el presidente de la universidad, el año que viene nuestro

campus _____[1] 100.000 dólares en un nuevo programa de reciclaje.

Con este programa nosotros _____[2] el medioambiente, ya que los

estudiantes _____[3] los envases de cristal y el papel en nuevos

contenedores especiales. Además _____[4] contenedores para desechar

las pilas (*batteries*) y los cartuchos de tinta (*ink cartridges*) en algunos edificios.

También la universidad _____[5] más árboles cerca de los edificios. De

esa manera, nosotros _____[6] energía en los meses de calor. Yo

quiero colaborar en el cuidado del medioambiente, por eso _____[7]

todas las luces cuando no las use. ¿Y tú? ¿Qué _____[8]?

Paso 2 Ahora, en parejas, imaginen que las diferentes asociaciones universitarias de su campus van a organizar actividades durante la semana del Día de la Tierra. Piensen en una de las asociaciones o grupos a los que Uds. pertenecen y escriban un anuncio o descripción de la actividad que su grupo hará, usando el futuro simple. Den detalles y pónganle un título que implique trabajo en equipo (fíjense en el título de esta actividad).

¿Qué harás tú para proteger nuestros ríos?

■ ACTIVIDAD 2 Un futuro ideal

Paso 1 Completa las siguientes oraciones con el futuro perfecto de los verbos entre paréntesis.
Para 2030, yo (no)...

1. _____ (graduarse) de esta universidad.
2. _____ (ir) a la escuela graduada.
3. _____ (poder) ahorrar mucho dinero.
4. _____ (escribir) un libro.
5. _____ (invertir) en bolsa.
6. _____ (conseguir) realizar uno de mis sueños.

Paso 2 Ahora, en pareja, adivinen el futuro de su compañero/a y predigan (*predict*) tres cosas qué habrá hecho su compañero/a para el 2030. Luego léanle su predicción y pregúntenle si está satisfecho/a con sus predicciones.

■ ACTIVIDAD 3 ¿Qué estarán haciendo en este momento?

¿Qué crees que estarán haciendo en este momento las personas de la lista? ¿Dónde estarán? Recuerda usar las formas del futuro.

1. el presidente de los Estados Unidos
2. el equipo de fútbol de la universidad
3. algún miembro de tu familia
4. tu mejor amigo/a
5. tus compañeros que no están en clase hoy

■ ACTIVIDAD 4 Los diez mandamientos°

commandments

En parejas, escriban diez reglas sobre el comportamiento que debe observar un ciudadano modelo en este mundo. Recuerden usar las formas del futuro.

Ejemplo: Los ciudadanos no arrojarán basura en la calle; siempre usarán las papeleras.

■ ACTIVIDAD 5 ¿Presente, futuro o futuro perfecto?

Paso 1 ¿Qué tiempo en español se puede usar para expresar las siguientes ideas? Escoge una de las opciones e intenta explicar por qué.

a. el futuro perfecto

b. el futuro simple = probabilidad

c. el futuro simple = mandato

d. el futuro simple = intención

e. el presente de indicativo

f. el presente de subjuntivo

Ejemplo: Carol <u>must be</u> in a traffic jam, as usual. ➜ b

1. _____ You <u>will go</u> to bed no later than 10:00. Is that clear?
2. _____ I <u>wonder</u> where the kids are.
3. _____ This year I <u>will be</u> more patient with my parents, I promise.
4. _____ I hope you <u>write</u> me sooner this time.
5. _____ They <u>will not have left</u> yet by the time you arrive.
6. _____ I <u>am leaving</u> tomorrow around 10:00.
7. _____ My flight <u>departs</u> at 7:10.
8. _____ By the end of the year, we <u>will have finished</u> the addition in the house.

Paso 2 Ahora en parejas, inventen un ejemplo para cada caso en español.

■ ACTIVIDAD 6 ¿Cómo será la vida dentro de treinta años?

En parejas, describan cómo imaginan la vida dentro de treinta años. Piensen en la situación mundial en cuanto a avances tecnológicos, problemas medioambientales o políticos y cualquier otro aspecto de la vida que les parezca interesante.

©Comstock Images/Alamy RF

Nadie desperdiciará nada. Todo el mundo reciclará.

You learned about noun clauses (**cláusulas nominales**) in Capítulos 5 and 6, and adjective clauses (**cláusulas adjetivales**) in Capítulo 7. In this section, you will learn about a third type of clauses—those that function like an adverb (**cláusulas adverbiales**).

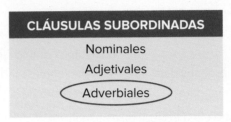

CLÁUSULAS SUBORDINADAS
Nominales
Adjetivales
Adverbiales

Adverbs are words or phrases that complement the verb, expressing time (when), location (where), manner (how), or conditions and causes.

Puesto que nuestra supervivencia <u>depende</u> de ellas, tenemos que proteger las zonas de selva, como esta en Costa Rica.

Vamos a empezar <u>pronto</u>.	*We are going to start <u>soon.</u>*
Vamos a empezar <u>cuando llegue Leo</u>.	*We are going to start <u>when Leo arrives.</u>*

Both *pronto* and *cuando llegue Leo* indicate the time in which the action will occur. *Pronto* is an adverb, and *cuando llegue Leo* functions as an adverb (hence the name adverbial clause).

No queremos empezar <u>sin ti</u>.	*We don't want to start <u>without you.</u>*
No queremos empezar <u>sin que tú estés</u>.	*We don't want to start <u>without you being here.</u>*

These examples show how the adverbial function can be expressed by one word (*pronto*), phrase (*sin ti*), or a clause (*sin que tú estés; cuando llegue Leo.*)

Adverbial clauses are introduced by an adverbial conjunction (**conjunción adverbial**), a word or phrase that joins the main and subordinate clauses. These conjunctions are easy to identify—unlike just **que,** adverbial conjunctions have meaning. You already know and use some of them: **después de (que), cuando, porque,** and so on.

Adverbial clauses take either indicative or subjunctive, depending on whether the action they express has taken place or not. Some conjunctions always take indicative, some only take subjunctive, and yet another group can appear with both moods, depending on the action.

¡OJO! The meanings of adverbial conjunctions are not always transparent or translatable word by word. Be sure to learn them as vocabulary items.

Adverbial conjunctions with indicative: Explaining facts

These clauses explain facts and their causes, often translated as *because* or *since* in English. You have already been using **porque.**

Conjunctions that require the indicative	
como	*as, given that, since*
porque	*because*
puesto que	*since*
ya que	*due to the fact that, since*

Juan no quiere ir **porque** <u>tiene</u> miedo.	*Juan doesn't want to go because he is afraid.*
Es importante reciclar, **puesto que** los recursos del planeta <u>son</u> limitados.	*It's important to recycle, given that the planet's resources are limited.*
Como hay sobrepoblación mundial, <u>debemos</u> ahorrar recursos.	*Since/As/Because there is overpopulation, we must save resources.*

¡OJO! **Porque** can only start a sentence in response to a question initiated by **¿por qué?** Otherwise **como, ya que,** or **puesto que** are used to start a sentence. **Porque** can also be used in the middle of a sentence (as in the example).

Adverbial conjunctions with the subjunctive: Contingency, purpose, and actions that do not take place

All the conjunctions in this group imply that the action in its clause has not occurred, because they express contingencies (**a menos que, con tal que**) or purpose (**para que, a fin de que**), or because the action cannot happen or will not happen before the action in the main clause (**antes de que, sin que**).

¡OJO! You can try to memorize this list by remembering the nonsense word **SACAPESA,** made up of the first letters of all eight conjunctions in the list.

<u>s</u>in (que)	*without*
<u>a</u> fin de (que)	*in order to; so that*
<u>c</u>on tal de (que)	*provided that, as long as*
<u>a</u> menos que	*unless*
<u>p</u>ara (que)	*in order to; so that*
<u>e</u>n caso de (que)	*in case*
<u>s</u>iempre y cuando	*as long as, provided that*
<u>a</u>ntes de (que)	*before*

Los países ricos deben ayudar a los pobres, **a fin de que** estos <u>puedan</u> salir de la pobreza.	*Rich countries must help the poor ones so that the latter can overcome their poverty.*
Un poco de sol no es malo, **siempre y cuando** te <u>protejas</u> bien la piel.	*A little sun is not bad provided that you protect your skin well.*

Same subject → preposition + infinitive

The infinitive is used after the preposition of a conjunction when the subject of the adverbial clause and the main clause coincide. This only happens with conjunctions that include a preposition: **a fin <u>de</u>, antes <u>de</u>, con tal <u>de</u>, en caso <u>de</u>, para, sin.** The word **que** is not used in this case—notice how these conjunctions appear in the list having the word **que** in parentheses.

Cuidemos (**nosotros**) nuestro mundo **para que** las próximas generaciones también <u>puedan</u> vivir en él.	*Let's take care of our world so that the next generations can also live in it.*
Cuidemos (**nosotros**) nuestro mundo **para** <u>disfrutarlo</u> (**nosotros**) por más tiempo.	*Let's take care of our world to enjoy it (so that we can enjoy it) longer.*

©Max Power/Corbis RF

Debemos cuidar el planeta **para que** nuestros nietos también lo <u>puedan</u> disfrutar.

Order of clauses

Most adverbial clauses can appear before or after the main clause. In most cases the order is irrelevant, like in English.

En caso de emergencia, <u>llamen</u> al 9-1-1.	*In case of emergency, call 9-1-1.*
<u>Llamen</u> al 9-1-1 **en caso de** emergencia.	*Call 9-1-1 in case of emergency.*
¡**Antes de que** <u>sea</u> tarde, vamos a reciclar y reusar!	*Before it's too late, let's recycle and reuse!*
¡Vamos a reciclar y reusar **antes de que** <u>sea</u> tarde!	*Let's recycle and reuse before it's too late!*

Conjunctions that take the indicative and subjunctive: *When* and *how*

This group of conjunctions can take indicative or subjunctive depending on the action: indicative if the action has already taken place (past), or is a habitual action (present and past), and subjunctive if the action is pending or uncertain.

Time (when)		Manner (how)	
cuando	*when*	**aunque**	*although, even though, even if*
después de (que)	*after*	**como**	*as*
en cuanto	*as soon as*	**de modo que**	*in a way that*
hasta que	*until*		
mientras / mientras que	*while*		
tan pronto como	*as soon as*		

- Habitual actions → **indicative**

Me llama **en cuanto** <u>llega</u> a casa.	*He calls me as soon as he gets home.*

- Past actions → **indicative**

Mientras <u>hubo</u> comida los invitados no se fueron.	*While there was food, the guests didn't leave.*

- Pending actions → **subjunctive**

Debemos seguir luchando **hasta que** no <u>haya</u> más problemas con la capa de ozono.	*We must continue to fight until there are no more problems with the ozone layer.*
Me llamará **en cuanto** <u>llegue</u> a casa.	*He'll call me as soon as he gets home.*

- **Aunque** is often flexible with respect to indicative and subjunctive—the choice of mood represents the difference between the choice of *even though* (indicative) and *even if* (subjunctive).

Voy a asistir a la ceremonia **aunque** no <u>tengo</u> ganas.	*I'll attend the ceremony although/ even though I don't feel like it. (I know I don't feel like it.)*
Voy a asistir a la ceremonia **aunque** no <u>tenga</u> ganas.	*I'll attend the ceremony even if I don't feel like it. (I may not feel like it.)*

- **Como**, just like the English *as*, has two meanings: one explains something, the other one expresses the manner in which something is done. Context determines the meaning.

> Como hay sequía, se prohíbe lavar los autos. *As/Since there's a drought, it's prohibited to wash cars.*

> Está bien como lo estás haciendo. *It's OK how/the way you are doing it.*

- **Como**, when it means *how*, can take indicative or subjunctive, depending on whether the action is certain or uncertain.

> No importa **como** lo <u>haces</u>. *It doesn't matter how you do it.* (*We know how you are doing it.*)

> No importa **como** lo <u>hagas</u>. *It doesn't matter how(ever) you do it.* (*Whichever way you may do it.*)

■ ACTIVIDAD 1 Podemos mejorar

Paso 1 Completa las ideas usando una de las conjunciones explicativas, es decir, que siempre llevan indicativo:

> como   porque   puesto que   ya que

A veces hay más de una opción.

1. _____ no se ponen de acuerdo, los países desarrollados no están tomando las medidas necesarias para reducir los gases de efecto invernadero.

2. ¿Por qué no hay mejores soluciones? _____ ningún gobierno quiere que su economía sufra.

3. Muchos países están invirtiendo en energía eólica _____ es una energía más limpia y barata.

4. _____ en algunos países hay mucho sol, la energía solar es otro tipo de energía que atrae a los inversores.

5. ¿Por qué no ponen todas las personas placas solares en sus casas? _____ la instalación de las placas puede costar mucho dinero.

Paso 2 Ahora, en parejas, creen tres oraciones que expliquen las razones por las que su universidad/ ciudad/estado/país no protege bien el medioambiente. Usen **como, puesto que** y **ya que** en sus explicaciones.

Ejemplo: **Como** no hay suficientes contenedores de reciclaje, los ciudadanos botan toda la basura junta.

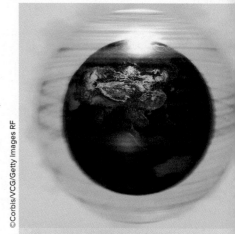

©Corbis/VCG/Getty Images RF

Debemos seguir luchando **mientras** <u>haya</u> problemas con la capa de ozono.

■ ACTIVIDAD 2 ¡Vamos a cambiar el mundo sin cambiar el planeta!

En parejas, completen las siguientes ideas con conjunciones de la lista. Puede haber más de una conjunción posible en algunos casos. **¡OJO!** Presta atención a las conjunciones que requieren subjuntivo o indicativo en cada contexto.

SOLO SUBJUNTIVO	SOLO INDICATIVO	INDICATIVO O SUBJUNTIVO
antes de (que)	porque	tan pronto como
a fin de (que)		aunque
para (que)		cuando
siempre y cuando		después de (que)
sin (que)		

1. El gobierno español hace campañas publicitarias _____ los españoles ahorren energía.

2. En este anuncio, el mensaje es que podemos hacer cosas importantes por el planeta _____ hacemos pequeños cambios en nuestra manera de vivir y consumir.

3. En los años 80, hubo otra campaña del gobierno español cuyo lema decía: « _____ Ud. pueda pagarlo, España no puede».

4. Es obvio que se pueden hacer cambios importantes en cuestiones medioambientales, _____ todos se preocupen seriamente por el planeta y no solo por el desarrollo económico.

5. Me parece bien que haya una ley que obligue a todo el mundo a reciclar _____ reducir la cantidad de recursos que usamos.

6. Por ejemplo, _____ no tengamos más petróleo, seguro que habrá muchos carros que funcionen con energía solar o eléctrica.

7. Mucha gente ya recicla todos los envases que usa, _____ es más fácil botarlos.

8. Mira el número dentro del triángulo en el envase _____ de botarlo, _____ _____ lo recicles si es posible. No tires nada _____ saber antes si es reciclable o no. Otro consejo: aplasta y reduce los cartones de la leche, _____ así no ocupan tanto espacio en la basura.

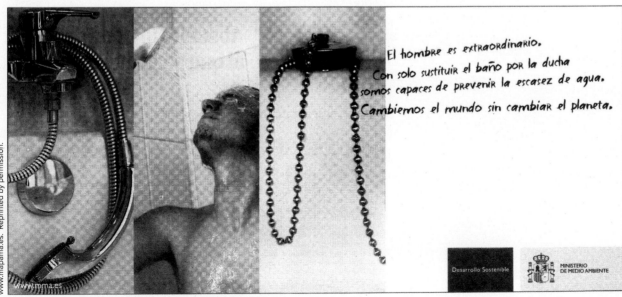

El hombre es extraordinario. Con solo sustituir el baño por la ducha somos capaces de prevenir la escasez de agua. Cambiemos el mundo sin cambiar el planeta.

Desarrollo Sostenible

MINISTERIO DE MEDIO AMBIENTE

■ ACTIVIDAD 3 Cada oveja° con su pareja

sheep

Paso 1 Usa las frases para completar las siguientes oraciones de una manera lógica. No te olvides de conjugar los verbos de las frases en el subjuntivo o indicativo, según el caso.

1. Todos los días cuando llego a casa _____.

2. Sin embargo ayer tan pronto como llegué a casa _____.

3. Suelo ducharme con poca agua aunque _____ _____.

4. Mis profesores de economía confían en que los países en vías de desarrollo seguirán probando nuevas técnicas agrícolas hasta que _____.

5. Las generaciones posteriores pueden sufrir una gran escasez de recursos naturales puesto que _____.

6. Es esencial que ahorremos tantos recursos como _____.

a. ser posible

b. conseguir resolver los problemas sobre la alimentación de la población

c. gustar las duchas largas

d. salir a correr

e. (nosotros) gastar demasiados recursos

f. regar (*to water*) las plantas

Paso 2 Ahora en parejas, túrnense para entrevistarse sobre las siguientes preguntas.

1. ¿Tienes plantas en tu casa/jardín? ¿Cuándo las riegas?

2. ¿Te duchas con mucha o poca agua? ¿Por qué?

3. ¿Reciclas todos tus envases? ¿Con tal de qué?

4. ¿Piensas que debemos seguir probando nuevas técnicas agrícolas? ¿A fin de qué?

5. ¿Qué se puede o debe hacer para que las generaciones futuras no sufran escasez de recursos naturales?

■ ACTIVIDAD 4 El congreso°

conference

Completa el siguiente mensaje electrónico con la forma correcta en el subjuntivo o el indicativo de los verbos entre paréntesis.

¡Hola, Juan!

¿Cómo estás? Yo muy bien, aunque, como siempre, _____[1] (tener) muchas cosas que hacer. Aquí en esta universidad, como sabes, todos los años el departamento de agricultura celebra un congreso cuando _____[2] (comenzar) el semestre de primavera. Este año el tema del congreso es productos transgénicos y se hará un poco antes, tan pronto como _____[3] (volver: nosotros) de las vacaciones. Tenemos mucho que organizar antes de que los visitantes _____[4] (llegar). El año pasado asistieron científicos de diversos estados y todos los estudiantes graduados trabajamos mucho mientras _____[5] (tener) lugar las sesiones. Este año también trabajaremos hasta que todo _____[6] (estar) listo. De hecho,[a] en cuanto _____[7] (terminar: yo) de escribir este mensaje, tengo una reunión con el fin de hacer nuestros horarios para el evento. Tenemos que organizarnos bien a fin de que todos nosotros _____[8] (poder) descansar. Lo mejor de estos congresos es que siempre después de que _____[9] (terminar) la última sesión hay una gran cena para todos los organizadores.

Te dejo. Te escribo otra vez tan pronto como _____[10] (tener: yo) un rato libre.

David

---
[a]De... *In fact*

Paso 2 Ahora en parejas, escríbanle a David un breve mensaje de respuesta, informándole sobre alguna actividad que Uds. están haciendo o harán pronto. Usen todas las oraciones subordinadas adverbiales que sea posible.

Cultivo de maíz transgénico

■ ACTIVIDAD 5 Tu opinión

En parejas, completen las siguientes ideas.

1. La destrucción de la Amazonia continuará a menos que...

2. Los países latinoamericanos ceden (*give*) derechos de explotación de sus recursos a compañías internacionales para (que)...

3. Los países menos desarrollados tendrán serias preocupaciones ecológicas a menos que...

4. Yo creo que es bueno explotar _____ (un recurso) siempre y cuando / con tal que...

5. Es fácil reciclar cuando...

6. Los países desarrollados usarán menos petróleo tan pronto como...

■ ACTIVIDAD 6 Mi granito de arena

Paso 1 ¿Sientes algún compromiso con el medioambiente? ¿Cómo puedes tú completar las siguientes ideas? Puedes usar una variedad de conjunciones: **ya que, puesto que, tan pronto como, para (que), a fin de (que)...** ¡Sé honesto/a!

Ejemplo: Instalaré placas de energía solar... **cuando tenga una casa propia y tan pronto tenga dinero suficiente para instalarlas.**

1. Al final de este semestre reciclaré todos los papeles de las clases a menos que...

2. Apago las luces cuando salgo de un cuarto siempre y cuando...

3. Instalaré placas de energía solar...

4. Intentaré tomar el transporte público...

5. Para mí, es importante ahorrar y reciclar...

Paso 2 Ahora, en parejas, comparen sus respuestas.

■ ACTIVIDAD 7 La ciudad del futuro

En parejas, imagínense la ciudad ideal del futuro más respetuosa (*respectful*) con el medioambiente que las de ahora. ¿Cómo será? ¿Quiénes vivirán en ella? **¡OJO!** En muchos casos necesitarán usar conjunciones adverbiales para explicar sus ideas.

Ejemplo: La ciudad del futuro no tendrá tantos coches para que no haya tanta contaminación atmosférica.

©LaCiudadVerde.org

Cultura

La importancia de la economía sustentable

Los países latinoamericanos se enfrentan a un doble reto[a] de difícil solución. Por un lado, está la necesidad de explotar sus recursos naturales —petróleo, gas natural, bosques, minerales, etcétera— para avanzar en el camino de su desarrollo económico. Por otro lado, queda la necesidad imperiosa de preservar esos mismos recursos, no solo por el bienestar actual de sus propias comunidades y los habitantes de todo el planeta, sino también porque son recursos que los países latinoamericanos necesitarán para seguir desarrollando sus economías en el futuro. Abusar de los recursos naturales puede suponer agotarlos, es decir, el equivalente a matar la gallina de los huevos de oro.[b]

La idea de economía sustentable (o sostenible, como se dice en algunos países) parte de la premisa de que los recursos deben ser utilizados de manera que no se agoten, es decir, de modo que puedan sostenerse o mantenerse los recursos, y por tanto la economía que depende de ellos. Esto, claro está, no es tan fácil de llevar a cabo, y casi siempre requiere el acuerdo y la participación activa de los países desarrollados que explotan los recursos en los países en vías de desarrollo.

Quizás el ejemplo más típico de la importancia y la necesidad de buscar una economía sustentable en los países en vías de desarrollo es el de la Amazonia. Esta área, compartida por ocho países (el Brasil, Colombia, Bolivia, el Perú, el Ecuador, Venezuela, Guyana y Surinam), es la selva más grande del mundo, donde habitan hasta un 30 por ciento de todas las especies vivas del planeta y donde se encuentra una quinta parte de toda el agua dulce del mundo. La Amazonia se está deforestando a pasos agigantados. Pero la pérdida de esta selva no solo representa un problema para los ocho países latinoamericanos que la comparten, sino para absolutamente todas las personas que vivimos en la Tierra.

---

[a]*challenge*   [b]*gallina... the hen who lays the golden egg*

Tertulia El nivel de vida frente a los recursos naturales

- ¿Qué les parece más importante o eficiente a Uds.: explotar los recursos naturales ahora para mejorar el nivel de vida de un país o preservar esos recursos como sea necesario aunque muchas personas no vivan mejor ahora? ¿Es esta pregunta pertinente en su país? ¿Están Uds. de acuerdo con la posición de su gobierno sobre este tema?

- ¿Por qué es la selva amazónica tan importante para todos los habitantes del planeta?

- ¿De quién es la responsabilidad de proteger la Amazonia? ¿Por qué?

Mi tierra

©Orlando Sierra/AFP/Getty Images

Rigoberta Menchú

VOCABULARIO ÚTIL

el antepasado	ancestor
el hueso	bone
la lágrima	tear
el ombligo	umbilical cord
ardiente	ardent
lejano/a	**distante**
acariciar	to caress
enterrar	to bury
regatear	to bargain
reposar	to rest

Texto y autora

Rigoberta Menchú Tum (Guatemala, 1959–) es una activista maya-quiché que ganó el Premio Nobel de la Paz en 1992 por su labor en defensa de los indígenas de su país. Es autora, junto con Elizabeth Burgos-Debray, del libro testimonial *Me llamo Rigoberta Menchú y así me nació la conciencia*, donde se recoge la triste y difícil historia de muchos indígenas guatemaltecos durante los largos años de violencia contra ellos.

El poema «Mi tierra» apareció en un libro que reúne escritos de diversos tipos de varios autores titulado *1492–1992: La interminable conquista* (1992). En este libro se critica la desgraciada situación de los pueblos indígenas de Latinoamérica; su publicación coincidió precisamente con el 500 aniversario del llamado «encuentro» entre España y América.

Antes de leer

¿Hay algún lugar que tú consideres «tu tierra»?

¿Sabes de dónde son tus antepasados?, ¿y dónde están enterrados?

■ ACTIVIDAD 1 Práctica de vocabulario

Completa el párrafo con las palabras adecuadas de la lista.

acariciada	enterrados	lágrimas	regatear
antepasados	enterrar	lejano	reposan
ardiente	huesos	ombligo	

El verano pasado mi madre y yo visitamos el lugar donde están _____ mis _____ maternos. Está en un sitio _____, a muchos kilómetros de la capital. Sus _____ ahora _____ en una verde colina _____ por la brisa y la suave lluvia. Mi madre me contó que en su tierra existe la tradición de _____ el _____ de los recién nacidos. Antes de llegar al lugar, mi madre había comprado unas flores: las compró sin _____, aunque ella siempre regatea cuando hace compras en su país. Frente a la tumba de sus familiares muertos mi madre no pudo evitar las _____ y me dijo que era su _____ deseo que yo aprendiera bien la lengua de su familia.

■ ACTIVIDAD 2 ¿Qué crees tú?

¿Qué tipo de ideas esperarías ver en un poema sobre tu tierra?
Marca todas las categorías que te parezcan apropiadas.

_____ datos históricos

_____ descripción del paisaje

_____ mención al nacimiento del país

_____ cosas cotidianas

_____ expresiones de afecto

_____ una visión local de «tierra», como lugar donde una persona creció

En los textos literarios, como en este de Rigoberta Menchú, es normal encontrar el recurso estilístico de la repetición. La repetición se produce cuando una palabra o sonido se usa varias veces en el texto con la intención de destacarlos y producir algún tipo de efecto; por ejemplo, la repetición de la palabra «hueso» en «hueso tras hueso» nos comunica un proceso constante que se extiende a través de las generaciones. Las palabras repetidas pueden aparecer en diferentes posiciones: al principio y al final de una oración, al principio de cada oración o verso, etcétera. Fíjate en la repetición de ciertas palabras en el poema de Menchú. ¿Por qué crees que elige la poeta repetir esas palabras?

Un ayote

MI TIERRA

RIGOBERTA MENCHÚ

1 Madre tierra, madre patria,
aquí reposan los huesos y
memorias de mis antepasados
en tus espaldas se enterraron
5 los abuelos, los nietos y los hijos.

Aquí se amontonaron[a] huesos tras huesos
de los tuyos, los huesos de las
lindas patojas[b] de esta tierra, abonaron[c] el maíz, las yucas,[d]
las malangas, los chilacayotes,[e]
10 los ayotes, los güicoyes y los güisquiles.[f]
Aquí se formaron mis huesos,
aquí me enterraron el ombligo
y por eso me quedaré aquí
años tras años
15 generaciones tras generaciones.

Tierra mía, tierra de mis abuelos
tus manojos[g] de lluvias,
tus ríos transparentes
tu aire libre y cariñoso
20 tus verdes montañas y
el calor ardiente de tu Sol
hicieron crecer y multiplicar
el sagrado maíz y formó los
huesos de esta nieta.

25 Tierra mía, tierra de mis abuelos
quisiera acariciar tu belleza
contemplar tu serenidad y
acompañar tu silencio,
quisiera calmar tu dolor

llorar tu lágrima al ver
30 tus hijos dispersos por el mundo
regateando posada[h] en tierras
lejanas sin alegría, sin paz,
sin madre tierra sin nada.

Un chilacayote

---

[a]se... *formaron una montaña*   [b]*muchachas*   [c]*fertilized*   [d]*cassavas*   [e]*las... types of squash*
[f]*los... types of squash*   [g]*bunches*   [h]*lodging*

Comprensión y análisis

■ ACTIVIDAD 3 ¿Está claro?

Paso 1 Clasifica las estrofas del poema de acuerdo con el tema principal de cada una.

_____ La tristeza de la tierra por sus hijos emigrados o exiliados.

_____ _____ La tierra como lugar de su familia.

_____ _____ El ciclo natural de vida y muerte entre la tierra y la gente.

Paso 2 Elige la respuesta correcta.

1. En la tierra están enterrados los restos de...

a. las frutas.

b. los familiares de la poeta.

2. La poeta se quedará en su tierra...

a. unos cuantos años.

b. para siempre.

3. Los alimentos y las personas del país de la poeta deben su existencia a...

a. los elementos de la naturaleza.

b. los esfuerzos de los hombres.

4. En este poema tierra es sinónimo de...

a. hija.

b. madre.

■ ACTIVIDAD 4 Análisis de versos

Explica los siguientes versos con tus propias palabras.

1. «en tus espaldas se enterraron / los abuelos, los nietos y los hijos»

2. «tus manojos de lluvias»

3. «el sagrado maíz»

4. «aquí me enterraron el ombligo»

5. «quisiera calmar tu dolor, / llorar tu lágrima»

6. «al ver / tus hijos dispersos por el mundo»

7. «regateando posada /en tierras lejanas»

■ ACTIVIDAD 5 ¿Qué piensas ahora?

Haz una lista con todas las palabras que se repiten y luego discute con tus compañeros el significado que tienen en el poema. También discutan el efecto que se consigue con la repetición de estas palabras.

Tertulia Tradiciones

Como han podido leer en el poema de Rigoberta Menchú, el enterrar el ombligo de una persona que acaba de nacer es una tradición entre algunos pueblos indígenas de Latinoamérica. Se hace porque se piensa que así la persona nunca se olvidará del lugar donde nació y, aunque se vaya de allí, siempre volverá. ¿Qué tradiciones existen en tu comunidad o tu familia cuando nace un bebé? ¿y cuando una persona se va de viaje o se casa?

Producción personal

Redacción Una entrada en un blog

Escribe una entrada en tu blog en el que expreses tu descontento y preocupación por un problema medioambiental, que puede ser local o global. Describe el problema y ofrece soluciones.

Prepárate

Haz un borrador con los puntos más importantes que debe tratar tu entrada: descripción del problema, causas, impactos, posibles soluciones. Busca en el diccionario el vocabulario básico que te haga falta.

¡Escríbelo!

Ordena y desarrolla las ideas de tu borrador. Presta atención al tono: ¿serio y científico? ¿humorístico e irónico? Piensa también para quién escribes: ¿jóvenes universitarios? ¿personas de todo tipo? ¿lectores de tu propia ciudad?

Repasa

- el uso de los tiempos de pasado y del subjuntivo
- la concordancia verbal y nominal
- la ortografía y los acentos
- el uso de un vocabulario variado, evitando repeticiones

¿Cuándo se dice? Maneras de expresar *to support*		
apoyar	*to support*	**Si crees que vas a caerte, apóyate en mí.**
	to give emotional support	**Te apoyamos en todo lo que necesites.**
mantener	*to support financially*	**Ella mantiene a su familia con su sueldo.**
	to keep	**Nos gusta mantener las tradiciones familiares.**
sostener	*to support, to sustain*	**Esas columnas sostienen el edificio.**
	to hold	**El hombre sostiene al niño en sus brazos.**
soportar	*to withstand*	**El ser humano no puede soportar la presión del agua a gran profundidad.**
	to bear	**Este material soporta temperaturas de más de 100°.**
	to put up with	**No soporto el calor.**

¿Qué piensan los hispanohablantes?

Entrevista a una persona hispanohablante sobre la naturaleza de su país de origen (que pueden ser los Estados Unidos o el Canadá) y los problemas ambientales que se consideran más serios. Se puede preguntar:

- cuáles son algunos de los lugares naturales más apreciados y visitados
- si hay algún parque o área con especial protección del gobierno y por qué
- cuáles son algunos problemas medioambientales y qué efecto tienen en la población o el país
- si cree que el gobierno está tomando las medidas (*measures*) necesarias para mejorar la situación

Producción audiovisual

Haz una producción audiovisual que trate sobre un problema medioambiental que afecte de alguna manera a la comunidad hispanohablante.

¡Voluntari@s! Cultivar, cuidar... y crecer

Cada día más jóvenes y adultos se interesan en participar en programas que tengan un efecto positivo medioambiental. Si este es tu caso, lo tuyo puede ser colaborar con organizaciones internacionales como Greenpeace, que están representados en muchos países. Y si prefieres algo más local, ¿qué tal trabajar en una huerta escolar o de la ciudad, o enseñando a los más pequeños a tener un impacto positivo en nuestro planeta?

Tertulia final Organizaciones ambientales

¿Qué organizaciones conocen Uds. que luchen por conservar en buen estado el ambiente de nuestro planeta? ¿En qué consisten sus esfuerzos? ¿Existe alguno de estos grupos en tu universidad o ciudad? ¿Has tomado parte de alguna forma en lo que hacen? ¿Por qué?

©Reuters/Alamy

Para terminar Nuestro pequeño mundo

Now I can ...

- ☐ talk about the environment and explain some of the issues that affect it
- ☐ explain why there are large metropolis in Latin American countries and the environmental issues they face
- ☐ talk about my future and the future of our planet
- ☐ use long and rich sentences that include information on when, how, and contingencies
- ☐ explain the importance of sustainability for the economy of Latin American countries

Vocabulario del capítulo

Asegúrate que sabes:

- ☐ el vocabulario temático (**Palabras**, pp. 220–221)
- ☐ conjunciones adverbiales (pp. 230–232)
- ☐ verbos que expresan *to support* (**¿Cuándo se dice?** p. 241)

Otro vocabulario activo

la pila	battery

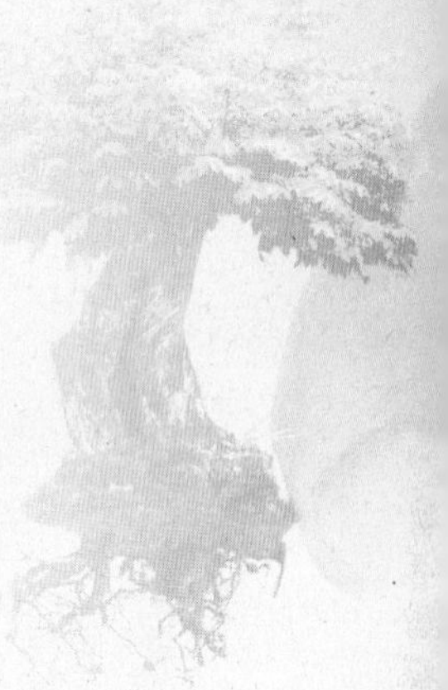

VOCABULARIO PERSONAL

En busca de la igualdad

©Valentín Sama-Rojo/Alamy

Para el final del capítulo podré

- hablar de temas sociales relacionados con los derechos y la igualdad
- expresar y defender opiniones
- definir lo que es el machismo y nombrar algunas líderes hispanohablantes
- conectar ideas en oraciones más largas y complejas
- hablar de la importancia del Movimiento Chicano y sus líderes en los Estados Unidos

«Hoy por ti, mañana por mí».

- ¿Qué haces por otras personas? ¿Qué hacen otros por ti?
- ¿Qué derechos humanos te parecen esenciales de defender para ti y para todo el mundo?

ENTREVISTA

Maya Quiroga Córdoba, Argentina

©Ingram Publishing/SuperStock RF

- ¿Cuáles son los problemas sociales más serios que enfrenta[a] su país? ¿Cuáles son los que más le preocupan a Ud.?
- ¿Qué entiende Ud. por una sociedad inclusiva? ¿Cree que vive en una sociedad inclusiva?
- ¿Conoce Ud. personalmente a alguien que se haya sentido discriminado o discriminada?, de qué manera?
- ¿Cree que ha habido importantes avances sociales en las últimas décadas?

«Una sociedad inclusiva es una sociedad que permite que todas y todos vivan su vida sin peligro por ser quien y como son».

connect

Escucha las respuestas de Maya Quiroga a estas preguntas en **Connect**.

EN PANTALLA

«El sándwich de Mariana»

Carlos Cuarón (México, 2014)

Mariana descubre algo sobre su acosadora (*bully*) en la escuela que le hace cambiar de opinión... y de táctica.

©Nivel Diez Film + Post

---

[a]*face*

245

De entrada

Antes de leer

Este texto viene del libro *Los hijos de los días*, una suerte de calendario en el que cada día se cuenta un evento o un detalle de la vida de personas importantantes o anónimas que tenga alguna relevancia social. Es del uruguayo Eduardo Galeano (1940–2015), un escritor que siempre estuvo comprometido con la lucha por la justicia social y la democracia. En el caso de este texto, Galeano escribe sobre el Día Internacional de la Eliminación de la Violencia contra la Mujer.

¿Qué otras fechas (pueden ser más de un día) conoces que conmemoren problemas sociales u honren a personas específicas? ¿Te parece positivo conmemorar esas fechas? ¿Hay alguna que tú celebres con especial interés? Si es así ¿qué actividades sueles hacer?

Día contra la violencia doméstica (25 de noviembre)

En la selva del Alto Paraná, las mariposas más lindas se salvan exhibiéndose. Despliegan[a] sus alas negras, alegradas[b] a pinceladas[c] rojas o amarillas, y de flor en flor aletean[d] sin la menor preocupación. Al cabo de[e] miles y miles de años de experiencia, sus enemigos han aprendido que esas mariposas contienen veneno.[f] Las arañas,[g] las avispas,[h] las lagartijas,[i] las moscas[j] y los murciélagos[k] miran de lejos, a prudente distancia.

El 25 de noviembre de 1960, tres militantes contra la dictadura del generalísimo Trujillo fueron apaleadas[l] y arrojadas[m] a un abismo en la República Dominicana. Eran las hermanas Mirabal. Eran las más lindas, las llamaban mariposas.

En su memoria, en memoria de su belleza incomible,[n] hoy es el Día mundial contra la violencia doméstica. O sea: contra la violencia de los trujillitos que ejercen[ñ] la dictadura dentro de cada casa.

[a]*unfold, display* [b]*livened* [c]*brush strokes* [d]*flutter, fly* [e]*Al... after* [f]*venom* [g]*spiders* [h]*wasps* [i]*lizards* [j]*flies* [k]*bats* [l]*beaten up* [m]*thrown* [n]*unedible* [ñ]*practice*

Galeano, Eduardo "Noviembre 25: Día contra la violencia doméstica" page 371 from Los hijos de los días Siglo XXI Editores

---

Comprensión y análisis

Completa las ideas según el texto.

1. La estrategia de supervivencia de las hermosas mariposas del Alto Paraná es...
2. Pueden sobrevivir porque...
3. Las llamadas mariposas dominicanas son ... y murieron...
4. Trujillo era...
5. Galeano, el autor del texto, llama «trujillitos» a...

Antes de mirar

¿Cuáles son algunas situaciones o razones por las que los niños de edad escolar se pueden sentir infelices en el colegio? ¿Crees que la violencia es una inclinación natural de los seres humanos o es un comportamiento aprendido?

©Nivel Diez Film + Post

Cortometraje: «El sándwich de Mariana»

México, 2014

Dirección: Carlos Cuarón

Reparto: Paola Ruiz, Anna Gaby, María Renée Prudencio, Juan Carlos Beyer, Paola Lizarraga Cuarón

Comprensión y discusión

¿Cierto o falso? Indica si las siguientes ideas son ciertas (C) o falsas (F)

1. A Isabel no le gustan los sándwiches con mayonesa.
2. Raquel insulta a Isabel llamándola cursi.
3. Susana le dice a Raquel que tiene que perder peso.
4. Mario está enojado con Susana porque no le planchó la camisa.
5. Al final del video, Mariana siente miedo de Isabel.

Interpreta Contesta las siguientes preguntas según tu interpretación de lo que ocurre en este cortometraje.

1. ¿Por qué decide Mariana seguir a Isabel hasta su casa?
2. ¿Cómo son las relaciones entre los miembros de la familia de Isabel? ¿Te parece una familia «normal»?
3. ¿Qué pueden tener en común el sándwich, el brillo labial y el proyecto del padre de Isabel?
4. ¿Cómo interpretas el final del video?

Tertulia El acoso°   *harassment*

¿Te parecen realistas las situaciones de acoso que se presentan en *El sándwich de Mariana*? ¿Qué otros tipos de acoso se suelen dar en la vida cotidiana de algunas personas? ¿Qué puede hacer una persona para protegerse en una situación de acoso?

Para ver «El sándwich de Mariana» y realizar más actividades relacionadas con el cortometraje, visita: www.mhhe.com/connect

Palabras

Para hablar de las personas

la hembra	female; female animal
el individuo	individual (para hombre o mujer)
el macho	male animal
el varón	man, male

De repaso: **el hombre, la identidad, la mujer, la orientación, la sociedad**

Cognados: **el/la homosexual, la lesbiana, (la persona) transgénero**

ciego/a	blind
discapacitado/a (físico/a / mental)	(physically/mentally) handicapped (person)
mudo/a	mute
sordo/a	deaf

Cognados: **femenino/a, individual, masculino/a**

Para hablar de temas sociales

el analfabetismo	illiteracy
la asistencia social/pública	social work / welfare
el compromiso	commitment
los derechos civiles/humanos	civil/human rights
la discriminación de género	gender/sexual discrimination
la discriminación positiva	affirmative action
la igualdad	equality
la ley	law
la libertad	liberty; freedom
la lucha	struggle
el modelo	model; pattern
el/la modelo	(fashion) model
la ONG (organización no gubernamental)	NGO (nongovernmental organization)
el/la preso/a	inmate; prisoner
el principio	principle; beginning
la prisión	prison; jail

Cognados: **el abuso, la actitud, la discriminación, la diversidad, la equidad, el estereotipo, el feminismo, la legalización, el machismo, la oportunidad, el privilegio, la solidaridad, la violencia**

De repaso: **la manifestación, el rechazo**

Mural en Chicago.

©McGraw-Hill Education/Andrew Resek

comprometerse a	to commit; to promise to
condenar	to condemn; to convict
exigir (j)	to demand
mejorar	to improve
oponerse (*irreg.*) **a**	to oppose
plantear(se)	to consider; to pose (a question)
promover (ue)	to promote
reclamar	to demand

Cognados: **incluir (y), integrar, legalizar (c)**

De repaso: **rechazar (c)**

analfabeto/a	illiterate
marginado/a	marginalized; alienated

Cognado: **(in)justo/a**

De repaso: **(des)igual, (i)legal, orgulloso/a**

Para expresar opiniones

la cuestión	issue, question
la posición / la postura	position; opinion
la voz	voice

Cognado: **la protesta**

con respecto a...	with respect to ...
en cuanto a...	regarding ...
sobre (el tema de)...	about ...

De repaso: **el tema, estar de acuerdo / a favor / en contra; ser cierto/falso; (no) tener razón**

©Loretta Hostettler/Getty Images RF

■ ACTIVIDAD 1 Asociaciones

Paso 1 ¿Qué palabras del vocabulario asocias con las siguientes ideas?

1. hablar
2. votar en contra de algo
3. hacer pública una idea, por ejemplo, en los medios de comunicación
4. la acción afirmativa
5. pensar
6. la mujer / el hombre
7. no respetar los derechos de una persona
8. las drogas
9. un comportamiento correcto/incorrecto

Paso 2 Ahora en parejas, digan al menos dos cosas o personas que asocian con cada una de las siguientes palabras del vocabulario; pueden ser también palabras opuestas.

macho   mudo/a   ley   libertad   lucha   oponerse

■ ACTIVIDAD 2 Definiciones

Paso 1 Da la palabra correspondiente a cada definición.

1. Describe a una persona que no sabe leer ni escribir.
2. Hacer que una cosa se vuelva (*becomes*) mejor.
3. Es pedir con determinación algo a lo que se tiene derecho.
4. Es un adjetivo para describir a una persona que siempre considera las necesidades de los demás antes de tomar una decisión.
5. Es una persona a quien la sociedad rechaza.

Paso 2 Ahora te toca a ti definir dos palabras del vocabulario para que tu compañero/a dé la palabra correcta.

■ ACTIVIDAD 3 Palabras relacionadas y derivadas

En parejas, piensen en verbos, adjetivos o participios pasados relacionados con cada sustantivo de la siguiente lista. Luego, creen una oración que ilustre el significado de cada uno de los verbos.

Ejemplo: ley → legalizar, legal
Muchas personas están a favor de que se legalice el matrimonio entre personas del mismo sexo.

1. el abuso
2. el modelo
3. la libertad
4. la igualdad
5. la lucha
6. la discriminación
7. la condena
8. el estereotipo

ACTIVIDAD 4 Martin Luther King, Jr.

Paso 1 Completa el párrafo con las palabras de la lista.

diversidad	exigir	igualdad	lucha
marginados	mejorar	modelo	voz

Yo creo que Martin Luther King, Jr. es un _____[1] para todos, sin importar nuestro origen o etnicidad. Él luchó por _____[2] la situación de los africanoamericanos, pero al mismo tiempo les dio _____[3] a todos aquellos que se sentían _____.[4] Su _____[5] pacífica es un ejemplo de cómo _____[6] la _____[7] sin violencia. Gracias a él hemos dado un paso gigante hacia la aceptación de la _____[8] de nuestra sociedad.

Paso 2 Ahora, en parejas, imaginen que uno de Uds. es periodista y la otra persona es Martin Luther King. Inventen cuatro preguntas y sus respuestas. Luego representen su diálogo al resto de la clase. Intenten utilizar todas las palabras del vocabulario que sea posible.

ACTIVIDAD 5 Una manifestación

Paso 1 ¿Qué se ve en esta escena? ¿Por qué están allí esas personas? En parejas, describan lo que se ve. Usen su imaginación para crear un contexto para esta escena, usando las palabras del vocabulario.

Paso 2 Ahora van a hacer sus propios carteles para esta manifestación. Si lo prefieren, pueden buscar otra causa que tenga que ver con la igualdad.

ACTIVIDAD 6 Cuestiones de discriminación

Paso 1 En parejas, hagan una lista de situaciones concretas que Uds. consideran discriminatorias en nuestra sociedad en general. Pueden comenzar con una oración impersonal generalizante, como **se espera / exige que** o **no se acepta que.**

Ejemplo: En muchos lugares de trabajo, se espera que las mujeres usen zapatos de tacón alto (*high heels*).

Paso 2 ¿Creen Uds. que hay algún tipo de discriminación que sea necesaria? Si creen que sí, den ejemplos concretos; si creen que no, expliquen sus razones. Usen el vocabulario apropiado para expresar opiniones.

Cultura

El machismo

El *Diccionario de la Lengua Española de la Real Academia* define la palabra «machismo» como «actitud de prepotencia de los varones respecto a las mujeres». Prepotente es aquella persona que se considera con más poder que los otros. La palabra «machismo» se deriva de la palabra «macho», que significa animal del sexo masculino.

DÍA INTERNACIONAL *de la* MUJER *8 Marzo*

©frikota/Shutterstock RF

El machismo, que predomina en muchas sociedades, no solo en las latinas, contribuye en gran medida[a] a los problemas de desigualdad social, laboral y educacional entre hombres y mujeres. La mujer en estas sociedades es considerada como un ser inferior al hombre e incapaz, por ejemplo, de tomar decisiones importantes con respecto a su vida o a la de su familia, o de ejercer[b] profesiones y ocupar puestos de importancia política y social. Si bien[c] se asocia la actitud machista con los hombres, hay que tener en cuenta que muchas mujeres transmiten y apoyan esta ideología. El machismo no solo es responsable de las diferencias entre hombres y mujeres en el entorno[d] social, laboral y educacional, sino también de problemas muy serios como es la violencia doméstica.

Afortunadamente, la sociedad hispana está experimentando cambios, y hoy en día empiezan a condenarse comportamientos[e] machistas que hasta ahora habían sido considerados normales. Este cambio de actitud viene acompañado de cambios en la legislación, los cuales son esenciales para asegurar la igualdad femenina en todos los campos de la vida social.

---

[a]*extent*   [b]*practicing*   [c]*Si... Although*   [d]*environment*   [e]*behavior*

©Roberto Candia/AP Photo

Michelle Bachelet fue presidenta de Chile del 2006 al 2010, y elegida nuevamente en el 2014. Anteriormente, había sido la primera mujer en ejercer el cargo de ministra de Defensa en un país latinoamericano.

Sonia Sotomayor, de origen puertorriqueño, es la primera mujer hispana nombrada jueza de la Corte Suprema de los Estados Unidos (desde 2009).

Tertulia El sexismo

- ¿Ven Uds. actitudes sexistas en su comunidad y en su país? ¿En qué aspectos de la vida? Den ejemplos concretos.

- ¿Cómo creen Uds. que es posible que una mujer defienda una actitud machista? ¿Qué pensarían que implica el hecho de que una mujer tenga una actitud machista?

- ¿Cuáles son, en su opinión, los cambios legales más importantes en su país que favorecen la igualdad de la mujer?

- ¿Creen que hay casos en que se discrimina al hombre?

Cristina Fernández de Kirchner fue presidenta de la Argentina del 2007 al 2015. Anteriormente fue senadora de la nación.

Estructuras

21 Presente perfecto de subjuntivo

Tabla de tiempos

	Presente perfecto (haya hablado/comido/vivido)		
Pluscuamperfecto **(hubiera hablado/ comido/vivido)**	Imperfecto **(hablara/ comiera/viviera)**		Presente

Forms

Presente de subjuntivo de *haber* + participio pasado	
haya desarroll**ado**	**hayamos** dicho
hayas crec**ido** **hayás** crec**ido**	**hayáis** hecho
haya consum**ido**	**hayan** visto

The present perfect subjunctive for the expression **hay** (*there is/are*) is **haya habido.**

Uses

The present perfect subjunctive is used in contexts where the present perfect tense and the subjunctive mood are required.

Nominal clauses

Es importante que las mujeres hayan conseguido posiciones de poder.

It's important that women have achieved representation in the positions of power.

Adjectival clauses

¿Hay alguien en la clase que alguna vez se haya sentido discriminado/a?

Is there anyone in class who has ever felt discriminated against?

Adverbial clauses

Aunque ya hayamos avanzado mucho en la lucha por la igualdad, queda mucho por hacer.

Although we may have advanced a lot in the struggle for equality, there is much left to do.

Hace tres días que falta la chica sin que se haya dado cuenta nadie.

The girl has been missing for three days without anyone having noticed.

©Ingram Publishing/agefotostock RF

Es increíble que nos **hayamos acostumbrado** a tanta desigualdad.

■ ACTIVIDAD 1 La nueva mujer

Paso 1 En parejas, observen y comparen las dos imágenes. ¿Cuáles son los detalles que tienen en común y cuáles son las diferencias? ¿Por qué creen que la artista chicana usa la imagen de la Virgen de Guadalupe como inspiración?

Paso 2 Ahora completen las oraciones siguientes con las formas apropiadas del presente perfecto. Las primeras oraciones requieren el indicativo, mientras que el último grupo requiere el subjuntivo.

1. Es obvio que las nuevas generaciones de mujeres _____ (negarse) a ser simplemente comparadas con la Virgen María, la mujer abnegada, ni la de Eva, la mujer tentadora y causante de todo mal.

2. Muchas mujeres _____ (rechazar) la imagen angelical como ideal del comportamiento (*behavior*) femenino.

3. En el último siglo, muchas mujeres _____ (oponerse) a la humildad como característica definidora de la mujer.

4. La mujer finalmente _____ (integrarse) con fuerza en el mundo deportivo y _____ (ver) su poder y la fuerza de su cuerpo.

5. La mujer _____ (volverse) menos recatada (*modest*) en su forma de vestir y _____ (hacerse) independiente.

6. Desde el siglo XX, las mujeres _____ (empezar) a romper muchas barreras de género.

7. Es bueno que este cuadro de Yolanda López _____ (hacerse) famoso.

8. Me parece interesante que Yolanda López _____ (usar) la serpiente de esa manera.

9. No creo que nosotros _____ (ver) un cuadro que represente mejor el cambio de actitud de las mujeres del siglo XX.

10. Ella expresa un mensaje muy importante, sin que el mérito artístico de la obra _____ (sufrir).

11. Cuando las mujeres _____ (conseguir) igualdad completa, este cuadro todavía representará la época de cambio.

©Yolanda López

Retrato de la artista como la Virgen de Guadalupe (1978), de la artista chicana Yolanda López

■ ACTIVIDAD 2 Encuesta: Lo que han hecho y no han hecho

Paso 1 Prepara cinco preguntas para encuestar (*to poll*) a tus compañeros de clase sobre cosas inusuales que hayan hecho. Como no sabes si lo han hecho o no, deberás usar la forma del presente perfecto de subjuntivo.

Ejemplo: ¿Hay alguien que haya ganado un premio de lotería?

Paso 2 Prepara un pequeño informe con los resultados de tu encuesta.

Ejemplo: En la clase hay dos personas que han ganado premios de lotería, pero no hay nadie que haya ganado un premio de más de 2.000 dólares.

Source: LACMA - Los Angeles County Museum of Art

Imagen de la Virgen de Guadalupe pintada por el artista mexicano Manuel Arellano (1691). La Virgen de Guadalupe es uno de los grandes iconos culturales mexicanos.

«Escuela Primaria Rebelde Autónoma Zapatista: La educación autónoma construye mundos diferentes donde quepan muchos mundos verdaderos con verdades».

■ ACTIVIDAD 3 Hacia el reconocimiento de la voz indígena

Paso 1 Completa el siguiente párrafo con la forma correcta del presente perfecto de subjuntivo o indicativo de cada verbo entre paréntesis, según sea necesario.

No hay ninguna otra persona indígena que _____[1] (recibir) tanta atención como Rigoberta Menchú, quien ganó el Premio Nobel de la Paz en 1992. Su fama _____[2] (poner) el problema de los indígenas en la mente de todos. Obviamente, es bueno para los pueblos indígenas latinoamericanos que Menchú _____[3] (hacerse) una persona tan famosa y respetada.

Otra persona que _____[4] (llegar) a ser un portavoz reconocido de los indígenas es el Subcomandante Marcos, líder del Movimiento Zapatista originado en los pueblos de Chiapas, México. Desde los años 90, este movimiento _____[5] (ser) fundamental para que la legislación mexicana _____[6] (empezar) a tomar en serio la situación de los indígenas.

Paso 2 Ahora, en parejas, piensen en alguna otra persona y organización que haya luchado por los derechos civiles de algún grupo y escriban para la clase un pequeño párrafo sobre el trabajo de esa persona u organización. Use el presente perfecto siempre que sea posible.

■ ACTIVIDAD 4 Reacciones

¿Cómo reaccionas a las siguientes noticias?

Ejemplo: «Se ha descubierto una medicina que cura todo tipo de cáncer». ➜
No puedo creer / Es fantástico que hayan descubierto una cura para todos los tipos de cáncer.

1. «Algunos paises latinoamericanos, como por ejemplo Bolivia, tienen un nivel muy bajo de analfabetismo.»

2. «Se ha firmado un tratado de paz en el Medio Oriente. Tanto los israelíes como los palestinos han expresado su completa y profunda alegría».

3. «Un informe del gobierno ha publicado un estudio sobre la diferencia entre los sueldos de las mujeres y los hombres: los sueldos de las mujeres latinoamericanas están por arriba de los de sus compañeros varones».

4. «El matrimonio entre personas del mismo sexo se ha convertido en una realidad indiscutible en nuestra sociedad».

5. En España hay leyes que protegen los derechos laborales de los discapacitados físicos.

Paso 2 Ahora en parejas, elijan una noticia reciente (local, nacional o internacional) y escriban un titular y su reacción, según el formato del Paso 1.

Ejemplo: *La matrícula de esta universidad ha subido este año un 8%. ➜ Es injusto que la matrícula de esta universidad haya subido un 8% este año porque es mucho dinero para algunos estudiantes que ya están aquí.*

A relative pronoun (**pronombre relativo**) is a word or phrase that introduces an adjective clause. They make our speech more efficient by referring to an antecedent (**antecedente**)—a word or phrase that has already been expressed—without having to repeat it. The relative pronoun **que** joins the two sentences together. The antecedent is underlined in the following example.

El hombre es Manuel. El hombre está sentado a la izquierda de la presidenta. →

El hombre **que** está sentado a la izquierda de la presidenta es Manuel.

antecedente **pronombre relativo**

¡OJO! Relative pronouns can never be omitted in Spanish, as they are sometimes in English: *Américas* es la revista **que** recibimos mensualmente. (*Américas is the magazine (that) we receive monthly.*)

Spanish has a rich system of relative pronouns.

que	*that; which; who*
quien(es)	*(he / she / the one) who*
el/la/los/las que	*that; (he / she / the one) which/who*
el/la/los/las cual(es)	*that, which, who*
cuyo/a(s)	*whose*
donde	*where; in which*
lo que	*what; which*
lo cual	*what; which*

©Marco Ugarte/AP Photo

No hay ninguna otra persona indígena **que** haya recibido tanta atención como Rigoberta Menchú, **quien** recibió el Premio Nobel de la Paz.

Que

The most commonly used relative pronoun in Spanish is **que**. **Que** is used to refer to things and people. It is considered "restrictive", as it introduces information that is restricted to the person or thing identified (in other words, it introduces information necessary to identify someone or something.)

Las personas **que** hablan más de una lengua tienen una gran ventaja.

People who speak more than one language have a great advantage.

Los idiomas **que** no se estudian en la escuela son difíciles de conservar.

Languages that are not studied at school are difficult to maintain.

RECORDATORIO

Cláusulas que funcionan como adjetivo: El indicativo y el subjuntivo en cláusulas adjetivales **(Capítulo 7).**

Que cannot be used after a preposition to refer to a person, and is often avoided to refer to things. Instead, **el/la/los/las que** (or **quien/es** only with human antecedents) are used after a preposition.

Héctor es el hombre con **quien/el que** trabajó.

Héctor is the man with whom she worked.

Aprendí mucho de la organización para **la que** trabaja Sara.

I learned a lot about the organization for which Sara works.

Que can appear after a comma.

Héctor, que trabaja con Sara, me explicó el problema.

Héctor, who works with Sara, explained the problem to me.

©Blend Images/Alamy RF

Las personas **que** hablan más de una lengua tienen una gran ventaja.

"En un día llegamos a atender a **1000** pacientes con cólera en Haití."
Soy orgullosamente Médico Sin Fronteras

¡Únete a nuestro equipo y pon tus ideas en práctica!

Conoce los requisitos para trabajar con nosotros
trabaja.msf.mx

Ximena Campos
Médico General

MEDECINS SANS FRONTIERES
MEDICOS SIN FRONTERAS

¿Qué sabes de Médicos Sin Fronteras, la ONG *para* **la que** trabajo?

Quien(es)

Quien/Quienes refer exclusively to people, and must agree in number with the antecedent. These relative pronouns only appear after a comma or a preposition.

La mujer *con* **quien** hablé es chilena.	*The woman I spoke with is Chilean.*
Las mujeres *con* **quienes** hablé son chilenas.	*The women I spoke with are Chilean.*
La mujer, **quien** es de Chile, es una activista.	*The woman, who is from Chile, is an activist.*

When following a comma, **quien(es)** introduce a non-restrictive clause—information that is not essential to identify the antecedent.

¡OJO! The use of **quien(es)** after a comma typically appears in formal spoken or written language.

El/la que; los/las que

These relative pronouns can be used with people and things, and must agree in gender and number with the antecedent.

- They are used after a preposition, and also after a comma.

Esta es la guía turística *con* **la que** viajé por toda Guatemala.	*This is the guide with which I traveled all over Guatemala.*
Estos son los amigos *con* **los que** viajé por toda Guatemala.	*These are the friends with whom I traveled all over Guatemala.*
Ayer llegó mi amigo, **el que** vive en Guatemala.	*Yesterday my friend, the one that lives in Guatemala, arrived.*

- **El/la/los/las que**, as well as **quien(es)**, are used in sentences without an antecedent. Many sayings and **refranes** start this way.

Los que tengan una pregunta que levanten la mano.	*Those who have a question raise your hand.*
El que / Quien ríe último, ríe mejor.	*(He) Who laughs last, laughs best.*

Quien bien te quiere te hará llorar. (refrán)

El/la cual; los/las cuales

These relative pronouns can be used with people and things, and must agree in gender and number with the antecedent. They are used after prepositions or a comma, as with **el/la... que** and **quien(es),** but they tend to be more formal.

Esta es <u>la guía turística</u> *con* **la cual** viajé por toda Guatemala.	*This is the guide with which I traveled all over Guatemala.*
Estos son <u>los amigos</u> *con* **los cuales** viajé por toda Guatemala.	*These are the friends with whom I traveled all over Guatemala.*
Ayer llegó <u>mi amigo</u>, **el cual** vive en Guatemala.	*My friend, who lives in Guatemala, arrived yesterday.*

¡OJO! **El/la... cual(es)** cannot be used at the beginning of a sentence or without an antecedent.

Lo que / lo cual

These are gender neutral relatives with identical meaning, often translated as *what* or *which* in English. They cannot be used to refer to things or people (which are always masculine or feminine), but to actions and ideas.

Su marido tuvo que emigrar a Costa Rica, por **lo que/lo cual** está criando sola a sus hijos.	*Her husband had to emigrate to Costa Rica, due to which she's raising her children alone.*
Ella me dijo que lo están pasando mal, **lo que/lo cual** me dio mucha lástima.	*She said they are having a hard time, which made me very sad.*

The difference between **lo que** and **lo cual** is position—**lo cual** needs an antecedent, and therefore can never start a sentence. **Lo que** can appear in any position.

Lo que quiero saber es **lo que** pasó al final.	*What I want to know is what happened at the end.*
Lo que más me gusta es estar con mi familia.	*What I like most is to be with my family.*

Donde

This pronoun expresses the idea *in (the place) which* or simply *where*.

Fuimos al pueblo **donde** nació el abuelo.	*We went to the town where Grandpa was born.*

Cuyo/a(s)

Cuyo/cuya/cuyos/cuyas

Cuyo/a(s) means *whose*. It is a possessive relative—it relates a thing possessed to the person to whom it belongs. It functions as an adjective, therefore it takes the gender (masculine or feminine) and number (singular or plural) of the thing possessed.

Menchú es de Guatemala. Su grupo étnico es maya quiché. →	
Menchú, **cuyo** <u>grupo étnico</u> es maya quiché, es de Guatemala.	*Menchú, whose ethnicity is Maya Quiché, is from Guatemala.*
Guatemala es un país. Su capital es la ciudad de Guatemala. →	
Guatemala es un país **cuya** <u>capital</u> es la ciudad de Guatemala.	*Guatemala is a country whose capital is Guatemala City.*

> **RECORDATORIO**
>
> In Spanish, unlike English, a preposition must always precede the noun or phrase to which it is related.
>
> | | |
> |---|---|
> | Estas son las personas **con quienes** trabajo. | *These are the people **with whom** I work. / These are the people I work **with**.* |
> | **¿Para qué** es esto? | *What is this for?* |

©Simona Granati

RESUMEN DE LOS PRONOMBRES RELATIVOS

Se puede usar sin coma o sin preposición.	**que, donde**
Puede aparecer tras preposición o coma.	**que** **quien(es)** **el/la/las/los que** **el/la/los/las cual(es)** **donde** **cuyo/a/os/as**
Puede comenzar una oración.	**quien(es)** **el/la/las/los que** **lo que**
Sustituye a una persona.	**que** **quien(es)** **el/la/las/los que** **el/la/los/las cual(es)**
Sustituye una cosa.	**que** **el/la/las/los que** **el/la/los/las cual(es)**
Sustituye una idea.	**lo que** **lo cual**
Tiene una doble función —se refiere al poseedor y a lo poseído.	**cuyo/a/os/as**

NOTA LINGÜÍSTICA USOS DE *QUE*

- **Conjunción** *that* **(Capítulos 5, 6 y 8)**

  Introduces nominal or adverbial subordinate clauses. The equivalent (*that*) is not always used in English.

Espero **que** vuelvas pronto.	*I hope (that) you come back soon.*
Creo **que** eso es justo.	*I think (that) that is fair.*

- **Pronombre relativo** *that/which/who* **(Capítulo 9)**

  Introduces adjective subordinate clauses.

El hombre **que** canta es mi novio.	*The man who is singing is my boyfriend.*
Es el libro con el **que** aprendí a leer.	*It's the book with which I learned to read.*

- **Interrogativo** *what? which?*

  Forms questions. It has a stress mark.

¿**Qué** es esto?	*What is this?*
¿**Qué** asiento prefieres?	*Which seat do you prefer?*

- **Comparativo** *than* **(Capítulo 1)**

  Forms part of the comparative construction of inequality.

Te quiero más **que** a mi vida.	*I love you more than my life.*
En Canadá hace más frío que en México.	*It's colder in Canada than it is in Mexico.*

- **Exclamativo** *What ... ! / How ... !*

  Introduces emphatic expressions. It has a stress mark.

¡**Qué** bonito!	*How nice!*
¡**Qué** maravilla de casa!	*What a wonderful house!*

■ ACTIVIDAD 1 ¿Cuál falta?

Paso 1 Subraya el antecedente de cada uno de los pronombres relativos que aparecen en las siguientes oraciones adjetivas. Luego, completa las siguientes oraciones con los pronombres relativos necesarios, según las opciones que se ofrecen.

Médicos Sin Fronteras es la organización **que** ha estado cuidando a las víctimas.

¿*Que o quien(es)?*

1. El machismo es una actitud _____ perjudica el avance social de las mujeres.

2. Igualdad y libertad son los principios en _____ se basan los derechos humanos.

3. Martin Luther King, Jr. y Malcolm X son los líderes afroamericanos _____ más influenciaron los años 60 en los Estados Unidos.

4. El héroe de mi padre es César Chávez, a _____ tuvo el honor de conocer en su juventud.

5. Fernanda y Octavio son los muchachos con _____ trabajé en la ONG en Malawi.

¿*Que o el/la que?*

6. Fernanda y Octavio son los muchachos _____ trabajan en Malawi, y Médicos Sin Fronteras es la ONG para _____ trabajan.

7. Esa es la razón por _____ no nos vemos frecuentemente.

8. Finalmente conocí a los amigos de Sami, de _____ tanto había oído.

9. El libro con _____ vamos a estudiar es **MÁS.**

10. El libro _____ compramos para esta clase se llama **MÁS.**

¿*Donde o lo que / lo cual?*

11. _____ más me molesta es que me digan que las cosas son así porque sí (*just because*).

12. Me gusta mucho la aventura de conocer otras culturas, por _____ me entusiasma la idea de pasar dos años en el Cuerpo de Paz (*Peace Corps*).

13. Trabajaré _____ me necesiten; no me importa el lugar.

14. La universidad admitió un 4 por ciento más de estudiantes hispanos este año, _____ ha alegrado a toda la comunidad.

¿*Cuyo, cuya, cuyos, cuyas?*

15. Pertenecemos a una organización estudiantil _____ propósito es ayudar a las personas en prisión.

16. La prisión, en _____ clases y oficinas pasamos mucho tiempo, está cerca de la universidad.

17. Solemos ayudar a defender a aquellas personas _____ derechos hayan sido violados.

18. Algunos presos, _____ libertad intentamos conseguir, no han cometido ningún crimen.

Paso 2 Ahora en parejas, completen las siguientes ideas con sus propias palabras y expliquen por qué cuando sea pertinente.

1. Uno de los problemas sociales que más me preocupa es _____.

2. _____ es uno/a de los líderes sociales que más admiro.

3. _____ es una de las personas de quien más he aprendido en la vida.

4. _____ es una de las películas con las que más he gozado.

5. Lo que más me molesta de estar en la universidad es _____.

6. Mi *alma mater* es esta universidad, cuyo/a/os/as _____...

7. Mi familia vive en _____, donde...

■ ACTIVIDAD 2 Unión de ideas

Paso 1 Une las siguientes ideas en una sola oración por medio de los pronombres relativos. En este ejercicio usa solo los pronombres **que** y **quien(es).**

Ejemplo: Pepe es mi amigo. Te hablé de Pepe ayer. → Pepe es el amigo de quien te hablé ayer.

1. Pepe y Tina son hermanos. Los conocí en el aeropuerto.
2. Pepe trabaja en una agencia de viajes. Su agencia de viajes se especializa en viajes a Sudamérica y Centroamérica.
3. La madre de Pepe es la dueña de la agencia. Ella es vecina de mi tía Camila.
4. Tina tiene su propia agencia. Su agencia se llama *Splendid Tours*.
5. Mi hermano fue a Buenos Aires el año pasado. Compró los boletos en una agencia. La agencia se llama *Splendid Tours*.

Paso 2 Ahora en parejas, preparen la descripción de una(s) persona(s) conocida(s) por todos usando el modelo de las oraciones que han hecho en el Paso 1. Todas sus oraciones deben incluir los pronombres relativos **que** o **quien(es).**

■ ACTIVIDAD 3 Es obvio que aún queda mucho por cambiar

Paso 1 El siguiente párrafo está basado en este anuncio. Complétalo con los pronombres apropiados (puede haber más de una posibilidad).

¿QUIERE HACER QUE SU ESPOSO SEA EL PRESIDENTE DE UNA MULTINACIONAL? REGÁLELE UNA SUSCRIPCIÓN

Es obvio que aún queda mucho por cambiar. Esto es _____[1] pensé cuando vi este anuncio en el periódico _____[2] recibimos en casa: un anuncio para las mujeres _____[3] maridos son economistas u hombres de empresa. _____[4] más me duele es que sé que muchas mujeres pensarán que es una idea magnífica y que esta revista es el regalo _____[5] sus maridos necesitan. Y tampoco creo que haya muchos hombres _____[6] se paren a pensar que el anuncio es abiertamente sexista. Voy a guardar el anuncio para mis hijas, para _____[7] deseo un mundo mucho menos machista. Espero que ellas lleguen a conocer un país _____[8] los anuncios de este tipo no tengan sentido.

Paso 2 Es obvio que el anuncio del **Paso 1** es muy sexista. En parejas, hablen de otros anuncios o situaciones que hayan visto u oído recientemente que demuestren que todavía hay una actitud sexista en la sociedad de su país.

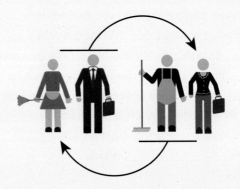

■ ACTIVIDAD 4 Definiciones

Paso 1 Completa con el vocabulario de **Palabras** de este capítulo.

1. Algo que condenar: _____
2. Algo a lo que se oponen: _____
3. Algo que ha mejorado mucho en la última decada: _____
4. Algo que se han planteado recientemente: _____
5. Algo por lo que se esfuerzan: _____
6. Lo que se hace si se quiere incluir a alguien, como por ejemplo a nuevos inmigrantes en el país: _____

Paso 2 Ahora, en parejas, creen sus propias definiciones usando las fórmulas del Paso 1 para que el resto de la clase conteste.

■ ACTIVIDAD 5 Información personal

Paso 1 Completa las siguientes oraciones de manera lógica y con información personal.

Ejemplo: Mi mejor amigo/a es una/la persona a quien/la que puedo contarle mis problemas...

1. Mi mejor amigo/a es una/la persona...
2. Mi profesor(a) de español es una/la persona...
3. Mi madre/padre es una/la persona que...
4. Mi compañero/a de cuarto/casa es una/la persona...
5. Lo que más me gusta / odio de esta universidad es...
6. Mi lugar ideal para vivir es donde... (**¡OJO!** Recuerda usar el subjuntivo si es un lugar imaginario.)

Paso 2 Ahora en parejas, comparen sus respuestas e informen a la clase de la diferencia o similitud más notable que encuentren. Usen la frase **sin embargo** (en lugar de **pero**) para conectar las diferencias.

Ejemplo: Mi mejor amiga es una persona que tiene muchos amigos y mucha vida social. Sin embargo, la mejor amiga de mi compañera es una persona que prefiere tener pocos amigos, pero muy buenos.

■ ACTIVIDAD 6 Refranes

Paso 1 En castellano hay muchos refranes y expresiones que comienzan o incluyen **el que/quien** o **lo que.** Aquí puedes ver varios ejemplos. A ver (*Let's see*) cuántos reconoces:

1. El que ríe último, ríe mejor.
2. Quien no llora, no mama.
3. Que sea lo que Dios quiera.

Paso 2 Ahora en parejas, creen sus propios refranes sobre la vida estudiantil.

Ejemplo: Quien estudia a tiempo, descansa mejor.

No es más limpio el que más limpia sino el que menos ensucia.

Cultura

El movimiento chicano: «Sí se puede»

«Paredes hablando, Walls that speak» (2010), un mural del artista Roger Ludero Lucero que representa a los hispanos de Laramie, Wyoming

©Laramie Daily Boomerang, Andy Carpenean/AP Photo

La década de los 60 del siglo XX se caracteriza por las protestas de los jóvenes y algunos grupos minoritarios cuyo objetivo era promover y defender los derechos civiles para conseguir así una sociedad más igualitaria. En este contexto surge el movimiento chicano, a través del cual unieron sus esfuerzos los estudiantes y los trabajadores de origen mexicano en los Estados Unidos. Antes de los 60, la palabra «chicano» era considerada un insulto que pretendía menospreciar a las personas de origen mexicano. Sin embargo, durante esa década empieza a ser utilizada por los mexicoamericanos para demostrar el orgullo que sentían por sus raíces. De hecho, aquellos que formaron parte del movimiento chicano no solo defendieron la justicia social, sino también se preocuparon por informar a la sociedad sobre la rica herencia cultural de su comunidad.

Entre los objetivos del movimiento chicano estaba alcanzar poder político, terminar con la discriminación en las escuelas, proteger los derechos de los trabajadores del campo y recuperar la tierra perdida. Algunos de sus métodos de lucha fueron las huelgas, las manifestaciones pacíficas y los boicots. Además del entusiasmo de los jóvenes chicanos, líderes como Reies López Tijerina, Corky González, César Chávez y Dolores Huerta fueron fundamentales para que el movimiento chicano consiguiera varios de sus objetivos. Como líderes de la United Farm Workers, Chávez y Huertas hicieron famosa la frase *¡Sí se puede!*

El impulso del movimiento chicano se refleja en la integración de los mexicoamericanos, y los latinos en general, en todos los aspectos de la vida en los Estados Unidos. También se consiguieron no solo mejores sueldos y condiciones laborales, sino también una mayor representación política. Además, el movimiento contribuyó a la creación de departamentos de Estudios Chicanos en muchas universidades. Estos se encargan de documentar y analizar la situación de la numerosa población de origen mexicano que habita en este país, así como su contribución artística. A este respecto hay que recordar que el movimiento chicano usó la música, el teatro, la poesía y los murales para hacer llegar a todos el mensaje de que la desigualdad no es aceptable y que los miembros de una comunidad deben unirse para luchar por un trato más justo.

Tertulia ¡El pueblo unido...!

- ¿Qué otros grupos se organizaron para cambiar su situación durante las décadas de los 60 y los 70? ¿Consiguieron sus objetivos? ¿Crees que la lucha de esos grupos ha terminado o piensas que hoy día siguen reivindicando (*claiming*) algunas cuestiones? ¿Conoces alguna obra de arte (pintura, literatura, cine, música, etcétera) que refleje las luchas de esos grupos?

- ¿Hay algunos temas sociales que preocupen a ciertos grupos de tu comunidad (tu ciudad, alguna asociación religiosa o iglesia, compañeros de la universidad, etcétera)? ¿Qué métodos utilizan para cambiar la situación?

El autor del poema «nuyorican» es el poeta puertorriqueño Tato Laviera (Santurce, Puerto Rico, 1950–Nueva York, Estados Unidos, 2013), quien se mudó a Nueva York en 1960. Tato Laviera es autor de varios libros de poesía en los que explora, entre otros, temas relacionados con la asimilación y la hibridez cultural, así como la afirmación de la identidad bilingüe y bicultural. Como para muchos emigrantes, para Laviera hay varias maneras de identificarse y conectarse con su tierra natal, aun cuando no se vive allí. El poema «nuyorican» forma parte de su libro *AmeRican*.

©Donna Ward/Getty Images

■ ACTIVIDAD 1 Definiciones

Da la palabra correcta para cada definición.

1. Una acción que está prohibida por la religión. _____
2. No considerar importante a una persona o cosa. _____
3. Volver. _____
4. Algo que tiene buen sabor. _____
5. Lo que hacen los boxeadores. _____
6. Una persona de Puerto Rico. _____
7. Que está al límite de su capacidad. _____

VOCABULARIO ÚTIL	
el pecado	sin
despreciar	to look down on
pelear	to fight
regresar	to return
boricua	puertorriqueño/a
lleno/a	full
sabroso/a	tasty

■ ACTIVIDAD 2 El rechazo y el desprecio

Casi todo el mundo ha sentido el rechazo o desprecio de otras personas alguna vez, por razones de género u orientación sexual, edad, raza, origen, etcétera. ¿Lo has sentido tú? ¿Cuándo lo has sentido?¿Cómo reaccionaste? Marca todas las opciones que quieras.

_____ Me puse furioso/a.

_____ Me sentí muy triste.

_____ Sentí vergüenza de mí.

_____ Me defendí.

_____ Me fui.

_____ Busqué personas que son como yo para sentirme mejor.

_____ Ignoré la situación, no hice caso.

_____ ¿Otra reacción?

El atribuir cualidades o acciones de las personas a objetos inanimados se llama personificación. La personificación es una figura literaria que se utiliza mucho en la poesía, pero también la usamos a menudo al hablar. Por ejemplo, usamos personificación cuando decimos cosas como: «La naturaleza es sabia»; «Mi carro no quiere arrancar»; «Esta computadora está loca».

En el caso de «nuyorican», la voz poética, además de atribuirle a Puerto Rico acciones que solo pueden hacer las personas, se dirige directamente a su país como si fuera alguien que le ha hecho daño, lo cual le permite al poeta expresar mejor sus sentimientos de rechazo. Mientras lees el poema, fíjate en las siguientes cosas: qué pronombres usa el poeta para dirigirse a Puerto Rico y qué acciones le atribuye.

nuyorican

yo peleo por ti, puerto rico, ¿sabes?
yo me defiendo por tu nombre, ¿sabes?
entro a tu isla, me siento extraño, ¿sabes?
entro a buscar más y más, ¿sabes?

5 pero tú con tus calumnias,[a]
me niegas tu sonrisa,
me siento mal, agallao,[b]
yo soy tu hijo,
de una migración,

10 pecado forzado,
me mandaste a nacer nativo en otras tierras,
por qué, porque éramos pobres, ¿verdad?
porque tú querías vaciarte[c] de tu gente pobre,
ahora regreso, con un corazón boricua, y tú,

15 me desprecias, me miras mal, me atacas mi hablar,
mientras comes mcdonalds en discotecas americanas,
y no pude bailar la salsa en san juan, la que yo
bailo en mis barrios llenos de tus costumbres,
así que, si tú no me quieres, pues yo tengo

20 un puerto rico sabrosísimo en que buscar refugio
en nueva york, y en muchos otros callejones[d]
que honran tu presencia, preservando todos
tus valores, así que, por favor, no me
hagas sufrir, ¿sabes?

_____
[a]mentiras [b]enfadado [c]*get empty* [d]*alleys, narrow streets*

"nuyorican" from AmeRican by Tato Laviera is reprinted with permission from the publishers (©2003 Arte Publico Press - University of Houston).

Una calle del Viejo San Juan, Puerto Rico.

Comprensión y discusión

■ ACTIVIDAD 3 Versos e ideas

Escribe delante de cada idea el número de los versos donde aparecen.

1. _____ Puerto Rico ha dicho mentiras sobre los nuyoricans.

2. _____ Los puertorriqueños no conservan las tradiciones puertorriqueñas.

3. _____ La voz poética ama Puerto Rico.

4. _____ En Nueva York también existe Puerto Rico.

5. _____ La voz poética piensa que Puerto Rico rechaza a los neuyoricans.

6. _____ En Nueva York se puede bailar salsa.

7. _____ Puerto Rico no quiere a los puertorriqueños sin dinero.

■ ACTIVIDAD 4 ¿Qué piensas ahora?

1. ¿Qué persona usa la voz poética para dirigirse a Puerto Rico, tú o Ud.? ¿Por qué crees que utiliza esta forma?

2. ¿Cuál es el tono del poema? ¿Cómo se siente la voz poética?

3. Considera el uso de los pronombres personales y los adjetivos posesivos. ¿Te parece normal o excesivo? Explica por qué crees eso y cómo afecta al tono del poema.

4. Busca algunos ejemplos de personificación a través de los verbos. ¿Cuáles son comunes en el habla diaria y cuáles crees que muestran la originalidad del poeta?

5. ¿Qué relación familiar se intenta reproducir en el poema? En otras palabras, si Puerto Rico fuera una persona real, qué relación familiar tendría con el poeta. ¿Cómo crees que esta idea contribuye a expresar lo que siente la voz poética?

■ ACTIVIDAD 5 Interpretación

¿Cómo interpretas los siguientes versos del poema?

1. «yo peleo por ti, puerto rico, ¿sabes? / yo me defiendo por tu nombre, ¿sabes?»

2. «pero tú con tus calumnias, / me niegas tu sonrisa»

3. «yo soy tu hijo, de una migración, pecado forzado»

4. «ahora regreso, con un corazón boricua, y tú / me desprecias, me miras mal, me atacas mi hablar»

5. «y no pude bailar la salsa en san juan, la que yo / bailo en mis barrios llenos de tus costumbres»,

Una vista de la playa junto al Viejo San Juan, Puerto Rico.

Tertulia «por favor, no me / hagas sufrir, ¿sabes?»

En este poema, Tato Laviera expresa la tristeza de los que al volver a sus país de origen se sienten rechazados puesto que se les considera extranjeros que ya no pertenecen a ese lugar a pesar de sus esfuerzos por mantener su cultura.

- Si bien el poema trata este tema en el contexto de la emigración, ¿en qué otros contextos se pueden encontrar situaciones similares en las que una persona es rechazada por los cambios que ha experimentado?

- Para la voz poética la situación que produce el rechazo no es algo de su elección, sino que ha ocurrido por circunstancias históricas y sociales que están fuera de su control. Piensen en algunas situaciones de elección personal que puedan ocasionar el rechazo de otros. ¿Y situaciones no elegidas que también puedan terminar con una actitud de rechazo por parte de otras personas?

- La respuesta de la voz poética al rechazo que siente en su lugar de origen es refugiarse en su comunidad en el nuevo país, la cual conserva las tradiciones culturales que buscaba en el país de origen. ¿Qué recursos utilizan las personas que se sienten rechazadas o discriminadas en otros contextos?

Mural sobre la comunidad puertorriqueña en Chicago.

Producción personal

Redacción Cuatro estrellas: Escribir una reseña cinematográfica

Escribe una reseña (*review*) sobre alguna película que sea una producción hispanohablante.

Prepárate

Haz un borrador con todos los aspectos positivos y negativos de la película. No te preocupes ahora del orden ni de la gramática, pero piensa y escribe en español. Si hay alguna palabra que no sepas, deja un espacio o haz un símbolo.

¡OJO! No se trata de contar el argumento (*plot*), sino de escribir una crítica que incluya una idea de la trama y el género de la película. Además la reseña debe incluir comentarios sobre los aspectos técnicos: la música, la actuación, la fotografía, etcétera.

¡Escríbelo!

- Ordena las ideas de tu borrador.
- No hay una forma fija de escribir una reseña, aunque como siempre tienes que pensar en tu posible lector e intentar contestar las preguntas que puedan tener sobre la película. Por ejemplo: director/a, año y país de la producción, actores principales, calidad y estilo de la banda sonora (*sound track*), etcétera.
- Busca en el diccionario y en tu libro de español aquellas palabras y expresiones sobre las que tengas dudas.

Repasa

- ☐ el uso del pretérito y el imperfecto
- ☐ el uso de **ser** y **estar**
- ☐ la concordancia entre sujeto y verbo
- ☐ la concordancia de género y número entre sustantivos, adjetivos y pronombres
- ☐ la ortografía y los acentos
- ☐ el uso de un vocabulario variado y correcto: evita las repeticiones
- ☐ el orden y el contenido: párrafos claros, principio y final

VOCABULARIO ÚTIL	
la actuación	acting
el actor / la actriz	actor /actress
el argumento /la trama	plot
la cámara	camera
la cinemato-grafía	cinematography
la dirección	directing
el/la director(a)	director
el guión	script
el/la guionista	scriptwriter
el papel	role
el personaje	character
principal/ secundario	main/secondary
el plano	take
primer plano	close up
plano general	long shot

¿Cuándo se dice? Cómo se expresan *to go* y *to leave*		
ir	*to go somewhere* (requires a specific destination)	**Este año queremos ir a las Islas Galápagos para las vacaciones.**
irse	*to leave* (destination not emphasized or specified)	**¡Me voy! Ya no puedo soportarlo.**
salir	*to leave, to depart*	**El vuelo sale a las 8:30.**
salir de/ para	*to leave from/for*	**La expedición salió de Puerto Montt para la Antártida.**
		El activista no puede salir del país.
partir	*to leave, to depart* (more formal than **salir**)	**El tren partió sin un pasajero.**
dejar	*to leave/abandon someone or something*	**¡No dejes los libros en el carro!**

¿Qué piensan los hispanohablantes?

Entrevista a algunas personas hispanohablantes sobre cómo se sienten con respecto al tema de la igualdad y la discriminación. Se puede preguntar:

- si han sentido discriminación alguna vez, y de ser así, en qué contexto
- si creen que la situación de igualdad es mejor que en tiempos de sus padres, y en qué se basan para opinar así
- qué áreas deben mejorar, en su opinión, para que la comunidad latina se siente totalmente integrada y en condiciones de igualdad en este país

Producción audiovisual

Desarrolla una producción audiovisual sobre algún tema relacionado con la desigualdad incluyendo ideas para mejorar nuestra sociedad.

¡Voluntari@s! ¿Quién es lo tuyo?

¡Todas las organizaciones de voluntariado existen para ayudar a las personas desprivilegiadas! Algunas para cubrir las necesidades más básicas de comida, salud y vivienda (como los comedores locales o Hábitat para la Humanidad), mientras otras se dedican a la acción política (como el National Council of La Raza), que se dedica a defender los derechos y necesidades de la comunidad latina estadounidense. ¿Qué es lo tuyo? (*Who's your ally?*)

Tertulia final «Hoy por ti...»

En este capítulo hemos hablado de algunos aspectos sobre la marginación y discriminación. Sin embargo, hay otros aspectos que no hemos comentado todavía, por ejemplo, la reacción de la sociedad ante los matrimonios interraciales o la adopción de niños por personas de una raza diferente. También, ¿creen Uds. que en nuestra sociedad se discrimina por razones religiosas? ¿Hay discriminación contra la gente obesa? ¿contra los no agraciados físicamente?

Para terminar En busca de la igualdad

Now I can

- ☐ talk about social and equality issues
- ☐ express and defend opinions
- ☐ define *machismo* and name some Spanish-speaking leaders who are women
- ☐ create longer and more complex sentences by connecting ideas
- ☐ talk about the importance of the Chicano Movement in the history of the United States

Vocabulario del capítulo

Asegúrate que sabes:

- ☐ el vocabulario temático (**Palabras**, pp. 248–249)
- ☐ los pronombres relativos (p. 257)
- ☐ los verbos que expresan *to go* y *to leave* (**¿Cuándo se dice?** p. 269)

Otro vocabulario activo

el comportamiento	behavior
sin embargo	however

VOCABULARIO PERSONAL

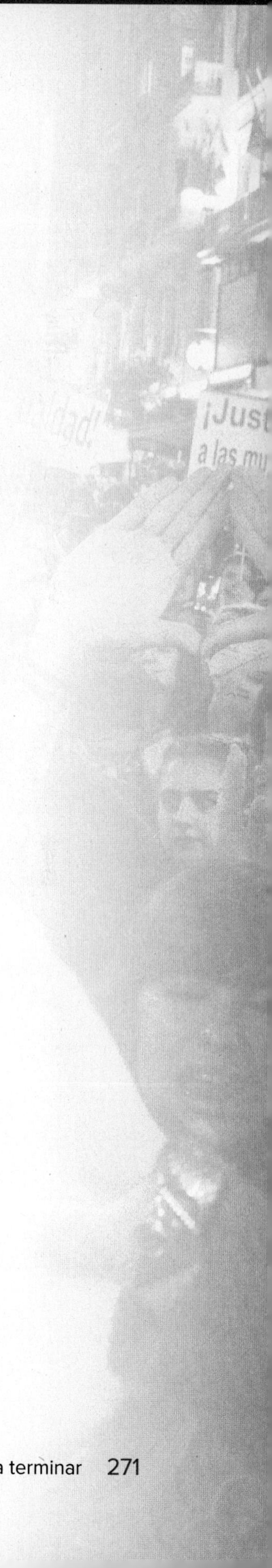

América: pueblos y herencias en contacto

©Daniel Garcia/Getty Images

Para el final del capítulo podré

- explicar cómo las civilizaciones indígenas de hoy heredaron aspectos culturales de civilizaciones indígenas anteriores, así como las contribuciones de las lenguas indígenas al español
- hablar sobre cuestiones relacionadas con la historia
- expresar situaciones hipotéticas
- explicar la naturaleza multicultural de lo que hoy conocemos como el mundo hispanohablante

> «La paz es hija de la convivencia, de la educación, del diálogo. El respeto a las culturas milenarias hace nacer la paz en el presente». (Rigoberta Menchú)
>
> - ¿Qué tienen en común las palabras **convivencia, educación** y **diálogo**?
> - Según se desprende (*it can be deduced*) de estas palabras de Rigoberta Menchú, el respeto a las culturas de las poblaciones indígenas es fundamental para la paz. ¿De qué manera se puede mostrar dicho respeto?

ENTREVISTA

Alejandro Carrasco González Guanajuato, México

- ¿Qué asocia con la palabra América?
- ¿Le interesa la historia? ¿Cree que es importante aprender historia?
- ¿Cómo es la población de su estado (o país de origen)? ¿Es étnicamente homogénea o heterogénea? ¿Puede explicar por qué?
- ¿Hay alguna tradición cultural o festival en su estado (o país de origen) que conmemore o celebre algún grupo humano en concreto?

©Ryan McVay/Getty Images RF

«Conocer la historia nos hace capaces de evaluar lo que vivimos como sociedad y nos prepara para contribuir mejor a una sociedad democrática».

connect

Escucha las respuestas de Alejandro Carrasco González a estas preguntas en **Connect**.

EN PANTALLA

«Vasija de barro»°

clay pot

Expresarte (Ecuador, 2013)

©Minister of Culture and Heritage, Ecuador

De entrada

Antes de leer

El siguiente texto es parte de la introducción del libro *El espejo enterrado*, en el que Carlos Fuentes explora la importancia de la mezcla de culturas que une al mundo hispano. Este libro fue publicado en 1992, coincidiendo con el Quinto Centenario de la llegada de Colón a América. ¿Cómo celebrarían el Quinto Centenario los diferentes grupos étnicos y culturales latinoamericanos?

©Minister of Culture and Heritage, Ecuador

El Espejo Enterrado (fragmento), Carlos Fuentes
(México, 1928–2012)

La crisis que nos empobreció[a] también puso en nuestras manos la riqueza de la cultura, y nos obligó a darnos cuenta de que no existe un solo latinoamericano, desde el río Bravo hasta el Cabo de Hornos,[d] que no sea heredero[c] legítimo de todos y cada uno de los aspectos de nuestra tradición cultural. Es esto lo que deseo explorar en este libro. Esa tradición que se extiende de las piedras de Chichén Itzá y Machu Picchu a las modernas influencias indígenas en la pintura y la arquitectura. Del barroco de la era colonial a la literatura contemporánea de Jorge Luis Borges y Gabriel García Márquez. Y de la múltiple presencia europea en el hemisferio —ibérica, y a través de Iberia, mediterránea, romana, griega y también árabe y judía— a la singular y sufriente[d] presencia negra africana. De las cuevas de Altamira a los grafitos[e] de Los Ángeles. Y de los primerísimos inmigrantes a través del estrecho[f] de Bering, al más reciente trabajador indocumentado que anoche cruzó la frontera entre México y los Estados Unidos.

[a]*made us poor*   [b]*Cape Horn*   [c]*heir*   [d]*suffering*   [e]*graffiti*   [f]*strait*

Fuentes, Carlos, *El espejo enterrado* Santillana, S.A., 1998. Used with permission of Agencia Literaria Carmen Balcells S.A.

Comprensión y análisis

Corrige las siguientes oraciones, según el texto.

1. En su libro, Fuentes analiza las grandes diferencias culturales en el continente americano.

2. Fuentes cree que los latinoamericanos no deben prestar atención a la cultura, solo a la economía.

3. Para este escritor, la cultura latinoamericana excluye a España y los Estados Unidos.

4. Cada país debe establecer su propia identidad cultural, independiente de los otros países.

Antes de mirar

¿Hay alguna canción de tu país o cultura que sea como un himno, es decir, que sea casi tan representativa como el himno nacional? ¿De qué habla la canción? ¿Por qué te parece que es tan representativa?

connect

Para ver «Vasija de barro» y realizar más actividades relacionadas con el segmento, visita: www. mhhe.com/connect

Segmento: «Vasija de barro»

Ecuador, 2013

Expresarte

©Minister of Culture and Heritage, Ecuador

Comprensión y discusión

¿Cierto o falso? Indica si las siguientes ideas son ciertas (C) o falsas (F), y corrige las falsas según la información del video.

1. La idea para «Vasija de barro» surgió de una canción antigua. ___
2. Las primeras mujeres que hablan en el video son las creadoras de «Vasija de barro». ___
3. Guayasamín es un poeta ecuatoriano. ___
4. La vasija de barro era un método de enterramiento para los ecuatorianos ancestrales. ___
5. Los cantantes dicen que «Vasija de barro» representa el Ecuador más actual. ___

VOCABULARIO ÚTIL	
el alma	soul
la canción	song
el desengaño	desillusion
el himno	anthem
el nudo en la garganta	knot in the throat
la piel de gallina	goosebumps
el vientre	belly

Interpreta Contesta según lo que se ve y se oye en el video.

1. ¿Qué es «Vasija de barro»? ¿Por qué es importante para los ecuatorianos?
2. ¿Cuándo fue creada la canción (aproximadamente)? ¿Cómo fue creada? Da todos los detalles posibles.
3. ¿Cómo se explica la conexión de los cantantes con el tema? ¿Cómo es el ritmo de la canción?
4. ¿Qué expresiones usan las personas que hablan para comunicar lo que sienten al escuchar esta canción?

Tertulia «El alma de un pueblo»

¿Qué cosas, conceptos, momentos pueden ser importantes para la identidad de un pueblo? ¿Puedes identificar algunas de estas cosas con referencia a tu propio país? ¿Hay algún objeto artístico en esa lista? ¿Sabes la historia de su creación?

©Laures/Getty Images RF

Palabras

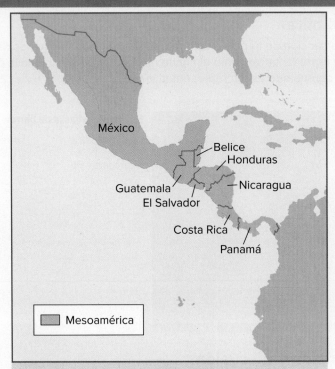

Mesoamérica es una región cultural prehispánica que comprende el centro y sur de México, Guatemala, El Salvador, el oeste de Honduras y Belice.

el antepasado	ancestor
la civilización	civilization
la conquista	conquest
el conquistador	conqueror
el desarrollo	development
el/la descendiente	descendant
el descubrimiento	discovery
el encuentro	encounter
la etnia	ethnic
la etnicidad	ethnicity
el/la indígena	indigenous person
el Nuevo Mundo	New World
el pueblo	people
las ruinas	ruins

De repaso: **el/la azteca, la civilización, la costumbre, la cultura, la herencia, el/la inca, la lengua, el latín, el/la maya, el origen, la pirámide, la raza, la religión, la tradición**

conquistar	to conquer
defender	to defend
desarrollar	to develop
descender de	to descend from

descubrir	to discover
dominar	to dominate
establecer(se) en	to settle
invadir	to invade
tener ascendencia + *adjetivo*	to be of (*adjective*) descent
tener ascendencia española, maya,...	to be of Spanish, Mayan descent

Cognados: **afrocaribeño/a, ancestral, andino/a, mesoamericano/a, mestizo/a, mulato/a**

De repaso: **heredar**

Para hablar de información

el acontecimiento	event
la cifra	number
el dato	piece of information
la llegada	arrival
el porcentaje	percentage
la salida	exit
destacar	to stand out
mezclar(se)	to mix, to blend

Para hablar del paso del tiempo

la actualidad	present day
la época	epoch, time period
la fecha	date
el siglo*	century
actual	current
precolombino/a	pre-Columbian
colonial	colonial
contemporáneo/a	contemporary

Cognados: **la era, el milenio**

De repaso: **el año, el día, el mes, la semana**

era común (e. c.)	Common/Current Era (C.E.)
antes de la era común (a. e. c.)	before Common/Current Era
a partir de	from
día tras día (año tras año, ...)	day after day (year after year, ...)
el final	end
el principio	beginning
una vez (dos veces,...) a la semana / por semana (mes, año...)	once (twice ...) a week (month, year ...)

De repaso: **el principio, de/desde/hasta/mientras**

---

*Los siglos en español se expresan en números romanos (III, XV, XXI, ...)

Calendario azteca

■ **ACTIVIDAD 1** Campos del saber° *Fields of knowledge*

¿Con qué disciplinas o campos del saber relacionas las siguientes palabras?
Puede haber más de una asociación.

la ciencia ficción	el gobierno	la religión
la economía	la historia	el urbanismo

Ejemplo: el desarrollo → la economía: desarrollo económico

1. el desarrollo
2. la invasión
3. el descubrimiento
4. el Nuevo Mundo
5. la pirámide
6. el siglo
7. el indígena
8. el dato

La pirámide el templo de Kukulkan, en las ruinas mayas de Chichen Itza, México

■ **ACTIVIDAD 2** Personas, lugares y situaciones

¿Qué palabra del vocabulario asocias con las siguientes situaciones, personas y lugares?

1. los abuelos, bisabuelos, etcétera, de una persona
2. 1492
3. lo que hace el portero de un equipo de fútbol
4. unos monumentos famosísimos de Egipto y de las civilizaciones mesoamericanas
5. algo de valor que recibimos de nuestros padres u otras personas importantes en nuestra vida cuando mueren
6. encontrar algo que nadie ha visto o sabido antes
7. mudarse a otro lugar para quedarse
8. los años del movimiento por los derechos civiles, o los años del gobierno del presidente Obama
9. momento en la historia que se caracteriza por el desarrollo industrial, o cuando en toda la tierra hacía un frío glacial.

■ **ACTIVIDAD 3** África en América

Completa el párrafo con las palabras o expresiones apropiadas del banco.
¡OJO! Hay dos extra.

acontecimiento	dato	herencia	porcentaje
a partir	fecha	llegada	salida

Un _____[1] importante en la historia de América es la _____[2] de 14 millones de esclavos africanos al Nuevo Mundo entre los siglos XVI y XVIII. Este _____[3] es importante porque _____[4] del primer momento de la presencia africana en América, la diversidad racial y cultural del continente se enriquece gracias a su importante _____.[5] Debido a que estas personas no vinieron libremente, el maltrato que sufrieron y el alto _____[6] de los que murieron en el viaje, el tráfico de esclavos durante la época colonial representa uno de los hechos más trágicos de la historia de la humanidad.

■ **ACTIVIDAD 4** Algunos datos sobre Uds. y su universidad

En parejas, creen una oración con información real de su vida o de la universidad usando cada una de las siguientes palabras o expresiones.

1. la cifra
2. la llegada
3. el porcentaje
4. la salida
5. destacar
6. mezclar
7. la fecha
8. el siglo
9. a partir de... hasta
10. día tras día / semestre tras semestre / año tras año
11. el principio / el final
12. una vez (dos veces,...) a la semana / al mes / al semestre

■ ACTIVIDAD 5 Verdades históricas

Forma oraciones sobre la historia de los pueblos indígenas de Latinoamérica, de Estados Unidos o de tu país usando los siguientes verbos. Si quieres, puedes sustituir palabras derivadas de los verbos.

Ejemplos: defender →
Los mapuches fueron buenos estrategas y **defendieron** su tierra con valor. Para los mapuches fue importante la **defensa** de su territorio.

1. defender
2. conquistar
3. desarrollar
4. dominar
5. descubrir
6. invadir
7. descender
8. fundar

■ ACTIVIDAD 6 ¡Peligro!°: Concurso entre equipos

Jeopardy!

Una celebración mapuche, con el tradicional tambor decorado con los símbolos mapuches

Paso 1 ¿Conoces el concurso (*game*) televisivo «*Jeopardy!*»? Pues, ¡a jugar! En equipos, piensen en una categoría y escriban cinco oraciones que sirvan de pistas (*clues*), asignando valores de 1, 2, 3, 4 o 5 puntos a cada pista. Cada oración o su pregunta correspondiente debe incluir una palabra del vocabulario.

Ejemplos: PISTA: Este <u>pueblo</u> no africano construyó <u>pirámides.</u>

RESPUESTA: ¿Quiénes son los <u>mayas</u>?

PISTA: Son unas <u>ruinas</u> muy famosas en la península de Yucatán.

RESPUESTA: ¿Qué es Chichén Itzá?

Paso 2 Por turnos, cada equipo lee sus pistas para que los otros equipos den las respuestas/preguntas. Gana el equipo que consiga más puntos.

■ ACTIVIDAD 7 La historia de tu estado o país

Prepara la siguiente información sobre la historia de tu estado o país usando oraciones completas.

- ¿Quiénes fueron los habitantes originales, los primeros que se pueden identificar?
- ¿Ha habido alguna invasión o proceso de colonización? ¿Cuándo ocurrió? ¿Quiénes fueron los invasores o los colonizadores?

Ejemplo: los pueblos originales → Puerto Rico → Los taínos eran los habitantes originales antes de la llegada de Colón y de los españoles a la isla que hoy es Puerto Rico.

La Plaza de las Tres Culturas en la Ciudad de México es una plaza dedicada a la compleja historia mexicana: un pasado indígena, una colonización española y, finalmente, una era moderna que es resultado de las anteriores.

Culturas indígenas de Latinoamérica

Áreas donde se concentran grandes grupos originarios de Latinoamérica

Es posible que todo el mundo haya oído hablar de los aztecas, los mayas, los incas y los taínos. Pero estas son solo algunas de las civilizaciones que los españoles encontraron al llegar a América. Estos pueblos habían amalgamado[a] a otros anteriores. Por ejemplo, los aztecas y los mayas heredaron aspectos culturales primero de los olmecas y más tarde de los zapotecas y los toltecas, entre otros. También se cree que los taínos, el primer grupo indígena que conocieron los españoles en el Caribe, son parientes del pueblo arahuaco de América del Sur. De igual manera, los incas, que tuvieron poder ya en el siglo XV de nuestra era, habían heredado rasgos culturales de las civilizaciones Nazca y Moche. Nada de esto nos puede sorprender, ya que hoy se cree que los humanos han habitado en el continente americano por más de 30.000 años, tras haber cruzado el estrecho de Bering desde Asia.

A pesar del proceso de conquista y colonización, la presencia indígena en Latinoamérica sigue estando muy presente. En el Capítulo 6 hablamos de las contribuciones de los pueblos originarios americanos a la música latinoamericana, pero su aporte[b] va mucho más allá. Para empezar, la población de casi todos los países latinoamericanos registra un notable porcentaje de personas indígenas, como se aprecia en el mapa. En Latinoamérica existen entre 500 y 800 grupos originarios. Algunos son grupos pequeños y muy localizados, mientras otros tienen poblaciones transnacionales que se cuentan por millones, como los mayas, los aymaras, los quechuas o los mapuches. Afortunadamente en la actualidad, muchas organizaciones trabajan por mantener las culturas indígenas y recuperar[c] aquellos elementos culturales que están en peligro, tal como algunas lenguas.

La influencia de las diversas comunidades indígenas latinoamericanas se hace patente hoy día en muchos aspectos culturales y sociales. Por ejemplo, está presente en el arte, la comida, maneras de cultivar la tierra, prácticas medicinales y religiosas, tradiciones, etcétera. También, podemos observar cómo el español ha sido enriquecido por su contacto con los pueblos indígenas americanos, cuyas lenguas han influido en la pronunciación y tono con la que algunas personas hablan español en Latinoamérica, además de dar nombres a lugares, animales y productos que son fundamentales en todos los países hispanohablantes. La lista que sigue muestra algunos ejemplos.

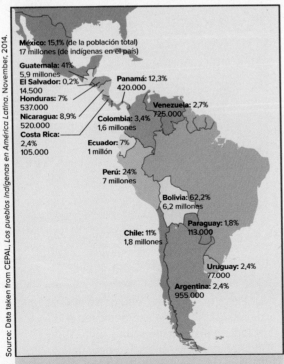

Source: Data taken from CEPAL, *Los pueblos indígenas en América Latina*. November, 2014.

Poblaciones indígenas por países latinoamericanos

---

[a]*amalgamated, combined* [b]*contribution* [c]*recover*

náhuatl (de los aztecas) y lenguas mexicanas

aguacate	chacal	tomate
chocolate	coyote	

arahuaco / taíno

banana	huracán	manatí
barbacoa	iguana	tabaco
caimán	maíz	yuca
canoa		

quechua (de los incas)

cóndor	mate
llama	pampa

tupí-guaraní

jaguar	petunia	tapir
maraca	tapioca	

©Armando Arorizo/ZUMAPRESS/Newscom

Un artista huichol (México) trabajando en uno de sus cuadros de lana inspirados en mitos y leyendas de su tribu

Tertulia Intercambio léxico

- Las palabras originarias del continente americano que aparecen en la lista no están traducidas, porque son fáciles de entender. ¿Cuántas han pasado al inglés con pocos cambios?

- ¿Qué otras palabras de idiomas indígenas americanos conocen Uds. en inglés o en español? ¿Vienen algunas de lenguas indígenas norteamericanas de su país?

- ¿Creen que las culturas indígenas americanas han dejado una clara marca en las sociedades y países americanos actuales? ¿En qué países más y en cuáles menos? Intenten justificar sus respuestas. ¿Conocen alguna manifestación artística de las culturas indígenas o de su estado o país, o que hayan sido inspiradas en ellas?

(caimán) ©Richard McManus/Getty Images RF; (manatee) Source: Keith Ramos/USFWS; (llama) ©Radius Images/Image Source RF; (jaguar) ©Doug Cheeseman/Getty Images RF; (coyote) ©Rosalie Kreulen/Shutterstock RF

23 El imperfecto de subjuntivo

REPASO

Formas del pretérito
de indicativo
(Capítulo 3)

Tabla de tiempos (el modo subjuntivo)

Presente perfecto (haya hablado/comido/vivido)		
Pluscuamperfecto (hubiera hablado/ comido/vivido)	Imperfecto (hablara/comiera/ viviera)	Presente

As you have already seen when practicing the use of the subjunctive in the present perfect (**el presente perfecto**) in **Capítulo 9,** the subjunctive mood is used in the past as well as in the present.

In this chapter you will practice the use of the imperfect subjunctive, the only simple past tense in the subjunctive (versus the two simple past forms of the indicative mood: the imperfect and the preterite).

Forms

The imperfect subjunctive is formed by dropping the **-ron** ending from the third-person plural (**ellos/as, Uds.**) of the preterite of indicative and adding the following endings—this is consistent for all verbs, regular and irregular.

pagar: pagaron → paga- + *ending*		beber: bebieron → bebie- + *ending*		vivir: vivieron → vivie- + *ending*	
pagara	pagáramos	bebiera	bebiéramos	viviera	viviéramos
pagaras	pagarais	bebieras	bebierais	vivieras	vivierais
pagara	pagaran	bebiera	bebieran	viviera	vivieran

dar	→ diera	poner	→ pusiera
decir	→ dijera	querer	→ quisiera
hacer	→ hiciera	ser	→ fuera
ir	→ fuera	tener	→ tuviera
poder	→ pudiera	venir	→ viniera

There is another set of endings for the imperfect subjunctive, widely used in Spain but less so in most parts of Latin America, where it tends to be used only in formal speech or writing. These forms are not practiced in activities in *MÁS*, although they can appear in the readings, videos, and so on.

pagar		beber		vivir	
pagase	pagásemos	bebiese	bebiésemos	viviese	viviésemos
pagases	pagaseis	bebieses	bebieseis	vivieses	vivieseis
pagase	pagasen	bebiese	bebiesen	viviese	viviesen

«...el mar estaba en suspenso, el cielo estaba sin haber cosa alguna que **hiciera** ruido, no había cosa en orden, cosa que **tuviese** ser... »*

Uses

- The imperfect subjunctive appears in contexts that require the subjunctive and a past tense. In other words, the main sentence clause requires the use of the subjunctive in the subordinate clause, which includes an action that refers to the past. Compare the examples in present and past tenses in each of the three types of clauses.

In noun clauses: Expressions of influence, doubt, judgment, and emotion

El jefe *dice* que **vayas** a su oficina.	The boss says (for you) to go to his office.
El jefe *dijo* que **fueras** a su oficina.	The boss said (for you) to go to his office.

In adjective clauses: Clauses that function like adjectives

Busco a alguien que **pueda** ayudarme.	I'm looking for someone who can help me.
Buscaba a alguien que **pudiera** ayudarme.	I was looking for someone who could help me.

In adverbial clauses: Clauses that function like adverbs

No *haré* nada hasta que la jefa me **dé** el visto bueno.	I won't do anything until the boss gives me the go-ahead.
No *iba a hacer* nada hasta que la jefa me **diera** el visto bueno.	I wasn't going to do anything until the boss gave me the go-ahead.

---

*Cita del *Popol Vuh*, el libro sagrado de los mayas, que explica la creación del mundo (traducido al español en el siglo XVIII).

John **habla** español como si **fuera** nativo.

- Although it is common for the imperfect subjunctive to appear in sentences where the main verb is in the past (preterite or imperfect), this is not always the case. It is the context of the situation and the meaning of the main verb that determine the use of the imperfect (versus the present or another subjunctive tense).

Lamento que no te **estés divirtiendo** mucho esta noche.	*I regret that you are not having much fun tonight.*
Lamento que no te **divirtieras** mucho anoche.	*I regret you didn't have much fun last night.*
Busco a alguien que **estuviera** allí cuando ocurrió el accidente. (La búsqueda ocurre ahora.)	*I am looking for someone who was there when the accident happened.*
Buscaba a alguien que **estuviera** allí cuando ocurrió el accidente. (La búsqueda ocurrió ayer.)	*I was looking for someone who was there when the accident happened.*

- ***Como si* + imperfect subjunctive**

Como si (*As if*) is always followed by the imperfect subjunctive (or pluperfect subjunctive*).

John habla español *como si* **fuera** nativo.	*John speaks Spanish as if he were a native speaker.*
¡No me trates *como si* no me **conocieras**!	*Don't treat me as if you didn't know me!*

¡Buen trabajo! Todos **debieran** seguir el modelo de esta excelente presentación.

NOTA LINGÜÍSTICA OTROS USOS DEL IMPERFECTO DE SUBJUNTIVO

- **Courtesy**   With the verbs **querer, poder,** and **deber,** the imperfect subjunctive is often used as the main verb to soften requests and advice. In English, this is expressed with *would, could,* and *should,* depending on each case.

Quisiera hablar con Ud. un momento.	*I would like to speak to you for a moment.*
¿**Pudiera** decirme la hora?	*Could you tell me the time?*
Debieras tomarte unas vacaciones.	*You should take a vacation.*

- **Wishes**   The imperfect subjunctive is used in wishing expressions for things that are unlikely or impossible.

Ojalá + imperfecto de subjuntivo	*I wish*
Ojalá que **pudieras** venir esta noche.	*I wish you could come tonight.*
¡*Quién* + imperfecto de subjuntivo... !	*I wish*
¡*Quién* **pudiera** volar!	*I wish I (someone) could fly!*
¡*Quién* **supiera** lo que va a pasar en el futuro!	*I wish I knew what's going to happen in the future!*

---

*You will study this tense in Capítulo 11.

■ ACTIVIDAD 1 El muralismo mexicano

Paso 1 Completa las oraciones de la columna A con la opción más apropiada de la columna B. Son comentarios de una persona que asistió a una conferencia sobre los muralistas mexicanos.

Mural de Aarón Piña Mora (1914–2010) en el Parlamento de Ciudad Chihuahua, Chihuahua, México.

A	B
1. Me alegro de que el museo ____	a. se inspiraran en las civilizaciones precolombinas.
2. Es fascinante que los muralistas ___	b. conocieran su pasado.
3. Es increíble que la mezcla de técnicas europeas y el tema de la nacionalidad mexicana ____	c. como si vivieran todavía.
4. No había ningún muralista que ____	d. estuvieran en lugares públicos.
5. Como el arte muralista tenía una clara función social, era importante que los murales ____	e. no tuviera preocupaciones sociales.
6. Posiblemente representaron la historia de México para que los jóvenes ____	f. ofreciera la conferencia gratis a todo el público.
7. Me gustó mucho que tú ____	g. hicieras la pregunta sobre la vida de Siqueiros.
8. La conferenciante habló de los artistas ____	h. diera como resultado un arte tan interesante.

Paso 2 Ahora, en parejas, hagan una pequeña investigación sobre el muralismo mexicano para contestar las siguientes preguntas.

¿En qué época pintan los muralistas como Diego Rivera? ¿Cuáles son algunos otros muralistas conocidos de esa época? ¿Cuáles son sus obras más famosas? ¿De qué tratan muchas de sus obras? ¿Hay murales en tu ciudad? ¿En qué se parecen y diferencian a los de los muralistas mexicanos?

■ ACTIVIDAD 2 Perfil° de la adolescencia

Profile

Paso 1 Completa las siguientes oraciones de manera que reflejen tu vida de adolescente.

Cuando yo tenía 14 ó 15 años...

1. (no) me gustaba (que)...
2. odiaba (que)...
3. mis padres no me permitían que...
4. mis padres se aseguraban (*made sure*) de que...
5. (no) me gustaban las personas que...
6. tenía amigos que...
7. mis padres no me daban mi asignación (*allowance*) a menos que...
8. trabajaba de (ocupación) para (que)...

Paso 2 Compara tus respuestas con las de un compañero / una compañera. ¿Tenían Uds. muchas cosas en común?

■ ACTIVIDAD 3 Ahora y antes

Paso 1 ¿Cómo era la vida hace cien años? ¿Cómo es ahora? Las siguientes oraciones expresan lo que ocurre en nuestro tiempo para que tú digas cómo era la situación hace unos cien años. Estas son algunas posibles opciones para abrir tus comentarios:

Era poco/muy común que...

No era normal que...

(No) Era típico que...

Ejemplo: Ahora es normal que las mujeres sean profesionales. →
Hace cien años, era poco común que las mujeres fueran profesionales.

1. Hoy día es normal que la mayoría de los jóvenes estadounidenses estudien en la universidad.

2. Ahora hay leyes que protegen los derechos de los indígenas en los Estados Unidos.

3. En la actualidad hay mucha gente que sabe de las culturas maya, azteca e inca.

4. Ahora, cada vez más (*more and more*), los padres quieren que sus hijos aprendan otro idioma además del suyo.

5. En nuestra era, la mayoría de los padres prefiere que sus hijos no se casen antes de los 25 años.

Paso 2 Ahora en parejas, imaginen que son una pareja (de novios/as o amigos/as) que están discutiendo porque su relación no es ahora como era hace un año. Inventen un diálogo para representarlo al resto de sus compañeros. Usen expresiones como las recomendadas en el Paso 1.

■ ACTIVIDAD 4 La leyenda de Aztlán

Paso 1 Completa el siguiente párrafo con la forma apropiada del presente o del imperfecto de subjuntivo de los verbos entre paréntesis.

«¿Hay alguien en la clase que sepa _____[1] (saber) qué es Aztlán?», nos preguntó la profesora. En ese momento todos nos alegramos de que Jaime _____[2] (levantar) la mano y _____[3] (saber) la respuesta. Explicó que Aztlán es el lugar de donde partieron los mexicas, también conocidos como aztecas. El dios Huitzlopotchtli les había dicho que _____[4] (buscar: ellos) un lugar en el cual _____[5] (ver: ellos) un águila devorando una serpiente. Insistió en que en ese lugar _____[6] (fundar: ellos) la ciudad de Tenochtitlán para que el pueblo azteca _____[7] (establecerse) y desde allí _____[8] (dominar) el mundo.

«Muy bien, Jaime», dijo la profesora. «Actualmente nadie sabe donde está el lugar que los mexicas llamaban Aztlán y no creo que nunca se _____[9] (encontrar). Según algunos expertos, es probable que Aztlán _____[10] (estar) en lo que hoy llamamos Alta California, pero otros piensan que es posible que solo _____[11] (ser) un lugar mítico y que nunca _____[12] (existir) en realidad», explicó la profesora.

Paso 2 Ahora en parejas, piensen en algún evento de la historia de su país sobre el que haya diferentes versiones, y escriban un pequeño texto sobre él utilizando en la medida de lo posible el presente e imperfecto de subjuntivo.

El dios Huitzlopotchtli mandó que los aztecas construyeran su ciudad en un lugar muy específico.

RECORDATORIO

Ojalá + presente de subjuntivo = *I hope*

Ojalá que **puedas** venir esta noche. *I hope you can come tonight.*

■ ACTIVIDAD 5 Deseos

Paso 1 Usa la expresión **ojalá** para expresar tres deseos sobre algo que es posible que ocurra y otros tres sobre algo más improbable o imposible. **¡OJO!** El presente de subjuntivo sirve para expresar cosas que bien pueden ocurrir (*I hope...*), mientras que el imperfecto de subjuntivo expresa deseos que no son factibles (*I wish...*).

Ejemplos: Ojalá que encuentre un trabajo que me pague más de diez dólares por hora. (posible)

Ojalá que hubiera en el mundo igualdad de derechos y protección legal para todas las personas. (improbable/imposible)

Paso 2 Ahora compara tus deseos con los de varios compañeros. ¿Tienen Uds. deseos y preocupaciones comunes?

■ ACTIVIDAD 6 Como si...

Paso 1 Completa las siguientes oraciones, según el modelo.

Ejemplo: Sonia trabaja como si / no tener nada que hacer para divertirse →
Sonia trabaja como si no **tuviera** nada que hacer para divertirse.

1. Diego toca la guitarra como si / ser músico profesional
2. Mi padre me trata como si / yo no saber nada
3. Algunos políticos hablan como si / los votantes no poder pensar
4. Algunos estudiantes vuelven de un año en una universidad extranjera hablando como si / ser hablantes nativos

Paso 2 Ahora en parejas, hagan sus propias oraciones para describir a personas o situaciones en su universidad usando la expresión **como si**.

Ojalá pudiera visitar Machu Picchu, la ciudad sagrada de los incas.

The conditional is considered a tense within the indicative mood. There is no equivalent in the subjunctive.

¿Cómo sería tu vida si fueras indígena?

TIEMPOS DEL INDICATIVO
Presente
Presente perfecto
Pretérito
Imperfecto
Pluscuamperfecto
Futuro
Futuro perfecto
Condicional
Condicional perfecto

Forms

The base forms of the conditional tense, both regular and irregular, are the same as those of the simple future tense and there are no irregularities in the endings.

Verbos regulares					
destacar		defender		invadir	
destacaría	destacaríamos	defendería	defenderíamos	invadiría	invadiríamos
destacarías	destacaríais	defenderías	defenderíais	invadirías	invadiríais
destacaría	destacarían	defendería	defenderían	invadiría	invadirían

Verbos irregulares			
decir		haber	
diría	diríamos	habría	habríamos
dirías	diríais	habrías	habríais
diría	dirían	habría	habrían
hacer		poder	
haría	haríamos	podría	podríamos
harías	haríais	podrías	podríais
haría	harían	podría	podrían
poner		querer	
pondría	pondríamos	querría	querríamos
pondrías	pondríais	querrías	querríais
pondría	pondrían	querría	querrían
saber		salir	
sabría	sabríamos	saldría	saldríamos
sabrías	sabríais	saldrías	saldríais
sabría	sabrían	saldría	saldrían
tener		venir	
tendría	tendríamos	vendría	vendríamos
tendrías	tendríais	vendrías	vendríais
tendría	tendrían	vendría	vendrían

©McGraw-Hill Education/Barry Barker

Uses

The conditional in Spanish is used in the following cases.

- **Hypothetical actions** They often include a **si** (*if*) clause and they have a rigid structure, just like in English.

  Si + imperfecto de subjuntivo, condicional

Si tuviera tiempo, tomaría clases de tango.	If I had time, I would take tango classes.

  As in English, the order of the clauses is interchangeable.

Si tuviera tiempo, tomaría clases de tango.	Tomaría clases de tango si tuviera tiempo

©oleg66/Getty Images RF

Si tuviera tiempo, tomaría clases de tango.

¡OJO! The imperfect subjunctive in a **si**-clause does not refer to a past action, but to an unlikely or impossible event in the present.

The **si**-clause may be implicit in an earlier question or statement, or a similar premise may be presented in a different format.

Ponte en el lugar de los indígenas. ¿Cómo te **sentirías** (si tú **fueras** indígena)?	Put yourself in the place of the indigenous people. How would you feel (if you were indigenous)?
Yo no sé qué **haría** en esa situación (si yo **estuviera** en esa situación).	I don't know what I would do in that situation (if I were in that situation).

NOTA LINGÜÍSTICA CLÁUSULAS CON *SI* EN EL INDICATIVO

- **Si** + *present indicative* → *present indicative, future, imperative*

  Si clauses in the indicative express hypothetical situations that take place routinely or are likely to occur, just like in English.

Si tienes tiempo, tomas clases de tango	If you have time, you take tango classes.
tomarás clases de tango	you will take tango classes.
toma clases de tango	take (command) tango classes.

- **Si** + *imperfect indicative* → *imperfect indicative*

  In this case **si** is equivalent to **cuando**, and it refers to a repeated action in the past (not a hypothetical clause). It works the same in English as well.

Si tenías tiempo, tomabas clases de tango.	If you had time, you took tango classes.

  ¡OJO! The present subjunctive is never used in the **si**-clause.

- **Future in the past** The conditional is used to express a future action with respect to another action in the past.

Colón le **dijo** a la reina Isabel que **encontraría** un camino más corto a Asia.	Columbus told Queen Isabella that he would find a shorter route to Asia.

Colón le dijo a la reina Isabel que encontraría un camino más corto a Asia.

RECORDATORIO

When *would* refers to actions that used to happen in the past, the imperfect indicative is needed in Spanish.

De niños, **íbamos** mucho a ese parque.
As kids, we <u>would</u> go to that park a lot.

One useful rule to know is when to use the imperfect indicative and not the conditional in Spanish: if you can substitute *would* for *used to: As kids, we <u>used to</u> / <u>would</u> go to that park.*

- **Courtesy** With certain verbs (**poder, querer, ser, estar, deber, tener**) the conditional adds courtesy to a request or a question.

¿**Podría** decirme la hora?	*Could you tell me the time?*
¿Les **gustaría** / **Querrían** acompañarnos a cenar?	*Would you like to accompany us for dinner?*

In the courtesy contexts, the conditional and the imperfect subjunctive are interchangeable.

- **Probability in the past** This use of the conditional is equivalent to *I wonder* and *probably*. It is the past counterpart of the probability future (**Capítulo 8**).

—¿Dónde **estaría** Manuel ayer durante la fiesta?	—*I wonder where Manuel was yesterday during the party.*
—**Tendría** un partido de béisbol.	—*He probably had a baseball game.*

■ ACTIVIDAD 1 ¡A viajar!

Paso 1 Completa el siguiente párrafo con la forma apropiada del condicional.

Si yo pudiera, _____ (viajar)[1] a Latinoamérica este verano con mi familia, lo cual _____ (ser)[2] estupendo. Nosotros _____ (ir)[3] al Perú, que es un país muy rico culturalmente. Allí _____ (aprender)[4] sobre los incas y otras culturas precolombinas. Por ejemplo, _____ (visitar)[5] Machu Picchu y museos de antropología. Pero también, _____ (querer)[6] ver los bellísimos edificios coloniales de Cuzco, Lima y otras ciudades. Los antepasados de mis padres son japoneses, por eso seguro que a ellos les _____ (gustar)[7] conocer más sobre la comunidad nikkei que se estableció en el Perú en el siglo XIX. Yo _____ (probar)[8] muchos platos distintos de la rica y multicultural cocina peruana. Mi hermana seguro que _____ (comprar)[9] música de la cantante afroperuana Baca porque a ella le encantan sus canciones. En fin, seguro que toda la familia _____ (disfrutar)[10] mucho. ¿Tú _____ (venir)[11] con nosotros?

Paso 2 Ahora, en parejas, túrnense para explicar qué les gustaría hacer si pudieran viajar al lugar de sus sueños.

La cantante afroperuana Susana Baca

■ ACTIVIDAD 2 Hipótesis

Combina las frases de las dos columnas y forma preguntas para hacérselas a tus compañeros. Son situaciones hipotéticas: No olvides usar el imperfecto de subjuntivo y el condicional. Sigue el modelo.

Ejemplo: ir a la playa nudista con la clase de español / bañarse desnudo/a (*to skinny-dip*)

Si fueras a una playa nudista con la clase de español, ¿te bañarías desnudo/a?

Si...	A	B

A
- ir a una playa nudista con la clase de español
- quedarse solo/a en el cuarto de un amigo / una amiga
- ganar un millón de dólares en la lotería esta semana
- tener dudas sobre algo relacionado con el español
- necesitar dinero urgentemente
- saber que un amigo tuyo ha cometido un crimen serio

B
- bañarse desnudo/a
- robar algo
- abrir sus cajones (*drawers*)
- volver a la universidad el próximo semestre
- llamar a la policía
- hacer una cita con el/la profesor(a) inmediatamente

©Jupiterimages/Getty Images

¿Irías a una playa nudista?

■ ACTIVIDAD 3 ¿Presente, imperfecto o condicional?

Paso 1 Completa las siguientes oraciones con un tiempo del indicativo (el presente, el futuro, el imperfecto de indicativo o el condicional) y explica por qué se usa cada verbo.

Ejemplo: Si paso menos tiempo en Facebook, <u>tengo/tendré</u> más tiempo para estudiar.

Es una acción rutinaria o predecible (*predictible*).

1. Si no se viene nunca a clase de español, se _____ (recibir) una «F» al final del semestre.

2. Si no me preparo antes de venir a clase, _____ (ser) más difícil participar.

3. En la escuela secundaria, si no iba a clases, la escuela _____ (llamar) a mis padres por teléfono.

4. El verano pasado, si teníamos un auto disponible, mis amigos y yo _____ (ir) a la playa a pasar el día.

5. Si tuviera dinero este verano, _____ (tomar) un curso de español en otro país.

6. Si quisieras, _____ (poder: nosotros) ir de camping este fin de semana.

Paso 2 Ahora en parejas, inventen tres condicionales sobre su vida como estudiantes. Cada oración debe tener un tiempo distinto del indicativo (presente de indicativo, imperfecto de indicativo o imperfecto de subjuntivo) en la oración subordinada con **si.** Es decir, que dos oraciones serán acciones recurrentes del presente y el pasado, y otra será una situación hipotética.

■ ACTIVIDAD 4 Situaciones del presente y el pasado

Paso 1 Completa los párrafos con la forma correcta de los verbos de las listas. Los verbos pueden conjugarse en el condicional, el presente de indicativo o el imperfecto de indicativo.

llamar **mimar** (*to spoil*) **ser**

De niña, si me enfermaba, mi mamá me _____ [1] mucho. Ahora que estoy en la universidad, si me enfermo, ella me _____ [2] por teléfono. _____ [3] maravilloso si mi mamá pudiera cuidarme cuando estoy enferma.

estudiar **gustar** **hacer** **querer** **viajar**

Cuando tengo dinero, me _____ [4] viajar. Este verano, si tuviera dinero suficiente, _____ [5] a Paraguay y _____ [6] la lengua gauaraní. Si tú tuvieras dinero este verano, ¿qué _____ [7]? ¿_____ [8] acompañarme en mi viaje?

hacer **ganar** **poder** **tener**

Cuando mis hermanos y yo éramos pequeños, mis padres no _____ [9] tanto dinero como ahora y por eso mi familia y yo no _____ [10] viajar con frecuencia. Pero si había un año en que mis padres _____ [11] dinero extra, ese año con toda seguridad _____ [12] un viaje.

Paso 2 Ahora en parejas, escriban un párrafo similar a los del Paso 1 explicando cómo se sienten o qué hacen ahora en la clase en comparación a cuando comenzó el curso hace varias semanas.

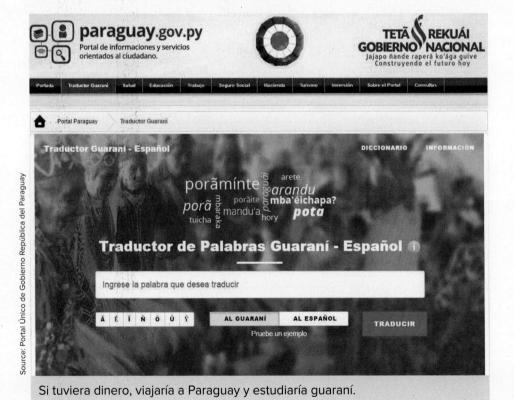

Source: Portal Único de Gobierno República del Paraguay

Si tuviera dinero, viajaría a Paraguay y estudiaría guaraní.

■ ACTIVIDAD 5 La historia en forma de cómic

Paso 1 Usa el condicional para expresar lo que pensaron o dijeron estas personas en ese entonces (*at that time*).

Ejemplo: Cristóbal Colón

Cristóbal Colón les dijo a los Reyes Católicos que encontraría una nueva ruta a las Indias por el occidente.

1.

Un maya le comentó a otro maya...

2.

Galileo pensaba que la gente era muy bruta y que pronto...

3.

César Chávez dijo en su discurso que si los trabajadores del campo se unieran...

Paso 2 Ahora en parejas, compartan algunas declaraciones que dijeron las siguientes personas de su vida antes de que Uds. salieran para la universidad.

1. Mi madre/padre me aseguró que...

2. Mi mejor amigo/a me prometió que...

3. _____ me dijo que...

■ ACTIVIDAD 6 ¿Cómo lo harían?

Los historiadores se sienten impresionados ante la belleza y complejidad de Machu Picchu, la ciudad sagrada de los incas. Uno de los misterios en torno a esta ciudad es cómo pudieron subir las piedras a grandes alturas sin conocer la rueda. En grupos, usando el condicional para expresar hipótesis sobre el pasado, piensen en algunas de las posibles maneras en que fueron capaces de hacerlo, y luego compártanlas con la clase. ¡Usen su imaginación! ¿Cuál sería la forma más probable?

■ ACTIVIDAD 7 La turista maleducada

Paso 1 Sue acaba de llegar al Ecuador para pasar un semestre y estudiar español, pero todavía no sabe bien decir las cosas con cortesía. ¿Cómo se podrían decir las siguientes cosas de manera más cortés?

1. A un camarero en un restaurante: «Otra cerveza».
2. En la parada del autobús a un desconocido (*stranger*): «¿Qué hora es?»
3. A una dependienta en una tienda: «Otra camiseta más grande».
4. A los padres de la familia con quienes se queda: «Llévenme a la universidad».
5. Al taxista que la lleva al aeropuerto: «Más rápido. Estamos retrasados (*late*)».

Paso 2 Ahora en parejas, imaginen que en su viaje al Ecuador quieren comprar un sombrero porque saben que es una prenda de vestir típica para muchos ecuatorianos y ecuatorianas, pero no encuentran uno que les guste.

Inventen el diálogo entre Uds. y la persona que vende los sombreros. Intenten ser lo más cortés posible.

Sombreros de paja de toquilla. La paja de toquilla ecuatoriana ha sido considerada por la UNESCO patrimonio inmaterial de la humanidad.

©RobHamm/Shutterstock RF

■ ACTIVIDAD 8 ¿Qué harías tú en ese caso?

Paso 1 En parejas, comenten lo que harían en las siguientes situaciones. Por ser situaciones improbables, deberían usar la estructura **si** + imperfecto de subjuntivo.

Ejemplo: Acabas de cenar en un restaurante y te das cuenta de que no tienes dinero. →
Si yo acabara de cenar en un restaurante y me diera cuenta de que no tenía dinero, se lo pediría prestado a mis amigos.

1. Acabas de cenar en un restaurante y te das cuenta de que no tienes dinero.
2. Tus padres quieren pasar el fin de semana contigo, pero tú tienes un examen importante el lunes.
3. Tu compañero/a de cuarto siempre usa tu champú y tu jabón.
4. Estás invitado/a a comer en casa de una familia mexicana. El primer plato es menudo (*tripe*).
5. Uno de tus mejores amigos te pide que escondas un pequeño paquete suyo en tu cuarto por unos días, pero no puede decirte por qué ni qué hay dentro del paquete.

Paso 2 Ahora inventen dos situaciones y cambien de pareja para preguntarles a otros compañeros cómo reaccionarían.

Cultura

En busca del Nuevo Mundo

«Lo que vino a realizarse en América no fue ni la permanencia del mundo indígena, ni la prolongación de Europa. Lo que ocurrió fue otra cosa y por eso fue Nuevo Mundo desde el comienzo. El mestizaje empezó de inmediato por la lengua, por la cocina, por las costumbres.»

En busca del Nuevo Mundo, Arturo Uslar Pietri

El proceso de conquista de América, así como la manera y razones por las que muchos individuos llegaron al continente, no fueron fáciles ni felices en general, sino que ocurrieron a costa de[a] grandes tragedias humanas. Sin embargo, este proceso produjo un mestizaje cultural y racial que es una señal de identidad de todos los americanos. Por eso, como muestra la cita, muchos intelectuales y artistas latinoamericanos intentan expresar en términos positivos quiénes son, a pesar de la tragedia que pudiera haber en sus orígenes.

No cabe duda que la América contemporánea es el resultado del encuentro y el mestizaje racial y cultura de muchas civilizaciones. Como ya vimos en la sección de **Cultura** anterior, el sustrato de los pueblos originarios, los cuales tuvieron sus propios encuentros (y desencuentros) desde los tiempos precolombinos, es la base. A partir del siglo XV, sin embargo, con la llegada de los españoles y otros europeos a América, se inició un proceso de conquista y colonización. Este proceso, por un lado, diezmó[b] la población indígena y destruyó[c] gran parte de su herencia cultural. Pero por otro lado, trajo consigo nuevas lenguas, religiones, tradiciones artísticas, etcétera, que añadir[d] al ya rico tapiz[e] cultural americano. Asimismo, este proceso abrirá la puerta a otros grupos humanos de origen diverso. La presencia de algunos de ellos en América fue forzada,[f] no voluntaria, como es el caso de los esclavos africanos o los chinos llegados en el siglo XIX; otros, provenientes[g] de Europa, Asia, África y lo que hoy conocemos como el mundo árabe, se sintieron atraídos por la esperanza de un futuro mejor. Todos han dejado y siguen dejando su huella en el panorama multicultural y multirracial que es América hoy.

En esta sección vamos a hablar de los pueblos no originarios que llegaron a América antes del siglo XX.

Los africanos fueron hechos esclavos y llevados a América para sustituir a la diezmada mano de obra indígena. Hoy no se concibe el Caribe, desde la costa de Guatemala y Honduras hasta Venezuela y Colombia, sin población de origen africano, la cual fue traída originalmente de la costa oeste de África desde el principio de la colonización de los españoles. En las islas caribeñas, sin embargo, la rápida desaparición de la población indígena, causó que llegaran más esclavos para el trabajo agrícola e hizo que los africanos se convirtieran en la mayoría de los habitantes. Su inmenso aporte se siente en todas las áreas, especialmente en

©Devon Stephens/Alamy

Otro ejemplo de mestizaje: el pueblo garífuna. Los garífunas son un grupo afrocaribeño de la zona costera de Honduras, Guatemala, Nicaragua y Belice. Su historia de mestizaje comenzó en 1635, cuando los supervivientes de dos barcos de esclavos que habían naufragado (*shipwrecked*) llegaron a las costas habitadas por los indígenas caribes.

---

[a]*at the expense of*   [b]*decimated*   [c]*destroyed*   [d]*to add*   [e]*tapestry*   [f]*forced*   [g]*coming from*

la música, aunque también han tenido muchísima influencia en la comida y en la creación de la religión sincrética conocida como santería.

Además, el crisol[h] cultural de Latinoamérica se ha visto enriquecido por la presencia de pueblos de Asia. Ya en el siglo XVI llegaron a México los primeros asiáticos. Sin embargo, el gran flujo[i] de personas de este continente ocurre tres siglos después. La prohibición del comercio de esclavos africanos y cambios a nivel económico en el siglo XIX requirió nueva mano de obra. Esta llegó en parte de China, donde la situación política y social facilitó que muchos de sus habitantes fueran «contratados» mediante el engaño y el chantaje[j] para trabajar en el extranjero. Fue así que muchos chinos llegaron a Cuba, Panamá y Perú, a fin de suplir[k] la mano de obra negra en condiciones no mucho mejores que las de los esclavos africanos. Para finales del siglo XIX, se hacen acuerdos con Japón para facilitar la emigración japonesa a lugares como Brasil y Perú. Los chinos y japoneses que arribaron[l] a Latinoamérica con el paso del tiempo supieron abrirse un lugar en el ámbito comercial de sus nuevos países.

Al igual que en el caso de las personas originarias de Asia, la mayor oleada de emigración del mundo árabe a América se da en el siglo XIX. Eran sirios, libaneses y palestinos, que en su mayoría huían[m] del dominio del imperio otomano y llegaron a países como Argentina, Brasil, Venezuela, Colombia y Panamá. Ellos utilizaron la manera de comerciar de sus lugares de origen e introdujeron métodos no conocidos hasta entonces en América, como la idea del crédito.

Finalmente, es importante hablar de la emigración europea. La llegada de españoles a Latinoamérica no sucede solo durante el período de la conquista, sino que van a seguir llegando durante toda la época colonial hasta nuestros días, a veces en grandes oleadas. Por otro lado, los españoles no fueron los únicos europeos que emigraron. Es notable la emigración italiana a Argentina en el siglo XIX, la cual es evidente en los apellidos de muchísimos argentinos y en la comida. En ese mismo siglo, Chile recibió un importante número de inmigrantes alemanes y austrohúngaros. Y no olvidemos al pueblo judío, que empezó a llegar a América con los primeros barcos españoles, y cuyas comunidades crecieron de manera considerable en los siglos XIX y XX, especialmente en países como Argentina y México.

---

[h]*melting pot*   [i]*flow*   [j]*by tricks and blackmail*   [k]*make up for*   [l]*llegaron*   [m]*fled*

©ART Collection/Alamy

Hijo de una princesa inca y un conquistador español, el escritor El Inca Garcilaso de la Vega personifica el principio del mestizaje y la diversidad racial y cultural de América.

El Día de los Muertos tiene sus raíces en una celebración azteca, de ahí la simbología que se utiliza, pero coincide con la época del año durante la cual el mundo católico celebra el Día de Todos los Santos.

Durante el siglo XX y el siglo XXI la emigración a América de personas de todo el mundo ha seguido siendo una realidad. El contacto de todas estas culturas no solo ha producido a través del tiempo la multiculturalidad que caracteriza toda América, sino que también es el origen de la diversidad racial de sus habitantes, cuya mayoría lleva una rica carga genética multirracial en su sangre de la que se sienten orgullosos.

Tertulia

1. La lectura se ha enfocado en Latinoamérica, pero ¿se podría hablar de procesos de conquista y emigración similares en los Estados Unidos antes del siglo XX?

2. En el siglo XXI no podemos decir que haya cesado la llegada de personas a América. ¿A qué circunstancias se debe la salida de algunas de los nuevos emigrantes de sus lugares de origen? ¿Cómo crees que van a contribuir o están contribuyendo a la diversidad cultural o racial de tu país?

Lila Downs, cantante mexicoamericana de madre mixteca y padre estadounidense

©Tony Albir/Getty Images

Texto y autor

El autor del relato «El eclipse» es Augusto Monterroso (1921–2003), quien es considerado por la crítica como el cuentista guatemalteco más importante del siglo XX. Monterroso es además el mayor representante del microrrelato en la literatura hispana. Su cuento «El dinosaurio», que solo tiene ocho palabras, es el más breve en la literatura en español. «El eclipse» pertenece a su colección de relatos *Obras completas y otros relatos* 1959).

Antes de leer

¿Qué adjetivos y acciones asocias con los agentes de la historia de la conquista de América? Haz una lista para cada uno de los dos grupos.

conquistados:

conquistadores:

VOCABULARIO ÚTIL

el temor	fear
fijo/a	fixed, fixated
valioso/a	precious
engañar	to trick; to lie
florecer	to bloom
oscurecer	to get dark
prever	to foresee
al + *infinitivo*	upon + gerund (verb + ing)
disponerse a + *infinitivo*	to get ready to

■ ACTIVIDAD 1 Antónimos e ideas antitéticas

Usa las palabras del **Vocabulario útil** para dar ideas contrarias a las siguientes. Algunas ideas pueden ser metafóricas.

1. Que no es muy útil o interesante.
2. Que se mueve.
3. Al salir.
4. Hacerse de día.
5. No tener idea de lo que va a pasar.
6. No tener ganas de prepararse para hacer algo.
7. Decaer o empezar a morir.
8. Actuar honestamente.
9. El sentimiento de seguridad y confianza (*trust*).

ESTRATEGIA LA IRONÍA

La vida puede ser irónica algunas veces: imagina que estudias más que nunca para un examen, pero obtienes una de las peores calificaciones de tu vida. Además, la ironía es un recurso lingüístico que usamos usualmente en nuestra comunicación. Consiste en decir lo contrario de lo que realmente queremos comunicar. Por ejemplo, está lloviendo mucho y alguien dice ¡Que hermoso día! ¡Cuánto sol!

Los escritores utilizan palabras y situaciones irónicas en sus textos para reflexionar sobre un hecho o criticarlo. Este es el caso de *El eclipse*, en el que Monterroso usa la ironía para criticar la creencia de los conquistadores de que su tradición cultural y, en específico, sus conocimientos sobre la astronomía eran superiores a los de las poblaciones indígenas. Algunas de las palabras del texto que Monterroso usa de manera irónica aparecen subrayadas— fíjate en ellas al leer y reflexiona sobre su significado implícito. ¡Ojo! Algunos de los significados irónicos de las palabras subrayadas no pueden entenderse hasta que se haya leído todo el texto, por eso es mejor que lo leas al menos dos veces.

EL ECLIPSE

AUGUSTO MONTERROSO

1 Cuando fray[a] Bartolomé Arrazola se sintió perdido aceptó que ya nada podría salvarlo. La selva poderosa de Guatemala lo había apresado[b] implacable y definitiva. Ante su ignorancia topográfica se sentó con tranquilidad a esperar la muerte. Quiso morir allí, sin ninguna esperanza, aislado, con el pensamiento fijo

5 en la España distante, particularmente en el convento de Los Abrojos, donde Carlos Quinto condescendiera[c] una vez a bajar de su eminencia[d] para decirle que confiaba en el celo[e] religioso de su labor redentora.[f]

Al despertar se encontró rodeado por un grupo de indígenas de rostro impasible que se disponían a sacrificarlo ante un altar, un altar que a Bartolomé le

10 pareció como el lecho[g] en que descansaría, al fin, de sus temores, de su destino, de sí mismo.

Tres años en el país le habían conferido un mediano dominio[h] de las lenguas nativas. Intentó algo. Dijo algunas palabras que fueron comprendidas.

Entonces floreció en él una idea que tuvo por digna de su talento[i] y de su

15 cultura universal y de su arduo[j] conocimiento de Aristóteles. Recordó que para ese día se esperaba un eclipse total de sol. Y dispuso,[k] en lo más íntimo, valerse de[l] aquel conocimiento para engañar a sus opresores y salvar la vida.

—Si me matáis —les dijo— puedo hacer que el sol se oscurezca en su altura[m].

Los indígenas lo miraron fijamente y Bartolomé sorprendió la incredulidad en

20 sus ojos. Vio que se produjo un pequeño consejo,[n] y esperó confiado, no sin cierto desdén.[ñ]

Dos horas después el corazón de fray Bartolomé Arrazola chorreaba[o] su sangre, vehemente sobre la piedra de los sacrificios (brillante bajo la opaca luz de un sol eclipsado), mientras uno de los indígenas recitaba sin ninguna inflexión de

25 voz, sin prisa, una por una, las infinitas fechas en que se producirían eclipses solares y lunares, que los astrónomos de la comunidad maya habían previsto y anotado en sus códices sin la valiosa ayuda de Aristóteles.

---

[a]fray [b]trapped [c]condescended [d]elevated status [e]zeal [f]redeeming [g]bed [h]control [i]tuvo... he had worthy of his intellect [j]hard-earned and complex [k]resolved [l]to use [m]in its heights [n]council [ñ]cierto... some disdain [o]dripped

©teekid/Getty Images RF

Comprensión y análisis

■ ACTIVIDAD 2 ¿Está claro?

Paso 1 Contesta las siguientes preguntas citando el texto para justificar tus respuestas.

1. ¿Quién era y qué era Fray Bartolomé?
2. ¿De dónde era originalmente?
3. ¿Era un hombre bien instruido (*learned*)?
4. ¿Dónde estaba en el momento de la historia del cuento?
5. ¿En qué momento de su vida estaba al principio del cuento? ¿Cómo se sentía?
6. ¿En qué cosas encontraba consuelo (*comfort*) Fray Bartolomé?
7. ¿Cómo murió?

Paso 2 Las siguientes preguntas te harán inferir, pero intenta justificar tus ideas usando el texto.

1. ¿Por qué estaría Fray Bartolomé en América?
2. ¿Por qué estaría solo en el momento del cuento?
3. ¿Qué tipo de hombre sería? ¿Cuáles serían sus creencias y valores personales?
4. ¿Cuánto entendimiento demuestra de los indígenas y su cultura?
5. ¿De qué hablarían los nativos antes del final?
6. ¿Por qué muere Fray Bartolomé de esa manera?

■ ACTIVIDAD 3 Referentes culturales

En la sección de Lectura del Capítulo 6, se presentó la idea de los referentes culturales: referencias a personas, objetos, lugares y eventos que los lectores necesitan reconocer para entender bien el texto. Este cuento requiere la comprensión de varias referencias. ¿Cuántas puedes encontrar? Explícalas brevemente o busca información si no entiendes algunas.

■ ACTIVIDAD 4 La ironía

Paso 1 Ahora en parejas, discutan por qué las palabras subrayadas en el texto están usadas de una manera irónica y si la situación que describe el texto es irónica también.

Paso 2 En parejas, ¿pueden encontrar otros ejemplos de ironía en el texto?

©Javier Fernandez Sanchez/Getty Images RF

Los templos de Tikal, rodeados por la selva guatemalteca

Tertulia ¿Justicia poética?

¿Qué sentimiento les produce el final del cuento y por qué? ¿Se merece (*deserves*) Fray Bartolomé ese final? ¿Creen que habría podido hacer algo diferente para salvar su vida? ¿Qué habrían hecho Uds.?

Producción personal

Redacción Un ensayo (Paso 1)

Prepárate

- En esta última unidad vas a escribir un trabajo de investigación, en el cual podrás repasar las técnicas de escritura practicadas en capítulos anteriores, esta vez aplicadas a un texto un poco más extenso. Tu profesor(a) decidirá la extensión que debe tener tu trabajo y las opciones de tema.

- Para este capítulo, vas a preparar el borrador de tu ensayo. Un borrador es la primera versión de un escrito y es un paso importantísimo para un trabajo de investigación. (En el **Capítulo 11,** tendrás la oportunidad de trabajar sobre la segunda versión.)

- Escoge un tema y haz la investigación necesaria.

- Decide a qué tipo de posibles lectores estará orientado el texto y cuál es su propósito: ¿informar? ¿convencer?

¡Escríbelo!

- Crea un primer esqueleto del texto, aunque este puede cambiar en la siguiente versión. Utiliza una o más de las técnicas de pre-escritura: la lluvia de ideas, la escritura automática o el esquema.

- El borrador debe ser pensado y escrito en español, aunque no sepas expresar perfectamente todas las ideas o cometas errores gramaticales y ortográficos: lo importante es poner en el papel las ideas que te vayan ocurriendo.

- Es importante incorporar en el borrador todos los aspectos del tema que podrías tratar, aunque luego decidas solo centrarte en algunos.

- Finalmente, es aconsejable hacer una lista de palabras útiles relacionadas con el tema, aunque algunas estén al principio en inglés: la segunda versión del borrador será el momento de buscarlas en el diccionario.

¿Cuándo se dice? Significados de la palabra *time*		
tiempo	*time (undetermined period)*	**¡Cómo pasa el tiempo!**
		Cuando tengas tiempo, me gustaría hablar contigo.
hora	*hour*	**Sesenta minutos son una hora.**
	time (by the clock)	**¿Qué hora es?**
la hora de	*the moment or time to/ for something*	**Es la hora de trabajar.**
rato	*while, short period of time*	**Vuelvo en un rato.**
vez	*time, occasion*	**Esta vez no digas nada.**
		Lo hice una sola vez.
a veces	*sometimes*	**A veces me llama cuando necesita dinero.**
época/tiempos	*old times*	**En esa época / En esos tiempos yo era muy pequeña.**

¿Qué piensan los hispanohablantes?

Entrevista a una persona hispanohablante de tu comunidad para ver si tienen antepasados indígenas o si hay una importante comunidad indígena en su país de origen. Se le puede preguntar:

- cuál(es) son las etnias indígenas más numerosas en su país
- si el/la entrevistado/a tiene contacto personal con alguna de estas etnias y cómo es su contacto
- si cree que el gobierno de su país está haciendo lo suficiente por estos grupos o qué debe hacer que no esté haciendo
- si sabe alguna tradición o leyenda de los indígenas de su país

Producción audiovisual

Prepara una presentación sobre un pueblo indígena de Latinoamérica o de una comunidad de personas llegadas de algún lugar de Europa, Africa, Asio o el mundo árabe asentada en Latinomérica. Incluye su historia, su arte y su presencia actual (si no es un pueblo extinto, como los taínos).

¡Voluntari@s! Hacer historia

Si te interesa la historia y la situación de los pueblos indígenas americanos, hay varias maneras en las que puedes ayudar, desde trabajar directamente con algún grupo, hasta involucrarte en sus causas de una manera indirecta. Por ejemplo, hay muchos pueblos amazónicos que necesitan desesperadamente que se respeten sus territorios ancestrales, porque están siendo explotados por las industrias farmacéutica, maderera o petrolera. Y la mayoría están luchando por un mejor acceso a la educación y que haya planes de estudio que respeten y promuevan sus lenguas nativas.

Tertulia final Los pueblos indígenas en los Estados Unidos y el Canadá

En este capítulo Uds. han leído un poco sobre el pasado y el presente de los pueblos indígenas en países latinoamericanos. ¿Cómo se comparan su civilización y su historia a la de los pueblos indígenas de su país? ¿Cómo es la situación actual de estos pueblos? ¿Tienen una presencia importante en su estado o provincia? Deben intercambiar la información que sepan y buscar algunos hechos de los que no estén seguros.

Para terminar América: pueblos y herencias en contacto

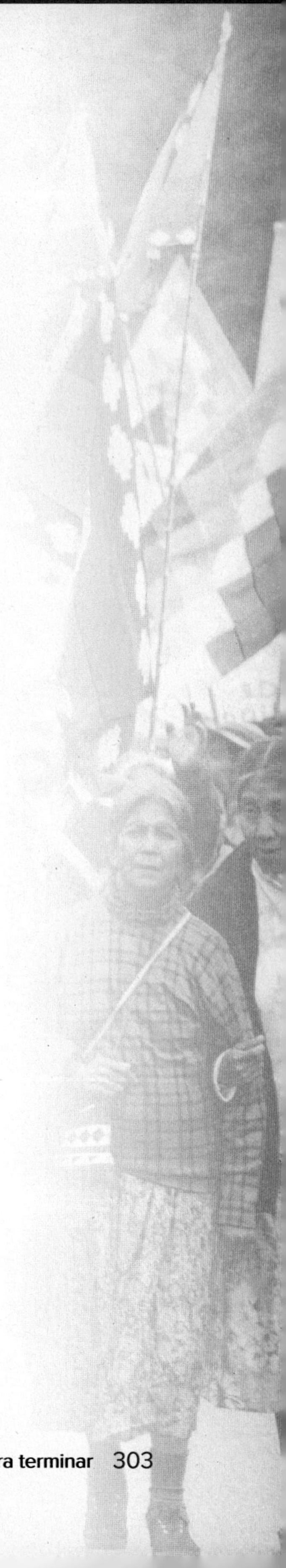

Now I can...

- ☐ explain how indigenous civilizations in the present day inherited cultural aspects from previous civilizations and the contributions of indigenous languages to Spanish
- ☐ talk about history and historical issues
- ☐ express hypothetical situations
- ☐ explain the multicultural nature of what we understand as Spanish and Latin American cultures today

Vocabulario del capítulo

Asegúrate que sabes:

- ☐ el vocabulario temático (**Palabras**, pp. 276–277)
- ☐ los diferentes significados de la palabra *time* en español. (**¿Cuándo se dice?** p. 301)

Otro vocabulario activo

el guaraní	Guarani
el mural	mural
el muralismo	muralism
el/la muralista	muralist

VOCABULARIO PERSONAL

Las grandes transformaciones urbanas

©Image Source RF

La ciudad de Panamá

Para el final del capítulo podré

- hablar de los diferentes espacios y edificios en una ciudad
- explicar la importancia de los espacios públicos en las ciudades de España y Latinoamérica
- expresar negación, incertidumbre e ideas hipotéticas en el pasado
- describir las transformaciones que los espacios urbanos latinoamericanos han experimentado a través del tiempo

> **«Todos tenemos nuestra casa, que es el hogar privado; y la ciudad, que es el hogar público». (Enrique Tierno Galván)**
>
> - ¿Sientes que la ciudad o el pueblo donde estudias es tu hogar? ¿Por qué?
> - ¿Qué características debe de tener una ciudad para que la consideres tu hogar?

ENTREVISTA

Zaira Vargas-Reyes Nueva York, Estados Unidos

- ¿Dónde vives? ¿Te gusta ese lugar?
- ¿Qué sabes de la historia de tu ciudad?
- ¿Conoces alguna otra ciudad de España o Latinoamérica? ¿Te parece muy diferente de las ciudades de los Estados Unidos?
- Cuando piensas en una ciudad, ¿qué lugares te vienen a la cabeza? ¿Hay algunos que sean más importantes que otros para ti?
- Si pudieras cambiar algo de la ciudad donde vives ahora, ¿qué sería?

©Glow Images/SuperStock RF

«Si pienso en Santo Domingo, me viene a la cabeza el malecón, el colmado, la plaza y la iglesia».

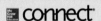

Escucha las respuestas de Zaira Vargas-Reyes a estas preguntas en **Connect**.

EN PANTALLA

«Medellín, ciudad para invertir y vivir»

Agencia de Cooperación e Inversión de Medellín y el Área Metropolitana (Colombia, 2017)

Un reportaje que muestra las razones que hacen de Medellín un referente internacional de ciudad moderna y centro de desarrollo económico.

Source: ACI Medellín

De entrada

Minilectura Historia de las misiones coloniales españolas

La Misión San Carlos Borromeo, Carmel, California

©Meinzahn/Getty Images RF

Antes de leer

¿Has visitado alguna de las misiones españolas que se encuentran en diferentes partes de los Estados Unidos? ¿Sabías que muchas de ellas se convirtieron en el origen de lo que hoy día son grandes ciudades en este país, como Los Ángeles, San Antonio, San Diego, San Francisco, Santa Bárbara y Tucson? ¿Conoces algunas de estas ciudades? ¿Crees que se nota el origen español en alguna parte o aspecto de la ciudad?

Historia de las misiones coloniales españolas: A través de miles de millas y cientos de años

Las misiones religiosas fueron una parte integral del norte de la frontera de la Nueva España estableciéndose sobre una extensa área. Desde los inicios del siglo XVII hasta principios del siglo XIX, las órdenes[a] franciscana, dominicana y jesuita de la Iglesia Católica Romana construyeron misiones por todo el territorio de lo que es actualmente el norte de México y el suroeste de los Estados Unidos. La frontera norte poseía[b] oro, plata y otros recursos deseados por el Imperio Español, pero un sistema colonial bien organizado era necesario para extraerlos.[c] La iglesia junto con entidades militares y seculares, estableció el orden europeo en la región. Los misionarios fueron los primeros que entraban en estas zonas fronterizas con la intención de convertir la población nativa al cristianismo. Las misiones también sirvieron como una vanguardia para la expansión de poblaciones españolas y de trabajos de minería.*

Las tres órdenes religiosas católicas construyeron centenares[d] de misiones en la Nueva España—algunas catedrales con diseños complejos y otras iglesias sencillas. Después de que México ganó su independencia de España en 1821, las instituciones españolas ya no recibieron más apoyo. La iglesia y sus estructuras tomaron de alguna manera una posición secundaria en el crecimiento[e] de pueblos y comunidades y, en algunos casos, los edificios de las misiones se emplearon para otros fines.[f]

Sin embargo, actualmente, muchos sitios de misiones permanecen[g] como esenciales para la práctica religiosa y actividades cívicas en estas comunidades. La Iniciativa Misional tiene como objetivo apoyar estos sitios activos como también crear un soporte más amplio para todos los sitios dentro de todas las categorías para las partes interesadas. Por medio de las diversas experiencias y habilidades de los administradores, historiadores, representantes de la iglesia y de las comunidades locales, la Iniciativa puede ultimamente mejorar el acceso y aprecio de las misiones coloniales españolas como ejemplos vivos de la rica estructura cultural que se extiende por todo el suroeste de los Estados Unidos y norte de México.

[a]*(religious) orders*   [b]*possessed*   [c]*to extract them*   [d]*hundreds*   [e]*growth*   [f]*purposes*   [g]*remain*

Source: Tom Spangler, University of Arizona for the National Park Service.

*Roca, Paul M. Spanish Jesuit Churches in Mexico's Tarahumara. U of Arizona Press, 1979.

Comprensión y análisis

Decide si las siguientes oraciones son ciertas o falsas y corrige las falsas según la información del texto.

1. Las misiones se establecieron en un área muy pequeña.
2. El área donde se establecieron las misiones era rica en recursos naturales.
3. Todas las misiones eran grandes construcciones.
4. Las misiones siempre tuvieron un uso asociado a la religión.
5. Los representantes religiosos de la iglesia católica normalmente llegaban después de las fuerzas militares.

Antes de mirar

¿Cuáles son las ciudades más dinámicas de tu país a nivel de desarrollo empresarial? ¿Qué ofrecen esas ciudades? ¿Te gustaría vivir allí? ¿Por qué?

Source: ACI Medellín

Reportaje: «Medellín, ciudad para invertir y vivir»

Colombia, 2017

Agencia de Cooperación e Inversión de Medellín y el Área Metropolitana

Comprensión y discusión

¿Cierto o falso? Corrige las oraciones falsas.

1. Medellín se ubica en la región de Antioquia, Colombia.
2. La capital antioqueña no tiene empresas de manufactura, solo de servicios.
3. En Medellín, las iniciativas de desarrollo empresarial son privadas e internacionales.
4. Un problema de Medellín es su sistema de transporte público.

Interpreta

1. ¿Qué tipo de video es este? ¿Cuál es su objetivo? ¿A quién va dirigido?
2. ¿Cuáles son las palabras que más se repiten en el video? ¿A qué hacen referencia? ¿Te parece lógico?
3. Fíjate en la información que aparece escrita en la pantalla y haz una lista de las instituciones y datos a los que hacen referencia.
4. Fíjate en lo que no menciona el video. ¿Qué otros aspectos de una ciudad se pueden mencionar para hacerla atractiva?

Tertulia Una ciudad atractiva

1. En tu opinión, ¿qué aspectos hacen que una ciudad sea atractiva para vivir en ella? ¿Cuáles son los aspectos más importantes para ti?
2. ¿Te gustaría trabajar un tiempo en Medellín? ¿Por qué? ¿En qué tipo de empresa o trabajo te imaginas?

Palabras

La vida de la ciudad

la acera	sidewalk
el alcalde/la alcaldesa	mayor
la autopista	freeway
la avenida	avenue
el ayuntamiento	city hall
el centro	downtown
el centro deportivo	sports center
el espacio (verde, comunitario, multicultural, multiusos)	space (green, community, multicultural, multi-use)
el/la habitante	inhabitant, resident
el metro	subway (system)
el municipio	township
el peatón/la peatona	pedestrian
la población	population
el puente	bridge
el puerto	harbor
la señal de tráfico	traffic sign
la urbe	major city

De repaso: **el barrio, la calle, el centro comercial, el cine, la ciudad, el parque, la población, el pueblo, el río, el teatro, la tienda, la zona verde, el/la ciudadano/a**

Cognados: **el área metropolitana, la capital, el estado, la metrópolis, el patrimonio**

diseñar	to design
expandir	to expand
renovar	to renew
urbanizar	to develop

Mapa en azulejos (*tiles*) de la ciudad de Antigua, Guatemala

Edificios y elementos de arquitectura

el arco	arch
el castillo	castle
la escalera	stairs
(la oficina de) correos	post office
la fachada	façade
la fuente	fountain
el palacio	palace
el rascacielos	skyscraper
la torre	tower

De repaso: **la iglesia, la plaza**

Cognados: **la columna, la catedral, el monumento, el museo**

Oficina de Correos y Telégrafos, Ciudad de Guatemala

Para hablar de desarrollo urbano

la brecha	gap
el gráfico	graph

Cognado: **las estadísticas**

De repaso: **el bienestar**

aportar	to contribute
confiar en	to trust
dar origen a	to start
darse cuenta de	to realize
hacer falta	to need
reclamar	to claim, to demand
surgir	to appear
tener en cuenta	to keep in mind

De repaso: **reclamar**

Expresiones para articular un texto

de hecho	in fact
o sea	that is

De repaso: **desarrollar, exigir, incluir, integrar, promover**

por (lo) tanto	therefore
por consiguiente	therefore
no obstante	however
por un lado / por otro lado	on one hand / on the other hand
por otra parte	on the other hand, what's more

De repaso: **sin embargo**

La catedral de Bogotá en la Plaza Bolívar

■ ACTIVIDAD 1 Asociaciones

¿Qué palabras del vocabulario asocias con los siguientes lugares, cosas, personas y acciones?

1. una calle	6. la oficina del alcalde
2. el parque	7. el río
3. un barco	8. datos y números
4. jugar al futbol	9. manejar rápido
5. caminar	10. Nueva York

■ ACTIVIDAD 2 Descripciones

En parejas, túrnense para describir cada una de las fotos por los elementos urbanísticos que presentan. La persona que escucha la descripción debe adivinar de qué foto se trata. No describan las fotos en el orden en que aparecen ni digan el lugar donde fueron tomadas. Intenten usar todas las palabras del vocabulario que puedan.

Ciudad de México, México

Cusco, Perú

San Agustín, Florida, Estados Unidos

Madrid, España

Valparaíso, Chile

Alcázar de Segovia, España

■ ACTIVIDAD 3 Definiciones

Paso 1 Di cuál de las palabras no pertenece al grupo y por qué.

1. la acera	la autopista	la alcaldesa
2. la calle	la avenida	el pueblo
3. el arco	el ayuntamiento	la oficina de correos
4. el puerto	la escalera	la fachada
5. el palacio	la fuente	el castillo
6. surgir	dar origen a	hacer falta
7. por otra parte	por lo tanto	por consiguiente
8. reclamar	expandir	urbanizar

Paso 2 Define los siguientes términos intentando incorporar las palabras entre paréntesis en tu definición.

1. ayuntamiento (gobierno)	5. población (personas)
2. catedral (principal)	6. puente (cruzar)
3. palacio (edificio)	7. urbe (ciudad)
4. señal de tráfico (instrucciones)	8. renovar (cambiar)

■ ACTIVIDAD 4 La catedral de México

Completa este párrafo usando las siguientes palabras del vocabulario.

catedral   **edificio**   **de hecho**   **fachada**   **iglesia**
por lo tanto   **por un lado**   **por otro lado**   **teniendo en cuenta**   **torres**

La Catedral de México, D.F.

En todas las grandes ciudades latinoamericanas y españolas hay con una

_____,[1] lo cual no es sorprendente, _____[2] la tradición

católica del mundo hispanohablante. La catedral es la _____[3] más

importante de una ciudad. La catedral de México, por ejemplo, es inmensa;

_____,[4] es la más grande de América. Se empezó a construir en 1535

y se terminó dos siglos después; _____,[5] en su construcción

participaron varios arquitectos diferentes, quienes aportaron diversos estilos.

_____,[6] sus altas _____[7] y su estupenda

_____[8] exterior, y _____,[9] su ubicación en el imponente

zócalo (plaza), la hacen una de los _____[10] más impresionantes y

visitados de Latinoamérica.

■ ACTIVIDAD 5 Megaciudades

Completa este párrafo con la opción más adecuada de las que se ofrecen entre
paréntesis.

El rápido crecimiento de _____ (población / pueblo)[1] de muchas

ciudades Latinoamericanas afecta el _____ (gráfico / bienestar)[2] de

sus _____ (alcaldes / ciudadanos)[3]. Este desarrollo sin planeamiento

_____ (da origen / se da cuenta) a serias _____ (metas /

brechas)[4] económicas y sociales entre los ciudadanos. _____ (Por lo

tanto / Por un lado)[5], aumenta el tráfico y _____ (por consiguiente / no

obstante)[6] se colapsan las calles y _____ (autopistas / ayuntamientos)[7],

y aumenta la contaminación atmosférica. _____ (Por lo tanto / Por

otra parte)[8], _____ (hace falta / reclama)[9] una mejor distribución de

servicios de agua y electricidad, los cuales no les llegan a los habitantes de las

zonas más pobres y periféricas de estas megaciudades.

Los gobiernos deben tener una _____ (meta / señal)[10] clara para

mejorar la situación de la población más necesitada en estas metrópolis,

_____ (o sea / de hecho)[11], deben _____ (dar origen / estar

dispuestos)[12] a invertir en cambiar la situación rápidamente para evitar la

inseguridad ciudadana y las enfermedades.

■ ACTIVIDAD 6 Espacios de mi ciudad

Paso 1 En parejas, piensen en algunos espacios públicos de su ciudad o pueblo.
¿Hay gente en la calle con frecuencia? ¿Se conocen los vecinos? ¿Salen los
niños de las casas para verse con sus vecinos/amigos y jugar? ¿Hay
suficientes espacios verdes, comunitarios, multiculturales o multiusos? ¿Qué
tipo de espacios creen que hacen falta para mejorar el bienestar de todos los
habitantes de la ciudad?

Paso 2 Ahora en parejas, imaginen que forman parte de un comité para mejorar
la calidad de vida de los habitantes de su ciudad. Piensen en tres proyectos
que les gustaría proponer al alcalde o a la alcaldesa.

Cultura

La vida social en el espacio público

Placita Olvera, Los Angeles

Café Tortoni, Buenos Aires

En el mundo hispano, se tiende a usar mucho los espacios públicos. Las calles de una ciudad, ya sea^a grande o pequeña, tienen un alto valor social—en ellas se vive, se compra y se pasea.

De aun más valor social que las calles pueden ser las plazas. Históricamente, la fundación de las ciudades latinoamericanas por los españoles comenzaba por una plaza, donde se situaban los primeros edificios de la ciudad y representaban los poderes que regulan la vida de la comunidad: el militar, el religioso y el gobierno, colonial y local. Además, las plazas servían (y aún sirven en muchos casos) como área de mercado y de feria. Algunas plazas son inmensas e importantes por su historia y arquitectura, como la Plaza Mayor de Madrid, la Plaza de Mayo en Buenos Aires, la Plaza de Armas en Santiago de Chile o el Zócalo de la Ciudad de México, por nombrar algunas de las más grandes y famosas. Pero hasta los pueblos más pequeños tienen su plaza, y en las grandes ciudades suele haber al menos una en cada barrio. Hoy día las plazas son lugares de entretenimiento para adultos y niños, para disfrutar mientras la gente se sienta en bancos^b o pasea y se observa todo lo que pasa alrededor. En algunas ciudades de los Estados Unidos donde hay una fuerte herencia cultural hispana también podemos encontrar este tipo de plazas. Un ejemplo sería la Placita Olvera, en Los Ángeles, o la Main Plaza, en San Antonio. En ambas, como es también habitual en el mundo hispano, se encuentra la catedral.

No podemos hablar de la vida social sin mencionar los cafés, los bares y los restaurantes. Aunque se encuentran en casi todos los lugares del mundo, ir a estos establecimientos es mucho más común para personas de todas las edades en los países hispanos. En España, por ejemplo, el bar es un gran centro de la vida social del barrio: siempre hay un bar «de enfrente»^c o «de la esquina»^d y son lugares de reunión asidua^e para amigos y familia. Por otro lado, el café tiene mucha más raigambre^f en el mundo hispano que, por ejemplo, en los Estados Unidos, ya que tienen la tradición de ser lugares donde la gente se reunía para hacer tertulias.

Finalmente, hay que destacar la importancia del mercado. Todas las ciudades y pueblos tienen mercados centrales o por barrios. Es allí donde se suele encontrar los productos más variados y frescos, y, por supuesto, los más tradicionales para la cocina del país. Aunque los nuevos supermercados con frecuencia hacen difícil la supervivencia de los mercados tradicionales, estos siguen siendo lugares céntricos y, en muchos casos, espectaculares. Además, en casi todos los lugares existe un mercadillo semanal, con vendedores ambulantes, en el cual se venden ropa y cosas para la casa.

---

^aya... *be it*   ^b*benches*   ^cde... *across the street*   ^dde... *on the corner*   ^efrecuente   ^ftradición

Tertulia Comparaciones

- ¿Encuentran Uds. diferencias entre el uso que se hace de las calles y las plazas en su ciudad con el que se hace en las ciudades hispanas? ¿Qué ventajas y desventajas encuentran en que las calles sean un lugar «social»?

- ¿Qué otras diferencias o similitudes notan Uds. entre las ciudades hispanas y las de su país con respecto a los bares, cafés y mercados?

25 El pasado perfecto o pluscuamperfecto de subjuntivo

TIEMPOS DEL INDICATIVO
Presente
Presente perfecto
Imperfecto
(**Pluscuamperfecto**)

This is the last tense of the subjunctive and the third of the three subjunctive tenses that deal with the past.

REPASO

El imperfecto de subjuntivo
(**Capítulo 10**)

El participio
(**Capítulo 4**)

Forms

The pluperfect subjunctive is formed with the imperfect subjunctive of haber followed by a past participle.

imperfecto de subjuntivo de *haber* + participio pasado	
hubiera reclamado	hubiéramos reclamado
hubieras reclamado	hubierais reclamado
hubiera reclamado	hubieran reclamado

RECORDATORIO

The form of the imperfect subjunctive ending in **-ese** can also be used for the pluperfect subjunctive, but it is less common.

yo **hubiese** diseñado
ellos **se hubiesen** dado cuenta

Uses

- The pluperfect subjunctive appears in contexts that require the subjunctive and a pluperfect tense. Look at the examples for each type of clause.

   In noun clauses: Expressions of influence, doubt, judgment, and emotion

   Los ciudadanos se quejaban de que el alcalde no **hubiera asistido** a la reunión.   *The residents complained that the mayor had not attended the meeting.*

   In adjective clauses: Clauses that function like adjectives

   En su opinión, no había ningún otro alcalde que **hubiera sido** tan creativo como él.   *In his opinion, there was no other mayor who had been as creative as he had.*

   In adverbial clauses: Clauses that function like adverbs

   La alcaldesa se fue antes de que los estudiantes le **hubieran mostrado** la escuela.   *The mayor left before students had showed her the school.*

- ***Si*-clauses in the past** These clauses represent circumstances that cannot be changed because the time of the action has passed. They are followed or preceded by a conditional clause.

Si-clauses in the past
Si + pluperfect indicative, perfect conditional (or vice versa)

(See also **Estructuras 26** in this chapter.)

   Si **hubiéramos** ido a San Antonio, **habríamos vistado** la catedral.   *If we had had time, we would have visited the cathedral.*

- ***Como si* + pluperfect subjunctive** **Como si** can be followed by the pluperfect subjunctive or imperfect subjunctive. As in English, these actions are not real past actions, but actions that are contrary to the actual situation in the present.

   John habla español como si **fuera** nativo.   *John speaks Spanish as if he were a native speaker.*

   John habla español como si **hubiera crecido** en Buenos Aires.   *John speaks Spanish as if he had grown up in Buenos Aires.*

La Catedral de Santo Domingo y la estatua de Colón.

Si Colón no **hubiera llegado** primero a la isla de La Española, Santo Domingo no sería la primera ciudad colonial de Latinoamérica.

Si **hubiéramos tenido** más tiempo en San Antonio, **habríamos visitado** la Misión San José.

- *Ojalá* + **pluperfect subjunctive** Followed by the pluperfect subjunctive **ojalá** expresses a wish for the past that is impossible because the time of the action has passed.

Ojalá **hubiera respetado** las señales de tráfico antes del accidente.	*I wish I had paid attention to traffic signals before the accident.*
Ojalá la conquista de América **no hubiera costado** tantas vidas indígenas.	*I wish the conquest of America had not cost so many indigenous lives.*

NOTA LINGÜÍSTICA RESUMEN DE LOS CONTEXTOS CON OJALÁ

The expression **ojalá** (which is *not* a verb) combines with all tenses in the *subjunctive* to express the speaker's hopes and wishes.

Ojalá + **present subjunctive** = *I hope* + present

Ojalá que no haga mucho frío hoy.	*I hope it doesn't get too cold today (and it may not).*

Ojalá + **present perfect** = *I hope* + present perfect

Ojalá que haya ganado mi equipo.	*I hope my team has won. (They have played, but I don't know the results yet.)*

Ojalá + **imperfect subjunctive** = *I wish* + past

Ojalá que no hiciera tanto frío.	*I wish it weren't so cold (but it is).*
Ojalá que pudiéramos terminar con el hambre.	*I wish we could stop hunger.*

Ojalá + **pluperfect subjunctive** = *I wish* + pluperfect

Ojalá que no hubiera hecho tanto frío ayer.	*I wish it had not been so cold yesterday (but it was).*

■ ACTIVIDAD 1 Un paseo por el centro

Paso 1 Completa el siguiente correo electrónico con la forma apropiada del pluscuamperfecto de subjuntivo.

Hola María José:

Ayer pasamos por tu casa cuando fuimos al centro para ver la renovación de las aceras y todo lo que han hecho. Nos pareció como si nunca _____ (estar)[1] allí antes porque está muy cambiado. Me alegré de que el ayuntamiento _____ (cerrar)[2] el acceso a los carros en algunas de las calles para que solo haya peatones y que _____ (instalar)[3] más bancos en la plaza al lado de la oficina de correos, ¡hacían falta!

Por otro lado, no me gustó que el servicio de transporte público _____ (quitar)[4] la parada de metro de la calle Zaragoza. Fue una pena que ni mi esposo ni yo no nos _____ (darse cuenta)[5] antes del cambio para que mejor _____ (tomar)[6] el bus. De todas formas, la renovación ha mejorado el centro.

Bueno, tenemos que vernos pronto. ¿Qué planes tienen este fin de semana?

Un beso,

Yesenia

Paso 2 Ahora en parejas, hablen de algún cambio reciente en su municipio. ¿Les gusta el cambio? ¿Hay algún área o edificio que se deba renovar? ¿Por qué es necesaria la renovación?

ACTIVIDAD 2 Accidentes de tráfico en el barrio

Paso 1 Completa las siguientes oraciones con la forma adecuada del pluscuamperfecto de subjuntivo o de indicativo, según sea necesario. Explica por qué en cada caso.

1. Los residentes de mi barrio organizaron una reunión para pedir más señales de tráfico porque sabían que en los últimos meses _____ (haber) muchos accidentes en nuestras calles.

2. En la reunión nos mostraron un gráfico de los accidentes de la última década, y no podíamos creer que el aumento _____ (ser) tan alarmante en el último año.

3. En la reunión no hubo nadie que no le _____ (reclamar) ya al ayuntamiento que pusieran más señales para reducir la velocidad del tráfico en el barrio.

4. Yo estaba horrorizado de que cuatro personas _____ (morir) a causa de un accidente de tráfico el mes pasado.

5. Mi vecino se lamentaba de que se _____ (construir) la nueva urbanización porque creía que el tráfico _____ (aumentar) mucho por esa razón.

6. Uno de los nuevos residentes del barrio dijo que si _____ (saber) de la situación no se habría mudado (*would not have moved*) a nuestro barrio.

7. Alguien dijo que no habría tantos problemas si _____ (crear) más zonas de estacionamiento (*parking*).

8. A todos les preocupaba que el alcalde hablara como si no _____ (darse cuenta) de lo que estaba pasando.

9. O sea, que según él, nadie le _____ (informar) antes de la reunión.

Paso 2 Ahora en parejas, hablen sobre el tráfico de la ciudad donde está la universidad. ¿Hay algún problema con el volumen de tráfico? ¿Y con el estacionamiento? ¿Hay accidentes de tráfico frecuentemente? ¿En qué parte? ¿Qué se podría hacer para mejorar la situación?

ACTIVIDAD 3 Otra historia

Paso 1 Combina las ideas de las columnas A y B para formar oraciones condicionales con **si**. Adapta el contenido de las oraciones de la columna B como se muestra en el ejemplo. **¡OJO!** Debes usar la forma negativa.

Ejemplo: Hoy sabríamos más de las culturas indígenas de América si... / los europeos *destruyeron* la herencia cultural indígena cuando construyeron sus ciudades → Hoy sabríamos más de las culturas indígenas si los europeos **no** *hubieran destruido* parte de la herencia cultural indígena cuando construyeron sus ciudades.

Columna A

1. Las misiones no se habrían construido (*would not have been built*) si...

2. El diseño de las ciudades latinoamericanas sería diferente si...

3. No habría catedrales en las plazas mayores de las ciudades hispanas si...

4. Muchas ciudades del suroeste estadounidense y de Florida no tendrían nombres en español si...

Columna B

a. los españoles construyeron la ciudad empezando por la plaza mayor.

b. los indígenas locales aportaron (*contributed*) la mano de obra (*labor*).

c. los españoles colonizaron estas zonas antes que otros europeos.

d. los conquistadores españoles eran católicos.

No me sorprendió que me **hubieran aconsejado** estudiar en la Universidad de Chile, ya que es una de las mejores instituciones de Latinoamérica.

Paso 2 Ahora en parejas, hagan tres oraciones condicionales sobre eventos relacionados con su ciudad o su universidad usando el pluscuamperfecto de subjuntivo.

■ ACTIVIDAD 4 Oraciones incompletas sobre ti

Paso 1 Completa las siguientes oraciones con una cláusula que contenga un verbo en el pluscuamperfecto o en el imperfecto de subjuntivo o indicativo, de tal manera que tengan sentido para ti.

Ejemplo: Yo quería estudiar en la universidad de _____ porque... →
 había oído decir que es muy buena.

1. Yo quería estudiar en la universidad de _____ porque...
2. Yo esperaba que la universidad de _____ ...
3. Yo sabía que quería asistir a _____ antes de que...
4. Habría aceptado ir a _____ con tal de que...
5. Ahora me siento en esta universidad como si...
6. En la escuela secundaria yo quería que...
7. En la escuela secundaria no conocía a ningún estudiante que...
8. Ojalá que mi amigo/a...

Paso 2 Ahora hazle preguntas a un compañero / una compañera para saber si sus experiencias coinciden con las tuyas.

Ejemplo: Yo quería estudiar en la universidad de _____ porque había oído decir que es muy buena. → ¿En qué universidad querías estudiar tú? ¿Por qué?

■ ACTIVIDAD 5 Deseos

Paso 1 Expresa tres deseos usando **ojalá:** un deseo posible de realizar (con presente o presente perfecto de subjuntivo), un deseo improbable o imposible en el presente (con imperfecto de subjuntivo) y un deseo imposible para un tiempo que ya haya pasado (con el pluscuamperfecto de subjuntivo).

Ejemplo: deseo posible → Ojalá que **encuentre** estacionamiento facilmente hoy.

 deseo improbable → Ojalá que en el mundo **existiera** igualdad de derechos y protección legal para todas las personas.

 deseo imposible → Ojalá que el Holocausto nunca **hubiera ocurrido**.

Paso 2 Ahora en parejas, cuenten a su compañero/a alguna situación que les preocupe académicamente y cómo piensan que pueden solucionarla (puede ser real o ficticia). Su compañero/a luego debe expresar sus deseos sobre esta situación con tres oraciones usando ojalá.

TIEMPOS DEL INDICATIVO
Presente
Presente perfecto
Pretérito
Imperfecto
Pluscuamperfecto
Futuro
Futuro perfecto
Condicional
~~Condicional perfecto~~

This is the last tense of the indicative presented in **MÁS**. This tense has no counterpart in the subjunctive.

REPASO

El condicional
(Capítulo 10)

Forms

The perfect conditional is formed with the conditional of **haber** followed by a past participle.

condicional de *haber* + participio pasado	
habría confiado	**habríamos** confiado
habrías confiado	**habríais** confiado
habría confiado	**habrían** confiado

Uses

The perfect conditional is used to express hypothetical actions in the past. These are actions that cannot be changed. Often they are accompanied by a **si**-clause, but not always.

Si Colón no hubiera llegado a América probablemente los españoles no **habrían sido** tan influyentes en el continente.

If Columbus had not arrived in America, the Spaniards probably would not have been so influential on the continent.

There are several common expressions used in the **si**-clause, such as **Si yo fuera tú (él, ella…)** or **Yo en tu (su) lugar…**

Si yo fuera tú (él/ellos),
Yo que tú (él/ellos),
(Yo) En tu/su lugar, } no lo habría hecho.

If I were you (him/them), I wouldn't have done it.

Si **hubieras ido** hoy a clase, **habrías aprendido** sobre el pasado español de Nueva Orleans.

■ ACTIVIDAD 1 El verano pasado

Paso 1 Completa los siguientes planes fallidos (*failed*) de varias personas con la forma apropiada del condicional perfecto.

1. Carmen: Si hubiera tenido algo de dinero, no me _____ (quedar) en casa todas las vacaciones.

2. Moisés: Si mi padre no hubiera estado enfermo, _____ (poder) estudiar en Costa Rica.

3. Los hermanos Gómez: Si nuestros padres no hubieran tenido que comprar un auto nuevo, _____ (ir) unas semanas a visitar a la familia en el Ecuador.

4. Carla y su pareja: _____ (asistir) a la boda de mi prima si nuestro bebé no hubiera nacido prematuro.

5. Ariella García: Mi familia me _____ (hacer) una fiesta de graduación si no se hubiera muerto la abuela.

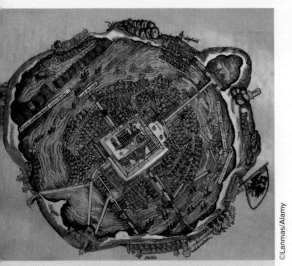

La ciudad de Tenochtitlán en el siglo XV: Si los aztecas no **hubieran sido** muy ingeniosos, no **habrían podido** construir una ciudad en medio de un lago.

©Lanmas/Alamy

Paso 2 Ahora en parejas, cuéntense un par de cosas que Uds., sus familiares o sus amigos quisieron hacer el verano pasado, pero no pudieron, usando la estructura del **Paso 1.**

■ ACTIVIDAD 2 ¿Qué habría pasado si...?

Paso 1 Completa las siguientes ideas sobre los orígenes de la Ciudad de México, con las formas apropiadas del condicional perfecto o el pluscuamperfecto de subjuntivo.

1. Si tú _____ (ir) hoy a clase, _____ (aprender) sobre la Ciudad de México.

2. Tú _____ (saber) que el nombre original de la Ciudad de México era Tenochtitlán, si _____ (leer) el texto que nos dio el profesor.

3. Hoy aprendimos también que si los aztecas no _____ (ser) muy ingeniosos, no _____ (poder) construir una ciudad en medio de un lago.

4. Si Moctezuma, el emperador azteca, no _____ (creer) que Hernán Cortés era un dios, no lo _____ (recibir) de manera pacífica en Tenochtitlán.

5. Los españoles no _____ (construir) sobre los edificios aztecas si _____ (apreciar) más su riqueza cultural.

6. Si nosotros _____ (participar) en el programa de verano de la UNAM (Universidad Nacional Autónoma de México), _____ visitar esta increíble ciudad.

Paso 2 Ahora en parejas, miren los siguientes acontecimientos (eventos históricos) y piensen en lo que habría pasado si no hubieran ocurrido.

1. la construcción de las misiones españolas en California

2. la llegada de colonos (*settlers*) ingleses a Norteamérica

3. el descubrimiento de oro en California

4. el invento de la calefacción central y el aire acondicionado

5. el ataque terrorista contra las Torres Gemelas

6. el invento del Internet

■ ACTIVIDAD 3 Críticas a problemas... sin solución

Paso 1 Una forma muy común de criticar lo que hicieron otras personas es decir lo que habríamos hecho nosotros en la misma situación. En parejas, lean los siguientes contextos problemáticos y digan lo que habrían hecho Uds. en lugar de esas personas, usando **si (yo) fuera esa persona,** o las frases más cortas **(yo) en su lugar** y **yo que esa persona.**

1. Jamil se pasó toda la noche estudiando, pero ahora no puede concentrarse bien en el examen.

2. La profesora Li tenía mucha fiebre pero fue a enseñar su clase.

3. Miguel aceptó una oferta de trabajo en el otro extremo del país y por eso dejó a su pareja, pero ahora se siente solo.

4. Sammy y Clara se fueron a Puerto Rico entre el final de clases y el principio de los exámenes finales. Pensaban que iban a estudiar mientras estaban allí, pero no lo hicieron...

Paso 2 Ahora en parejas, creen su propia situación para que el resto de la clase dé su reacción.

■ ACTIVIDAD 4 Una vida diferente

¿Cómo habría sido tu vida si algunos hechos en tu pasado hubieran sido diferentes? Escribe tres oraciones contestando esta pregunta y luego compártelas con la clase.

Ejemplo: Si mis abuelos no hubieran emigrado de China, probablemente mis padres nunca se habrían conocido y, por tanto, yo no habría nacido / existiría.

■ ACTIVIDAD 5 Sor Juana Inés de la Cruz (México 1651–1695)

Paso 1 Una de las figuras más influyentes culturalmente en la Ciudad de México durante la época colonial (s. XVII) fue Sor Juna Inés de la Cruz. Aprende sobre ella completando estos párrafos con la forma apropiada del imperfecto o pluscuamperfecto de subjuntivo o del condicional perfecto de los verbos entre paréntesis.

©DEA/G. Dagli Orti/Getty Images

Sor Juana Inés de la Cruz es una de las escritoras latinoamericanas más importantes de la época colonial, autora de comedias, poesía y un montón de cosas más. Juana se hizo monja (*nun*) muy joven para que la sociedad le _____ [1] (permitir) que _____ [2] (dedicarse) a la escritura como era su deseo. Para una mujer bella e inteligente como Sor Juana, nunca _____ [3] (ser) posible vivir de manera independiente en esa época. En el siglo XVII la sociedad exigía que una mujer _____ [4] (casarse) o _____ [5] (ser) monja. Si su madre le _____ [6] (dejar) que _____ [7] (disfrazarse) de hombre para asistir a la universidad, _____ [8] (poder) aprender todo lo que deseaba. En el convento ella estudiaba en su celda y cuando murió sabía tanto como si _____ [9] (pasar) su vida estudiando en la universidad.

Hoy parece increíble que, en el pasado, una mujer _____ [10] (tener) que ser monja para desarrollar su capacidad creativa e intelectual. Ojalá que la sociedad de siglos anteriores _____ [11] (tratar) a las mujeres de manera más igualitaria y respetuosa.

Paso 2 Ahora en parejas, imaginen cómo habría sido la vida de Sor Juana si hubiera nacido en el siglo XXI.

■ ACTIVIDAD 6 Traducción

Con un compañero / una compañera traduzcan los siguientes párrafos. **¡OJO!** No traduzcan palabra por palabra, porque las construcciones gramaticales no siempre coinciden entre el español y el inglés. Lo más importante es el contenido.

1. *The Spanish teacher returned the exam to us today, and my grade could have been better. The problem was that I was working on a play last week, and I didn't have much time to study. I wish I had had more time. If I had had the evening before the test free to study, I know I would have made a better grade.*

2. *Had the Spaniards not reached America in 1492, I wonder how much time would have passed until other Europeans would have found the unknown continent. It is fascinating that Europeans had visited Africa and Asia, but had no idea that America existed until the XVI century.*

Cultura

La estética de las ciudades latinoamericanas: entre el pasado y el futuro

Los países latinoamericanos cuentan con hermosísimas ciudades que reflejan[a] sus ricas y complejas historias. Al llegar al Nuevo Mundo, los españoles fundaron muchas nuevas ciudades—Santo Domingo (1498), capital de la República Dominicana, fue la primera; mientras que en territorio de los Estados Unidos lo fue San Agustín, Florida (1565). Pero no solo fundaron, sino que también se establecieron en ciudades que ya existían por su ubicación[b] y por su alto prestigio para los pueblos conquistados—este es el caso de la Ciudad de México, originalmente Tenochtitlán, y Cusco, Perú, capitales de los imperios azteca e inca, respectivamente.

Hoy día las ciudades latinoamericanas son modernas metrópolis que enfrentan sus problemas urbanos con creatividad e innovación, pero sin olvidarse de conservar su pasado prehispánico, colonial y poscolonial. Muchas son las huellas[c] dejadas por los diferentes movimientos arquitectónicos que han configurado la imagen de la ciudad latinoamericana de hoy, en la que edificios con siglos de antigüedad, como las iglesias coloniales, comparten el espacio urbano con modernos rascacielos contemporáneos.

Base de los pueblos originarios

El legado[d] artístico de las civilizaciones americanas originarias no ha desaparecido ni mucho menos,[e] aunque a veces pasa desapercibido o solo se puede ver si visitamos zonas arqueológicas. No obstante, hay ejemplos espectaculares en los que las edificaciones antiguas se combinan con las construcciones coloniales, como es el caso de la Plaza de las Tres Culturas de la Ciudad de México o el Coricancha (Templo del Sol) dentro del Convento de Santo Domingo en Cusco. Más allá de las construcciones, la presencia de la estética y los símbolos de los pueblos prehispánicos siempre fue y sigue siendo ineludible.[f]

---

[a]*reflect* [b]*location* [c]*traces* [d]*legacy* [e]*ni... far from it* [f]*unavoidable*

©Kevin Lang/Alamy

El convento de Santo Domingo sobre un muro inca; dentro está el Coricancha, el Templo del Sol (Cusco, Perú).

El barroco

Es imposible ignorar la presencia de este movimiento artístico de origen europeo en Latinoamérica. El barroco coincide con el llamado Siglo de Oro de las artes en España (siglo XVI y el XVII), durante el cual los españoles adornan sus ciudades a ambos lados del Atlántico con impresionantes obras. El arte barroco americano desarrolla su propia estética gracias a la influencia de los artistas indígenas locales que son los encargados de llevar a cabo los diseños arquitectónicos de los maestros españoles. Esta influencia se nota por ejemplo en la policromía de las fachadas o la representación ornamental de plantas, frutas e instrumentos musicales típicos de la región.

La modernidad

El siglo XIX trajo la independencia a las naciones americanas y el deseo de búsqueda de nuevos modelos culturales que se encontraron en Francia. De ahí[g] la creación de edificios como el Teatro Colón de Buenos Aires o el Capitolio de La Habana, que siguen la arquitectura francesa de la época. Con el siglo XX llegó la gran expansión poblacional urbana, debido a un éxodo masivo desde las zonas rurales a las ciudades. Muchas urbes, especialmente las capitales, al igual que en los Estados Unidos, tuvieron que acomodar crecientes instituciones gubernamentales, financieras y culturales, y así las ciudades dejaron atrás sus centros coloniales para cederle el paso a nuevas zonas y construcciones, entre las que se encuentran los rascacielos. La ciudad latinoamericana con más rascacielos es la Ciudad de Panamá, que ofrece una modernísima silueta.[h] Sin embargo, no está en Panamá el rascacielos más antiguo de Latinoamérica. Hace un siglo Buenos Aires se convirtió en la primera ciudad del mundo en tener una torre de cien metros de altura. Se trata del Palacio Barolo. Por su parte, la ciudad de México posee el rascacielos más seguro de Latinoamérica, la Torre Mayor, que con 225 metros ha resistido varios terremotos.[i] En este momento el edificio más alto de Latinoamérica es la Gran Torre Santiago, en Santiago de Chile, un edificio de comercios y oficinas que mide 300 metros de altura y que simboliza el potencial de la ciudad para llevar a cabo negocios internacionales. La carrera por tener el edificio más alto de Latinoamérica sigue adelante y en la actualidad se están construyendo varias torres en diferentes ciudades latinoamericanas.

Mas[j] la modernidad no solo ha traído consigo rascacielos, sino también grandes avenidas, hermosas universidades, museos, auditorios, hospitales, puentes, etcétera. Y no olvidemos que el paisaje urbano no se limita a sus edificios— también se han creado y ampliado espacios verdes para que sirvan de pulmón[k] a la ciudad. Parques notables son el histórico Bosque de Chapultepec en la Ciudad de México que acoge[l] el impresionante Museo de Antropología; el Parque Metropolitano de Santiago de Chile, también conocido como Cerro de San Cristóbal, al que se puede subir en un funicular para admirar impresionantes vistas de la ciudad; y el inmenso Parque Simón Bolívar de Bogotá, en el que se encuentra un gran centro deportivo.

---

[g]*hence*   [h]*silhouette, skyline*   [i]*earthquakes*   [j]*But*   [k]*lung*   [l]*hosts*

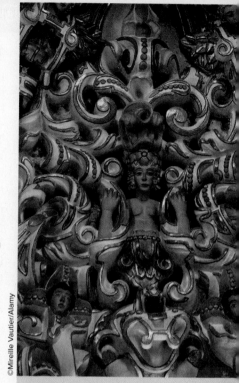

©Mireille Vautier/Alamy

Detalle de la iglesia de Santa María de Tonanzintla, en Cholula, Puebla, México: un ejemplo del barroco mexicano

Tertulia Edificios de ayer y de hoy

¿Cuáles son algunos de los edificios más antiguos de tu ciudad o pueblo? ¿De qué manera reflejan la época en que fueron construidos? ¿Conserva este edificio su uso original? ¿Hay algunos edificios u otros tipos de construcciones o espacios que le den a tu ciudad o pueblo un carácter moderno? Además de una construcción reciente, ¿qué características arquitectónicas los hace modernos?

Lectura

Inés del alma mía

©Dan Tuffs/Alamy

Texto y autora

La lectura de este capítulo es un fragmento de *Inés del alma mía*, una novela de la escritora chilena Isabel Allende. Está basada en la biografía de la figura histórica de la española Inés Suárez (1507–1580), pareja de Pedro de Valdivia, conquistador de Chile, con quien fundó la ciudad de Santiago. En pocas palabras, la novela cuenta la vida de esta conquistadora al mismo tiempo que retrata la violencia y la dureza de la conquista del Nuevo Mundo, tanto para los conquistados como para los conquistadores. En el fragmento seleccionado, Inés nos describe la fundación de la ciudad de Santiago, actual capital de Chile.

Isabel Allende (1942–), quien actualmente vive en los Estados Unidos, alcanzó la fama con su novela *La casa de los espíritus*, en la que cuenta la historia de la familia Allende (su tío fue el presidente chileno Salvador Allende). Su prolífica obra (mayormente novelas y cuentos) ha sido traducida a innumerables lenguas y ha recibido prestigiosos premios y honores.

Antes de leer

¿Puedes imaginarte la fundación de una ciudad? ¿Qué tipo de lugar sería ideal? ¿Qué cosas se necesitarían? En muchos casos, la fundación de una ciudad latinoamericana por los conquistadores europeos tenía lugar después de un largo viaje. Haz una lista con todas las cosas que se te ocurran que podrían ser convenientes de transportar a fin de establecer una nueva ciudad.

■ ACTIVIDAD 1 El establecimiento de una nueva ciudad

Completa el párrafo con una palabra o expresión de la lista.

alcanzaron	comprobaron	con el fin	conmovidos
designó	disponían de	hizo el trazado	plantar
sin cesar	se dispuso a	tuerto	

El grupo había recorrido cientos de kilómetros y necesitaban urgentemente encontrar un buen lugar _____[1] de asentarse. _____[2] un cerro (*hill*) desde el cual había una vista perfecta del valle y _____[3] que había abundante agua fresca. Entonces el capitán, que estaba _____[4] del ojo derecho, _____[5] ese lugar como el nuevo campamento. _____[6] la primavera y el verano para establecerse antes de que llegara el invierno.

Cada persona inmediatamente _____[7] hacer algo importante para el grupo. El experto en construcción _____[8] básico del pueblo: una plaza y varias calles para casas. Algunos empezaron a elaborar un plan de defensa; otros a _____[9] una cosecha de productos básicos, como trigo, maíz y vegetales básicos; otros a construir; etcétera. El día de Navidad, en pleno verano, todos se reunieron _____[10] en la pequeña construcción que era su iglesia.

Fueron meses y años de trabajar _____[11], ya que no podían perder nada de tiempo.

INÉS DEL ALMA MÍA

ISABEL ALLENDE

Trece meses después de haber partido del Cuzco, en febrero de 1541, Valdivia plantó el estandarte[a] de Castilla a los pies del cerro Huelén, que bautizó Santa Lucía porque era el día de esa mártir, y tomó posesión en nombre de su majestad. Allí se dispuso a fundar la ciudad de Santiago de la Nueva Extremadura. Después de oír misa y comulgar,[b] se procedió al antiguo rito latino de marcar el perímetro de la ciudad. Como no disponíamos de una yunta de bueyes y un arado,[c] lo hicimos con caballos. Caminamos lentamente en procesión, llevando delante la imagen de la Virgen. Valdivia estaba tan conmovido, que le corrían lágrimas por las mejillas,[d] pero no era el único, la mitad de aquellos bravos soldados lloraba.

Vista de Santiago con los Andes al fondo desde el Cerro de Santa Lucía

Dos semanas más tarde, nuestro alarife,[e] un tuerto de apellido Gamboa, hizo el trazado clásico de la ciudad. Primero designó la plaza mayor y el sitio del árbol de la justicia o patíbulo. De allí, a cordel y regla,[f] sacó las rectas calles paralelas y perpendiculares, divididas en cuadras[g] de ciento treinta y ocho varas,[h] formando ochenta manzanas, cada una dividida en cuatro solares.[i] Los primeros palos[j] plantados fueron para la iglesia, en el sitio principal de la plaza. «Un día esta modesta capilla[k] será una catedral», prometió el fraile González de Marmolejo, con la voz temblorosa por la emoción.

Pedro reservó para nosotros la manzana del norte de la plaza y distribuyó los demás solares de acuerdo con la categoría y lealtad de sus capitanes y soldados. Con nuestros yanaconas[l] y algunos indios del valle que se presentaron por su propia voluntad,[m] empezamos a construir las casas, de madera, adobe y techos de paja[n]—hasta que pudiéramos hacer tejas[ñ]—con muros gruesos y ventanas y puertas angostas,[o] para defendernos en caso de ataque y mantener una temperatura agradable. Podíamos comprobar que el verano era caliente, seco y saludable. Nos dijeron que el invierno sería frío y lluvioso. El tuerto Gamboa y sus ayudantes trazaron las calles, mientras otros dirigían a las cuadrillas[p] de trabajadores para las construcciones. Las fraguas[q] ardían[r] sin cesar produciendo clavos, bisagras, cerraduras, remaches, escuadras[s]; el ruido de los martillos y sierras[t] solo callaba por las noches y a la

---

[a]*banner*   [b]*oír... to attend mass and take communion*   [c]*yunta... ox yoke and plough*   [d]*cheeks* [e]*builder*
[f]*old measuring unit close to a meter*   [g]*en... in a grid*   [h]*unit of length*   [i]*plots of land*   [j]*sticks* [k]*chapel*
[l]*indígenas esclavos*   [m]*por... of their own will*   [n]*techos... straw roofs*   [ñ]*roof tiles*   [o]*narrow* [p]*group*
[q]*forges*   [r]*burned*   [s]*clavos... nails, hinges, rivets, carpenter squares*   [t]*martillos... hammers and saws*

Plaza de Armas de Santiago, Chile, con la catedral al fondo

hora de misa. La fragancia de la madera recién cortada impregnaba el aire. Aguirre, Villagra, Alderete y Quiroga reorganizaron nuestro zarrapastroso destacamento[u] militar, muy desmejorado[v] por el largo viaje. Valdivia y el aguerrido[w] capitán Monroy, que se jactaba[x] de cierta habilidad diplomática, intentaron parlamentar con los naturales. A mí me tocó reponer la salud de los heridos y enfermos y hacer lo que más me gusta: fundar. No lo había hecho antes, pero apenas clavamos[y] la primera estaca[z] en la plaza descubrí mi vocación y no la he traicionado; desde entonces he creado hospitales, iglesias, conventos, ermitas, santuarios, pueblos enteros, y si me alcanzara la vida haría un orfanato, que mucha falta hace en Santiago, porque es una vergüenza el número de niños miserables que hay en las calles, como había en Extremadura. Esta tierra es fecunda y sus frutos debieran alcanzar para todos. Asumí con porfía[aa] el trabajo de fundar, que en el Nuevo Mundo corresponde a las mujeres. Los hombres solo construyen pueblos provisorios para dejarnos allí con los hijos, mientras ellos continúan sin cesar la guerra contra los indígenas del lugar. Han debido transcurrir cuatro décadas de muertos, sacrificios, tesón[ab] y trabajo para que Santiago tenga la pujanza[ac] de la que hoy goza. No he olvidado los tiempos en que fue apenas un rancherío[ad] que defendíamos con diente y garra.[ae] Puse a las mujeres y a los cincuenta yanaconas que me cedió[af] Rodrigo de Quiroga a producir mesas, sillas, camas, colchones, hornos, telares, vajillas de barro cocido,[ag] utensilios de cocina, corrales,[ah] gallineros,[ai] ropa, manteles, mantas[aj] y lo indispensable para una vida civilizada. Con el fin de ahorrar esfuerzo y víveres,[ak] establecí al principio un sistema para que nadie se quedara sin comer. Se cocinaba una vez al día y se servían las escudillas[al] en mesones[am] en la plaza mayor, que Pedro llamó plaza de Armas, aunque no teníamos un solo cañón para defenderla. Las mujeres hacíamos empanadas, frijoles, papas, guisos[an] de maíz y cazuelas[añ] con las aves[ao] y liebres[ap] que los indios lograban cazar.[aq] A veces conseguíamos pescado y marisco traído de la costa por los indígenas del valle, pero olían mal. Cada uno contribuía a la mesa con lo que podía, tal como años antes hice en la nave[ar] del maestre[as] Manuel Martín. Este sistema comunitario tuvo también la virtud de unir a la gente y callar a los descontentos, al menos por un tiempo. Dedicábamos gran cuidado a los animales domésticos; solo en ocasiones especiales sacrificábamos un ave, ya que yo pretendía llenar los corrales en un año. Los cerdos, las gallinas, los gansos[at] y las llamas eran tan importantes como los caballos y, ciertamente, mucho más que los perros. Los animales habían sufrido con el viaje tanto como los humanos y, por lo mismo, cada huevo y cada cría[au] eran motivo de celebración. Hice almácigos[av] para plantar en la primavera, en las chacras[aw] asignadas por el alarife Gamboa, trigo,[ax] vegetales, frutos y hasta flores, porque no se podía vivir sin flores; eran el único lujo de nuestra ruda existencia. Traté de imitar los sembradíos[ay] de los indios del valle y su método de irrigación, en vez de reproducir lo que había visto en los vergeles[az] de Plasencia; sin duda ellos conocían mejor el terreno.

---

[u]*military party*   [v]*weakened*   [w]*brave*   [x]*se... boasted*   [y]*apenas... had barely stuck*   [z]*pole*   [aa]Asumí... *I assumed willingly*   [ab]*tenacity*   [ac]*strength*   [ad]*communal settlement*   [ae]con...*with tooth and claw, as strongly as we could*   [af]*dio*   [ag]colchones... *mattresses, ovens, looms, clay eating utensils*   [ah]*animal pens*   [ai]*hen houses*   [aj]*blankets*   [ak]*provisions*   [al]*bowls*   [am]*large tables*   [an]*stews*   [añ]*stewpans*   [ao]*poultry*   [ap]*hare*   [aq]*to hunt*   [ar]*ship*   [as]*captain*   [at]*geese*   [au]*baby animal*   [av]*seedbeds*   [aw]*small farms*   [ax]*wheat*   [ay]*fields*   [az]*gardens*

Isabel Allende, fragmento (pp 102–105) de *Inés del alma mía* ©2006 Isabel Allende. Used with permission of Agencia Literaria Carmen Balcells S.A.

Comprensión y análisis

■ ACTIVIDAD 2 ¿Cuánto sabes de la fundación de Santiago?

Completa con información del texto.

1. El nombre completo original de Santiago es _____.
2. Fue fundada en _____ por _____.
3. La expedición que la fundó salió de _____ y el viaje duró _____.
4. Lo primero que hicieron fue _____ y después _____.
5. La protagonista, Inés Suárez, dice que su mayor vocación es la de _____, que según ella es el trabajo de _____.

■ ACTIVIDAD 3 Listas

Paso 1 Este fragmento de la novela de Isabel Allende está lleno de listas. Haz tu propia lista con categorías de las enumeraciones que aparecen en el texto. Por ejemplo: objetos de metal para construir.

Paso 2 En parejas, discutan el efecto de estas enumeraciones. ¿Creen que es importante o útil que la narradora haga listas de todas estas cosas? ¿Por qué?

■ ACTIVIDAD 4 La vida en la ciudad

Paso 1 En este capítulo, has usado vocabulario sobre las ciudades y has leído dos secciones de **Cultura** que hablan sobre espacios urbanos tradicionalmente importantes en las ciudades latinoamericanas. ¿Qué ves reflejado en este fragmento de *Inés del alma mía* de lo que has aprendido en el capítulo?

Paso 2 La narradora describe varios aspectos y momentos de la vida urbana que son importantes para atender a la comunidad. Identifícalos y di si coincides con las opiniones y preocupaciones de la narradora.

■ ACTIVIDAD 5 La voz narrativa

Paso 1 ¿A qué categoría de voz narrativa pertenece Inés de Suárez, la protagonista y narradora de este fragmento y de la novela: omnisciente, testigo o protagonista? Explica tu respuesta, aportando acciones en la narración que apoyan tu idea, así como otros indicios lingüísticos.

Paso 2 La voz narrativa es una decisión importantísima que debe tomar el autor o la autora para contar su historia. La conquista de Chile y de Latinoamérica por los españoles está llena de relatos de osadías (*audacities*) fascinantes y terribles actos de violencia. ¿Qué le atraería a la autora, Isabel Allende, de este particular relato? ¿Es Inés una narradora interesante? Según este fragmento, ¿qué visión de la conquista de Chile y de la fundación de Santiago puede presentar Inés?

Tertulia La vida en una ciudad

- Es cierto que muchas ciudades, como la humanidad en general, tienen una parte violenta en su historia—un pueblo conquistó, desplazó u oprimió a otro para fundar dicha (*said*) ciudad o tomarla. También es verdad que las ciudades a veces muestran los problemas sociales de la manera más clara. Por otro lado, las ciudades nos proporcionan los mejores ejemplos de coexistencia humana a gran escala, así como de utilización eficiente de recursos comunitarios.

- ¿Cuáles podrían ser algunas razones para fundar nuevas ciudades, en la actualidad o en el futuro? ¿Dónde podrían fundarse esas nuevas ciudades?

- En este fragmento, Inés describe cómo los lotes de la nueva ciudad se repartieron a los pobladores de acuerdo con su importancia social o militar. En otro momento, también se queja de la cantidad de pedigüeños (*beggars*) que hay en la ciudad. ¿Cómo reflejan estos comentarios las ciudades modernas? Piensa en la estructura de barrios, dónde están localizados y quiénes viven en ellos.

- Piensa en tu ciudad favorita. Si pudieras elegir, ¿en qué zona de ella te gustaría vivir y por qué?

©Pablo Corvalán Meza

Parque Inés de Suárez, Santiago, Chile

Producción personal

Preparar la segunda versión del ensayo cuyo borrador escribiste en el **Capítulo 10**.

Prepárate

Decide si tu ensayo será argumentativo o un análisis donde utilices las técnicas de comparación y contraste, o causa y efecto.

¡Escríbelo!

- Organiza tu ensayo: Introducción, cuerpo y conclusión.
  - ☐ Introducción: Expresa cuál es tu tema y tu tesis.
  - ☐ Cuerpo: Escribe varios párrafos que apoyen tu tesis. Recuerda el uso de las citas directas entre comillas y no olvides indicar cuáles son tus fuentes.
  - ☐ Conclusión: Haz un pequeño resumen de las ideas más importantes.
- Busca en el diccionario y en tu libro de español aquellas palabras y expresiones sobre las que tengas dudas.
- Piensa en un título para tu ensayo que resuma el contenido del mismo. Sé creativo/a.

Repasa

En preparación para la versión final, presta mucha atención a:

- ☐ el uso de los tiempos verbales
- ☐ el uso de ser y estar
- ☐ la concordancia de todo tipo
- ☐ la ortografía y los acentos
- ☐ el uso de un vocabulario variado y correcto: evita las repeticiones

¿Cuándo se dice? Cómo se expresa *to ask*		
pedir	*to ask for* (*something*), *request, order*	**Me gustaría pedirte un favor.** **Voy a pedir una hamburguesa.**
preguntar	*to ask* (as a question) (**¡OJO!** The noun **pregunta** cannot be used as the direct object of this verb.)	**El profesor le preguntó el nombre.**
hacer una pregunta	*to ask a question*	**¿Puedo hacerle una pregunta?**
preguntar por	*to inquire about, ask after*	**Me preguntó por mi familia.**
preguntar si	*to ask whether* (+ indicative)	**Pregúntale si quiere salir hoy.**
preguntarse	*to wonder* (lit. *to ask oneself*)	**Me pregunto cuántas personas hay aquí.**

¿Qué piensan los hispanohablantes?

Entrevista a una persona hispanohablante que haya visitado o vivido en un una ciudad latinoamericana o española para saber un poco más sobre la arquitectura de los edificios de ese lugar. Algunas preguntas posibles son:

- si en esa ciudad hay edificios antiguos y modernos
- cuáles son algunos de los edificios que más le gustaron
- pedirle que describa algunos edificios y en qué parte de la ciudad o pueblo se encuentran
- pedirle que comente un poco sobre la diferencia entre los edificios de la ciudad que visitó o donde vivió y los edificios del lugar donde vive en la actualidad

Producción audiovisual

Prepara una presentación sobre algún edificio de tu ciudad, estado o país que sea simbólico por representar una época, un hecho histórico, un modelo de modernidad, etcétera.

¡Voluntari@s! Embellecer nuestra comunidad

Si te interesan el trabajo comunitario, el arte y el urbanismo, puedes colaborar en un proyecto que tenga como misión embellecer la apariencia de la ciudad donde vives, ya sea (*be it*) trabajando en un museo o dando *tours* de la ciudad a través del ayuntamiento o la cámara de comercio, o haciendo labor de mantenimiento medioambiental. ¡Hay un trabajo voluntario para cada tipo de persona!

Tertulia final Las ciudades y la historia

- Como hemos visto, la historia se ve reflejada en la manera en que se construyen las ciudades y en la arquitectura de sus edificios. Piensen en su ciudad natal o la ciudad donde está su universidad: si Uds. hubieran vivido en la época en que se fundó y fueran gente importante, ¿conocen alguna casa o zona en la que te habría gustado vivir? ¿Cómo sería su casa? ¿Dónde estaría? ¿Cuáles serían los edificios y espacios más importantes de la ciudad?
- ¿De qué manera crees tú que los acontecimientos históricos que estamos viviendo en el siglo XXI y nuestra manera de vivir actualmente están influyendo en los nuevos espacios que se construyen en nuestras ciudades o en las renovaciones de los que ya existen?
- ¿Qué cambios anticipas en las ciudades en los próximos cincuenta años?

Para terminar Las grandes transformaciones urbanas

Now I can

- ☐ talk about issues related to urban spaces
- ☐ explain the social importance of public spaces in Latin American and Spanish cities
- ☐ express negation, uncertainty, and hypothetical actions in the past
- ☐ explain some of the transformations Latin American cities have experienced through time

Vocabulario del capítulo

Asegúrate que sabes:

- ☐ el vocabulario temático (**Palabras**, pp. 308–309)
- ☐ cómo expresar *to ask* en español. (**¿Cuándo se dice?** p. 327)

Otro vocabulario activo

el estacionamiento	parking
la parada de (auto)bús/metro/taxi	bus/subway/taxi stop

VOCABULARIO PERSONAL

Fronteras y puentes

©Rodrigo Arangua/AFP/Getty Images

Para el final del capítulo podré

- hablar de aspectos que separan y unen países y personas
- explicar las características de la frontera entre Estados Unidos y México
- expresar ideas enfatizando más las acciones que quien las hace
- expresar más tipos de deseos y órdenes
- describir diferentes tipos de fronteras y puentes

> «Hay tantísimas fronteras
> que dividen a la gente,
> pero por cada frontera
> existe también un puente». (Gina Valdés)

- ¿Has cruzado alguna vez una frontera? ¿Cuál? ¿Cómo fue la experiencia?
- ¿Puedes pensar en algo que te separe física o socialmente de otras personas y algo que te una a ellas?
- En tu opinión, ¿pueden ser las leyes de un país un puente o una frontera entre las personas?

ENTREVISTA

Juan Pineda Miami, Estados Unidos

©Juanmonino/Getty Images RF

«Hablar español nos hace sentir parte de una misma comunidad, aunque seamos de países diferentes».

- ¿Cuáles son las fronteras de su estado?
- ¿Cruza alguna de estas fronteras habitualmente? ¿Por qué razón?
- ¿Qué asocia con la idea de «cruzar fronteras»?
- ¿Le parece que ser bilingüe es una manera de cruzar fronteras?
- ¿Cree que son importantes las relaciones internacionales para un país? ¿Por qué?

McGraw Hill **connect**

Escucha las respuestas de Juan Pineda a estas preguntas en **Connect**.

EN PANTALLA

«Camión de carga»

Juan Sebastián Jácome

(Estados Unidos, 2006)

Una mujer desesperada y su hijo cruzan la frontera dentro de un camión.

©Florida State University, College of Motion Picture Arts

Antes de leer

¿Has cruzado alguna vez la frontera entre los Estados Unidos y México o el Canadá?

¿Por dónde la cruzaste? ¿Cómo la cruzaste y cuánto tiempo tardaste (*took*) en cruzar?

Miles usan el puente que conecta al aeropuerto de Tijuana con San Diego, Isaías Alvarado

El paso de tortuga con el que se solía cruzar la frontera de Tijuana a San Diego es cosa del pasado. Ahora en unos minutos es posible pasar de un país a otro en ambos sentidos,[a] al menos para los usuarios del aeropuerto en la ciudad de Tijuana. En auto, en contraste, la espera aún se prolonga por horas.

Tan conveniente es el servicio que ofrece el puente llamado Cross Border Xpress (CBX), por el cual se pagan 16 dólares, que su popularidad se ha regado como pólvora.[b] Unas 5.000 personas lo usan cada día, esto es el triple que durante su apertura[c] hace siete meses.

Para usarlo es necesario presentar el pase de abordar, así como el pasaporte o la visa. El CBX es operado por la agencia de Aduanas y Protección Fronteriza (CBP) y Otay Tijuana Ventures, empresa que concretó[d] la obra con una inversión de 120 millones de dólares.

Viajeros complacidos[e]: «Es algo sorprendente,[f] tardé[g] unos 12, 15 minutos para cruzar», dijo sorprendido el cirujano[h] Joaquín Sánchez, quien viajó de la Ciudad de México a San Diego para participar en una exhibición médica.

«Antes me iban a recoger[i] al aeropuerto y en ocasiones tardaba más de una hora en pasar», agregó.

No es el único comentario positivo sobre este túnel fronterizo,[j] cuyo proyecto nació en la década de 1990 y que se enfrentó[k] a críticas de transportistas mexicanos preocupados por sus ingresos.[l]

Considerando que el 60% de los 4.7 millones de pasajeros que usaron el aeropuerto de Tijuana viajaron hacia o desde el Sur de California, el CBX se anticipaba como un negocio lucrativo.

Para muchos resulta conveniente usar el aeropuerto de Tijuana porque el costo de los boletos suele ser más bajo. Desde esa terminal aérea se puede llegar a 34 destinos en México operados por cuatro aerolíneas.

Una ventaja es que se permitirá a los pasajeros partiendo[m] desde Tijuana que crucen hasta 24 horas antes de su vuelo y los que lleguen a esa ciudad podrán regresar hasta dos horas después del arribo[n] del avión. La terminal en San Diego estará abierta al público y permitirá el ascenso y descenso de personas.

También ofrecerá estacionamiento para corta y larga estancia, y conexiones con transporte público.

[a]*ambos... both ways* [b]*se... it's spread like wildfire (lit., like gun powder)* [c]*opening* [d]*made real* [e]*satisfied* [f]*is amazing* [g]*it took me* [h]*surgeon* [i]*to pick me up* [j]*border tunnel* [k]*faced* [l]*income* [m]*leaving* [n]*llegada*

El puente Cross Border Xpress (CBX), conecta al aeropuerto de Tijuana con Otay, en San Diego. Muchos se ahorran tiempo y dinero utilizando este cruce. (Aurelia Ventura, La Opinión)

©Eduardo Jaramillo Castro/NOTIMEX/Newscom

Comprensión y análisis

Completa las siguientes ideas con información del texto.

1. Las siglas CBX significan...
2. Cada día pasan por el puente....
3. Para pasar por el puente se necesita...
4. Muchas personas usan el puente porque...

Antes de mirar

¿Conoces a algunas personas que hayan inmigrado a este país? ¿Por qué vinieron?

¿Crees que hay razones que puedan justificar que una persona cruce la frontera ilegalmente a otro país? Da ejemplos.

©Florida State University, College of Motion Picture Arts

«Yo creo que si no te tratas en un buen hospital o allá en el extranjero... »

Cortometraje: «Camión de carga»

Estados Unidos, 2006

Dirección: Juan Sebastián Jácome

Año: 2006

Reparto: Dolores Maldonado, Kevin Martínez, Antonio Barrera, Margarita Barrera, José Sánchez, Arturo Hernández

Premios: Premio del Público del Festival de Cine Cero Latitud

Comprensión y discusión

¿Cierto o falso? Señala las oraciones ciertas y corrige las falsas.

1. El médico le dice a Anabel que se va a curar pronto. _____
2. El camión lleva una carga de productos agrícolas. _____
3. Los policías estadounidenses que inspeccionan el camión no se dan cuenta (*realize*) de que lleva personas escondidas (*hidden*). _____
4. Anabel solo tiene dinero para pagar el transporte de Jesús, su hijo. _____
5. La hermana de Anabel la ayuda a pagar su transporte. _____

Interpreta Explica lo que entendiste y lo que se puede inferir.

1. ¿Qué tipo de enfermedad tiene Anabel?
2. ¿Cómo podría Jesús ayudar a su madre? ¿Por qué no quiere Anabel que su hijo la ayude?
3. ¿Por qué el policía estadounidense no abre la compuerta oculta del camión?
4. ¿Piensas que Anabel sabía lo que iba a pasar cuando comenzó el viaje?
5. ¿Qué pasó al final?
6. ¿Crees que Anabel tomó una buena decisión? ¿Por qué?

VOCABULARIO ÚTIL	
la carga	freight, cargo
el extranjero	abroad
las ronchas	hives
doler (ue)	to hurt
¡Ándele!	Come on!

Tertulia La solidaridad

En muchas ocasiones el sacrificio de una persona es el puente por el que otras personas consiguen atravesar fronteras, como ocurre en el caso de Anabel y Jesus. Estas fronteras pueden ser geográficas, pero también de otros tipos, como sociales, académicas, profesionales, etcétera. ¿Hay alguna persona que se haya sacrificado para ayudarte a cruzar fronteras? ¿Conoces a alguna persona o grupo de personas cuyo esfuerzo o sacrificio haya sido un puente hacia una sociedad mejor?

connect

Para ver «Camión de carga» y realizar más actividades relacionadas con el cortometraje, visita: www.mhhe.com/connect

Palabras

Para hablar de asuntos° internacionales   *affairs*

el comercio	commerce
la conferencia	conference; lecture
la cumbre	summit
el impuesto (sobre)	tax, levy
los ingresos	income
el intercambio	exchange
el lazo	tie
la paz	peace
el organismo	organization, body

Cognados: **la coalición, la cooperación, el compromiso**

De repaso: **el acuerdo, la frontera, la ONG, el puente, el tratado**

acordar	to agree to
beneficiar	to benefit
fomentar	to promote
fortalecer	to strengthen
perjudicar	to harm
separar	to separate
unir	to unite

Cognados: **contribuir, impedir**

De repaso: **comprometerse a, oponerse a**

Organizaciones internacionales

la OEA (Organización de los Estados Americanos)	OAS
la ONU (Organización de las Naciones Unidas)	UN
el TLCAN (Tratado de Libre Comercio de América del Norte)	NAFTA
la UE (Unión Europea)	EU

©Xinhua/Alamy

Para hablar del gobierno y de la política

el cargo   position, appointment

el discurso   speech

Cognados: **el/la candidata/a, el congreso, el/la congresista, la constitución, el debate, la democracia, la dictadura, el gobierno, el/la gobernador(a), las elecciones, el ministerio, el/la ministro/a, el/la presidente/a, el referéndum, el senado, el/la senador(a), el voto**

De repaso: **la independencia, la ley, la libertad, la patria**

postularse/presentarse a   to run for (office)

Cognados: **gobernar, votar**

Expresiones útiles para conectar ideas

a pesar de   despite

en conclusión   to conclude, in sum

finalmente / para terminar   finally

por fin   at last

Una reunión de la OTAN

■ ACTIVIDAD 1 Definiciones

Paso 1 Estas son las definiciones que el *Diccionario de la Real Academia de la Lengua Española* ofrece de algunas de las palabras del vocabulario. ¿Cuáles crees tú que son esas palabras? Selecciona la mejor opción.

1. Ley fundamental de la organización de un estado.

   a. organismo   b. constitución   c. congreso

2. Reunión de máximos dignatarios nacionales o internacionales para tratar asuntos de especial importancia.

   a. cumbre   b. paz   c. la coalición

3. Unión, vínculo, obligación.

   a. comercio   b. lazo   c. cargo

4. Obligación contraída, palabra dada, fe empeñada.

   a. conferencia   b. discurso   c. tratado

5. Reciprocidad e igualdad de consideraciones y servicios entre entidades o corporaciones análogas de diversos países o del mismo país.

   a. intercambio   b. compromiso   c. ingresos

6. Hacer bien.

   a. beneficiar   b. fomentar   c. separar

7. Conjunto de oficinas, dependencias o empleos que forman un cuerpo o institución.

   a. cargo   b. puente   c. organismo

8. Ayudar y concurrir con otros al logro de algún fin.

   a. unir   b. contribuir   c. rechazar

Paso 2 Ahora te toca a ti inventar las definiciones de dos palabras que no sean las respuestas de la actividad anterior. Intenta seguir los modelos de las definiciones en el Paso 1.

■ ACTIVIDAD 2 Identificaciones

En parejas, entrevístense para averiguar la siguiente información sobre la otra persona. Como algunas de las preguntas pueden ser muy personales, no duden en inventar las respuestas, bien por proteger su información o bien por contestar con humor y creatividad.

1. un acuerdo que haya hecho con alguien
2. una conferencia a la que haya asistido recientemente
3. cuáles son sus ingresos anuales
4. si ha atravesado alguna frontera entre países
5. si tiene algún cargo en una organización estudiantil o laboral
6. si hay alguna ley con la que no esté de acuerdo
7. si votó en las últimas elecciones nacionales/universitarias
8. si sabe el nombre de sus congresistas y senadores
9. si ha dado alguna vez un discurso

■ ACTIVIDAD 3 Palabras derivadas

Explica el significado de las palabras subrayadas, las cuales están relacionadas con algunas de las palabras del vocabulario.

Ejemplo: Poder compartir ideas incluso cuando no se está de acuerdo tiene muchos beneficios. → Beneficios son cosas positivas. Está relacionada con el verbo *beneficiar*.

Una imagen inusual: los poderes locales y nacionales representados solo por mujeres (Madrid, España)

1. Es perjudicial para el buen gobierno del país que los ciudadanos no voten.

2. Los conferenciantes expresaron su frustración por los problemas en la frontera.

3. Más de cien naciones han contribuido con su firma al fortalecimiento de este tratado que promueve una drástica reducción de los gases contaminantes para el año 2030.

4. No es legal discriminar a ninguna persona según estipula la Enmienda 14 a la Constitución.

5. La unión hace la fuerza.

6. Han establecido ayudas para pequeñas empresas a través del Banco Gubernamental de Fomento.

■ ACTIVIDAD 4 La cumbre

Completa el siguiente párrafo con las palabras de la lista.

a pesar de   en conclusión   finalmente   por fin   sin embargo

Ayer todos los presidentes de los países que asistieron a la cumbre de la OEA participaron amigablemente, _____[1] las diferencias políticas que separan a algunos. Creí que me iba a aburrir mucho escuchándolos; _____,[2] encontré muy interesantes sus argumentos. Primero fue tratado el dilema de la necesidad de explotar los recursos naturales por un lado y la de sustentabilidad por otro. Luego el tema discutido fue el terrorismo y, _____,[3] el tema de la inmigración. _____,[4] gracias a sus discursos he aprendido mucho sobre la actual política de cooperación en América Latina. Y ahora, _____,[5] sé que en el futuro quiero ser diplomático.

■ ACTIVIDAD 5 Lo que nos separa y lo que nos une

En parejas, entrevístense para obtener información de los siguientes temas. Expliquen bien sus respuestas.

1. un conflicto en su universidad que hoy enfrente o separe a diferentes grupos de estudiantes

2. un símbolo, lugar, persona o acontecimiento en su universidad que una a los estudiantes

3. un tema o conflicto que separe a su compañero/a de otras personas de su familia

4. un lugar, actividad o persona que su compañero/a asocie con la unidad en su familia

Cultura

El río Bravo, frontera natural

«La historia de la humanidad es una historia de fronteras. Las fronteras son líneas divisorias, cicatrices en la piel del planeta, campos limítrofes[a] que designan[b] territorios, pero también lugares de contacto y encuentro». (Fernando Operé, Director del Programa de Estudios Latinoamericanos de la Universidad de Virginia)

«La frontera no es el lugar donde termina Estados Unidos y comienza México. Es el lugar donde Estados Unidos se funde con México». (Betty Flores, exalcaldesa de Laredo, Texas)

La frontera: Un territorio poroso

La frontera entre los Estados Unidos y México se encuentra entre las diez más largas del mundo. Mide 3.200 kilómetros (1.989 millas) y bordea de este a oeste los estados de Texas, Nuevo México, Arizona y California en los Estados Unidos; así como de Tamaulipas, Coahuila, Chihuahua, Sonora y Baja California en México. Además de separar los dos países, la frontera entre los Estados Unidos y México, también divide el territorio de algunas naciones indígenas, como es el caso de la Nación Tohono Oódahm, la segunda etnia originaria más numerosa de Estados Unidos, cuyo territorio y población ha quedado dividido por la frontera.

La brecha económica que separa Estados Unidos de México tiene, entre otras cosas, implicaciones migratorias, por lo tanto, la frontera adquiere[c] en este contexto un significado que va más allá de representar la separación geográfica entre ambos países. Para muchas familias de origen mexicano, esta frontera, que además de alambradas[d] y muros[e] a través de 900 kilómetros incluye obstáculos naturales como el Río Bravo (llamado Rio Grande en los Estados Unidos) y el desierto de Sonora, Arizona (uno de los más grandes y calurosos del mundo), es metafórica y literalmente una barrera que los separa de sus seres queridos[f] o un futuro mejor. La frontera, además, ha significado la muerte de muchas personas al atravesarla persiguiendo[g] sus sueños, sueños más fuertes que las leyes, pero no que los peligros. No es extraño que intelectuales como Gloria Anzaldúa se refieran a la frontera mexicoestadounidense como una «herida[h] abierta», una muestra de la exclusión y de las injusticias económicas que perjudican a los pueblos más pobres.

Sin embargo, a pesar del fuerte carácter de separación y rechazo asociado a la frontera entre Estados Unidos y México, también es cierto que, como declara Betty Flores en una de las citas que abre esta lectura, la frontera es un espacio poroso donde millones de personas de ambos lados conviven e interactúan regularmente. La frontera posee 48 puntos de cruce y es la más transitada del mundo—cada día es atravesada por un millón de personas que van de un país al otro para estudiar, trabajar, visitar a sus familiares, etcétera. Es además una zona de intensa actividad comercial. De hecho, el área fronteriza mexicoestadounidense es una de las mayores economías mundiales, con más de $350 millones de intercambio comercial al año. En esta zona existen 20 importantes centros urbanos entre los dos países en los que viven 14 millones de personas, para muchas de las cuales dificultar el paso de un lado a otro es perjudicar su vida y su economía, y por lo tanto se oponen a la construcción de muros.

---

[a]*bordering* [b]*name* [c]*acquires* [d]*wire fences* [e]*walls* [f]*seres... loved ones* [g]*al... when crossing it following* [h]*wound*

«La frontera nos cruzó»: Un poco de historia

Hasta 1848, la frontera entre México y Estados Unidos llegaba mucho más al norte y era más extensa, como muestra el mapa. De 1846 a 1848 tuvo lugar la guerra Mexicano-Estadounidense, causada por la anexión de Texas a Estados Unidos. Este conflicto terminó con la firma del Tratado de Guadalupe-Hidalgo, por el cual México le cedió a los Estados Unidos Arizona, California, Nevada, Utah, Nuevo México y partes de Colorado, Wyoming, Kansas y Oklahoma, prácticamente la mitad de su territorio, a cambio de 15 millones de dólares.

En 1853, la frontera sufrió un nuevo cambio, con la compra del sur de Arizona y el suroeste de Nuevo México por los Estados Unidos, la llamada *Gadsden Purchase*. En este territorio se encuentra hoy, por ejemplo, la ciudad de Tucson.

Es importante recordar la historia, pues casi un tercio[i] de lo que hoy son los Estados Unidos fue originalmente México. Es decir, en todo ese territorio que los Estados Unidos compraron de México había habitantes mexicanos antes de que pudiera hablarse de estadounidenses. Es esta historia a la que hizo referencia la actriz Eva Longoria, nacida en el sur de Texas, cuando dijo de su familia de origen mexicano: «Nosotros no cruzamos la frontera; la frontera nos cruzó».

[i]*third*

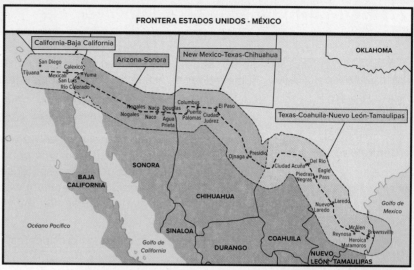

En color más claro aparece el territorio que México pierde tras el Tratato de Guadalupe Hidalgo en 1848

Tertulia Cruzar fronteras

- ¿Están de acuerdo con las citas que abren esta lectura? ¿Por qué?
- ¿De qué aspectos de cada país crees que se pueden beneficiar las personas que viven en la zona fronteriza entre Estados Unidos y México?
- ¿Cómo son diferentes la frontera de Estados Unidos con México y la de Estados Unidos con Canadá? ¿Qué implicaciones tienen esas diferencias?

McGraw Hill Education

LEARNSMART

LearnSmart: Para aprender MÁS

www.mhhe.com/connect

REPASO

Se accidental (**Capítulo 4**);

se impersonal (**Capítulo 6**)

©Guillermo Legaria/Stringer/Getty Images

«El mundo del siglo XXI **no podrá ser gobernado** con la ética del siglo XX».*

Both in English and Spanish, the majority of sentences are in the active voice—the subject does an action that affects someone or something.

Los presidentes	**firmaron**	un acuerdo.	*The presidents*	*signed*	*an agreement.*
subject	verb	direct object	subject	verb	direct object

However, there are situations in which we want to emphasize the action and its results, and remove the focus from who performed the action. In those cases, what would be the direct object in a sentence in the active voice plays the role of subject—that is, it triggers the agreement with the verb. The actual agent (doer) of the action may or may not appear after the verb, and it is introduced by the preposition *by*/**por.**

El acuerdo	**fue firmado**	(por los presidentes).
subject	verb	agent

The agreement	**was signed**	(by the presidents).
subject	verb	agent

Although both sentences have the same meaning, each puts emphasis on a different part of the message—the first one on the presidents as signers, and the latter on the treaty being signed.

Forms

Similar to English, the passive voice is formed by a conjugated form of **ser** followed by the past participle of another verb, which behaves as an adjective, that is, it agrees in number and gender with the subject.

The passive voice can occur with any tense and mood, as needed by the context.

sujeto	*ser* + participio pasado	(*por* + agente)
La frontera	**es cruzada** a diario	por miles de personas.
The border	*is crossed daily*	*by thousands of people.*
La conferencia	**será organizada** en mayo	(por la UE).
The conference	*will be organized in May*	*(by the EU).*
Los lazos entre los dos países	**han sido fortalecidos**	(por el acuerdo).
The ties between both countries	*have been strengthened*	*(by the agreement).*
Si el acuerdo de paz el pueblo	**hubiera sido respetado** **no habría sido perjudicado.**	
If the agreement the people	*had been honored* *would have not been hurt.*	
Me sorprendió que el presidente	**fuera abucheado** tanto	(por el público).
I was surprised that the president	*was booed so much*	*(by the audience).*

---

*Discurso del Presidente de Costa Rica, Óscar Arias, para la Confederación Parlamentaria de las Américas COPA, Quebec, 1997

Uses

The passive voice with **ser** + *past participle* is used less frequently in Spanish than it is in English—its use is restricted to formal and written contexts in Spanish. The **ser** + *past participle* construction is used when the agent (doer) of the action is known, even if it is not mentioned.

Alternatives to the passive construction with **ser** + past participle

- ***Se* construction:** This is much more commonly used, whether or not the agent is known. (See **Capítulos 4** and **6**.)

¡OJO! The agent is not mentioned in this construction.

El tratado de paz **fue firmado** ayer.

Se firmó un acuerdo de cooperación entre todos los países durante la cumbre boliviana.	*A cooperation treaty was signed by all countries during the Bolivian summit.*
Se invitó a todos los presidentes a la cumbre.	*All of the presidents were invited to the summit.*

- **Active verb in the third person plural form:** This construction is also used in English.

Hoy **anunciaron** que los trabajadores y la empresa acordaron iniciar una negociación.	*They announced today the workers and the company agreed to start a negotiation.*
Piden que se fomente la cooperacion internacional.	*They ask that international cooperation be promoted.*

Pid**en** que se fomente la cooperación internacional.

Se rompió el brazo.

Se dieron la mano.

Se lo dio.

Se cortan las patatas.

Se abrió la ventana.

Se le perdieron las llaves.

NOTA LINGÜÍSTICA RESUMEN DE LOS USOS DE *SE*

Se variable: pronombre de objeto que varía según la persona (**se** para él/ella/Ud./Uds./ellos/ellas, pero **me**, **te** o **nos** para las otras personas)

- **Verbos reflexivos (Capítulo 2)**
  Verbos que requieren pronombres reflexivos para completar su significación y verbos cuya acción afecta al sujeto, como objeto directo o indirecto

Yo me acosté a las 8:00, pero Julio no **se** acostó hasta las 11:00.	*I went to bed at 8:00, but Julio didn't go to bed until 11:00.*
Me rompí un brazo el año pasado.	*I broke my arm last year.*
Yo me reí un poco pero ellos **se** rieron muchísimo.	*I laughed a little, but they laughed a great deal.*

- **Verbos recíprocos (Capítulo 2)**
  Estas formas siempre son plurales. Tienen las mismas funciones que los reflexivos.

Tú y yo nos vemos tanto como **se** ven José y María.	*We see each other as much as José and María see each other.*
Nosotras nos dimos un abrazo, pero ellos ni siquiera **se** dieron la mano.	*We hugged each other, but they didn't even shake hands.*

- **«Falso» se (Capítulo 2)**
  Los pronombres de objeto indirecto **le/les** se convierten en **se** delante de **lo(s)/la(s)**.

—¿Le diste el libro a Mario?	*—Did you give Mario the book?*
—Sí, **se** lo di esta mañana.	*—Yes, I gave it to him this morning.*

Se invariable: se usa **se** en todos los casos

- **Impersonal / pasivo (Capítulo 6)**
  Para hacer generalizaciones

Se habla español.	*Spanish is spoken.*

  Para evitar nombrar a la(s) persona(s) que hace(n) la acción

Se firmó un nuevo tratado.	*A new contract was signed.*

  Para dar instrucciones, como en recetas

Se cortan las patatas.	*Cut the potatoes.*

- **Accidental (Capítulo 4)**
  Un sustantivo inanimado parece convertirse en sujeto de la acción, como una acción reflexiva.

La puerta **se** abrió.	*The door opened.*
Las puertas **se** abrieron.	*The doors opened.*

  Esta construcción puede admitir un objeto indirecto.

Se me perdió la cartera.	*I lost my wallet.*
Se nos murió el pez.	*Our goldfish died.*

■ ACTIVIDAD 1 Hechos° históricos

facts

Lenín Moreno **fue elegido** presidente del Ecuador en 2017, convirtiéndose en la primera persona en una silla de ruedas elegida presidente de un país.

Paso 1 Forma oraciones completas combinando un elemento de cada columna. Presta atención a la concordancia entre el sujeto y el verbo.

A	B	C
1. Las islas Filipinas y Guam	fue celebrada	para facilitar la comunicación entre Uruguay y Argentina
2. Lenín Moreno	fue elegido	por España a los Estados Unidos en 1898
3. El hermoso Puente Libertador San Martín	fueron entregadas	por la revolución de los Estados Unidos
4. El canal de Panamá	fue construido	mucho antes de su construcción en el siglo XX
5. La primera Conferencia Mundial sobre los Pueblos Indígenas	fueron inspirados	presidente de Ecuador en 2017
6. Los movimientos de Independencia de Latinoamérica	fue ideado	en Nueva York en el 2004

Paso 2 Ahora en parejas, ¿pueden pensar en otro evento histórico importante y expresarlo con una oración en voz pasiva?

■ ACTIVIDAD 2 La juventud, agente de cambios

Paso 1 Las siguientes oraciones están en voz activa. Cámbialas a la voz pasiva. **¡OJO!** No olvides respetar el tiempo del verbo.

1. Los jóvenes siempre han destruido muchas fronteras.
2. Su manera de pensar fomenta cambios sociales.
3. En los años 60, la rebeldía de los jóvenes promovió procesos de paz.
4. Los jóvenes españoles de los 80 renovaron la música.
5. Es increíble que los jóvenes músicos de la época compusieran tantas canciones.
6. Esa música me transformó a mí.
7. Seguro que la imaginación de los jóvenes del futuro beneficiará a nuestra sociedad.
8. Dentro de unos años ellos habrán inventado nuevos sistemas de comunicación.

Paso 2 En parejas, cada persona debe escribir tres oraciones en la voz activa que puedan ser cambiadas a la voz pasiva. Su compañero/a debe ponerlas en voz pasiva.

La ley **fue aprobada** por el Senado.

■ ACTIVIDAD 3 Oraciones lógicas

Paso 1 Forma oraciones completas combinando un elemento de cada columna y usando el verbo en la voz pasiva (**ser** + *participio pasado*). Conjuga el verbo en el tiempo que te parezca más apropiado.

Ejemplo: la paz siempre / desear / todo el mundo → La paz siempre será/es deseada por todo el mundo.

A	B	C
los impuestos	establecer	por los dos países
el Tratado de Libre Comercio	desear	por departamentos universitarios
muchas fronteras americanas actuales	construir	por los ciudadanos
la paz siempre	organizar	por los países norteamericanos
muchas conferencias	pagar	por todas las personas
el puente	firmar	en el siglo XIX
las leyes	aprobar	por el Senado

Paso 2 En parejas, imaginen que van a organizar un congreso de estudiantes internacionales en su universidad para discutir las nuevas leyes de inmigración del gobierno de su país. Las siguientes preguntas son hechas por un(a) periodista. Contéstenlas usando la voz pasiva e inventando más detalles si los desean.

- ¿Quién va a organizar el evento?
- ¿Quién dará el discurso inagural?
- ¿A quiénes invitarán?
- ¿Qué temas discutirán?

■ ACTIVIDAD 4 ¿Recuerdas los usos de *se*?

Empareja estas oraciones para que formen minidiálogos. Luego intenta explicar por qué se usa la palabra **se** en cada uno.

A

1. ¿A quién le diste los documentos firmados? _____
2. ¿No trajiste los documentos? _____
3. ¿Por qué están tan cansados los niños? _____
4. Está rico, ¿no? _____
5. Los ministros de asuntos exteriores de estos países están siempre en contacto. _____

B

a. Riquísimo y parece fácil. ¿Cómo se hace?
b. Se los entregué a la directora.
c. Se me olvidaron.
d. De hecho, se hablan por teléfono en línea directa.
e. Es que se levantan muy temprano para ir al colegio.

Paso 2 Ahora en parejas, creen dos minidiálogos que incluyan la palabra **se** de alguna manera, pero cada uno de una manera diferente.

Ojo de luz (1987) **fue creado** por el artista ecuatoriano Oswaldo Viteri usando objetos fabricados por las comunidades indígenas ecuatorianas.

©Oswaldo Viteri

■ ACTIVIDAD 5 Otra manera de decirlo

Paso 1 Las siguientes oraciones suenan muy formales en español. Da el mismo mensaje usando la construcción con **se** impersonal o con la tercera persona plural (3ª persona).

Ejemplo: Los problemas fronterizos entre Venezuela y Colombia fueron discutidos durante la reunión de los presidentes. (**se** y/o 3ª persona) → Se discutieron los problemas fronterizos. Discutieron los problemas fronterizos.

1. La presencia militar en la frontera fue analizada cuidadosamente. (3ª persona)
2. Las causas de la emigración fueron explicadas. (**se** y/o 3ª persona)
3. Los narcotraficantes serán perseguidos en ambos países. (3ª persona)
4. Fue recomendado un mayor diálogo político bilateral. (3ª persona)
5. Otra reunión fue propuesta. (**se** y/o 3ª persona)

Paso 2 En parejas, piensen en las relaciones entre su universidad y otras universidades cercanas o de la misma división deportiva. Luego, imaginen que hay una reunión de representantes estudiantiles de estas universidades para colaborar en la solución de algún problema o proyecto. Después formen tres oraciones usando la 3ª persona plural o **se**.

Ejemplo: Se decidió crear un comité para coordinar el apoyo a algunas causas y organizaciones.

■ ACTIVIDAD 6 Traducción

Traduce las siguientes oraciones usando una de las opciones para expresar la voz pasiva en español. Puede haber más de una posibilidad, y recuerda que si es necesario o importante expresar el agente de la acción no se puede usar la estructura con **se** impersonal.

1. *What was discussed at the conference?*
2. *The commercial agreement was not respected by all countries.*
3. *Travel abroad is promoted by our university.*
4. *Senators are elected every four years.*
5. *The president has been elected by a large majority.*
6. *I hope the border wall is not built.*
7. *The Constitution will be rewritten by the new government.*

Paso 2 En parejas, preparen un pequeño discurso en inglés y en español sobre las ventajas de establecer puentes económicos y culturales entre Estados Unidos y los países vecinos, en el que haya al menos tres oraciones pasivas. Luego, den su discurso al resto de la clase de forma bilingüe, o sea, uno/a de Uds. lo da en español y el/la otro/a en inglés.

¡Que **haya** paz!

Throughout **MÁS**, you have studied the subjunctive as it appears in subordinate clauses of complex sentences.

Quiero que **vengas** a mi fiesta.	*I want you to come to my party.*
Espero que **te sientas** mejor.	*I hope that you feel better.*
Siento que no **haya** ganado el candidato del PPR.	*I'm sorry that the PPR candidate didn't win.*

But you have also been using the subjunctive in <u>independent clauses</u> after **ojalá,** which is not a verb:

¡Ojalá que **lleguen** a un acuerdo!	*I hope they obtain/arrive at an agreement.*

There are other contexts in which the subjunctive appears without a main clause, both to give commands or wishes, and they are quite common in everyday speech.

Que no **hagan** nada hasta que yo llegue.	*(Make sure / Tell them) that they don't do anything (not to do anything) until I arrive.*
¡Que **tengas** un buen viaje!	*Have a good trip!*
¡Que **descansen** bien!	*Rest well!*

Actually, one can easily infer that the full thought includes a tacit **deseo/espero/quiero/ordeno/ojalá,** or some other idea that expresses a wish or a command. In fact, we know the expressions are incomplete because there is a trace of the full thought: the conjunction **que** that starts every sentence, which you know is a mark of a subordinate clause with a conjugated verb.

Uses

- **Some common expressions of leave-taking and good wishes**

These are some of the most commonly heard expressions of this kind.

¡Que **te diviertas**! ¡Que **se divierta(n)**!	*Have fun!*
¡Que **te mejores**! ¡Que **se mejore(n)**!	*Feel better!*
¡Que te/le(s) **vaya** bien!	*Good luck with everything!*
¡Que Dios te/le(s) **bendiga**!	*May God bless you.*
¡Que en paz **descanse**!	*May he/she rest in peace.*

- **Indirect commands**

The present subjunctive appears in sentences that express commands or directions, either to people who are not present or to people with whom you are speaking. In fact, like the well-wishing expressions above, they also are subordinate clauses whose main clauses have been dropped.

¡Que Jaime **diga** lo que quiera!	*Let Jaime say whatever he wants.*
¡Que **te vayas** de vacaciones!	*[I'm telling you] Take a vacation!*
¡Que **haya** paz!	*Let there be peace!*
¡Que **venga** tu hermano inmediatamente!	*Tell your brother to come immediately!*

¡Que te **vaya** bien!

Besides the expressions with **ojalá** and the uses on the preceding page, the subjunctive in independent clauses also appears in the following contexts.

- Following **quizá(s), tal vez** = *maybe*

  These expressions may take both indicative and subjunctive, the latter adding more uncertainty to the event.

Tal vez pueda ir a Chile el próximo semestre, pero no voy a saberlo hasta el próximo mes.	*Maybe I can go to Chile next semester, but I won't know it until next month.*

- Courtesy: with **deber, poder,** and **querer** in imperfect subjunctive → **debiera, pudiera, quisiera (Capítulo 10)**

No **debieras** trabajar tanto.	*You shouldn't work so hard.*
Quisiera poder ayudarte más.	*I would like to be able to help you more.*

- **¡Quién** + *imperfect subjunctive! (I wish I could..!)* (**Capítulo 10**)

¡Quién **pudiera** ser totalmente libre!	*I wish I could be completely free!*

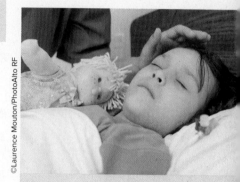

¡Que **te mejores**!

■ ACTIVIDAD 1 Situaciones

Paso 1 ¿Qué se diría en las siguientes situaciones? Empareja cada una de las situaciones con la frase correspondiente.

1. _____ Un abuelo se despide de su nieta.

2. _____ Un compañero de cuarto se queda estudiando mientras sus amigos salen a una fiesta.

3. _____ La directora de una compañía que ha entregado todos los pedidos tarde esta semana.

4. _____ Un director de seguridad es informado de que hay peligro en una sala de baile.

5. _____ Una persona habla con otra que está enferma.

a. ¡Que te mejores!

b. ¡Que se diviertan!

c. ¡Que salgan todos inmediatamente!

d. ¡Que todo el mundo haga su trabajo a tiempo y nada de excusas!

e. ¡Que Dios te bendiga!

Paso 2 Ahora en parejas, inventen tres situaciones similares a las del Paso 1. Luego compártanlas con el resto de la clase, que tendrá que decir una expresión que sería apropiada en esa situación.

■ ACTIVIDAD 2 Refranes y dichos

En parejas, lean los siguientes refranes y expresiones y traten de adivinar lo que significan. ¿Existen expresiones similares en inglés o en otra lengua que Uds. hablen?

1. Que cada palo (*stick*) aguante su vela (*sail*).

2. Que la haga el que la deshizo.

3. ¡Que Dios se lo pague!

4. Que Dios me dé contienda (batalla), pero con quien me entienda.

5. Que sueñes con los angelitos.

■ ACTIVIDAD 3 Ojalá que te vaya bonito

Paso 1 Este mensaje está inspirado en una famosa canción mexicana con el mismo título, de José Alfredo Jiménez. Complétalo con los verbos que faltan en el presente de subjuntivo o el imperfecto de subjuntivo.

Mi adorada Patricia:

Sé que nuestro amor es imposible, que hay fronteras que nos separan y no podemos cruzar, por eso hoy debo decirte adiós. Pero que nadie _____ (decir) que no te he amado, que nadie _____ (pensar) que no he intentado estar cerca tuya o que soy un cobarde. Yo _____ (querer) pasar contigo el resto de mi vida. Pero tú bien sabes que no puede ser. ¡Quién _____ (ser) libre para amarte!

Ojalá que pronto _____ (conocer) a otra persona que te merezca y que esa persona no _____ (tener) impedimentos para amarte como yo.

Ojalá que tú no _____ (pensar) mucho en mí e incluso un día _____ (olvidar) mi nombre y lo mucho que te quise.

Patricia, que todo te _____ (ir) bonito y que _____ (ser) muy feliz.

Siempre tuyo,

Federico

Paso 2 En parejas, añadan un par de oraciones al mensaje, respetando el tono dramático y romántico. ¡Sean creativas/os!

■ ACTIVIDAD 4 Contextos varios

¿Qué responderían a las siguientes oraciones? En parejas, usen las palabras que se ofrecen entre paréntesis para dar respuestas según el ejemplo.

Ejemplo: Este año me han invitado a la ceremonia de los Óscars. (quién) ➔ ¡Quién pudiera ir contigo!

1. ¿Vas a ir a una fiesta este fin de semana? (quizás)
2. Voy a viajar por Latinoamérica durante 3 meses. (quién)
3. ¡Tengo mucha tarea para el final del semestre y tengo mucho trabajo fuera de la universidad! (quisiera)
4. ¿Vas a ganar mucho dinero este verano? (quién)
5. No puedo más. Me voy a la cama. (que)

■ ACTIVIDAD 5 Embajadores° estudiantiles

Ambassadors

Paso 1 En parejas, imaginen que son estudiantes embajadores de su universidad o su país en una cumbre mundial de la juventud que busca mejorar las relaciones globales y las condiciones para todas las personas. Imaginen tres o cuatro mensajes en forma de peticiones indirectas que puedan llevar a la cumbre. ¡Es el momento de ser idealistas!

Ejemplo: Que haya más leyes de protección al mediambiente y las comunidades indígenas.

Paso 2 Ahora comparen su lista de mensajes con los de dos compañeros/as de clase. ¿En qué coinciden y en qué se diferencian? ¿Quién tiene más conciencia social?, ¿más conciencia medioambiental?, ¿más conciencia de unidad?

Puentes

> poetas puentes / no conocen / fronteras
>
> cruzan túneles / poéticos fuera / de ley
>
> son mariposas / migrantes / de la palabra
>
> («Poetas puentes», de Francisco X. Alarcón)

Sin duda, hay fronteras naturales muy hermosas. Pensemos en el ancho[a] Río de la Plata, entre Argentina y Uruguay, las cataratas de Iguazú, entre Argentina y Brasil, las de Niágara, entre Estados Unidos y Canadá, los Pirineos, entre España y Francia, y como no, los imponentes[b] Andes, que delimitan varios países sudamericanos.

Pero no existe frontera, por muy grande e impresionante que sea, que el ser humano no sienta el deseo de cruzar. Por eso, busca maneras de atravesarlas[c] y minimizarlas. A veces, los países acuerdan que sus fronteras sean solo nominales, como en el caso de los países de la Unión Europea, para facilitar el flujo[d] de personas y negocios. Otras veces, se crean puentes, ejemplos de belleza y destreza técnica que normalmente son testimonio de las buenas relaciones entre países. Ejemplos notables son el Puente Internacional del Guadiana, que une España con Portugal, el puente Simón Bolívar, entre Venezuela y Colombia, el Puente de la Integración, entre Argentina y Brasil, o el del Libertador General San Martín, entre Argentina y Uruguay, y los muchos puentes que existen entre Estados Unidos y México, como el recientemente inagurado Puente Internacional Tornillo-Guadalupe. Y no olvidemos otras grandes hazañas humanas para comunicar espacios, como el Canal de Panamá, cuya construcción supuso acortar considerablemente la distancia y el tiempo de navegación entre las costas americanas.

Sin embargo, son los puentes metafóricos los que más unen y los más entrañables[e] de cruzar. Posiblemente no haya mejor puente que el del idioma —solo hay que pensar en la importancia del español como vehículo de cultura e identidad para más de veinte países, incluyendo los Estados Unidos. A nivel personal, el saber más de una lengua nos abre horizontes y nos permite comunicarnos con personas de diferentes lugares y también nos da la oportunidad de establecer o fortalecer lazos culturales con ellas. Otros puentes son establecidos a través del arte, ya sea[f] la literatura, la música, el cine, etcétera. Muchas obras de arte consiguen unir a personas separadas por la geografía, el tiempo, ideología política, etcétera. De hecho, como se desprende[g] de los versos de Francisco X. Alarcón que sirven de epígrafe a este estudio cultural, no hay fronteras para el arte y, en específico, la palabra, ya que siempre encontrarán túneles y puentes por donde atravesarlas.

---

[a]wide [b]imposing [c]cross them [d]flow [e]endearing [f]ya... be it [g]follows

Tertulia: Puentes metafóricos

- ¿Estás de acuerdo con que el arte puede ser un puente entre personas y culturas? ¿Por qué?

- ¿Qué obra(s) de arte conoces que simbolicen la unión entre las personas? ¿Por qué crees que tiene ese significado?

- ¿De qué manera saber español es un puente para ti?

Paloma de la paz, de Pablo Picasso

Lectura

Con qué sueñan hoy los «Dreamers» que Obama salvó de la deportación

Texto y autor

Este texto es parte de un reportaje sobre los «Dreamers» que apareció en *LA Times Español*. Su autora es Molly Hennessy-Fiske, una periodista que trabaja para dicho período cubriendo noticias tanto nacionales como internacionales de actualidad.

Antes de leer

En tu opinión, ¿son los hijos responsables de las decisiones de sus padres? ¿Qué dificultades puede tener una persona al ser obligada a vivir en un país en el que no ha crecido?

¿Qué sentirías si de pronto te obligaran a vivir en un país en el que no has vivido desde que eras muy pequeño/a y tuvieras que dejar a todos tus amigos del país donde has crecido?

©McGraw-Hill Education

VOCABULARIO ÚTIL	
la demanda	claim
el fallo	verdict, decision
la postura	position
emplear	to use
argumentar	to argue
inscribirse	to register
recompensar	to reward
siquiera	even/not even

■ ACTIVIDAD 1 Oraciones incompletas

Completa las siguientes oraciones con la palabra apropiada del vocabulario. Conjuga los verbos cuando sea necesario.

1. Cuando los estudiantes _____ en el programa estaban llenos de esperanza.

2. Este programa es una buena manera de _____ sus esfuerzos.

3. No entiendo por qué hay una _____ en contra del programa, pero espero que el _____ del juez sea a favor de mantenerlo.

4. La _____ de los que se oponen al programa es, en mi opinión, un poco egoísta.

5. No cabe duda que la abogada debe _____ todos los recursos posibles en la defensa del programa. Ella debe _____ que este programa beneficia a toda la sociedad.

6. Es una pena que los estudiantes no pudieran expresar su opinión, no les permitieron _____ estar en la sala.

CON QUÉ SUEÑAN HOY LOS «DREAMERS» QUE OBAMA SALVÓ DE LA DEPORTACIÓN

MOLLY HENESSY-FISKE

Ellos nacieron en otro país, pero fueron criados en este, y eso los ha hecho estadounidenses, tanto cultural como lingüísticamente, pero no legalmente.

Cuando el presidente Obama empleó la acción ejecutiva para crear el programa Acción Diferida para los Llegados en la Infancia (o DACA, por sus siglas en inglés), hace cuatro años, fue a estas personas a quienes buscaba proteger. Ellos eran mayormente[a] niños, cuyos padres habían llegado a este país de forma ilegal y, o bien los habían traído con ellos, o habían enviado a buscarlos después. Muchos no tienen siquiera recuerdos de su país natal, hablan inglés y argumentan que se les debe dar los mismos derechos y privilegios del único país que realmente conocen, incluyendo permisos de trabajo temporarios por dos años.

En aquel momento, los conservadores sostuvieron[b] que Obama había sobrepasado los límites del poder ejecutivo e infringido los derechos de los estados. También se opusieron a la idea de recompensar a aquellas familias que, sin importar sus talentos o sus buenas intenciones, se encontraban en flagrante violación de las leyes de inmigración.

Ahora, la Corte Suprema está considerando las posturas de Texas y otros 25 estados que presentaron demandas para bloquear la decisión de Obama, en 2014, de extender el programa y añadir uno nuevo, llamado Acción Diferida para Padres de Estadounidenses y Residentes Permanentes (o DAPA, por sus siglas en inglés), que ofrece permisos de trabajo por tres años para padres de ciudadanos y otros residentes legales. El alto tribunal podría emitir un veredicto tan pronto como esta semana.

Si bien[c] no se espera que el fallo afecte directamente a los destinatarios[d] originales de la acción diferida, muchos temen que esto pudiera ocurrir. Muchos de ellos también tienen familiares

Un sueño hecho realidad

D.A.C.A. significa Deferred Action for Childhood Arrivals, un programa establecido por orden ejecutiva del presidente Obama que extiende protección contra deportación y da permiso de trabajo a jóvenes que llegaron indocumentados a los Estados Unidos antes de cumplir los 16 años.

---

[a]*mostly* [b]*defended* [c]*si... although* [d]*recipients*

y amigos que podrían verse perjudicados si el tribunal anula la acción diferida extendida para inmigrantes jóvenes, o el programa para padres.

ARMANDO CARRADA, 26 AÑOS DE EDAD, HOMESTEAD, FLORIDA

Su madre lo trajo a los EE.UU. de forma ilegal desde Oaxaca, México, cuando tenía siete años de edad. Su padrastro trabajaba en el campo y su madre en un vivero[e] local, donde él y su hermana menor encontraron más tarde sus primeros empleos veraniegos.[f] «Eso nos enseñó a no terminar allí», señaló Carrada.

Después de graduarse de la preparatoria,[g] Carrada insistía en asistir a una universidad estatal, para preparar su carrera en la industria del turismo, pero no podía costear[h] sus estudios sin la matrícula[i] para residentes del estado. Entonces consideró regresar a México para estudiar, pero finalmente decidió quedarse. «Allí no tengo las oportunidades que tengo aquí», afirma.

©Andres Rodriguez/Alamy

Cuando se enteró del programa de acción diferida, su primera reacción fue temor[j] de inscribirse. «Al comienzo, pensaba que esa gente estaba loca y que me arrestarían», relata.[k]

Su madre, que solo completó unos pocos años de escuela primaria en México, lo animó a presentarse[l] a una reunión informativa, donde Carrada ganó una nueva esperanza. Tanto él como su hermana le pagaron a un abogado $5.000 cada uno para enviar la solicitud, sin darse cuenta de que podrían haber manejado el tema por su propia cuenta.[m] «Literalmente invertí todos mis ahorros en eso. Terminé quebrado[n]», dice.

El joven recibió la protección del programa de acción diferida, lo cual le permitió obtener su licencia de conducir y pagar la matrícula estatal en Miami Dade College, donde acaba de recibir su título de asociado en Administración de Viajes y Turismo. El año próximo, planea asistir a la Universidad Internacional de Florida y estudiar la misma carrera, también con una matrícula de residente estatal, que representa un tercio[ñ] de lo que pagan los estudiantes foráneos[o] —y quienes no están cubiertos por el programa DACA.

Su madre también tenía pensado solicitar la Acción Diferida para Padres, lo cual le hubiera permitido obtener una licencia de conducir. Pero hasta ahora, ella se apoya en un primo, quien también está en el país ilegalmente y no califica para el programa.

El año pasado, funcionarios de inmigración llegaron al hogar que ella comparte con Carrada y sus dos hermanas menores, la más pequeña de ellas es ciudadana estadounidense. «Mi madre pensó que eran los fontaneros,[p] y ellos se abalanzaron[q] dentro de la casa», cuenta el joven.

En realidad, las autoridades buscaban allí a un amigo de la familia, quien no había estado en años con ellos. Nadie fue detenido, pero todos se asustaron. «Sus esperanzas decayeron», dice Carrada, acerca[r] de su madre. «Ella nos dice: 'Ustedes están construyendo sus vidas, pero se las pueden quitar en cualquier momento'».

Aunque se supone que el caso del Tribunal Supremo no involucra[s] a los destinatarios originales de la acción diferida, Carrada dice que a él y a muchos más

---

[e]*nursery* [f]*de verano* [g]*high school* [h]*to pay for* [i]*fee* [j]*fear* [k]*tells* [l]*lo... encouraged him to attend* [m]*haber... have handled the issue on their own* [n]*broke* [ñ]*third* [o]*foreign* [p]*plumbers* [q]*jumped on* [r]*about* [s]*involves*

les preocupa que el caso se haya prolongado. El año último, 108.000 beneficiarios con renovación de sus permisos de trabajo por tres años fueron desafiados[t] por un juez federal en Texas. Como parte de la causa, el magistrado exigió más tarde información de identificación acerca de quienes habían obtenido los permisos.

Eso aumentó los nervios de los beneficiarios de la acción diferida. «Con todo lo que está ocurriendo en este momento», señaló Carrada, «uno realmente no sabe qué pensar».

ANAYELI MARCOS, 22 AÑOS, AUSTIN, TEXAS

Cuando Marcos escuchó que el estado donde vive había demandado al gobierno federal para bloquear la acción diferida, no se sorprendió; más bien se sintió decepcionada. «Yo quería que mis padres tuvieran lo mismo que yo tengo», afirma.

Su madre la trajo desde Guerrero, México, a Houston, cuando ella tenía apenas seis años, para que conociera a su padre por primera vez. Él trabajaba en la construcción mientras su madre limpiaba casas. Ahora, Marcos tiene tres hermanos menores, todos estadounidenses, nacidos aquí. Marcos trabajó duro para ingresar en la Universidad de Texas en Austin, donde se graduó esta primavera, y ahora acaba de inscribirse[u] en la escuela de posgrado para Trabajo Social y Estudios Latinoamericanos.

La Universidad de Texas, Austin

Le tomó dos años —y la ayuda de una colecta online organizada por un amigo— ahorrar los $465 para pagar la tasa[v] de solicitud del programa DACA. Una vez que lo recibió, obtuvo su licencia y empleos como asistente de investigación de un profesor y como intérprete de español para consejeros.

Pero ahora, Marcos está preocupada; teme qué ocurrirá con el programa de acción diferida. Su novio vive en Pensilvania, y viajar sin estatus podría ser difícil para ella. Esta primavera, voló a El Paso para un viaje de investigación con el profesor al que asiste, y en el aeropuerto fue detenida por la Patrulla Fronteriza. Por un momento fue aterrador,[w] dijo, aunque el miedo pronto dio paso al alivio.[x] «Él vio mi permiso DACA y que yo tenía permitido estar en los EE.UU., y dijo que podía continuar con mi viaje», narra Marcos.

Después, en abril, durante sus exámenes finales, su estatus expiró. Cuando ella intentó renovarlo con el Servicio de Aduana e Inmigración de los EE.UU., se enfrentó a repetidos retrasos. «Todo se demoraba[y] un tiempo extremadamente largo, y en dos de mis empleos me decían que iba a tener que marcharme,[z] pero que podría regresar apenas[aa] tuviera mi nuevo permiso de trabajo», cuenta.

Marcos presentó una queja[ab] online ante la agencia, y en menos de dos semanas aprobaron su renovación. La joven señala que aun los participantes originales deben estar pensando qué ocurrirá si el alto tribunal falla[ac] en contra del programa. El verano pasado, ella fue voluntaria para visitar a mujeres inmigrantes que habían ingresado[ad] al país de forma ilegal y estaban detenidas en un centro federal en Texas; algunas de ellas serían después deportadas a América Central. «Siempre ha sido un riesgo», aseguró respecto del programa DACA. «Ahora tienen nuestra información, saben dónde vivimos. Ellos siempre quieren saber si nos mudamos... Es bueno mantener la esperanza, pero en realidad, hay que estar preparado».

[t]*contested* [u]*to enroll* [v]*fee* [w]*terryfying* [x]*relief* [y]*se... was delayed* [z]*to leave* [aa]*as soon as* [ab]*complaint* [ac]*decides* [ad]*entered*

■ ACTIVIDAD 2 ¿Está claro?

Di si las siguientes oraciones son ciertas o falsas de acuerdo con la lectura. Si son falsas, corrígelas. Si son ciertas, añade todos los datos que sepas sobre esa idea.

1. Esta lectura trata sobre unos jóvenes que han sido deportados y viven en México.

2. Los jóvenes cuyas historias se cuentan en el artículo nacieron en Estados Unidos.

3. Estos jóvenes han crecido en Estados Unidos.

4. Estos jóvenes quieren tener permiso de trabajo por dos años.

5. Los conservadores estaban de acuerdo con la creación de DACA.

6. Los jóvenes en el programa DACA ya no tienen miedo.

7. Armando Carrada ha empezado sus estudios universitarios.

8. Los funcionarios de emigración detuvieron a la madre de Armando Carrada.

9. Algunos parientes de Anayeli Marcos son estadounidenses.

10. Anayeli Marcos piensa que tener esperanza está bien.

■ ACTIVIDAD 3 El lenguaje legal y político

Ahora en parejas, hagan una lista de todas las palabras que Uds. consideren que están relacionadas con el lenguaje legal y político en esta lectura. ¿Cuáles de estas palabras conocían ya y cuáles son nuevas?

■ ACTIVIDAD 4 Interpretación

Explica con tus palabras las siguientes ideas del texto.

1. ¿Puede ser una persona estadounidense sin serlo legalmente? Explica.

2. ¿A qué tipo de recompensa se refieren los conservadores cuando dicen que no está bien recompensar a las personas que han violado las leyes de inmigración?

3. Aunque las siglas no aparecen específicamente en la lectura, ¿qué puede ser el programa DAPA?

4. Si hubieras estado en la situación de Armando Carrada, ¿le habrías pagado 5.000 dólares a un abogado?

5. ¿Piensas que es normal que los *Dreamers* tengan miedo?

Tertulia Las leyes: a veces puentes, a veces fronteras

- Este texto plantea un problema que afecta a miles de jóvenes que viven en los Estados Unidos —por no haber crecido en su país de nacimiento y por no tener ciudadanía en el nuevo país, estos jóvenes son prácticamente apátridas, es decir, personas sin un país. El programa DACA les abre una puerta que le permita conseguir la ciudadanía estadounidense. ¿Estás de acuerdo con que este tipo de programas exista? ¿Por qué?

- ¿Cuáles son las fronteras que los jóvenes que se benefician del program DACA han tenido que superar?

- En la historia de los Estados Unidos ha habido otros momentos que pusieron en peligro el sentido de pertenencia de personas que ya habían vivido aquí por mucho tiempo. Por otro lado, también ha habido iniciativas que han ayudado a mejorar el sentido de pertenencia de un grupo en particular. ¿Puedes pensar en algunos de estos momento e iniciativas?

Producción personal

Ahora es el momento de preparar la versión final del ensayo que has escrito durante las últimas semanas.

Prepárate

Lee con atención tu segunda versión y señala aquellas partes en las que crees que necesitas cambiar algo.

¡Escríbelo!

Asegúrate para que tu ensayo tenga los siguientes elementos y características:

☐ un título

☐ una introducción que presente el tema que exploras y contenga una tesis

☐ párrafos con una idea principal que no se repita en otros párrafos

☐ ideas ordenadas

☐ una conclusión

☐ una bibliografía

Repasa

☐ la concordancia y la ortografía

☐ el uso de un vocabulario variado y diversidad de conectores

☐ el orden y el contenido: párrafos claros; principio y final

☐ la corrección en los tiempos verbales

☐ el uso de pronombres de objeto y relativos para evitar repeticiones innecesarias u oraciones muy simples

¿Cuándo se dice? Cuándo usar *ir, venir, llevar* y *traer*		
ir	*to go; to come* [speaker is not in the place where the action of going is directed; unlike English, in which the point of reference can also be the interlocutor, as in *I'm coming* (*to meet you*).]	¿Me estás llamando? Ya **voy**. Juan **va** al cine todos los domingos.
venir	*to come* (speaker is in the place where the action of coming is directed; also expresses the fact of accompanying someone to another place)	Juan, quiero que **vengas** enseguida. María **viene** mucho a visitarme a casa. Los inmigrantes **vienen** a nuestro país buscando mejores condiciones de vida. Voy de compras. ¿**Vienes** conmigo?
traer	*to bring* (like **venir**, used only to express moving something to the speaker's location)	María, ¿me **traes** un vaso de agua, por favor? Los inmigrantes **traen** consigo a nuestro país una rica herencia cultural.
llevar	*to take; to bring* (like **ir**, used to express moving something to a location that the speaker does not occupy; unlike English, location of interlocutor is not relevant)	María, **lleva** los platos a la cocina. (*Neither the speaker nor María is in the kitchen.*) José, cuando **vaya** a tu casa, ¿quieres que **lleve** el postre? (*Speaker is not at José's house.*)

©DigitalVues/Alamy RF

¿Qué piensan los hispanohablantes?

Entrevista a una persona de origen latinoamericano de tu comunidad que haya llegado a tu país en los últimos quince o veinte años. Hazle preguntas sobre los siguientes temas.

- ¿Cómo es la relación de su país de origen con otros países con los que comparte frontera?
- ¿Hay hoy día en su país de origen algún aspecto que dificulte su relación con otro país o países?
- ¿Piensa que hay alguna solución para ese problema?

Producción audiovisual

Prepara una presentación audiovisual sobre algún tema que **tú** consideres **que** separa o une a las personas de tu ciudad o universidad.

Voluntari@s! Correr la voz

Si te interesa escribir y el periodismo, siempre puedes crear o participar en un blog que beneficie a la comunidad. ¿O qué te parece contribuir con un programa en español en la radio local o de la universidad? ¡Hay tantas maneras de ser voluntario!

Tertulia final ¿Qué hemos aprendido?

¿De qué manera ha influido en su conocimiento del mundo hispano lo que han aprendido Uds. en este libro? ¿Cuáles son sus planes en cuanto al español? ¿Cómo les gustaría utilizar lo que aprendieron?

Para terminar Fronteras y puentes

Now I can

- ☐ talk about what separates and unites countries and people
- ☐ explain the traits that make the Mexico-U.S. border so unique
- ☐ express ideas in which the action is more important than the person performing it
- ☐ express more types of wishes and commands
- ☐ describe different types of borders and bridges

Vocabulario del capítulo

Asegúrate que sabes:

- ☐ el vocabulario temático (**Palabras**, pp. 334–335)
- ☐ el significado de las palabras **ir, venir, llevar** y **traer.** (**¿Cuándo se dice?** p. 355)

Otro vocabulario activo

el/la diplomático/a	diplomat; diplomatic
el/la embajador(a)	ambassador

VOCABULARIO PERSONAL

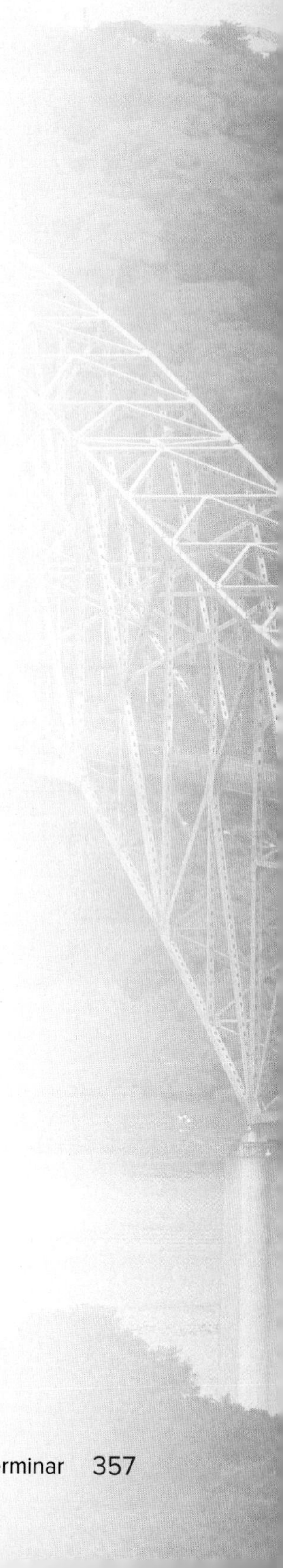

Capítulo 1

Elena Soto Tapia Ponce, Puerto Rico

- ¡Evidentemente las pecas! Y tengo el pelo castaño y los ojos marrones.

- Yo creo que soy simpática y buena gente. Intento ser honesta y prudente con todo el mundo. Mis padres dicen que soy un poco terca, pero también que soy la más inteligente de la familia porque soy la más comelibros.

- En casa me llaman «la beba», porque soy la menor de mis hermanos y también «la pecosa», obviamente porque tengo muchas pecas. Pero mis amigos me llaman Burbu. Es una larga historia, porque un día llevé un disfraz de Burbujita Gargarita, un personaje de un programa de niños en la tele. Y se me quedó el nombre.

- Mi mejor amigo se llama Yiyo. Nos conocemos desde que teníamos 5 años. Yiyo es muy generoso y extrovertido, mucho más extrovertido que yo. Empieza una conversación con cualquier persona en cualquier sitio. Y no le importa hacer el ridículo para que la gente se ría. Es súper chistoso. Supongo que somos compatibles porque a los dos nos encantan varias cosas, como el cine y salir a la playa y a bailar los fines de semana con otros amigos. Además, los dos somos parecidos en nuestra manera de pensar, por eso estamos de acuerdo en muchas cosas.

Capítulo 2

Gustavo (Gus) Flores García Fresno, California

- Bueno, me identifico como católico, aunque la verdad es que no soy muy religioso. Pero mi familia es católica y me gusta celebrar nuestras tradiciones. En cuanto a la política, pues soy bastante progresista y por eso voto por el Partido Demócrata. No soy muy activo políticamente, pero últimamente creo que me gustaría serlo más.

- Sí, como soy estudiante de enfermería, estoy en una asociación que aboga por mejor atención a la salud mental de los estudiantes de esta universidad. También soy voluntario en una asociación que ofrece compañía a las personas mayores. Otra cosa es que juego en un equipo de fútbol aquí en la universidad. El fútbol me ha gustado desde siempre, como espectador y como jugador. Mi equipo favorito es el Club América de México.

- Bueno, comparto muchos intereses con mis dos amigos, Manuel y Kurt, que son muy buena onda. A Manuel ya lo conocía de la secundaria. Los dos también están en el equipo de fútbol, y Kurt y yo tenemos una clase en común, así que pasamos mucho tiempo juntos.

- Estoy estudiando enfermería, obviamente para ser enfermero.

- Muchísimo. Este curso académico está siendo muy intenso para mí porque necesito muchos créditos para mi carrera. Es que he cambiado de especialización este semestre, por lo que ahora me hacen falta dos clases más. Desgraciadamente, no tengo un buen horario y apenas tengo tiempo libre entre las clases, el trabajo y mis otras responsabilidades. ¡Estoy comprometido con demasiadas cosas este semestre! Bueno, todo pasa...

Capítulo 3

Mayra Ramos Castillo San Pedro Sula, Honduras

- Mi familia es bien grande. Tengo cuatro hijos, dos varones y dos mujeres, y como tres de ellos están casados, también tengo una nuera y dos yernos. Recientemente fui abuela por quinta vez, y mi nieta mayor me hizo bisabuela el año pasado. Tengo seis hermanos (aunque se me han muerto dos, qué lástima). El caso es que también tengo muchísimos cuñados y sobrinos. Y eso solo mi familia, luego está la familia de mi esposo, que es grande también. En fin, cuando hay una boda o un bautizo, tenemos una celebración grandísima.

- En mi familia celebramos mucho los cumpleaños, los bautizos, las bodas, lo normal. Y claro también la Navidad, que es una época del año en la que nos reunimos y nos gusta estar juntos. En Navidad es cuando vienen mis dos hijas que están en Estados Unidos, y mi hijo que se casó con una nicaragüense y ahora vive en Managua.

- La última celebración fue la boda de mi sobrina Aurora, la hija de mi hermana Delmy. Ella es mi ahijada, así que es mi sobrina favorita. Pues después de la ceremonia en la iglesia, hubo una gran fiesta con más de cien personas y comimos, bailamos y brindamos muchas veces.

- De pequeña yo vivía con mi familia en un pueblo de la costa cerca de La Ceiba. Luego me fui a trabajar a La Ceiba. Pero cuando me casé me vine a San Pedro Sula con mi esposo y aquí es donde hemos criado a nuestros hijos.

- ¡Pues la familia lo es todo en la vida! Yo no concibo la vida sin la familia. No se puede ser feliz estando solo. Es verdad que la familia también te da muchos dolores de cabeza. Pero yo no me puedo imaginar no tener a mis hijos, a mi marido, a mis hermanos... La familia es lo que nos da fuerza y razones para vivir, ¿no? Por lo menos yo lo veo así.

Capítulo 4

Manuel Durán Del Valle Granada, España

- Soy maestro. Enseño matemáticas en un instituto. En España, llamamos instituto a las escuelas públicas para niños de los 12 años para arriba. Y sí me encanta lo que hago. Hombre, a nadie le gusta levantarse por la mañana para ir a trabajar, ¿no? Pero me gusta enseñar, me gustan las matemáticas y sobre todo me gusta estar con los chavales. Aunque a veces me vuelvan loco.

- A mí siempre me ha interesado todo lo relacionado con la educación. Por eso soy maestro de matemáticas. Ahora estoy preparándome para ser director de instituto, porque creo que tengo dotes de gerencia y quiero tener un impacto un poco mayor en la educación.

- Buena pregunta. ¡Antes de empezar a trabajar creía que había aprendido todo lo necesario en la universidad! Luego te das cuenta que la universidad solo te ofrece el principio de lo que necesitas saber para ser un buen profesional. Así que lo primero que diría es a mantener una actitud abierta a las ideas de otros y a la crítica constructiva, porque si no, no podemos desarrollarnos profesionalmente. También he aprendido la importancia del trabajo en equipo, colaborando con los otros maestros de matemáticas para desarrollar planes pedagógicos. Finalmente, creo que es muy útil lo que he aprendido hablando con los padres y madres de los alumnos, porque ellos nos dan una perspectiva de los chicos que con frecuencia no vemos en las clases.

- Bueno, yo creo que todas las profesiones y ocupaciones deben ser admirables porque nuestra sociedad necesita de todo, jardineros, médicos, fontaneros, pintores, etcétera. No podemos prescindir de los servicios que estas personas nos dan. Yo de verdad admiro a las personas que sin importar su profesión u oficio son profesionales y quieren hacer bien su trabajo, sea lo que sea.

- Todos estos aspectos son importantes. Algunas veces es mejor hacer lo que te gusta aunque no ganes grandes cantidades de dinero, pero es importante tener un trabajo que cubra tus necesidades más básicas y tenga beneficios. Para mí es muy importante saber que con mi trabajo contribuyo a una sociedad mejor.

- Pues para empezar un buen seguro médico, sin duda, porque, bueno, es esencial, ¿no? Después, un plan de ahorro para la jubilación, permiso parental y varias semanas de vacaciones pagadas al año. En fin, los derechos básicos que cubren las necesidades de las personas en los diferentes momentos de la vida. Aquí en España no estamos mal, aunque hay países con mejores beneficios.

Capítulo 5

Rosa Martínez Dorfman Valparaíso, Chile

- Esencial. Por ahora me gano la vida como diseñadora gráfica y diseñando blogs, dos actividades que son absolutamente dependientes de la tecnología digital. Pero además yo soy artista y para mis obras también uso la tecnología digital, ya que lo que yo hago utiliza la fotografía de base y la combino con otros elementos que manipulo con la computadora. Así que como puedes ver, mi vida profesional y artística son inseparables de la tecnología.

- Sin lugar a duda. El celular es mucho más que simplemente un teléfono. Por ejemplo, para mi arte tomo fotos constantemente con él, porque tiene una cámara muy buena. Y además tengo mi agenda, recibo noticias, hago uso de algunas apps que hacen más fácil mi vida. No sé, para mí el teléfono celular es indispensable y no creo que vayamos a volver nunca a una existencia sin él.

- Supongo que soy más o menos típica de mi generación. Por supuesto que me comunico por Facebook, Twitter e Instagram. Y tengo un blog. Como artista, estas redes me permiten diseminar mi obra. Para mí, el blog es una herramienta de comunicación que en algunos casos es una alternativa a los medios de comunicación.

- Uy, tengo muchas. ¿Quién puede vivir sin ellas? De todas formas intento no bajarme demasiadas. A ver, las de mayor utilidad para mí o las que uso más diría que son las que me proporcionan música, las de mapas y la de lugares útiles en la ciudad.

- Obviamente hay un lado oscuro de la tecnología, como todo en la vida, ¿no? La tecnología puede absorberte y convertirse en una adicción que te separa de otros en vez de unirte. Y es importante que la gente joven sepa que las redes sociales son peligrosas porque proporcionan una plataforma para mentir y que algunas personas se presentan de una manera que no son. Y esto es un peligro para todos, pero sobre todo para los adolescentes que todavía no son muy conscientes del problema de sobreexponérse en público. Así que yo les diría a los jóvenes que tengan cuidado con lo que dicen de ellos mismos y de otras personas en las redes sociales. También es importante que elijan bien las fotos que suben, porque es difícil borrar la información y las fotos que se publican en internet. No quieres que un momento tonto o una mala decisión juvenil arruine tu vida o la de otra persona y eso desgraciadamente puede pasar.

Capítulo 6

Francisco (Fran) Palacios Rama Trujillo, Perú

- Para mí vivir bien es tener tiempo para el ocio, pero también tener acceso a las cosas básicas que necesitamos en nuestra vida y para eso la mayoría de nosotros necesitamos trabajar. Pero cuando se sale del trabajo, hay que intentar dejar los problemas laborales en la oficina y dedicar el tiempo del ocio a hacer otras cosas que te hacen disfrutar y pasarla bien, como un hobby o algún proyecto que te interese. Y, cómo no, la familia.

- Sin lugar a dudas, para tener una buena vida se necesita tener un lugar adecuado para vivir, buena alimentación, salud y algo de plata. Porque no nos vamos a engañar, si no hay suficiente dinero la vida es difícil y dura. Ahora bien, el dinero no lo es todo en absoluto. Fíjate en la cantidad de gente rica que no es feliz. Tienes que tener personas que quieres y que te quieren. Y esto es verdad a cualquier edad.

- A mí me gusta mucho pasar tiempo con mis amigos y mi familia, especialmente con mis nietos que adoro. Ahora que estoy jubilado, tengo tiempo para hacer cosas que antes no podía: como hacer taichí, que me encanta, leer mucho y cocinar, una cosa nueva para mí que cada día me gusta más y que además me motiva a reunir a mis seres queridos. Claro está que cuando era joven me gustaban otras cosas. Entonces me encantaba bailar. Ahora todavía me gusta, pero ya no como antes.

- No creo que mi país sea diferente a otros en cuanto a las actividades. Como en muchos lugares apreciamos la buena cocina y normalmente pasamos mucho tiempo cocinando los platos típicos del país. Y el Perú tiene una cocina maravillosa que afortunadamente cada día se conoce más en el resto del mundo, por lo que se ve. Pero a los peruanos también nos gusta la comida de otros países y probar cosas nuevas, lo cual es muy fácil hoy día con recetas que se encuentran en internet.

- En el Perú hay mucha variedad de música tradicional, con sus bailes, gracias a nuestra historia compleja, indígena y colonial. Así que hay música que viene directamente de nuestros pueblos andinos, música que entró con los españoles y música de la gente que vino de África. Se puede encontrar música peruana con todas estas raíces, depende de la zona del país. Pero la música peruana más famosa, digamos, es sin duda la marinera. Es típica de la costa peruana, lo digo como buen trujillano que soy. Es el baile nacional del Perú y combina todas las tradiciones. Es muy bonita, de verdad.

Capítulo 7

Elsa Arreola Chicago, Estados Unidos (originalmente de Antigua, Guatemala)

- Yo nací y me crié en Antigua, Guatemala, y me siento guatemalteca de corazón. Pero me vine a los Estados Unidos en busca de mejores oportunidades laborales que he conseguido y aquí es donde tengo mi vida ahora. Acá me casé, de acá son mis hijos y mi esposo. Por eso yo digo que tengo dos patrias.

Quiero mucho a mi patria de origen porque mis raíces están allá. Es un país pobre y con problemas pero muy, muy lindo. Sin embargo, los Estados Unidos son el país donde vivo y donde he llegado a ser la persona que soy en todos los sentidos. Así que me siento de los dos países y orgullosa de los dos.

- Como es natural yo hablo español e inglés. Mi lengua materna es el castellano. Aprendí inglés en la escuela en Guatemala y obviamente mi inglés mejoró mucho al llegar a Estados Unidos. También hablo un poco de quiché, que es una lengua maya, de los indígenas guatemaltecos, porque cuando era niña teníamos una señora que ayudaba en la casa que era maya quiché y lo aprendí con ella. Pero he olvidado mucho porque apenas lo hablo, lo cual es una lástima. Me parece importantísimo hablar más de una lengua, ya que te da otras perspectivas del mundo y oportunidades profesionales. Yo les insisto a mis hijos que hablen español en casa y hago todo lo que puedo para que sean bilingües.

- Vivir, solo he vivido en Guatemala y Estados Unidos. Pero sí he tenido la oportunidad de viajar a varios países. Conozco México, Honduras, España, Francia y Canadá. Viajar es una de las grandes experiencias en la vida. Cuando se viaja también se aprende de uno mismo y te das cuentas de que no hay ningún país que sea perfecto, ni el tuyo, y que hay cosas maravillosas en todas las partes del mundo. Por eso yo quiero que mis hijos tengan la oportunidad de vivir en otro país, sea cual sea.

- ¿Quién no ha sentido rechazo alguna vez? Lamentablemente es parte de la experiencia humana, ¿no? Y no hay duda de que si eres más oscuro de piel, pues sabes que alguna gente te mira, pues, no sé, de una manera diferente, ¿entiendes? Pero, tampoco puedo decir que haya sufrido mucha discriminación. Me siento bien integrada en mi comunidad, que no es una comunidad muy hispana, sino principalmente blanca. Pero a veces siento preocupación cuando oigo algunas cosas que les pasan en este país a las personas de color. Aunque, como ya dije, yo personalmente no siento rechazo en general.

- Siempre echo de menos Guatemala y a mi familia que vive allá. En Antigua viven mis padres, dos de mis hermanos y amigos muy queridos de mi infancia y juventud. Aunque intento ir una vez al año, siempre me faltan. Y me faltan la comida y el buen clima guatemalteco. ¡No se puede tener todo en la vida!

Capítulo 8

Luis Zambrano Vera Cuenca, Ecuador

- De los 17 países que se consideran megadiversos en nuestro mundo, el Ecuador es el país megadiverso más compacto, es decir que en menos superficie se concentran más especies. Como el Ecuador va desde los Andes hasta la selva y la costa, la diversidad de animales y plantas es fabulosa. Pero si tengo que elegir especies que todo el mundo asocia con nuestro país, pues diría que las orquídeas son muy representativas del país. Y en cuanto a animales, tengo que decir las tortugas gigantes de las Islas Galápagos, que todo el mundo conoce desde Darwin.

- Pues que es un problema tremendo que la humanidad está ignorando. Y de ello tienen mucha culpa los gobiernos de los países más ricos, que permiten que las grandes compañías multinacionales hagan mucho daño impunemente, y no controlan el consumo abusivo de recursos de sus habitantes. El calentamiento global es un desastre que ya nos afecta, pero seguimos sin querer ver.

- Obviamente las dos cosas son importantes. Es lógico que los países quieran un desarrollo económico que permita que sus ciudadanos no vivan en la pobreza. El grave error es querer tener un desarrollo económico sin proteger el medioambiente. Es engañoso pensar en desarrollo que no sea sostenible. Es como se suele decir pan para hoy y hambre para mañana. Esto es un problema que las comunidades indígenas de Ecuador y de toda Latinoamérica conocemos bien, ya que en nombre del desarrollo se nos han quitado las tierras donde vivieron nuestros antepasados y es imposible en la mayoría de los casos sobrevivir con las tierras que nos quedan. Los gobiernos de nuestros países no quieren atender nuestras peticiones y necesidades y nos tratan como si fuéramos extranjeros o, peor, invasores.

- En mi opinión, todos somos responsables de nuestro entorno en mayor o menor medida. Está claro que no podemos esperar que los gobiernos, aunque sean democráticamente elegidos, sean responsables sin que los vigilemos y exijamos responsabilidad ambiental. Así que como ciudadanos tenemos una responsabilidad doble. La primera es reducir nuestro impacto personal, es decir, limitar el consumo y siempre reciclar todo lo posible a todos los niveles. La segunda responsabilidad es hacernos activistas: estar informados y exigir que los gobiernos tomen las medidas necesarias para proteger nuestros espacios y recursos.

- Lamentablemente lo veo muy oscuro. Creo que hemos cruzado la línea del no retorno. Perdemos especies de animales y plantas por día, así que nuestros nietos tendrán que conformarse con ver osos polares y otros grandes mamíferos en los zoos y en internet. Además, el problema del agua afecta a miles de millones de seres humanos, y sin agua no hay comida. Según todas las predicciones, el cambio climático ocasionará y ya está ocasionando tremendos desastres naturales. No será una vida fácil para las próximas generaciones.

Capítulo 9

Maya Quiroga Córdoba, Argentina

- Mi país, Argentina, se enfrenta a los típicos problemas sociales de todo el mundo: discriminación por razones de género, desigualdad económica y social, falta de acceso a oportunidades, etcétera. No creo que exista ninguna sociedad hoy día que haya superado estos problemas completamente todavía, aunque es obvio que algunos países han hecho grandes avances. Personal y profesionalmente yo estoy muy comprometida con la lucha por la igualdad de género y sobre todo por la erradicación de la violencia contra las mujeres. Es una epidemia, mejor una pandemia, ya que es una constante en todo el mundo. Se necesita perseguir a los maltratadores con toda la fuerza de la justicia, pero al mismo tiempo hay que educar tanto a hombres como mujeres para cambiar patrones culturales y formas de reaccionar ante la violencia de género.

- Una sociedad inclusiva es una sociedad que permite que todas y todos vivan su vida sin peligro por ser quien y como son, y que tengan acceso a oportunidades que le permitan desarrollarse libremente a nivel personal y profesional. Obviamente no creo que vivamos en una sociedad inclusiva, aunque sin duda lo es más hoy día que hace 20 años.

- Bueno, por mi trabajo, conozco desgraciadamente a muchas mujeres que han sido discriminadas: en sus hogares, en el mundo laboral, por las leyes... Yo diría que la discriminación contra la mujer es la forma de discriminación más extendida, antigua y consistente de la humanidad, considerando que las mujeres somos por lo menos la mitad de la población mundial.

- Por supuesto. Por ejemplo, el matrimonio entre personas del mismo sexo ha sido un gran paso durante la última década. Y algunos países dieron el paso de manera sorprendentemente rápida y sin grandes batallas políticas, como fue el caso de España en 2005. Hoy día, el matrimonio igualitario es una realidad también en Argentina, en Uruguay, en Brasil, en Colombia y en casi todo México. Así que está claro que sí ha habido grandes avances sociales y grandes mejoras para algunos grupos. Pero no podemos olvidar que el cambio de las leyes no significa el fin de la discriminación, aunque sea un paso fundamental. Es decir, que no podemos dormirnos en los laureles pensando que si cambian las leyes de manera favorable ya ha terminado la lucha.

Capítulo 10

Alejandro Carrasco González Guanajuato, México

- Asocio un inmenso continente que va desde Alaska hasta la Patagonia. Es un territorio que comprende América del Norte y del Sur y Centroamérica, así como el Caribe. Pues claro, también entiendo cuando se usa el término América para referirse a los Estados Unidos, pero es algo que me molesta, que intento evitar y que mis estudiantes eviten también. Si se piensa bien, es una falta de respeto para el resto de los países americanos, ¿no?

- [Jajaja] ¡Qué pregunta para alguien que se gana la vida estudiando y enseñando historia! ¿Por qué es importante saber historia? Pues porque nada ocurre en un vacío histórico. Todo lo que ocurre en nuestra vida es consecuencia de lo que ha pasado antes y tendrá consecuencias después de que pase. A un nivel muy básico y muy práctico, conocer la historia nos hace capaces de evaluar lo que vivimos como sociedad y nos prepara para contribuir mejor al proceso democrático.

- Bueno, originalmente soy de Puebla, un estado en el corazón de México con una riquísima historia. Pero mejor me concentro en el estado de California, que es donde vivo y trabajo ahora. Como sabe todo el mundo, California tiene una población muy diversa. Lo que mucha gente no sabe es que California ya era una de las zonas más heterogéneas de Norteamérica antes de la llegada de los españoles en el siglo XVI, contando con hasta 70 pueblos diferentes. Con la fiebre del oro, y ya independiente de México, California se llenó de europeos, chinos y otras gentes. En el siglo XX, California recibió una gran oleada de mexicanos y más tarde de centroamericanos de diferentes países. Los datos demográficos de hoy estiman que la población hispana de California es de aproximadamente un 60%.

- Está el California State Indian Museum, en Sacramento, que muestra el arte y las tradiciones de los pueblos nativoamericanos. Y la comunidad china disfruta de maravillosas celebraciones del nuevo año chino. Pero es sin duda la comunidad hispana y en especial la mexicana la que cuenta con una mayor representación cultural por todo el estado.

Capítulo 11

Zaira Vargas-Reyes Nueva York, Estados Unidos

- Hace un año que llegué a Nueva York. Soy de la República Dominicana, de un pueblo cerca de Santo Domingo. Mi hermana ya estaba en Nueva York, así que me vine para estar cerca de ella y tener mejores oportunidades. Hasta ahora me está encantando Nueva York, aunque el primer invierno ha sido duro con tanto frío y tanta nieve. Pero es una ciudad con mucha vida y he encontrado un buen trabajo. Así que no me quejo.

- La verdad es que sé más de Santo Domingo, por lo que aprendí en la escuela. Fue la primera ciudad que fundaron los españoles en tierras americanas y caribeñas. La fundó el hermano de Colón en 1496. Es muy bonita, especialmente la parte que llamamos La Ciudad Colonial que tiene edificios del siglo XVI y otros más modernos de mediados del siglo XX. En 1990 fue declarada Patrimonio de la Humanidad por la UNESCO.

- Bueno, aparte de Santo Domingo, viví cinco años en Madrid. En España sí pude visitar otras ciudades y pueblos. Puedo decir que Madrid y Santo Domingo son muy diferentes, pero tienen en común las plazas y parece que la gente va un poco más relajada por la calle. Nueva York es distinta. Para empezar, es más grande y los edificios son mucho más altos. Y la gente se comporta de otra manera aquí también. Va siempre como con prisa. Si mi hermana no me hubiera ayudado, me habría costado un poco adaptarme, pero ahora me siento como en casa.

- A ver. Depende del país. Si pienso en Santo Domingo, me viene a la cabeza el malecón, el colmado, la plaza y la iglesia. Si pienso en España, pues pienso en las plazas con cafés y bares al aire libre, las calles pequeñas, muchas catedrales e iglesias bonitas y antiguas, mucha historia, ¿no? En Nueva York, pues lo que se me viene a la cabeza son las grandes avenidas y los rascacielos. A mí me gustan las plazas y los parques para pasear y sentarse tranquilamente a charlar y tomar algo. Eso es muy agradable.

- ¡Cambiaría el invierno! En serio, no sé. Quizá intentaría mejorar la situación del tráfico, que es un problema muy serio de esta ciudad. Creo que ya habrían podido crear más carriles para bicicletas. Pero la verdad es que el transporte público funciona bien.

Capítulo 12

Juan Pineda Miami, Estados Unidos

- Soy nacido en Colombia. Mi país tiene fronteras con Venezuela, Ecuador, Perú, Brasil y Panamá.

- Cuando vivía en Colombia, sí que cruzaba la frontera con cierta frecuencia, porque mi familia es de Cúcuta que está en la frontera con Venezuela. Ahora vivo en Miami, y no cruzo la frontera excepto cuando voy a Colombia por avión. Las fronteras estatales de la Florida no están cerca de Miami y no tengo necesidad ni de ir a Georgia ni a Alabama. ¡Aunque si voy a la Calle Ocho, y es como si entrara en Cuba!

- Pues, lo primero que se me viene a la cabeza es que es algo bueno, porque abre horizontes. Obviamente, muchas personas, como yo, tenemos que cruzar fronteras como emigrantes, para buscar una vida mejor en otro país porque en el nuestro no se puede. Pero, aunque al principio es una situación difícil, pues luego nos acostumbramos y nos hacemos al país y nuestros hijos son de aquí, y pues ya no nos sentimos solamente de un sitio, sino de dos. Yo creo que eso es bueno.

- ¡Cómo no! Hasta que no se habla la lengua de verdad no se integra uno. Yo lo veo con mis hijos. Yo llegué mayor aquí y aunque sé que nunca voy a volverme a Colombia, tampoco me siento del todo integrado, para empezar porque no hablo inglés tan bien como quisiera. Pero mis hijos se sienten en casa aquí y en Colombia. Y como hablan español e inglés, pues se pueden mover por muchos países comunicándose y entendiéndose con la gente. Eso es maravilloso. También es verdad que aquí en Miami hablar español es un puente que me permite comunicarme con personas de todos los países latinoamericanos y con los españoles que viven aquí. Hablar español nos hace sentir parte de una misma comunidad, aunque seamos de países diferentes.

- ¡Claro que sí! No se puede vivir en aislamiento. Los países son como las personas—hay que llevarse bien con los vecinos, ayudarse, ¿no? Así es mejor para todo el mundo, digo yo.

Appendix II

Stress and Written Accent Marks

All Spanish words have a stressed syllable—that is, a syllable that is pronounced with more intensity than the others. This syllable is called a **sílaba acentuada.**

The vast majority of Spanish words do not need a written accent mark because they follow these syllable and stress patterns.

1. The stress is on the second-to-last syllable **(palabra llana)**, and the word ends in a vowel, **-n**, or **-s**. This is by far the largest group of Spanish words.

   mano   perros   comen   vienes   leche   cantan

2. The stress falls on the last syllable **(palabra aguda)**, and the word does not end in a vowel, **-n**, or **-s**.

   amor   comer   rapidez   salud   reloj   papel

WHEN TO WRITE AN ACCENT MARK		
The stressed syllable is on...	**Write the accent**	**Examples**
the last syllable (**aguda**)	when the last letter is -**n**, -**s**, or a vowel	**andén** **inglés** **pasé**
the second-to-last syllable (**llana**)	when the last letter is <u>not</u> -**n**, -**s**, or a vowel	**árbol** **dólar** **carácter**
a syllable before the second-to-last (**esdrújula**)	always	**teléfono** **matrícula** **América**
interrogativas (cómo, cuál, cuándo, dónde, qué, quién)	always	**¿Quién** es? Ella sabe por **qué** lo hice
algunas monosílabas	when there is another word with the same spelling, in order to differentiate their meaning	**té** (*tea*) vs. te (*you*) **mí** (*me*) vs. mi (*my*) **tú** (*you*) vs. tu (*your*)
hiatos (words containing these vowel combinations: **ía/ío/ íe, aí/eí/oí, úo/úa/úe, aú/ eú/oú, úi**)	when the word contains a **hiato,** the opposite of a **diptongo** (diphthong), in which the weak vowel (**i** or **u**) is stressed and forms a separate syllable*	**tía/tío/ríe** **caí/leí/oí** **búho/púa/continúes** **aúna/reúna**

For more information and practice, see the **Práctica auditiva** section in *Cuaderno de práctica,* **(Capítulos 2, 3 y 4).**

---

*A dipthong, or **diptongo**, is a sequence of two vowels in which the sounds blend to form a single syllable. In Spanish, this happens when a "strong" vowel (**a, e,** or **o**) is followed or preceded by a "weak" vowel (i or u) and the strong vowel carries the stress, as in the words **miedo, causas,** or **puente.** If the diphthong contains two weak vowels, the second one carries the stress: **fuiste, bilingüismo.**

Appendix III

Verbs

A. Regular Verbs: Simple Tenses

Infinitive Present participle Past participle	INDICATIVE					SUBJUNCTIVE		IMPERATIVE
	Present	Imperfect	Preterite	Future	Conditional	Present	Imperfect	
hablar	hablo	hablaba	hablé	hablaré	hablaría	hable	hablara	habla tú, no
hablando	hablas	hablabas	hablaste	hablarás	hablarías	hables	hablaras	hables
hablado	habla	hablaba	habló	hablará	hablaría	hable	hablara	hable Ud.
	hablamos	hablábamos	hablamos	hablaremos	hablaríamos	hablemos	habláramos	hablemos
	habláis	hablabais	hablasteis	hablaréis	hablaríais	habléis	hablarais	hablen
	hablan	hablaban	hablaron	hablarán	hablarían	hablen	hablaran	
comer	como	comía	comí	comeré	comería	coma	comiera	come tú, no
comiendo	comes	comías	comiste	comerás	comerías	comas	comieras	comas
comido	come	comía	comió	comerá	comería	coma	comiera	coma Ud.
	comemos	comíamos	comimos	comeremos	comeríamos	comamos	comiéramos	comamos
	coméis	comíais	comisteis	comeréis	comeríais	comáis	comierais	coman
	comen	comían	comieron	comerán	comerían	coman	comieran	
vivir	vivo	vivía	viví	viviré	viviría	viva	viviera	vive tú, no
viviendo	vives	vivías	viviste	vivirás	vivirías	vivas	vivieras	vivas
vivido	vive	vivía	vivió	vivirá	viviría	viva	viviera	viva Ud.
	vivimos	vivíamos	vivimos	viviremos	viviríamos	vivamos	viviéramos	vivamos
	vivís	vivíais	vivisteis	viviréis	viviríais	viváis	vivierais	vivan
	viven	vivían	vivieron	vivirán	vivirían	vivan	vivieran	

B. Regular Verbs: Perfect Tenses

INDICATIVE				
Present Perfect	Past Perfect	Preterite Perfect	Future Perfect	Conditional Perfect
he	había	hube	habré	habría
has	habías	hubiste	habrás	habrías
ha hablado	había hablado	hubo hablado	habrá hablado	habría hablado
hemos comido	habíamos comido	hubimos comido	habremos comido	habríamos comido
habéis vivido	habíais vivido	hubisteis vivido	habréis vivido	habríais vivido
han	habían	hubieron	habrán	habrían

SUBJUNCTIVE	
Present Perfect	Past Perfect
haya	hubiera
hayas hablado	hubieras hablado
haya comido	hubiera comido
hayamos	hubiéramos
hayáis vivido	hubierais vivido
hayan	hubieran

C. Irregular Verbs

Infinitive Present participle Past participle	INDICATIVE					SUBJUNCTIVE		IMPERATIVE
	Present	Imperfect	Preterite	Future	Conditional	Present	Imperfect	
andar	ando	andaba	anduve	andaré	andaría	ande	anduviera	anda tú, no
andando	andas	andabas	anduviste	andarás	andarías	andes	anduvieras	andes
andado	anda	andaba	anduvo	andará	andaría	ande	anduviera	ande Ud.
	andamos	andábamos	anduvimos	andaremos	andaríamos	andemos	anduviéramos	andemos
	andáis	andabais	anduvisteis	andaréis	andaríais	andéis	anduvierais	anden
	andan	andaban	anduvieron	andarán	andarían	anden	anduvieran	
caer	caigo	caía	caí	caeré	caería	caiga	cayera	cae tú, no
cayendo	caes	caías	caíste	caerás	caerías	caigas	cayeras	caigas
caído	cae	caía	cayó	caerá	caería	caiga	cayera	caiga Ud.
	caemos	caíamos	caímos	caeremos	caeríamos	caigamos	cayéramos	caigamos
	caéis	caíais	caísteis	caeréis	caeríais	caigáis	cayerais	caigan
	caen	caían	cayeron	caerán	caerían	caigan	cayeran	
dar	doy	daba	di	daré	daría	dé	diera	da tú, no des
dando	das	dabas	diste	darás	darías	des	dieras	dé Ud.
dado	da	daba	dio	dará	daría	dé	diera	demos
	damos	dábamos	dimos	daremos	daríamos	demos	diéramos	den
	dais	dabais	disteis	daréis	daríais	deis	dierais	
	dan	daban	dieron	darán	darían	den	dieran	
decir	digo	decía	dije	diré	diría	diga	dijera	di tú, no digas
diciendo	dices	decías	dijiste	dirás	dirías	digas	dijeras	diga Ud.
dicho	dice	decía	dijo	dirá	diría	diga	dijera	digamos
	decimos	decíamos	dijimos	diremos	diríamos	digamos	dijéramos	digan
	decís	decíais	dijisteis	diréis	diríais	digáis	dijerais	
	dicen	decían	dijeron	dirán	dirían	digan	dijeran	
estar	estoy	estaba	estuve	estaré	estaría	esté	estuviera	está tú, no
estando	estás	estabas	estuviste	estarás	estarías	estés	estuvieras	estés
estado	está	estaba	estuvo	estará	estaría	esté	estuviera	esté Ud.
	estamos	estábamos	estuvimos	estaremos	estaríamos	estemos	estuviéramos	estemos
	estáis	estabais	estuvisteis	estaréis	estaríais	estéis	estuvierais	estén
	están	estaban	estuvieron	estarán	estarían	estén	estuvieran	
haber	he	había	hube	habré	habría	haya	hubiera	
habiendo	has	habías	hubiste	habrás	habrías	hayas	hubieras	
habido	ha	había	hubo	habrá	habría	haya	hubiera	
	hemos	habíamos	hubimos	habremos	habríamos	hayamos	hubiéramos	
	habéis	habíais	hubisteis	habréis	habríais	hayáis	hubierais	
	han	habían	hubieron	habrán	habrían	hayan	hubieran	
hacer	hago	hacía	hice	haré	haría	haga	hiciera	haz tú, no
haciendo	haces	hacías	hiciste	harás	harías	hagas	hicieras	hagas
hecho	hace	hacía	hizo	hará	haría	haga	hiciera	haga Ud.
	hacemos	hacíamos	hicimos	haremos	haríamos	hagamos	hiciéramos	hagamos
	hacéis	hacíais	hicisteis	haréis	haríais	hagáis	hicierais	hagan
	hacen	hacían	hicieron	harán	harían	hagan	hicieran	
ir	voy	iba	fui	iré	iría	vaya	fuera	ve tú, no
yendo	vas	ibas	fuiste	irás	irías	vayas	fueras	vayas
ido	va	iba	fue	irá	iría	vaya	fuera	vaya Ud.
	vamos	íbamos	fuimos	iremos	iríamos	vayamos	fuéramos	vayamos
	vais	ibais	fuisteis	iréis	iríais	vayáis	fuerais	vayan

C. Irregular Verbs (continued)

Infinitive Present participle Past participle	INDICATIVE					SUBJUNCTIVE		IMPERATIVE
	Present	Imperfect	Preterite	Future	Conditional	Present	Imperfect	
	van	iban	fueron	irán	irían	vayan	fueran	
oír oyendo oído	oigo oyes oye oímos oís oyen	oía oías oía oíamos oíais oían	oí oíste oyó oímos oísteis oyeron	oiré oirás oirá oiremos oiréis oirán	oiría oirías oiría oiríamos oiríais oirían	oiga oigas oiga oigamos oigáis oigan	oyera oyeras oyera oyéramos oyerais oyeran	oye tú, no oigas oiga Ud. oigamos oigan
poder pudiendo podido	puedo puedes puede podemos podéis pueden	podía podías podía podíamos podíais podían	pude pudiste pudo pudimos pudisteis pudieron	podré podrás podrá podremos podréis podrán	podría podrías podría podríamos podríais podrían	pueda puedas pueda podamos podáis puedan	pudiera pudieras pudiera pudiéramos pudierais pudieran	
poner poniendo puesto	pongo pones pone ponemos ponéis ponen	ponía ponías ponía poníamos poníais ponían	puse pusiste puso pusimos pusisteis pusieron	pondré pondrás pondrá pondremos pondréis pondrán	pondría pondrías pondría pondríamos pondríais pondrían	ponga pongas ponga pongamos pongáis pongan	pusiera pusieras pusiera pusiéramos pusierais pusieran	pon tú, no pongas ponga Ud. pongamos pongan
querer queriendo querido	quiero quieres quiere queremos queréis quieren	quería querías quería queríamos queríais querían	quise quisiste quiso quisimos quisisteis quisieron	querré querrás querrá querremos querréis querrán	querría querrías querría querríamos querríais querrían	quiera quieras quiera queramos queráis quieran	quisiera quisieras quisiera quisiéramos quisierais quisieran	quiere tú, no quieras quiera Ud. queramos quieran
saber sabiendo sabido	sé sabes sabe sabemos sabéis saben	sabía sabías sabía sabíamos sabíais sabían	supe supiste supo supimos supisteis supieron	sabré sabrás sabrá sabremos sabréis sabrán	sabría sabrías sabría sabríamos sabríais sabrían	sepa sepas sepa sepamos sepáis sepan	supiera supieras supiera supiéramos supierais supieran	sabe tú, no sepas sepa Ud. sepamos sepan
salir saliendo salido	salgo sales sale salimos salís salen	salía salías salía salíamos salíais salían	salí saliste salió salimos salisteis salieron	saldré saldrás saldrá saldremos saldréis saldrán	saldría saldrías saldría saldríamos saldríais saldrían	salga salgas salga salgamos salgáis salgan	saliera salieras saliera saliéramos salierais salieran	sal tú, no salgas salga Ud. salgamos salgan
ser siendo sido	soy eres es somos sois son	era eras era éramos erais eran	fui fuiste fue fuimos fuisteis fueron	seré serás será seremos seréis serán	sería serías sería seríamos seríais serían	sea seas sea seamos seáis sean	fuera fueras fuera fuéramos fuerais fueran	sé tú, no seas sea Ud. seamos sean
tener teniendo tenido	tengo tienes tiene tenemos tenéis tienen	tenía tenías tenía teníamos teníais tenían	tuve tuviste tuvo tuvimos tuvisteis tuvieron	tendré tendrás tendrá tendremos tendréis tendrán	tendría tendrías tendría tendríamos tendríais tendrían	tenga tengas tenga tengamos tengáis tengan	tuviera tuvieras tuviera tuviéramos tuvierais tuvieran	ten tú, no tengas tenga Ud. tengamos tengan

Infinitive Present participle Past participle	INDICATIVE					SUBJUNCTIVE		IMPERATIVE
	Present	Imperfect	Preterite	Future	Conditional	Present	Imperfect	
traer trayendo traído	traigo traes trae traemos traéis traen	traía traías traía traíamos traíais traían	traje trajiste trajo trajimos trajisteis trajeron	traeré traerás traerá traeremos traeréis traerán	traería traerías traería traeríamos traeríais traerían	traiga traigas traiga traigamos traigáis traigan	trajera trajeras trajera trajéramos trajerais trajeran	trae tú, no traigas traiga Ud. traigamos traigan
venir viniendo venido	vengo vienes viene venimos venís vienen	venía venías venía veníamos veníais venían	vine viniste vino vinimos vinisteis vinieron	vendré vendrás vendrá vendremos vendréis vendrán	vendría vendrías vendría vendríamos vendríais vendrían	venga vengas venga vengamos vengáis vengan	viniera vinieras viniera viniéramos vinierais vinieran	ven tú, no vengas venga Ud. vengamos vengan
ver viendo visto	veo ves ve vemos veis ven	veía veías veía veíamos veíais veían	vi viste vio vimos visteis vieron	veré verás verá veremos veréis verán	vería verías vería veríamos veríais verían	vea veas vea veamos veáis vean	viera vieras viera viéramos vierais vieran	ve tú, no veas vea Ud. veamos vean

D. Stem-Changing and Spelling-Change Verbs

Infinitive Present participle Past participle	INDICATIVE					SUBJUNCTIVE		IMPERATIVE
	Present	Imperfect	Preterite	Future	Conditional	Present	Imperfect	
pensar (ie) pensando pensado	pienso piensas piensa pensamos pensáis piensan	pensaba pensabas pensaba pensábamos pensabais pensaban	pensé pensaste pensó pensamos pensasteis pensaron	pensaré pensarás pensará pensaremos pensaréis pensarán	pensaría pensarías pensaría pensaríamos pensaríais pensarían	piense pienses piense pensemos penséis piensen	pensara pensaras pensara pensáramos pensarais pensaran	piensa tú, no pienses piense Ud. pensemos piensen
volver (ue) volviendo vuelto	vuelvo vuelves vuelve volvemos volvéis vuelven	volvía volvías volvía volvíamos volvíais volvían	volví volviste volvió volvimos volvisteis volvieron	volveré volverás volverá volveremos volveréis volverán	volvería volverías volvería volveríamos volveríais volverían	vuelva vuelvas vuelva volvamos volváis vuelvan	volviera volvieras volviera volviéramos volvierais volvieran	vuelve tú, no vuelvas vuelva Ud. volvamos vuelvan
dormir (ue, u) durmiendo dormido	duermo duermes duerme dormimos dormís duermen	dormía dormías dormía dormíamos dormíais dormían	dormí dormiste durmió dormimos dormisteis durmieron	dormiré dormirás dormirá dormiremos dormiréis dormirán	dormiría dormirías dormiría dormiríamos dormiríais dormirían	duerma duermas duerma durmamos durmáis duerman	durmiera durmieras durmiera durmiéramos durmierais durmieran	duerme tú, no duermas duerma Ud. durmamos duerman
sentir (ie, i) sintiendo sentido	siento sientes siente sentimos sentís sienten	sentía sentías sentía sentíamos sentíais sentían	sentí sentiste sintió sentimos sentisteis sintieron	sentiré sentirás sentirá sentiremos sentiréis sentirán	sentiría sentirías sentiría sentiríamos sentiríais sentirían	sienta sientas sienta sintamos sintáis sientan	sintiera sintieras sintiera sintiéramos sintierais sintieran	siente tú, no sientas sienta Ud. sintamos sientan

D. Stem-Changing and Spelling-Change Verbs (continued)

Infinitive Present participle Past participle	INDICATIVE					SUBJUNCTIVE		IMPERATIVE
	Present	Imperfect	Preterite	Future	Conditional	Present	Imperfect	
pedir (i, i) pidiendo pedido	pido pides pide pedimos pedís piden	pedía pedías pedía pedíamos pedíais pedían	pedí pediste pidió pedimos pedisteis pidieron	pediré pedirás pedirá pediremos pediréis pedirán	pediría pedirías pediría pediríamos pediríais pedirían	pida pidas pida pidamos pidáis pidan	pidiera pidieras pidiera pidiéramos pidierais pidieran	pide tú, no pidas pida Ud. pidamos pidan
reír (i, i) riendo reído	río ríes ríe reímos reís ríen	reía reías reía reíamos reíais reían	reí reíste rio reímos reísteis rieron	reiré reirás reirá reiremos reiréis reirán	reiría reirías reiría reiríamos reiríais reirían	ría rías ría riamos riáis rían	riera rieras riera riéramos rierais rieran	ríe tú, no rías ría Ud. riamos rían
seguir (i, i) (g) siguiendo seguido	sigo sigues sigue seguimos seguís siguen	seguía seguías seguía seguíamos seguíais seguían	seguí seguiste siguió seguimos seguisteis siguieron	seguiré seguirás seguirá seguiremos seguiréis seguirán	seguiría seguirías seguiría seguiríamos seguiríais seguirían	siga sigas siga sigamos sigáis sigan	siguiera siguieras siguiera siguiéramos siguierais siguieran	sigue tú, no sigas siga Ud. sigamos sigan
construir (y) construyendo construido	construyo construyes construye construimos construís construyen	construía construías construía construíamos construíais construían	construí construiste construyó construimos construisteis construyeron	construiré construirás construirá construiremos construiréis construirán	construiría construirías construiría construiríamos construiríais construirían	construya construyas construya construyamos construyáis construyan	construyera construyeras construyera construyéramos construyerais construyeran	construye tú, no construyas construya Ud. construyamos construyan
producir (zc) produciendo producido	produzco produces produce producimos producís	producía producías producía producíamos producíais	produje produjiste produjo produjimos produjisteis	produciré producirás producirá produciremos produciréis	produciría producirías produciría produciríamos produciríais	produzca produzcas produzca produzcamos produzcáis	produjera produjeras produjera produjéramos produjerais	produce tú, no produzcas produzca Ud. produzcamos produzcan

Index

This index has three sections: Grammar, Culture, **Estrategias**, and a very short Vocabulary section. Page references followed by "n" refer to notes and notes sections.

Grammar

A

a
  personal **a**, 49, 206
  prepositional **a** phrase, with **gustar**, 59
accent marks, with commands, 150
accent marks. *See* Appendix II
accidental **se**, 113–114, 342
actual and **real**, 213
adjective clauses, 205–206
  in imperfect subjunctive, 283
  in pluperfect subjunctive, 313
  in present perfect subjunctive, 254
adjectives
  change in meaning with **ser** or **estar**, 20
  in comparisons, 24–25
  past participles as, 122
  special comparative forms, 25
  uses with **estar**, 19
  uses with **ser**, 18
adverbial clauses, 230–233
  in imperfect subjunctive, 283
  in pluperfect subjunctive, 313
  in present perfect subjunctive, 254
adverbial conjunctions, 230–233
adverbs, 230–233
affirmative phrases, 200
ago, expressing, 81
agreement, of past participles, 122
algo, 200
alguien, 200, 205
algún, alguno/a(as), 200
antecdents, 205
apoyar, 241
-ar verbs. *See individual verbs*; regular verbs
to ask, 327
aún (no), 118

B

be: to be, 18–21
beber, imperfect subjunctive, 282 *(table)*
becoming, 56–57
but, expressing, 67

C

caer
  preterite, 79 *(table) See also* Appendix III

cantar
  imperfect, 84 *(table)*
  present indicative, 11 *(table)*
  present subjunctive, 144 *(table)*
  preterite, 79 *(table)*
clauses, main and subordinate, 143
comer. *See* Appendix III
commands, 149–150 *(table)*
  indirect, 346
  object pronouns with, 51
  with present subjunctive, 346
  softened requests, 150, 284n, 290
como, a causa de, porque, 131
como si
  in imperfect subjunctive, 284
  in pluperfect subjunctive, 313
comparisons, 24–25
  superlatives, 25
conditional, 288–290 *(table)*
  conditional perfect, 317
  expressing probability in the past, 290, 294
conditional perfect tense, 317
conjugation. *See individual verbs*
conjunctions, 230–233 *(table)*
  manner, 232–233
  SACAPESA memory aid, 231
  time, 232
conocer
  imperfect versus preterite, 89 *(table)*
  present indicative, 13 *(table)*
  present subjunctive, 144 *(table)*
  saber versus, 35
construir
  preterite, 79 *(table) See also* Appendix III
contar, present indicative, 12 *(table)*
convertirse en, 57
correr
  imperfect, 84 *(table)*
  present indicative, 11 *(table)*
  present subjunctive, 144 *(table)*
  preterite, 79 *(table)*
courtesy expressions, 284n, 347
crear, future, 226 *(table)*
creer (que)
  no creer versus, 173
  pensar (que/de/sobre) versus, 159
cual
  el/la/los/las cual(es), 257, 258
  lo cual, 257, 259
cuento, cuenta, historia, 99
cuyo/a(s), 257, 259

D

daily routines, 55
dar, 80 *(table) See also* Appendix III
de, comparisons with, 25
de used with **ser**, 18
deber, uses, 150
decidir
    imperfect, 84 *(table)*
    present indicative, 11 *(table)*
    present subjunctive, 144 *(table)*
    preterite, 79 *(table)*
decir
    conditional, 288 *(table)*
    future, 226 *(table)*
    preterite, 80 *(table)*
    uses, 145–146 *See also* Appendix III
defender, conditional, 288 *(table)*
dejar, 269
destacar, conditional, 288 *(table)*
dipthongs. *See* Appendix II
direct object pronouns, 49, 49 *(table)*
    with indirect object pronouns, 51
direct objects, in **se** constructions, 177
divertir, present subjunctive, 144 *(table)*
donde, 259
double negatives, 200
double object pronouns, 51
    position of, 150

E

el/la/los/las cual(es), 257, 258
el/la/los/las que, 257, 258
empezar
    present subjunctive, 144 *(table)*
    preterite, 79 *(table)*
-er verbs. *See individual verbs*; regular verbs
estar
    with past participle used as an adjective, 122
    present indicative, 13 *(table)*
    preterite, 80 *(table)*
    in progressive tenses, 14
    ser versus, 20
    uses, 19–20 *See also* Appendix III

F

future
    future perfect, 227 *(table)*
    meaning expressed with present tense, 14
    in the past (using conditional), 290
future perfect tense, 227 *(table)*
future tense, 226–227 *(table)*

G

get/become + adjective, 56–57
to go, to leave, 269
good wishes, expressing, 346
gustar, 59
    and verbs like it, 60

H

haber
    conditional, 288 *(table)*
    in conditional perfect, 317 *(table)*
    to express existence, 21
    future, 226 *(table)*
    in future perfect, 227 *(table)*
    in imperfect subjunctive, 282 *(table)*
    in pluperfect, 121 *(table)*
    in pluperfect subjunctive, 313 *(table)*
    in present perfect, 117 *(table)*
    in present perfect subjunctive, 254 *(table)*
    present subjunctive, 144 *See also* Appendix III
hace... que, 81
hacer
    conditional, 288 *(table)*
    to express weather conditions, 21
    future, 226 *(table)*
    present indicative, 13 *(table) See also* Appendix III
hacerse, 57
hay, 21
    haya habido, 254
historia, cuento, cuenta, 99
historical present, 14
hora, tiempo, vez, 301
hypothetical situations
    conditional, 289
    si with, 14 *See also* **si** clauses; subjunctive mood

I

imperative. *See* commands
imperfect, 84–85 *(table)*
    combined with the preterite, 88–89
imperfect progressive tense, 85
imperfect subjunctive, 282–284 *(table)*
    in a **si-** clause, 289
    alternate form, 282, 313
    uses, 283–284, 284n
impersonal expressions, expressing *they*, 177, 178
impersonal expressions with **ser**, 19
impersonal **se**, 177–178, 342
    uses, 178
indefinite words and phrases, 200, 205–206
independent (main) clauses
    with subjunctive, 346–347
    subordinate clauses and, 143
indicative mood, 79
    conditional, 288
    future, 226–227
    perfect conditional, 317
    present indicative, 11–14 *(table)*
    subjunctive compared, 143 in adjectival clauses, 205 *(table)*
        See also individual tenses; mood
indirect object pronouns, 50–51
    accidental **se**, 113–114
    commands with, 150
    with "false" **se**, 178
    with **gustar**, 59
    position with direct object pronoun, 150

indirect objects, indirect object pronouns, 50 *(table)*
infinitives, object pronouns with, 51
information, verbs expressing, 173
insistir, 145
invadir, conditional, 288 *(table)*
invertir, future, 226 *(table)*
ir
    imperfect, 84 *(table)*
    present indicative, 13 *(table)*
    present subjunctive, 144 *(table)*
    preterite, 80 *(table)*
    uses, 269, 355 *See also* Appendix III
ir a + infinitive, 13, 14
-ir verbs. *See individual verbs*; regular verbs
irregular verbs
    conditional, 288 *(table)*
    future, 226 *(table)*
    imperfect, 84 *(table)*
    present indicative, 13 *(table)*
    present subjunctive, 144 *(table)*
    preterite, 80 *(table) See also* Appendix III; *individual verbs*

J

jamás, 200
jugar, present indicative, 12n

L

leave-taking, expressing, 346
leer, preterite, 79 *(table)*
likes and dislikes, expressing, 59–60, 62
llegar, present subjunctive, 144 *(table)*
llevar, uses, 355
lo, 49
lo cual, 257, 259
lo que, 257, 259

M

manner, conjunctions of, 232–233
mantener, sostener, 241
más/menos, 24, 25
mood, 143 *See also* indicative mood; subjunctive mood
morir
    present indicative, 12 *(table)*
    present subjunctive, 144 *(table)*
    preterite, 80 *(table)*
mucho/a, 21

N

nada, 200
nadie, 200
negation
    with commands, 150
    object pronoun use with, 51
    relative pronouns with, 205
negative words, 200
ni... (ni), 201
ningún/ninguno/a(s), 200
no in double negatives, 200, 201

nominal clauses, 143, 145
    expressing emotion and doubt, 172, 173
    in present perfect subjunctive, 254
    summary of types of, 173 *See also* noun clauses
nosotros commands, 149
noun clauses
    defined, 145
    in imperfect subjunctive, 283
    and in pluperfect subjunctive, 313
nouns, comparing, 24, 25
nunca, 200

O

o (...o), 201
objects, *See also* direct object pronouns; indirect object
        pronouns
oír
    present subjunctive, 144 *(table) See also* Appendix III
ojalá (que), 172
    in imperfect subjunctive, 284n
    with imperfect subjunctive, 284n
    with pluperfect subjunctive, 314
    with present subjunctive, 286
    summary of uses, 314

P

pagar
    imperfect subjunctive, 282 *(table)*
    preterite, 79 *(table)*
para, 19
participles. *See* past participles; present participles
partir, 269
passive voice, 19, 340–341
    past participle as adjective, 122
past participles, 313 *(table)*
    as adjectives, 122
    with **estar**, 20
    in passive voice, 19
    in present perfect, 117
past perfect, 121
past perfect. *See* pluperfect
past tenses. *See* imperfect; pluperfect; present perfect;
        preterite
pedir
    present indicative, 12 *(table)*
    present subjunctive, 144 *(table)*
    preterite, 80 *(table)*
    uses, 327 *See also* Appendix III
pensar
    creer (que) versus, 159
    no pensar versus, 173
    present subjunctive, 144 *(table) See also* Appendix III
perfect tenses. *See* Appendix III; *individual tenses*
pero, sino, sino que, 67
personal **a**, 49, 206
pluperfect (indicative), 121
pluperfect subjunctive, 313–314
pluscuamperfecto. *See* imperfect subjunctive; pluperfect
    (indicative)

poder
  conditional, 288 *(table)*
  future, 226 *(table)*
  imperfect subjunctive, 282
  imperfect versus preterite, 89 *(table)*
  and **no poder**, 89 *(table)*
  present indicative, 12 *(table)*
  preterite, 80 *(table)*
  uses, 150 *See also* Appendix III
poner
  conditional, 288 *(table)*
  future, 226 *(table)*
  present indicative, 13 *(table)*
  preterite, 80 *(table) See also* Appendix III
ponerse, 57
por and **para**, 187
por favor, 150
porque, 230–231
porque, como, a causa de, 131
preferir
  present indicative, 12 *(table)*
  preterite, 80 *(table)*
preguntar, verbs based on, 327
prepositions
  por and **para**, 187
  position of, 259
present indicative, 11–14 *(table)*
  adverbial conjunctions with, 230–233
  expressing future actions, 227n
  subjunctive compared, 143, 173
  uses, 14
present participles, 14
present perfect (indicative), 117
present perfect subjunctive, 254
present progressive, 14
present subjunctive
  adverbial conjunctions with, 231–232
  expressing future meaning, 227n
  with independent clauses, 346–347
  indicative compared, 143, 173
  uses, 145–146, 227n
preterite, 79–81 *(table)*
  combined with the imperfect, 88–89 *(table)*
  uses, 81
progressive tenses, 14
pronouns
  alguno, 200, 201
  ninguno, 200, 201
  relative pronouns, 205–206, 257–260 *(table)*
  subject pronouns, 11, 11 *(table) See also* **se**
proteger, future, 226 *(table)*

Q

que, 205, 257
  el/la/los/las cual(es), 258
  lo que, 259
  uses, 145, 146, 257, 260n
querer
  imperfect subjunctive, 282
  imperfect versus preterite, 89 *(table)*
  and **no querer**, 89 *(table)*

  present indicative, 12 *(table)*
  preterite, 80 *(table) See also* Appendix III
questions
  as alternatives to command forms, 150
  information questions with **gustar**, 59
quien(es), 257, 258 + imperfect subjunctive, 347
quizá(s), 347

R

real/realidad and **actual**, 213
reciprocal pronouns, 55
reciprocal verbs, use of **se**, 178, 342
reflexive pronouns, 55–57 *(table)*
reflexive verbs, 55, 178
  accidental **se**, 113–114
  changing in meaning, 56
  use of **se**, 178, 342
regular verbs
  commands, 149 *(table)*
  conditional, 288 *(table)*
  definition, 11
  future, 226–227 *(table)*
  imperfect, 84 *(table)*
  imperfect subjunctive, 282 *(table)*
  present indicative, 11 *(table)*
  present subjunctive, 143 *(table)*
  preterite, 79 *(table)*, 81 *See also* Appendix III; *individual verbs*
relative clauses. *See* adjective clauses
relative pronouns, 205–206, 257–260 *(table)*
reported speech, 121

S

saber
  conditional, 288 *(table)*
  conocer versus, 35
  future, 226 *(table)*
  imperfect versus preterite, 89 *(table)*
  present indicative, 13 *(table)*
  present subjunctive, 144 *(table)*
  preterite, 80 *(table) See also* Appendix III
SACAPESA memory aid, 231
sacar
  present subjunctive, 144 *(table)*
  preterite, 79 *(table)*
salir
  conditional, 288 *(table)*
  future, 226 *(table)*
  present subjunctive, 144 *(table)*
  uses, 269 *See also* Appendix III
se, 340–342
  accidental, 178
  accidental **se**, 113–114, 342
  "false," 178, 342
  with human objects, 178
  impersonal **se**, 177–178, 178, 342
  le use versus, 178
  passive, 178
  se construction instead of passive, 341
ser
  estar versus, 20

imperfect, 84 *(table)*
passive voice with, 340–341
with past participle used an adjective, 122
present indicative, 13 *(table)*
present subjunctive, 144 *(table)*
preterite, 80 *(table)*
uses, 18–19 *See also* Appendix III
si clauses
with conditional perfect, 317
with hypothetical situations, 14
in the past, 313
present indicative versus imperfect indicative,
    289, 289n
siempre, 200
soportar, apoyar, 241
sostener, apoyar, 241
spelling-change verbs
commands, 150
present subjunctive, 144 *(table)*
preterite, 79 *(table) See also* Appendix III
stem-changing verbs
definition, 12
present indicative, 12 *(table)*
present subjunctive, 144 *(table)*
preterite, 80 *(table) See also* Appendix III
subject pronouns, 11, 11 *(table)*, 12 *(table)*
subjunctive mood, 143, 230–233
in adjective clauses, 205 *(table)*
expressing emotion or doubt, 172
imperfect subjunctive, 282–284 *(table)*
present perfect subjunctive, 254 *See also* imperfect
    subjunctive; pluperfect subjunctive; present perfect
    subjunctive; present subjunctive
superlatives, 25
to support, expressing, 241

T

tal vez, 347
también, 201
tampoco, 201
tan(to) + como, 24
tener
conditional, 288 *(table)*
future, 226 *(table)*
idioms with, 21
present indicative, 13 *(table)*
preterite, 80 *(table) See also* Appendix III
to think, 159
tiempo, hora, rato, 301
time, expressions with **ser**, 18
time, expressing, 301
todavía (no), 118
todo el mundo, 200
traer
preterite, 80 *(table)*
uses, 355 *See also* Appendix III

U

usted verus **tú**, 11
commands, 149

V

vamos a..., 149
varios/as, 201
venir
conditional, 288 *(table)*
future, 226 *(table)*
preterite, 80 *(table)*
uses, 355 *See also* Appendix III
ver
imperfect, 84 *(table)*
present indicative, 13 *(table) See also* Appendix III
verbs
of doubt, 173
of emotion, 173
expressing changes, 57
of influence, 145–146
nonconjugated forms, 117
requiring indirect objects, 50 *See also* Appendix III;
    individual verbs; irregular verbs; mood; reciprocal
    verbs; reflexive verbs; regular verbs; spelling-change
    verbs; stem-changing verbs
vez, hora, tiempo, 301
vivir
imperfect subjunctive, 282 *(table) See also* Appendix III
voice. *See* passive voice
volver(se), 57 *See also* Appendix III
vos, 11n
commands, 149
vosotros, 11n
commands, 149

W

weather conditions, 21
wishes, 284n, 347
wishes, expressing, 284n
word order
accidental **se**, 114
with **gustar**, 59
with object pronouns, 51
of **se**, 177
would, 290
written accent marks. *See* Appendix III

Y

ya (no), 118
yet/already, 118

Culture

A

Alarcón, Francisco X., 349
Allende, Isabel, 204, 322–324
Amazon, 237
Argentina, 321
Arias Sánchez, Óscar, 340
artists
    Arellano, *Imagen de la Virgen de Guadalupe*, 255
    Blanco Aroche, Pedro, *Romance guajiro*, 15

Botero, Fernando, *La familia*, 76
Colson, *Merengue*, 169
De la Torre, *Serpientes y escaleras*, 63
Escuela Primaria Rebelde Autónoma Zapatista, 256
Goya, Francisco de, *La familia de Carlos IV*, 76
Kahlo, Frida and Diego Rivera, 26
López, *Retrato de la artista como la Virgin de Guadalupe*, 255
Lucero, *Paredes hablando, Walls that speak*, 264
Velásquez, *Las meninas*, 23
Viteri, *Ojo de luz*, 344
Aztlán legend, 286

B

Bachelet, Michelle, 252
beauty standards, 4
Benedetti, Mario, 95
bilingualism, 125, 192 *See also* immigrant life; languages
Bolivia, 237
border crossings, 332, 349
Brazil, 237
buildings, 306
bullying, 245, 247

C

carnaval, 182
«El celular de Hansel y Gretel» (Hernán Casciari), 154–157
Chicano movement, 264
Chile, 321, 322–324
    technology innovators, 153
city life, 225, 320–321
"Cleopatra," 95–97
Colombia, 217, 237, 305, 307, 321
colonial life, 306
colonial missions in U.S., 306
Cruz, Sor Juana Inés de la, 319
Cuba, 209–211
cuisine, in Mexico, 183–185

D

Día de la Raza, 206
digital gap, 136
domestic violence, 246
Dominican Republic, 313, 320
Don Quijote, 16
Dreamers, 350–353

E

ecology, 218, 225, 237
economic development, 237
Ecuador, 237, 343
emoticons, 174
En pantalla
    «El arca de María: Salvando las tortugas del río», 217, 219
    «Camión de carga», 331, 333
    «Clara como el agua», 3
    «Gobierno de Uruguay inicia entrega de *tablets* a adultos
        mayores», 135, 137
    «Libre directo», 163, 165
    «Medellín, ciudad para invertir y vivir», 305, 307
    «Profesiones del futuro», 103, 105
    «Salomón», 191, 193
    «Sandra Cauffman científica de la NASA visita la UCR», 39, 41
    «El sándwich de Mariana», 245, 247
    «Sopa de pescado», 71, 73
    «Vasija de barro», 273, 275
endearments, 10
environment, 218
equal rights, 251, 252–253
El espejo enterrado (Fuentes), 274
ethnicity, 28, 238–239, 274

F

family life and relationships, 10, 72, 78, 93
family names, 78
Fernández de Kirchner, Cristina, 253
Fuentes, Carlos, 198, 274
Fuertes, Gloria, 64–66

G

Galeano, Eduardo, 246
García Márquez, Gabriel, 83
Guatemala, 238–239, 298–299
Guayana, 237

H

Hispanic community, breakdown, 36
Hollywood, 31–32, 34, 36

I

identity, 265–268
immigrant life
    Cuban Americans, 209–211
    intergenerational, 209–211
    languages spoken, 192
immigration, 296–297
    to Spanish-speaking countries, 208
indigenous peoples and cultures, 28, 274, 295, 297
    Guatemala, 238–239, 298–299
    linguistic influences, 280
    maps, 276, 280
    pre-Columbian science and technology, 142
    religious texts, 283n
    Spain, 293

J

job opportunities, 125
Juana Banana, 4

K

King, Martin Luther, Jr., 251

L

languages, 29, 94, 192, 199, 280–281
    maps, 29

Latin America. *See also* indigenous peoples and cultures; *individual countries*
   climate change, 218, 224
   cultural contact, 298–299
   ecology, 237
   economy, 237
   entrepreneurs and innovators, 153
   ethnicity, 274
   history, 320–321
   immigration to, 208
   maps, 170, 237, 276, 280
   megalopolises, 225
   musical life, 170–171
   pre-Columbian civilization, 142 *See also* indigenous peoples and cultures
   religious identification, 63
   technology, 142, 153
   university system, 48
   work (fringe benefits), 112
Latin talent
   Hollywood view of, 31–32
   television, 33
latino/hispano, 28
Laviera, Tato, 265–266
Little Red Riding Hood, 82, 90
La Llorona, 91
López, Jennifer, 204

M

machismo, 252–253
Machu Picchu, 287, 290
maps
   Amazon, 237
   Central America, 276
   indigenous peoples and cultures, 276, 280
   Latin America, 237, 280
   linguistic map of Spain, 199
   Mesoamerica, 276
   music in Latin America, 170–171
   Spanish- and/or Portuguese-speaking countries, 29
   Spanish speakers in the world, 29, 198
   U.S.-Mexico historical, 339
Subcomandante Marcos, 256
Mars, Bruno, 204
mealtimes, 72
Médicos sin Fronteras, 261
Menchú, Rigoberta, 238, 238–239, 257, 273
Mendoza y Cortés, Quirino, 164
Mesoamerica, 276, 283n
mestizaje, 295
Mexico, 164, 297, 320, 321
   Catedral de México, 311
   maps of U.S.-Mexico border, 339
   Mexico City, 225
   Plaza de las Tres Culturas, 279
Millennials, 127–129
Mirabal sisters, 246
Monterroso, Augusto, 298–299
mural in Chicago, 110
music in Latin America, 164, 170–171

N

National University of Córdoba, 46
nationalities shown on *map*, 29
Nazca lines, 142
nuyorican, 265–268

O

occupational structure, 125

P

Panama, 321
Pérez-Firmat, Gustavo, 209–211
Peru, 237, 290, 320
politics, 246
Popul Vuh (fragmento), 283n
population and birth rates, 93
public libraries, 40
Puerto Rico, 3, 4

Q

quipu system, 142

R

race. *See* ethnicity
refranes (sayings), 135, 258, 263, 347
relationships. *See* family life and relationships
religion, 63, 283n, 293

S

Santana, Carlos, 204
science and technology, 136, 142, 153
scientists and space exploration, 41
social life in public spaces, 312
Sopa de frijoles negros (recipe), 180
Sotomayor, Sonia, 253
Spain, 136, 199
   history, 293, 295–297
   immigration, 208
   religious identification, 63
Spanish language, 199, 280
   maps, 29, 198
Surinam, 237
sustainable development, 237

T

technology and science, 136, 142, 153
technology innovators, 153

U

Unamuno, Miguel de, 198
United States, 208, 264, 265–266, 350–353
   Hispanic households, 93–94 *See also* immigrant life; immigration
universities, 48
urban life, 225

U.S.-Mexico border, 332, 338–339
Uslar Pietri, Arturo, 295

V

Vega, Garcilaso de la, 296
Venezuela, 237

W

water shortages, 218
women, in politics, 252–253
work life, 104, 125, 127–129
   fringe benefits, 112

Estrategias

cultural references, 183
essay purpose and sources, 127
getting readers' attention, 155
irony, use of, 298
legal and political terminology, 351
literal and figurative language, 65
main and supporting ideas, 30
narrative voice, 323
parts of a short story, 95
personifying, 266
plays on words, 209
repetition, 239

Vocabulary

architecture, 309
art and urbanism, 309
city life, 308
city life and urban services, 225

communication, 137, 139
compliments, 7
computers, 138–140
connecting expressions, 309, 335
cultural references, 183
economics and development, 221
environment, 219, 220–221, 238–239
family life and relationships, 73, 74–75, 238
food and meals, 181, 183–185
government and democracy, 335
historical terms, 277
holidays, 74–75
identity, 193–195
immigrant life, 209–211
immigration, 350
individuals, 248
insults, 7, 10
international affairs, 334
legal and political terminology, 350
leisure, 165–167
media, 139
movies, 30, 31–32, 269
national identity, 194
opinions, expressing, 247, 249
parts of a building, 309
personality traits, 7
physical traits, 6
politics, 42
pre-Columbian America, 276, 277
quality of life, 166
religion, 42
social issues, 248–249
social relationships, 43
table settings, 167
new technologies, 137, 138
university life, 43–44
university majors, 44
work life, 104, 105–108, 126